Im Knaur Taschenbuch Verlag sind bereits
folgende Bücher von Karen Rose erschienen:
Todesschrei
Todesbräute
Eiskalt ist die Zärtlichkeit
Das Lächeln deines Mörders
Des Todes liebste Beute
Der Rache süßer Klang
Heiß glüht mein Hass
Nie wirst du entkommen
Feuer
Todesstoß

Außerdem als Hardcover erhältlich im Knaur Verlag:
Todesstoß
Todesherz

Über die Autorin:
Karen Rose studierte an der Universität von Maryland. Ihre hoch-
spannenden Thriller sind preisgekrönte internationale Topseller, die
in zahlreiche Sprachen übersetzt worden sind. Auch in Deutsch-
land feierte die Autorin große Erfolge. Ihre Trilogie »Todesschrei«,
»Todesbräute«, »Todesspiele« stand monatelang unter den Top 20
auf der Spiegel-Bestsellerliste. Die Autorin lebt mit ihrem Mann und
ihren beiden Kindern im US-Bundesstaat Florida.
Mehr Infos über Karen Rose und ihre Romane finden Sie auf ihrer
Website: www.karenrosebooks.com

# Karen Rose

# *Todesspiele*

## Thriller

Aus dem Amerikanischen
von Kerstin Winter

Knaur Taschenbuch Verlag

Die amerikanische Originalausgabe erschien 2009
unter dem Titel »Kill for me« bei Grand Central Publishing,
a division of Hachette Book Group USA, Inc., New York

**Besuchen Sie uns im Internet:**
**www.knaur.de**

FSC
www.fsc.org
MIX
Papier aus ver-
antwortungsvollen
Quellen
FSC® C083411

Vollständige Taschenbuchausgabe Mai 2011
Knaur Taschenbuch.
Ein Unternehmen der Droemerschen Verlagsanstalt
Th. Knaur Nachf. GmbH & Co. KG, München
Copyright © 2009 by Karen Rose Hafer
Copyright © 2010 für die deutschsprachige Ausgabe bei Droemersche
Verlagsanstalt Th. Knaur Nachf. GmbH & Co. KG, München
This edition published by arrangement with Grand Central Publishing,
New York, NY, USA. All rights reserved.
Redaktion: Antje Nissen
Umschlaggestaltung: ZERO Werbeagentur, München
Umschlagabbildung: FinePic®, München
Satz: Adobe InDesign im Verlag
Druck und Bindung: CPI – Clausen & Bosse, Leck
Printed in Germany
ISBN 978-3-426-50299-0

4  6  7  5  3

*Für Martin, weil du auch dann an mich glaubst,*
*wenn ich es nicht tue.*
*Für Sarah, die trotz aller Hürden*
*ihre Träume verwirklicht. Du inspirierst mich.*

# Prolog

Monica Cassidy spürte ein nervöses Flattern in der Magengrube. *Heute würde es geschehen.* Sie war sechzehn Jahre alt, und sie hatte lange darauf gewartet. Aber heute hatte das Warten ein Ende. Heute würde aus ihr eine Frau werden. Endlich. Und – ja, es war an der Zeit!

Sie bemerkte, dass sie nervös ihre Finger knetete, und zwang sich, damit aufzuhören. *Beruhige dich, Monica. Es gibt keinen Grund, nervös zu sein. Das ist doch etwas, na ja, Natürliches.* Alle ihre Freundinnen hatten es schon getan. Manche sogar mehrere Male.

*Und heute bin ich dran.*

Monica setzte sich auf das Hotelbett und strich ein paar Erdkrumen von der Key-Card, die genau dort versteckt gewesen war, wo Jason es gesagt hatte. Sie schauderte erwartungsvoll, und ihre Lippen umspielte ein kleines Lächeln. Sie hatte ihn in einem Chatroom kennengelernt, und es hatte sofort zwischen ihnen gefunkt. Nun würde sie ihn endlich persönlich kennenlernen. *Körperlich.*

Er wollte ihr einiges beibringen, das hatte er ihr versprochen. Er war schon auf dem College, also viel erfahrener als die linkischen Jungs, die im Gedränge auf den Schulfluren ständig nach Mädchen grapschten.

Endlich würde sie wie eine Erwachsene behandelt werden. Ganz anders, als ihre Mom sie behandelte. Monica verdrehte

7

die Augen. Wenn es nach ihrer Mutter ginge, wäre sie mit vierzig noch Jungfrau. *Aber zum Glück bin ich schlauer.*

Sie grinste in sich hinein, als sie daran dachte, wie gründlich sie heute Morgen ihre Spuren verwischt hatte. Sie hatte so gut wie niemandem gesagt, wohin sie wollte. Und so würde Monica gänzlich befriedigt nach Hause zurückkehren, noch bevor ihre Mutter von der Arbeit heimkam.

*Wie war dein Tag, Liebes?*, würde Mom fragen, und sie würde antworten: *Wie immer, ganz okay.* Und sie würde sich wieder mit ihm treffen, sobald es ging. Denn sie war sechzehn Jahre alt, verdammt noch mal, und niemand würde ihr mehr sagen, was sie zu tun und zu lassen hatte.

Eine melodische Tonfolge erklang, und Monica wühlte hektisch in ihrer Tasche nach dem Handy. Sie sog scharf die Luft ein. Eine Nachricht von ihm.

*Bist du da?*, las sie.

Ihr Daumen zitterte, als sie die Antwort eingab. »Warte auf dich. Wo bist du?«, murmelte sie.

*Meine Alten nerven. Komme ASAP. ILD*, antwortete er. Wieder verdrehte sie die Augen. Seine Eltern wollten ihn nicht aus dem Haus lassen. Und das, obwohl er schon auf dem College war! Aber er würde bald kommen. Sie lächelte. *Er liebt mich.* Ja, er war all die Mühe wert.

*ILDA, Ich liebe dich auch*, sandte sie zurück und klappte das Telefon zu. Es war ein altes Handy, das nicht einmal eine Kamera hatte. Sie war die Einzige in ihrer Clique, mit deren verdammtem Handy man keine Fotos machen konnte. Oh, ihre Mom hatte eins mit Kamera – aber sie? *Du kriegst ein neues Handy, wenn deine Noten besser werden.*

Monica verzog höhnisch die Lippen. *Wenn du wüsstest, wo ich gerade bin, dann würdest du nicht mehr so reden.* Plötzlich wurde sie unruhig und stand auf. »Immer behandelst du mich wie ein Kleinkind«, murmelte sie, nahm ihre Handtasche und ging zum Spiegel über der Kommode. Sie sah gut aus, jedes Haar saß an seinem Platz. Ja, heute sah sie besonders hübsch aus. Und hübsch wollte sie für ihn sein.

Nein – heute wollte sie *scharf* sein. Monica wühlte in ihrem Täschchen und holte die Kondome heraus, die sie aus dem Vorrat ihrer Mutter entwendet hatte, den diese ohnehin nie benutzte. Das Verfallsdatum war jedoch noch nicht überschritten, also mussten sie noch zu gebrauchen sein. Sie sah auf die Uhr.

Wo blieb er bloß? Sie würde zu spät nach Hause kommen, wenn er nicht bald eintraf.

Die Tür öffnete sich knarrend, und Monica wandte sich mit dem raubtierhaften Lächeln um, das sie vor dem Spiegel geprobt hatte. »Endlich. Hi.« Doch dann erstarrte sie. »Sie sind nicht Jason.«

Es war ein Polizist. »Nein, bin ich nicht«, sagte er und schüttelte den Kopf. »Bist du Monica?«

Monica hob das Kinn. Ihr Herz hämmerte. »Geht Sie das etwas an?«

»Du hast verdammtes Glück, Mädchen. Ich bin Deputy Mansfield. Wir suchen deinen ›Freund‹ Jason seit Wochen. Er ist in Wirklichkeit ein neunundfünfzigjähriger Perverser.«

Monica schüttelte den Kopf. »Das glaube ich Ihnen nicht.« Sie stürzte zur Tür. »Jason! Hau ab. Hier sind Bullen!«

Er packte sie an der Schulter. »Wir haben ihn bereits verhaftet.«

Wieder schüttelte Monica den Kopf, diesmal jedoch verwirrt. »Aber er hat mir doch gerade eine SMS geschickt.«

»Das war ich. Ich habe sein Telefon benutzt, weil ich mich

9

vergewissern wollte, dass du hier bist und dass es dir gutgeht.«
Seine Miene wurde sanft. »Monica, du hast wirklich Glück ge-
habt. Da draußen tummeln sich verflucht viele Betrüger und
Verbrecher, die nur auf junge Mädchen wie dich warten.«
»Er hat gesagt, er sei neunzehn und ginge aufs College.«
Der Deputy zuckte mit den Schultern. »Er hat dich angelogen.
Komm – hol deine Sachen. Ich bringe dich nach Hause.«
Sie schloss die Augen. Wie oft hatte sie Reportagen über sol-
che Fälle im Fernsehen gesehen? Und wie oft hatte sie sich
von ihrer Mutter die typischen Ermahnungen anhören müssen? »Siehst du? Überall Perverse.« Monica seufzte. Das
konnte doch nicht wahr sein, oder? »Meine Mutter bringt
mich um.«
»Besser sie als der Kinderschänder«, sagte er. »Er hat bereits
getötet.«
Monica spürte, wie ihr das Blut aus dem Gesicht wich. »Ernst-
haft?«
»Mindestens zweimal. Na, komm. So schlimm wird es schon
nicht werden. Mütter meinen es häufig nicht so ernst.«
»Haben Sie eine Ahnung«, brummte sie und nahm ihre Tasche.
*Ich bin erledigt.* Ihre Mutter war immer schon extrem streng
gewesen, und jetzt würde sie sie wahrscheinlich einsperren.
Für immer und ewig. »O Gott«, stöhnte sie. »Das kann doch
alles nicht wahr sein.«
Sie folgte dem Deputy zu einem Zivilwagen und sah die
Leuchten des Armaturenbretts, als er die Beifahrertür öffnete.
»Steig ein und schnall dich an«, forderte er sie auf.
Sie gehorchte. »Sie können mich doch einfach nur zur Bushal-
testelle fahren. Meine Mom muss ja nichts erfahren.«
Er warf ihr einen amüsierten Blick zu, bevor er die Tür zu-
warf. Dann setzte er sich hinters Steuer, griff nach hinten und

holte eine Flasche Wasser von der Rückbank. »Hier. Und nun entspann dich. Was wird dir deine Mutter denn schon Schlimmes antun?«

»Mich umbringen zum Beispiel«, murmelte Monica, schraubte den Verschluss ab und trank gut ein Drittel der Flasche aus. Ihr war nicht bewusst gewesen, wie durstig sie war. *Und hungrig*, dachte sie, als ihr Magen zu knurren begann. »Sagen Sie, können Sie an der Ausfahrt bei McDonald's halten? Ich habe heute noch nichts gegessen. Das zahle ich selbst.«

»Klar, kein Problem.« Er startete den Motor und fuhr auf den Highway, der zur Interstate führte. In wenigen Minuten hatte er die Strecke zurückgelegt, für die sie heute Morgen zu Fuß eine Stunde gebraucht hatte, nachdem der Fahrer, der sie mitgenommen hatte, sie an der Tankstelle an der Ausfahrt hinausgelassen hatte.

Monica runzelte die Stirn, als ihr schwindelig wurde. »Oha. Ich habe wohl mehr Hunger, als ich eben dachte. Da drüben ist …« Sie sah die goldenen Bögen im Seitenspiegel verschwinden, als sie auf die Interstate fuhren. »Ich muss dringend etwas essen.«

»Du kriegst später was«, sagte er kalt. »Jetzt halt einfach die Klappe.«

Sie starrte ihn an. »Halten Sie an. Ich will aussteigen.«

Er lachte. »Ich halte an, wenn wir da sind.«

Monica wollte den Türgriff packen, aber ihre Hand rührte sich nicht. Ihr Körper rührte sich nicht. *Ich bin gelähmt!*

»Du kannst dich nicht bewegen, nicht wahr?«, sagte er. »Keine Sorge. Das ist nur vorübergehend. Die Droge wirkt nicht ewig.«

Sie konnte ihn nicht mehr ansehen. Sie hatte die Augen geschlossen, und nun konnte sie sie nicht mehr öffnen. *O Gott.*

*O mein Gott. Was ist hier los?* Sie wollte schreien, aber es ging nicht. *Mom!*

»Hey. Ich bin's«, hörte sie ihn sagen. Er telefonierte. »Ja, ich hab sie.« Er lachte leise. »Doch, sie ist hübsch. Und vielleicht ist sie sogar wirklich noch Jungfrau, wie sie behauptet hat. Ich bringe sie jetzt vorbei. Halte das Geld bereit. Bar, wie immer.«

Sie hörte einen Laut, ein ängstliches Wimmern, und begriff, dass es aus ihrer Kehle kam.

»Manchmal sollte man auf seine Mama hören«, sagte er spöttisch. »Jetzt gehörst du mir.«

# 1. Kapitel

Das Klingeln von Bobbys Handy unterbrach ihre Schachpartie. Charles' Hand verharrte reglos über der Dame.
»Musst du da rangehen?«
Bobby sah die Nummer auf dem Display und runzelte die Stirn. Es war Rocky, die von ihrem privaten Handy anrief. »Ja. Wenn du mich bitte entschuldigen würdest.«
Charles machte eine auffordernde Geste. »Bitte. Soll ich den Raum verlassen?«
»Sei nicht albern.« Bobby drückte auf *Annehmen*. »Warum rufst du an?«
»Weil Granville *mich* angerufen hat«, sagte Rocky gepresst. Im Hintergrund waren Straßengeräusche zu hören. Sie saß also in ihrem Auto. »Mansfield ist bei ihm im Lager am Fluss. Mansfield hat gesagt, er habe – angeblich von Granville – eine SMS bekommen, dass Daniel Vartanian Bescheid weiß und mit der Polizei anrückt. Granville sagt, er habe diese SMS nicht geschickt, und ich wüsste nicht, warum er lügen sollte.«
Bobby sagte nichts. Das war weitaus schlimmer als erwartet.
Nach einem Augenblick fügte Rocky zögernd hinzu: »Vartanian hätte sie nicht gewarnt. Er wäre einfach mit einem SWAT-Team dort aufgetaucht. Ich … ich denke, wir waren zu spät.«
»*Wir* waren zu spät?«, fragte Bobby beißend, und am anderen Ende der Leitung herrschte Schweigen.
»Also gut«, sagte Rocky schließlich. »Ich war zu spät. Aber

13

nun lässt es sich nicht mehr ändern. Wir müssen davon ausgehen, dass das Lager am Fluss nicht mehr zu gebrauchen ist.«

»Verdammter Dreck«, murmelte Bobby und wand sich innerlich, als Charles tadelnd eine Braue hochzog. »Verschwinde über den Fluss, nicht über die Straße. Es fehlt gerade noch, dass du den Bullen in die Arme läufst. Ruf Jersey an. Er hat schon öfter Ladungen für mich transportiert.«

»Granville hat ihn schon angerufen, und er ist unterwegs. Das Dumme ist bloß, dass wir nur sechs im Boot unterkriegen.«

Bobbys Miene verfinsterte sich. »Jerseys Boot hat Platz für zwölf – mindestens.«

»Das große wird an anderer Stelle gebraucht. Er kann uns nur das kleine zur Verfügung stellen.«

*Verdammt.* Bobby warf Charles einen Blick zu, der interessiert lauschte. »Eliminiert, was ihr nicht transportieren könnt. Und seht zu, dass ihr nichts zurücklasst. Verstanden? *Lasst nichts zurück.* Versenkt alles im Fluss, wenn keine Zeit für andere Arrangements ist. Hinterm Generator liegen einige Sandsäcke. Den Rest bringst du her. Ich treffe dich am Dock.«

»Okay. Ich bin unterwegs, um aufzupassen, dass die beiden keinen Mist bauen.«

»Gut. Und hab ein Auge auf Granville. Er ist nicht gerade ...«

Bobby warf Charles einen Blick zu, der nun amüsiert wirkte. »Gefestigt.«

»Das ist mir klar. Eines noch, ich habe gehört, dass Daniel Vartanian heute bei der Bank war.«

Endlich einmal eine bessere Nachricht. »Und? Hast du auch gehört, was dabei herausgekommen ist?«

»Nichts. Das Bankfach war leer.«

Natürlich war es leer. *Weil ich es schon vor Jahren leergeräumt habe.* »Interessant. Aber darüber können wir später reden. Sieh zu, dass du zum Lager kommst, und ruf mich an, wenn du alles erledigt hast.« Bobby legte auf und begegnete Charles' neugierigem Blick. »Du hättest mir sagen können, dass Toby Granville eine instabile Persönlichkeit ist, bevor er mein Geschäftspartner wurde. Dieser Spinner.«

Charles lächelte selbstzufrieden. »Dann wäre mir aber sehr viel Spaß entgangen. Wie macht sich deine neue Assistentin?«

»Gut. Sie wird immer noch ein wenig grün um die Nase, wenn sie Aufträge ausführt, aber das lässt sie sich vor den Männern nie anmerken. Und sie erledigt ihre Arbeit.«

»Schön. Das freut mich.« Er neigte den Kopf. »Und ist sonst auch alles in Ordnung?«

Bobby setzte sich zurück. »Das Unternehmen läuft bestens. Alles andere geht dich nichts an.«

»Solange meine Investitionen Erträge abwerfen, kannst du meinetwegen Geheimnisse haben.«

»Oh, du bekommst deine Dividende, keine Sorge. Dieses Jahr läuft recht gut. Die Gewinne liegen bei vierzig Prozent, und unsere neue Premium Line verkauft sich rasant.«

»Und doch hast du eben angeordnet, Ware zu eliminieren.«

»Diese Ware war ohnehin so gut wie hinüber. Also – wo waren wir?«

Charles setzte die Dame. »Bei Schachmatt, glaube ich.«

Bobby fluchte leise. »Ich hätte es wissen müssen. Du bist und bleibst ein Meister des Schachbretts.«

»Ich bin und bleibe *der* Meister«, korrigierte Charles, was Bobby instinktiv dazu brachte, sich etwas gerader aufzusetzen. Charles nickte, und Bobby musste den Ärger herunterschlucken, wie jedes Mal, wenn Charles die Zügel anzog. »Ich bin natürlich nicht einfach vorbeigekommen, um dich beim Schach zu schlagen«, fuhr Charles nun fort. »Ich habe Neuigkeiten. Heute Morgen ist ein Flugzeug in Atlanta gelandet.«

Unbehagen ließ Bobby frösteln. »Na und? In Atlanta landen tagtäglich Hunderte von Flugzeugen, wenn nicht sogar Tausende.«

»Stimmt.« Charles begann, die Schachfiguren in das Elfenbeinkästchen zu legen, das er stets bei sich trug. »Aber in diesem Flugzeug saß ein Passagier, an dem du ein besonderes Interesse hast.«

»Wer?«

Charles sah in Bobbys zusammengekniffene Augen und lächelte erneut. »Susannah Vartanian.« Er hielt die weiße Dame hoch. »Sie ist wieder in der Stadt.«

Bobby nahm Charles die Dame aus der Hand und versuchte, trotz des erneut aufkommenden Zorns gelassen zu wirken. »Sieh an.«

»Ja, sieh an. Das letzte Mal hast du deine Chance verpasst.«

»Ich habe es das letzte Mal gar nicht versucht«, fauchte Bobby trotzig. »Sie war nur einen einzigen Tag hier. Als der Richter und seine Frau begraben wurden.« Susannah hatte mit ausdruckslosem Gesicht an der Seite ihres Bruders gestanden, doch ihre Augen hatten sie verraten. Sie nach all den Jahren zu sehen ... Der Sturm der Gefühle in Susannahs Blick war nichts gewesen im Vergleich zu dem brodelnden Zorn, den Bobby zu schlucken gezwungen war.

»Na, na, reiß meiner Dame nicht den Kopf ab«, sagte Charles gedehnt. »Sie wurde von einem Schnitzmeister in Saigon handgefertigt und ist im Gegensatz zu dir unersetzlich.«

Bobby legte Charles die Figur in die Hand, ohne auf die Spitze einzugehen. *Beruhige dich. Wenn du wütend bist, begehst du Fehler.* »Vergangene Woche ist sie zu schnell nach New York zurückgekehrt. Ich hatte keine Zeit, mich ausreichend vorzubereiten.« Es klang weinerlich, was Bobby noch wütender machte.

»Flugzeuge fliegen auch in die andere Richtung, Bobby. Du hättest nicht bis zu ihrer Rückkehr warten müssen.« Charles legte die Dame in die mit Samt ausgeschlagene Mulde seines Kästchens. »Aber anscheinend bekommst du jetzt eine zweite Chance. Und ich hoffe doch, dass du dieses Mal effektiver planst.«

»Darauf kannst du dich verlassen.«

Charles lächelte. »Reserviere mir einen Logenplatz, wenn es losgeht. Ich weiß eine gute Show zu schätzen.«

Bobby lächelte grimmig. »Die wirst du bekommen. Wenn du mich jetzt bitte entschuldigen würdest, ich habe eine dringende Sache zu erledigen.«

Charles erhob sich. »Ich muss ohnehin gehen. Man erwartet mich auf einer Beerdigung.«

»Und wer wird heute beerdigt?«

»Lisa Woolf.«

»Nun, dann hoffen wir, dass Jim und Marianne die Feier genießen. Zumindest müssen sie nicht befürchten, dass man ihnen die Story klaut. Endlich dürfen sie als Reporter mal in der ersten Reihe sitzen. Direkt am Familiengrab.«

»Schäm dich, Bobby.« Charles schüttelte mit gespielter Empörung den Kopf. »Wie kann man nur so etwas sagen.«

»Es ist wahr, und du weißt es. Jim Woolf hätte seine Schwester glatt selbst umgebracht, wenn ihm dafür die große Story sicher gewesen wäre.«

Charles setzte seinen Hut auf und nahm seinen Gehstock. Das Elfenbeinkästchen schob er sich unter den Arm. »Nun, dann ist der Unterschied zwischen euch ja gar nicht so groß.«

*O doch,* dachte Bobby, während Charles davonfuhr. *Es geht mir wohl kaum um eine Story. Viel zu unbedeutend. Ein Geburtsrecht dagegen ...* nun, das war etwas vollkommen anderes. Aber nun war keine Zeit zum Träumen. Es gab viel zu tun.

»Tanner! Komm her. Ich brauche dich.«

Der alte Mann tauchte wie immer scheinbar aus dem Nichts auf. »Ja?«

»Wir bekommen unerwarteten Besuch. Bereite die Unterbringung von sechs weiteren vor.«

Tanner nickte. »Selbstverständlich. Während du mit Mr. Charles gesprochen hast, hat Mr. Haynes angerufen. Er wird heute Abend kommen, um sich für das Wochenende Gesellschaft zu besorgen.«

Bobby lächelte. Haynes war ein wichtiger Kunde – reich, pervers, verschwiegen –, und er zahlte bar. »Wunderbar. Wir haben, was er sucht.«

Charles hielt den Wagen am Ende der Straße an. Die Türmchen von Ridgefield House waren von hier aus noch zu erkennen. Das Haus war nahezu hundert Jahre alt und solide gebaut. Charles wusste architektonische Wertarbeit zu schätzen, denn er hatte schon an vielen Orten gewohnt, die nicht einmal Ratten als Zuhause bezeichnet hätten.

Bobby benutzte Ridgefield, um »Ware einzulagern«, und zu diesem Zweck war das Haus ideal. Es lag so einsam, dass die meisten Menschen im Umland es vergessen hatten. Der Fluss war recht nah, so dass man ihn nutzen konnte, aber nicht zu nah, falls das Wasser über die Ufer trat. Das Haus selbst war nicht groß, nicht schön oder alt genug, als dass es einen potenziellen Käufer interessiert hätte. Einfach perfekt.

Jahrelang war das alte, hässliche Gebäude für Bobby nicht in Betracht gekommen, aber mit der Reife war auch das Verständnis für das gekommen, was Charles schon lange zuvor gelernt hatte. Glänzende Verpackungen zogen Aufmerksamkeit an. *Das Kennzeichen wahren Erfolgs ist die Unsichtbarkeit.* Sich in aller Öffentlichkeit zu verstecken machte es möglich, die schillernden Wichtigtuer zu manipulieren. *Sie sind meine Marionetten. Sie tanzen nach meiner Pfeife.*

Die meisten Menschen reagierten mit Wut oder Hilflosigkeit, aber sie hatten keine Ahnung, was wahre Hilflosigkeit bedeutete. Sie fürchteten den Verlust der Reichtümer, die sie angehäuft hatten, und sie fürchteten ihn so sehr, dass sie ohne zu zögern ihren Stolz und ihren Anstand opferten, sogar die Moral, die in Wahrheit nichts als eine Farce war. Manche fielen schon beim kleinsten Schubser, und das waren die Leute, die Charles wirklich verachtete. Sie wussten wahrhaftig nicht, wie es war, alles – alles! – zu verlieren. Wie es war, wenn es kein Wohlgefühl mehr gab, keine Hoffnung auf Erlösung oder Erleichterung, wenn einem sogar viele der grundlegendsten menschlichen Bedürfnisse versagt blieben.

Die Schwachen hatten Angst, ihren Besitz zu verlieren. Charles jedoch nicht. Wer einmal so tief unten gewesen war, dass er fast seine Menschlichkeit verloren hätte, der fürchtete sich nicht mehr. Charles hatte keine Angst.

Aber er hatte Pläne, und zu diesen Plänen gehörten auch Bobby und Susannah.

Bobby hatte eine höhere Ebene erreicht als die anderen. Charles hatte diesen raschen Verstand geformt, als Bobby noch jung und voller Wut gewesen war. So voller Hass und offener Fragen. Charles hatte seinen Schützling überzeugt, dass irgendwann die Chance auf Rache kommen würde, die Chance darauf, das

Geburtsrecht einzufordern, das die Umstände – und gewisse Leute – Bobby vorenthalten hatten. Aber noch immer tanzte Bobby nach Charles' Pfeife. Nur war Charles Meister darin, andere im Glauben zu lassen, die Melodie sei die eigene.

Er klappte das Elfenbeinkästchen auf, nahm die Dame aus der Mulde und betätigte die verborgene Feder, woraufhin sich eine kleine Schublade öffnete. Das Tagebuch lag oben auf den Dingen, ohne die er nie das Haus verließ. Nachdenklich blätterte er zur ersten freien Seite und begann zu schreiben.

*Nun kommt die Zeit der Rache für meinen Schützling, denn ich will es so. Was ich vor vielen Jahren gesät habe, musste heute nur noch bewässert werden. Wenn Bobby sich an den Computer setzt und an die Arbeit macht, wird das Bild von Susannah Vartanian dabei zusehen. Bobby hasst Susannah, weil ich es so will. Aber Bobby hat zumindest eine Person sehr richtig eingeschätzt: Toby Granville wird jedes Jahr unzuverlässiger. Manchmal korrumpiert die absolute Macht – oder besser: die Illusion einer solchen. Sollte Toby eine zu große Gefahr für uns werden, werde ich ihn töten lassen, so wie er für mich getötet hat.*
*Ein Leben zu beenden ist reine Macht. Jemandem ein Messer in den Bauch zu rammen und zuzusehen, wie er sein Leben aushaucht … ja, das ist Macht. Doch jemand anderen dazu zu bringen, eine Person zu töten, das ist Macht in Reinform. Tötet für mich. Ich spiele Gott.*
Charles lächelte. *Und ich amüsiere mich bestens dabei.*

Ja, Toby würde bald sterben müssen. Aber es würde andere Toby Granvilles geben. Und irgendwann würde auch Bobby ersetzt werden. *Nur ich werde weitermachen.* Er schlug das Büchlein zu, schob es zurück und legte die Spielfigur wieder in ihre Mulde, wie er es schon unzählige Male zuvor getan hatte.

*Dutton, Georgia*
*Freitag, 2. Februar, 14.00 Uhr*

Alles tat ihr weh. Sie hatte Schmerzen am ganzen Körper. Diesmal hatten sie sie gezielt auf den Kopf geschlagen und ihr in die Rippen getreten. Aber sie hatte durchgehalten. Monica presste die Lippen in grimmiger Zufriedenheit aufeinander. Sie würde weiter durchhalten oder vorher sterben. Sie würde sie dazu zwingen, sie zu töten, bevor sie sich noch ein weiteres Mal benutzen ließ.

Und dann würden sie sie als »Stückgut mit Mehrfachnutzen« abschreiben müssen.

Sie hatte an der Wand gelauscht und dabei gehört, wie sie sie so genannt hatten. *Und ob ihr mich abschreiben könnt, ihr Schweine.* Alles, sogar der Tod war besser als das Leben, das sie nun seit … wie lange schon führte?

Sie hatte keine Ahnung, wie viele Monate vergangen waren. Fünf, vielleicht sogar sechs. Monica hatte nie an eine Hölle geglaubt. Das hatte sich geändert.

Bald nach ihrer Ankunft in der Hölle hatte sie ihren Lebenswillen verloren, aber dank Becky hatte sie ihn zurückerlangt. Becky hatte immer wieder versucht zu fliehen. Sie hatten versucht, sie aufzuhalten und ihren Willen zu brechen, aber es war ihnen nicht gelungen. Becky war vorher gestorben. Monica hatte nur für kurze Zeit durch die Wand mit

Becky flüstern können, doch diese Zeit hatte ihr Kraft gegeben. Und der Tod des Mädchens, das sie nie gesehen hatte, hatte ihren eigenen Lebenswillen neu geweckt. *Entweder mir gelingt die Flucht, oder ich sterbe vorher.*

Sie wollte tief einatmen, doch sofort durchfuhr sie ein stechender Schmerz. Mindestens eine Rippe war gebrochen. Wieder kehrten ihre Gedanken zu Becky zurück. Sie konnte noch immer jeden dumpfen Hieb, jedes entsetzliche Knirschen der Knochen, jedes Stöhnen des Mädchens hören. Und genau das hatten sie gewollt. Sie hatten alle Türen geöffnet, damit jedes der Mädchen es hören konnte. Damit sie alle Angst bekamen. Ihre Lektion lernten.

Jedes Mädchen hier. Es mussten mindestens zehn sein, und sie alle befanden sich in unterschiedlichen Stadien der »Abschreibung«. Einige waren frisch eingearbeitet worden, andere bereits Profis in dem ältesten Gewerbe der Welt. *Wie ich. Ich will nach Hause.*

Monica ruckte schwach an der Kette, der ihren Arm an die Wand fesselte. *Ich werde niemals entkommen. Ich werde sterben. Bitte, Gott, lass es bald so weit sein.*

»Los, beeilt euch, ihr Idioten. Wir haben keine Zeit für Blödsinn.«

Da draußen war jemand. Im Korridor vor ihrer Zelle. *Die Frau!* Monica presste die Kiefer zusammen. Sie hasste diese Frau.

»Macht schon«, sagte die Frau. »Los. Mansfield, bring die Kisten aufs Boot.«

Monica hatte keine Ahnung, wie die Frau hieß, aber sie war besonders schlimm. Schlimmer als die Männer – der Deputy und der Arzt. Mansfield war der Deputy – derjenige, der sie entführt und hergebracht hatte. Eine Zeitlang hatte sie geglaubt, dass er kein echter Deputy war, dass seine Uniform bloß Verkleidung war, aber sie hatte sich geirrt. Und als ihr das klargeworden war, hatte sie alle Hoffnung verloren.

Aber so brutal Mansfield auch war – der Doktor war noch schlimmer. Er war grausam, weil er andere gerne leiden sah. Der Ausdruck seiner Augen, wenn er sie folterte ... Monica schauderte. Der Arzt war krank im Kopf, dessen war sie sich sicher.

Aber die Frau ... sie war die Inkarnation des Bösen. Für sie war dieses Grauen hier, dieses sogenannte »Leben«, bloß ein Geschäft und jede Minderjährige hier Ware, die man ersetzen konnte. Und die man leicht ersetzen konnte, denn es gab immer genug dumme junge Mädchen, die sich aus der Sicherheit ihrer Familie weglocken ließen. Und in der Hölle landeten.

Monica hörte das Ächzen der Männer, als sie die schweren Kisten hochhievten. Was taten sie? Es folgte ein Quietschen. Aha, die fahrbare Trage mit den verrosteten Rädern. Auf diesem Ding machte der Arzt sie »wieder heil«, damit sie zurück an die »Arbeit« gehen konnten, wann immer ein »Kunde« sie zusammengeschlagen hatte. Allerdings war es auch häufig der Doktor, der sie zusammenschlug, dann konnte er sie gleich selbst vom Boden heben und auf die Trage legen. Sie hasste ihn. Aber sie fürchtete ihn noch mehr.

»Holt die Mädchen in zehn, neun, sechs, fünf, vier und ... eins«, sagte die Frau nun.

Monica riss die Augen auf. Sie war in der Nummer eins. Sie blinzelte und versuchte, in der Dunkelheit etwas zu sehen. Hier stimmte etwas nicht. Ihr Herz begann schneller zu schlagen. Jemand kam, um sie zu retten. *Schnell. Beeil dich!*

»Fesselt ihnen die Hände hinter dem Rücken und bringt sie einzeln raus«, fuhr die Frau barsch fort. »Haltet eure Waffen ständig auf sie gerichtet. Lasst bloß keine entkommen.«

»Und was machen wir mit den anderen?« Eine tiefe Stimme. Der Wachmann des Arztes.

»Bringt sie um«, kam die Antwort ohne Zögern.

*Ich bin in Zelle eins. Sie bringen mich auf ein Boot und weg von hier.* Von der Rettung, die nahte. *Nein. Ich wehre mich. Bei Gott, entweder ich entkomme, oder ich werde sterben ...*

»Ich kümmere mich darum«, sagte der Arzt, dessen Augen so grausam waren.

»Gut«, erwiderte die Frau. »Aber lasst die Leichen nicht hier, sondern werft sie in den Fluss. Nehmt dazu die Sandsäcke hinter dem Generator. Mansfield, steh nicht einfach so rum. Bring die Kisten und die Mädchen aufs Boot, bevor es hier vor Bullen wimmelt. Und bring die Trage so schnell wie möglich zurück. Unser guter Doc braucht sie für die Leichen.«

»Ja, Sir«, höhnte Mansfield.

»Klappe«, sagte die Frau, deren Stimme mit wachsender Entfernung leiser wurde. »Los jetzt!«

Stille hing in der Luft, dann sagte der Arzt leise: »Kümmre dich um die anderen beiden.«

»Bailey und der Reverend?«, fragte der Wachmann in normaler Lautstärke.

»Still«, zischte der Arzt. »Ja. Aber mach es heimlich. *Sie* weiß nicht, dass die beiden hier sind.«

Die anderen zwei. Monica hatte sie ebenfalls durch die Wände gehört. Das Büro des Arztes war direkt neben ihrer Zelle, daher hörte sie eine ganze Menge. Der Arzt hatte eine Frau namens Bailey tagelang gefoltert, weil er einen Schlüssel wollte. Aber einen Schlüssel wozu? Und von dem Mann hatte er ein Geständnis verlangt. Was sollte der Reverend ihm beichten ...?

Doch im nächsten Moment vergaß Monica den Reverend und

Bailey. Plötzlich drangen von überallher Schreie und Schluchzer zu ihr. Lautes Kreischen, als ein Mädchen nach dem anderen abgeholt wurde. *Bleib ruhig.* Sie musste sich unbedingt konzentrieren. *Jetzt kommen sie zu mir.*

*Aber sie müssen die Kette abmachen, bevor sie dir die Hände fesseln. Du hast ein paar Sekunden lang die Hände frei. Lauf weg, wehr dich, kratz ihnen die Augen aus, wenn es sein muss.*

Aber noch während sie versuchte, sich Mut zuzusprechen, wusste sie, dass sie keine Chance hatte. Nicht, seit sie das letzte Mal verprügelt worden war. Und selbst wenn sie es aus der Zelle schaffte, was dann? Sie würde tot sein, bevor sie irgendeinen Ausgang erreicht hatte.

Ein Schluchzen stieg in ihrer Kehle auf. *Ich bin erst sechzehn, und ich werde sterben. Es tut mir so leid, Mom. War-um habe ich bloß nicht auf dich gehört?*

Dann krachte der erste Schuss, und sie fuhr entsetzt zusammen. Wieder Kreischen, Schreie der Todesangst. Aber Monica war zu müde zum Schreien. Sie war fast zu müde, um sich zu fürchten. Fast.

Noch ein Schuss. Noch einer. Ein vierter. Sie konnte seine Stimme hören. Der Arzt. Er verspottete das Mädchen nebenan.

»Komm, sprich ein Gebet, Angel.« Es lag ein Lachen in seiner Stimme. Monica hasste ihn, wollte ihn töten, wollte ihn leiden sehen. Er sollte erbärmlich und qualvoll sterben.

Ein Schuss. Angel war tot. Und vier andere.

Die Tür flog auf, und Deputy Mansfield erschien. Seine Miene war hasserfüllt. Mit zwei Schritten war er bei ihr, löste die Kette, die sie an die Wand fesselte. Monica blinzelte erschrocken, als er die Kette unsanft durch den Ring zerrte.

Sie war frei. Und doch noch immer gefangen!

»Los, komm«, knurrte Mansfield und zerrte sie auf die Füße.

»Kann nicht«, brachte sie hervor, als ihre Knie ihr nicht gehorchen wollten.

»Halt's Maul.« Mansfield riss sie hoch, als wäre sie kaum schwerer als eine Puppe, und wahrscheinlich stimmte das inzwischen sogar.

»Moment.« Die Frau stand im Korridor vor Monicas Tür und hielt sich im Schatten, wie sie es immer tat. Monica hatte ihr Gesicht noch nie gesehen, aber sie träumte von dem Tag, an dem sie der Frau die Augen auskratzen würde. »Das Boot ist voll.«

»Wieso?«, hörte man den Doc aus dem Korridor. »Ihr habt erst fünf geholt.«

»Die Kisten haben viel Platz eingenommen«, erwiderte die Frau knapp. »Vartanian und die Polizei werden jeden Moment hier eintreffen, wir müssen also verschwinden. Knall sie ab und schaff die Leichen raus.«

*Jetzt. Du musst nicht mehr kämpfen, nicht mehr versuchen zu fliehen.* Monica fragte sich, ob sie den Schuss hören oder sofort tot sein würde. *Aber ich werde nicht flehen. Diesen Gefallen tue ich ihnen nicht.*

»Die da ist noch ganz okay. Sie kann noch einige Monate arbeiten – vielleicht sogar noch ein Jahr. Wirf ein paar Kisten über Bord und sieh zu, dass du Platz für sie schaffst. Wenn ich sie endgültig gebrochen habe, ist sie die beste Ware, die wir je hatten. Mach schon, Rocky.«

*Rocky.* Die Frau hieß Rocky. Monica prägte es sich ein. Nun trat die Frau näher an den Arzt heran und damit aus dem Schatten heraus, so dass Monica ihr Gesicht zum ersten Mal sehen konnte.

Sie blinzelte gegen das Schwindelgefühl an, als sie sich die Züge dieses weiblichen Ungeheuers zu merken versuchte. Falls es ein Leben nach dem Tod gab, würde Monica zurückkehren und dieses Weib so lange verfolgen, bis es als sabberndes Etwas in einer geschlossenen Anstalt landete.

»Die Kisten bleiben an Bord«, sagte Rocky ungeduldig.

Die Lippen des Arztes verzogen sich verächtlich. »Weil du das so entscheidest?«

»Weil Bobby es so entscheidet. Wenn du dich nachher nicht rechtfertigen willst, warum wir belastendes Material zurück-gelassen haben, das uns alle in Schwierigkeiten bringen kann, dann solltest du jetzt den Mund halten und die Schlampe um-bringen, damit wir verschwinden können. Mansfield, komm mit. Granville – tu es einfach, und zwar schnell. Und sorge um Himmels willen dafür, dass alle wirklich tot sind. Ich will kein Gekreische, wenn wir sie in den Fluss kippen und Bullen in der Nähe sind.«

Mansfield ließ Monica los, und ihre Beine gaben nach. Sie klammerte sich an die schmutzige Pritsche, während sich Mansfield und Rocky entfernten und der Arzt den Lauf der Waffe auf sie richtete.

»Machen Sie schon«, zischte Monica. »Sie haben die Lady doch gehört. Beeilen Sie sich.«

Der Mund des Mannes verzog sich zu einem falschen Grinsen, bei dessen Anblick ihr prompt übel wurde. »Du glaubst, dass es schnell gehen wird, ja? Dass du nichts merken wirst.«

Wieder krachte ein Schuss. Monica schrie, als der Schmerz in ihrem Kopf durch das grelle Brennen an ihrer Seite verdrängt wurde. Er hatte sie angeschossen, aber sie war nicht tot. *Warum bin ich nicht tot?*

Er lächelte, als sie sich unter den Schmerzen wand. »Du warst mir ein Dorn im Auge, seit du hergekommen bist. Wenn ich Zeit hätte, würde ich dich in Stücke schneiden. Leider geht es nicht. Also sag Lebwohl, Monica.« Er hob die Waffe, fuhr jedoch herum, als fast gleichzeitig ein Schuss aus einer anderen Richtung von den Mauern widerhallte. Monica schrie erneut, als etwas Glühheißes schmerzhaft dicht an ihrem Schädel vorbeifuhr. Sie kniff die Augen zu und wartete auf den nächsten Schuss. Aber er kam nicht. Sie öffnete die Augen und blinzelte die Tränen zurück.

Er war fort, und sie war allein. Und nicht tot.

Er hatte sie verfehlt. *Verdammt,* er hatte sie verfehlt. Er war fort. *Und er wird zurückkommen.*

Aber sie konnte niemanden hören, niemanden sehen. *Vartanian und die Polizei werden jeden Moment hier eintreffen.* Das hatte die Frau gesagt. Monica kannte niemanden namens Vartanian, aber wer immer er war – er bedeutete ihre Rettung.

Zur Tür. Monica stemmte sich mühsam auf die Knie und kroch. *Vorwärts. Immer weiter. Du schaffst es bis zum Korridor.*

Sie hörte Schritte. Eine Frau, geschunden und blutend, die Kleider zerrissen, taumelte auf sie zu. *Die anderen beiden,* hatte der Arzt gesagt. Das musste Bailey sein. Sie war entkommen. *Es gibt noch Hoffnung.* Monica hob die Hand. »Hilf mir. Bitte.«

Die Frau zögerte nur einen Sekundenbruchteil, dann zerrte sie sie auf die Füße. »Vorwärts.«

»Bist du Bailey?«, presste Monica hervor.

»Ja. Nun komm schon, sonst stirbst du.« Zusammen taumelten sie durch den Korridor. Schließlich erreichten sie eine Tür und stolperten hinaus ins Tageslicht, das ihnen in den Augen schmerzte.

Bailey blieb abrupt stehen, und Monica verlor den Mut. Vor ihnen stand ein Mann mit einer Waffe. Er trug dieselbe Uniform wie Mansfield, und auf dem Schild auf seinem Hemd stand »Sheriff Frank Loomis«. Das war nicht Vartanian mit der Polizei. Das war Mansfields Chef, und er würde sie nicht davonkommen lassen.

So würde es nun also enden. Tränen liefen Monica über die wunde Haut, als sie auf den nächsten Schuss wartete.

Aber zu ihrer Verblüffung legte der Mann einen Finger an die Lippen. »An der Baumreihe entlang«, flüsterte er. »Dahinter ist die Straße.« Er zeigte auf Monica. »Wie viele sind noch drin?«

»Niemand mehr«, erwiderte Bailey in einem harschen Flüstern. »Er hat sie alle umgebracht.«

Loomis schluckte. »Lauft. Ich hole meinen Wagen und sammle euch an der Straße auf.«

Bailey hielt die Hand des Mädchens fest. »Komm«, flüsterte sie. »Nur noch ein bisschen durchhalten.«

Monica starrte auf ihre Füße, zwang sie, sich in Bewegung zu setzen. Noch ein Schritt. Und noch einer. *Freiheit.* Sie würde frei sein. Und dann würde sie sich rächen. Oder vorher sterben.

*Dutton, Georgia,*
*Freitag, 2. Februar, 15.05 Uhr*

Susannah Vartanian beobachtete im Seitenspiegel, wie das Haus, in dem sie aufgewachsen war, jede Sekunde kleiner wurde. *Ich muss hier raus.* Solange sie sich in diesem Haus – in dieser Stadt! – aufhielt, war sie nicht sie selbst. Sie war keine erfolgreiche New Yorker Staatsanwaltsgehilfin mehr, vor der andere größten Respekt hatten. Solange sie hier war, war sie ein einsames, verängstigtes Kind, das sich im Schrank versteckte. Ein Opfer war sie. Und Susannah hatte es verdammt satt, ein Opfer zu sein.

»Geht's Ihnen gut?« Die Frage kam von dem Mann hinterm Steuer. Special Agent Luke Papadopoulos. Partner und bester Freund ihres Bruders. Luke hatte sie vor ungefähr einer Stunde hierhergefahren, und zu dem Zeitpunkt hatte die wachsende Furcht in ihren Eingeweiden in ihr den Wunsch erzeugt, er möge langsamer fahren. Nun, da es vorbei war, hoffte sie inständig, er möge Gas geben.

*Bitte. Bringen Sie mich nur weg von hier.* »Danke, alles in Ordnung.« Sie musste nicht aufsehen, um zu wissen, dass Papadopoulos sie musterte. Sie spürte das Gewicht dieses Blicks auf sich, seit sie den Mann vergangene Woche kennengelernt hatte. Sie hatte bei der Beerdigung ihrer Eltern neben ihrem Bruder gestanden, und er war gekommen, um ihnen sein Beileid auszusprechen. Und er hatte sie beobachtet. Wie jetzt.

Aber Susannah starrte in den Seitenspiegel. Sie wollte es nicht, wollte das Haus ihrer Kindheit nicht mehr sehen, aber sie konnte den Blick auch nicht abwenden. Die einsame Gestalt im Vorgarten zwang sie, weiter hinzusehen. Selbst aus der rasch zunehmenden Distanz konnte sie die Trauer spüren, die auf Daniels breiten Schultern lastete.

Ihr Bruder war ein großer Mann, genau wie ihr Vater einer gewesen war. Die Frauen ihrer Familie waren klein und zart, aber die Männer groß und kräftig. *Und manch einer größer als die anderen.* Susannah kämpfte die Panik nieder, die ihr seit zwei Wochen immer wieder die Luft abzuschnüren drohte. *Simon ist tot, diesmal wirklich. Er kann dir nichts mehr tun.*

Oh, aber doch, er konnte es, und er tat es. Dass ihr Bruder Simon sie sogar noch aus dem Grab quälen konnte, war eine Ironie, die Simon verdammt gut gefallen hätte. Ihr ältester Bruder war wirklich ein mieses Schwein gewesen.

Nun war er ein totes mieses Schwein, und Susannah weinte ihm keine Träne nach. Da aber Simon zuvor noch seine – ihre! – Eltern umgebracht hatte, waren von den Vartanians nur noch zwei übrig geblieben. *Nur Daniel und ich,* dachte sie voller Bitterkeit. *Die große glückliche Familie.*

Nur sie und ihr älterer Bruder, Special Agent Daniel J. Vartanian, Georgia Bureau of Investigation. Einer der guten Jungs. Treuer Gesetzeshüter. Daniel hatte mit seinem Werdegang versucht, die Tatsache wieder wettzumachen, dass er Richter Arthur Vartanians Spross war. *Genau wie ich.*

Sie dachte an die Verzweiflung in seinem Blick, als sie ihn eben im Vorgarten des Elternhauses stehen gelassen hatte. Nach dreizehn Jahren wusste Daniel endlich, was er getan und – noch wichtiger – was er unterlassen hatte.

Und nun wollte er Vergebung, dachte sie verbittert. Absolution. Nach zehn Jahren Funkstille wollte ihr Bruder eine Beziehung zu ihr aufbauen.

Und damit wollte er zu viel. Er würde mit dem, was er getan und nicht getan hatte, leben müssen. *Genau wie ich.*

Sie wusste, warum er vor vielen, vielen Jahren gegangen war. Daniel hasste dieses Haus beinahe so sehr wie sie. *Beinahe.*

In der vergangenen Woche, als sie ihre Eltern begraben hatten, war es ihr gelungen, dieses Haus zu meiden. Nach der Zeremonie war sie einfach gegangen und hatte sich geschworen, nie wieder zurückzukehren.

Doch ein Anruf von Daniel am Tag zuvor hatte sie wieder hergeführt. Nach Dutton. In dieses Haus. Um sich dem zu stellen, was sie getan und – noch wichtiger – was sie nicht getan hatte.

Vor einer Stunde hatte sie zum ersten Mal seit Jahren auf der Veranda gestanden. Es hatte sie jedes bisschen Kraft gekostet, das sie besaß, durch die Tür zu gehen, die Treppe hinaufzusteigen und das frühere Zimmer ihres Bruders zu betreten. Susannah glaubte nicht an Geister, wohl aber an das Böse.

Und das Böse lauerte in diesem Haus, in diesem Zimmer, und so war es schon immer gewesen. Auch nachdem ihr Bruder gestorben war. Beide Male.

Das Böse hatte sie eingehüllt, sobald sie das Zimmer betreten hatte, hatte die Panik in ihr entflammt, hatte einen Schrei in ihr aufsteigen lassen, aber sie hatte ihn hinuntergeschluckt. Mit letzter Kraft hatte sie die Fassade der Gelassenheit aufrechterhalten und sich gezwungen, den großen Wandschrank zu betreten, obwohl sie kaum etwas so fürchtete wie das, was sie darin vermutete.

Ihr schlimmster Alptraum. Ihre größte Schande. Dreizehn Jahre lang waren die Beweise in einer Schachtel in einem Versteck verborgen gewesen, ohne dass jemand sie dort vermutet hatte. *Nicht einmal ich.* Nach dreizehn Jahren war die Schachtel aus ihrem Versteck geholt worden. *Ta-da.*

Und nun lag sie im Kofferraum des Wagens, der Special Agent Luke Papadopoulos vom GBI gehörte. Daniels Partner und bester Freund. Papadopoulos brachte die Schachtel zum GBI in Atlanta, wo sie in der Asservatenkammer landen würde, sobald die Spurensicherung und die Detectives und die Staatsanwaltschaft den Inhalt wieder und wieder begutachtet hatten. Hunderte von Bildern, widerwärtig, obszön und sehr, sehr real. *Sie werden es sehen. Und alle werden es wissen.*

Der Wagen bog um eine Kurve, und das Haus war fort, der

Bann gebrochen. Susannah lehnte sich im Sitz zurück und holte tief Luft. Es war endlich vorbei.

*O nein.* Für Susannah war es nur der Anfang und auch für Daniel und seinen Partner keinesfalls das Ende. Daniel und Luke suchten einen Mörder, der in der vergangenen Woche fünf Frauen aus Dutton umgebracht hatte. Einen Mörder, der seine Opfer dazu benutzte, die Obrigkeit auf die Spur von reichen Mistkerlen zu führen, die vor dreizehn Jahren Duttons Schülerinnen Schlimmes angetan hatten. Einen Mann, der aus persönlichen Gründen wollte, dass die Verbrechen dieser Truppe nach vielen Jahren öffentlich gemacht wurden. Einen Mann, der diese Truppe fast genauso hasste wie Susannah. Fast. Denn niemand konnte sie so sehr hassen wie Susannah. Es sei denn, es handelte sich um eines der anderen zwölf noch lebenden Opfer.

*Bald werden die anderen Opfer es wissen. Bald werden alle es wissen.*

Daniels Partner und besten Freund eingeschlossen. Er beobachtete sie noch immer. Seine Augen waren dunkel, fast schwarz, und es kam ihr vor, als sähe Agent Papadopoulos mehr, als er sehen sollte.

Nun, heute hatte er natürlich wirklich etwas zu sehen bekommen. Und das würden andere auch. Bald …

Ihr Magen krampfte sich zusammen, und sie musste sich darauf konzentrieren, sich nicht zu übergeben. Bald würde man im ganzen Land an Kaffeemaschinen und Wasserspendern zusammenstehen und über ihr scheußlichstes Erlebnis tratschen.

Sie hatte in ihrem Leben bereits genügend Klatsch gehört, um genau zu wissen, wie so etwas lief. *Hast du schon gehört?* Dazu ein aufgesetzt schockierter Blick. *Von dieser Gruppe Männer in Dutton, Georgia, die als Jugendliche vor dreizehn Jahren unzählige Mädchen unter Drogen gesetzt und vergewaltigt*

*haben? Einer von ihnen hat sogar ein Mädchen umgebracht!
Und dann haben sie Fotos von den Vergewaltigungen gemacht.
Stell dir das nur mal vor – ist das nicht schrecklich?*
Ja, schrecklich. Und sie würden betroffene Mienen aufsetzen,
die Köpfe schütteln und sich insgeheim wünschen, dass diese
Fotos irgendwie ins Internet gelangten, so dass sie vielleicht
»zufällig« einmal darauf stoßen könnten.
*Dutton,* würde dann jemand anderes nachdenklich murmeln.
*Ist das nicht das Kaff, in dem erst vor einer Woche mehrere
Frauen ermordet worden sind?*
*Aber ja,* würde ein anderer bestätigen. *Und außerdem ist es
Simon Vartanians Heimatstadt. Er war einer von den Verge-
waltigern – er hat die Fotos vor dreizehn Jahren gemacht. Und
er ist derjenige, auf dessen Konto die vielen schrecklich zuge-
richteten Toten in Philadelphia gehen. Ich habe gehört, dass
ein Detective aus Philly ihn schließlich erschossen hat.*
Siebzehn Menschen tot. Ihre Eltern eingeschlossen. Zahllose
Leben vernichtet. *Und ich hätte das alles verhindern können.
Aber ich habe nichts getan. Mein Gott. Wieso habe ich nichts
getan?* Äußerlich blieb sie gefasst und kontrolliert, doch innerlich wiegte sie sich wie ein kleines, entsetztes Kind.

»Das muss sehr schwierig gewesen sein«, murmelte Papadopoulos.

Seine tiefe Stimme riss sie zurück ins Jetzt, und sie blinzelte,
als sie sich scharf in Erinnerung rief, wer sie inzwischen war:
eine Erwachsene. Eine anerkannte Anwältin. Auf der Seite des
Gesetzes. *Oh, na klar.*

Sie warf ihm einen kurzen Blick zu, konzentrierte sich dann
aber wieder auf den Seitenspiegel. *Schwierig* war als Bezeich-
nung für das, was sie eben getan hatte, viel zu zahm. »Ja«, gab
sie zurück. »Schwierig.«

34

»Geht's Ihnen gut?«, fragte er wieder.

*Nein, überhaupt nicht,* wollte sie ihn anschnauzen, tat es aber nicht. »Ja, danke.« Sie wusste, dass man ihr äußerlich nichts anmerken konnte. Sie war geschickt darin, den Schein zu wahren, wie es sich für die Tochter des Richters Arthur Vartanian gehörte. Was sie nicht durch die Gene geerbt hatte, das hatte sie sich bei ihrem Vater abgeguckt, der ohne Bedenken das Leben einer Lüge perfektioniert hatte.

»Sie haben das Richtige getan, Susannah«, sagte Papadopoulos leise.

*Aber klar doch.* Nur dreizehn Jahre zu spät. »Ich weiß.«

»Mit den Beweisen, die wir heute durch Sie bekommen haben, werden wir in der Lage sein, drei der Vergewaltiger einzusperren.«

Sieben hätten es sein sollen. Sieben. Dummerweise waren vier bereits tot, Simon eingeschlossen. *Ich hoffe, ihr schmort alle in der Hölle.*

»Und dreizehn Frauen werden durch Sie endlich ihrem Angreifer gegenübertreten können und so etwas wie Gerechtigkeit erfahren«, fügte er hinzu.

Es hätten sechzehn sein müssen, aber zwei waren umgebracht worden, und eine hatte den Freitod gewählt. *Nein, Susannah, es hätte nur ein einziges Opfer geben müssen. Mit dir hätte es aufhören sollen.*

Aber sie hatte damals nichts gesagt und würde jetzt für den Rest ihres Lebens damit zurechtkommen müssen.

»Dem Angreifer gegenüberzutreten ist wichtig, wenn man die Tat verarbeiten will«, sagte Susannah tonlos. Das zumindest war es, was *sie* den Vergewaltigungsopfern sagte, wenn sie unsicher waren, ob sie vor Gericht aussagen sollten. Bisher hatte sie immer daran geglaubt. Heute war sie sich nicht mehr so sicher.

»Ich nehme an, Sie haben schon eine stattliche Anzahl an Vergewaltigungsopfern auf den Prozess vorbereitet.« Seine Stimme war sanft, aber sie hörte ein leichtes Beben heraus, das sie als kaum unterdrückten Zorn identifizierte. »Ich kann mir vorstellen, dass es um einiges schwieriger wird, wenn Sie selbst in den Zeugenstand treten.«

Da war das Wort wieder ... schwierig. Es würde nicht *schwierig* sein, auszusagen, es würde die Hölle werden. »Ich habe Daniel und Ihnen bereits gesagt, dass ich genau wie die anderen Opfer aussagen werde, Agent Papadopoulos«, sagte sie scharf. »Und dazu stehe ich auch.«

»Das habe ich auch nicht angezweifelt«, gab er zurück, aber sie glaubte ihm nicht.

»Mein Flug geht um sechs. Ich muss um vier am Flughafen in Atlanta sein. Können Sie mich dort auf dem Weg zu Ihrem Büro absetzen?«

Er warf ihr einen nachdenklichen Blick zu. »Sie wollen heute noch zurück?«

»Vergangene Woche hat sich durch die Beerdigung meiner Eltern viel angesammelt. Ich muss einiges aufarbeiten.«

»Daniel hat gehofft, dass er noch ein wenig mit Ihnen reden kann.«

Der Ärger flammte wieder auf, und ihre Stimme verhärtete sich. »Ich denke, Daniel wird genug damit zu tun haben, die drei überlebenden ...«, sie zögerte, »Mitglieder von Simons Club dingfest zu machen. Von dem Kerl, der die fünf Frauen in der vergangenen Woche getötet hat, ganz zu schweigen.«

»Wir wissen, wer es war.« Nun kam auch sein Ärger an die Oberfläche. »Und wir kriegen ihn. Es ist nur eine Frage der Zeit. Außerdem haben wir bereits einen der Vergewaltiger in Gewahrsam.«

36

»Ach ja, Mayor Davis. Das hat mich wirklich überrascht.« Vor dreizehn Jahren hatte Garth Davis eher einen minderbemittelten Eindruck gemacht. Gewiss war er nicht der Typ gewesen, der eine Schändertruppe anführte. Aber er hatte es getan, die Fotos sprachen eine deutliche Sprache.

»Deputy Mansfield ist allerdings entkommen, nicht wahr? Nachdem er den Kerl, der ihn beschatten sollte, umgebracht hat.« Randy Mansfield war immer schon ein mieser Kerl gewesen. Nun trug er eine Polizeimarke und eine Dienstwaffe, was in Anbetracht der Tatsache, dass er frei herumlief, nicht gerade beruhigend war.

An Lukes Kiefer zuckte ein Muskel. »Der ›Kerl‹, der ihn beschatten sollte, war ein verdammt guter Agent namens Oscar Johnson«, sagte er gepresst. »Er hinterlässt drei Kinder und eine schwangere Frau.«

Er trauerte um den Mann. Er war außerdem Daniels Freund und offenbar loyal. »Tut mir leid«, sagte sie ein wenig sanfter. »Aber Sie müssen zugeben, dass Daniel und Sie die Situation keinesfalls unter Kontrolle haben. Sie wissen ja nicht einmal, wer der dritte …« *Los doch, sprich es aus.* Sie räusperte sich. »Wer der dritte Vergewaltiger ist.«

»Wir kriegen ihn«, wiederholte er stur.

»Dessen bin ich mir sicher, aber bleiben kann ich trotzdem nicht. Im Übrigen hat Daniel eine neue Freundin, die mit ihm Händchen halten kann.« In ihrer Stimme schwang ein Tonfall mit, den sie selbst nicht ausstehen konnte. Dass sie Daniel das Glück missgönnte war kindisch und gemein. Aber das Leben war eben nicht fair, das wusste Susannah schon seit langem. »Ich möchte mich da nicht aufdrängen.«

»Sie würden Alex Fallon mögen«, sagte Luke. »Sie müssten ihr nur eine Chance geben.«

»Sicher. Aber Miss Fallon hat ebenfalls einen harten Tag gehabt. Schließlich hat sie in der Schachtel auch die Bilder ihrer Schwester gesehen.« *Und meine. Denk nicht dran.* Stattdessen konzentrierte sie sich auf Alex Fallon.

Daniels neue Freundin hatte mit seinem und Susannahs Leben mehr als nur eine kleine Gemeinsamkeit. Alex' Zwillingsschwester war vor dreizehn Jahren von einem der besagten Vergewaltiger ermordet worden. Und Susannah mochte so kindisch sein, Daniel das Liebesglück zu neiden, aber dieser Frau wünschte sie wahrhaftig nichts Böses. Sie hatte in ihrem bisherigen Leben genug Schlimmes erleben müssen.

Luke stieß einen zustimmenden Laut aus. »Ja. Und ihre Stiefschwester wird noch immer vermisst.«

»Bailey Crighton.« Einer der vier Täter, die bereits tot waren, war Baileys Bruder gewesen. Luke hatte ihr eben auf dem Weg zum Auto erzählt, dass Baileys Bruder Wade eine Art Beichtbrief geschrieben und ihn an Bailey geschickt hatte. Kurz darauf war Bailey entführt worden. Das GBI war davon überzeugt, dass einer der Vergewaltiger Angst bekommen hatte, Bailey könne zur Polizei gehen.

»Bailey ist jetzt schon eine Woche fort«, sagte Luke.

»Dann sieht es nicht gut für sie aus«, murmelte Susannah.

»Nein. Leider nicht.«

»Tja, wie ich schon sagte. Daniel hat genug zu tun. Und Sie auch. Also …« Sie seufzte. »Kehren wir zu meiner ursprünglichen Frage zurück, Agent Papadopoulos. Könnten Sie mich auf dem Weg ins Büro am Flughafen absetzen? Ich muss nach Hause.«

Auch er seufzte. »Es wird knapp, aber – okay. Ich fahre Sie hin.«

# 2. Kapitel

Luke warf Susannah einen verstohlenen Blick zu, bevor er sich wieder auf die kurvige Straße konzentrierte. Er hatte sie das erste Mal neben Daniel auf der Beerdigung ihrer Eltern gesehen, und an diesem Tag war ihr Gesicht so bleich gewesen, dass er sich gefragt hatte, ob sie die Trauerfeier durchstehen würde. Aber sie hatte ihn mit einer Kraft und Haltung beeindruckt, die nicht zu dieser zart wirkenden Schönheit passen wollte. Hinter ihrem gefassten Äußeren hatte er eine Finsternis gespürt, die ihn wie ein starker Magnet anzog. Er hatte seinen Blick nicht von ihr losreißen können. *Sie ist wie ich. Und sie versteht es.*

Nun saß sie neben ihm auf dem Beifahrersitz und trug wie auf der Beerdigung ein schwarzes Kostüm. Auch heute war ihr Gesicht blass, und wieder spürte er die Finsternis in ihr. Außerdem war sie wütend. Und sie hatte allen Grund dazu.

Es ginge ihr gut, hatte sie behauptet, aber das war natürlich Unfug. Sie hatte sich gerade ihrem schlimmsten Alptraum stellen müssen. Vor einer Stunde war sie in Simons ehemaliges Zimmer marschiert und hatte zielsicher sein Geheimversteck geöffnet. Sie hatte die Schachtel mit den Fotos hervorgezogen und sie der Polizei überreicht. Dabei war sie so gelassen geblieben, als befänden sich Fußballsammelkarten in der Schachtel statt der Fotos, die Vergewaltigungen dokumentierten. *Ihre Vergewaltigung.* Luke hätte gerne gegen eine Wand geboxt, hatte sich aber beherrscht. Genau wie sie. Nur hatte sie es mit einer Würde getan, die jeden Cop beschämen konnte.

Dennoch ging es Susannah Vartanian definitiv nicht »gut«.

*Und mir auch nicht.* Aber schließlich ging es Luke schon sehr, sehr lange nicht mehr gut. Sein eigener Zorn lauerte zu dicht an der Oberfläche. Die Woche war ziemlich übel gewesen. Das ganze Jahr war ziemlich übel gewesen. Zu viele Gesichter starrten ihn aus der Tiefe seiner Erinnerung an. Und alle verspotteten ihn. Verfolgten ihn. *Du warst unsere einzige Hoffnung, und du bist jedes Mal zu spät gekommen.*

Auch hier waren sie zu spät gekommen – dreizehn Jahre zu spät sogar. Ein Schauder rann ihm über das Rückgrat. Luke war keinesfalls ein abergläubischer Mensch, aber das griechische Erbe seiner Mutter hatte ihn stark genug beeinflusst, dass er einen gesunden Respekt vor der Zahl Dreizehn besaß. Dreizehn überlebende Opfer eines Verbrechens, das vor dreizehn Jahren begangen wurde.

Und eines der dreizehn Opfer saß nun auf seinem Beifahrersitz, und ihre Augen verrieten sie.

Sie gab sich selbst die Schuld. Das war deutlich zu spüren. Hätte sie nur frühzeitig etwas gesagt, dann wären die anderen Mädchen verschont geblieben. Es hätte keine Gruppe von Vergewaltigern gegeben, an denen sich ein Mörder heute rächen wollte, und fünf Frauen aus Dutton würden noch leben. Hätte sie damals etwas gesagt, hätte man Simon Vartanian, ihren Bruder, zusammen mit den anderen Tätern verhaftet, so dass er nie imstande gewesen wäre, so viele Menschen zu töten.

Selbstverständlich zog sie die falschen Schlussfolgerungen. So funktionierte das Leben eben nicht. Luke hätte sich gewünscht, dass es so einfach gewesen wäre.

Er hätte sich gewünscht, dass eine beherzte Tat vor dreizehn Jahren die Existenz des Kartons mit den Fotos, der jetzt in seinem Kofferraum lag, ausgelöscht hätte. Er wusste jedoch genau, dass Arthur Vartanian seinen Sohn wie immer freibekommen und wieder mit nach Hause genommen hätte. Und Simon hätte seine Schwester dafür umgebracht. Dessen war sich Luke sicher. Susannah hatte damals keine Wahl gehabt, und sie hatte nicht wissen können, dass Simon an der Vergewaltigung vieler anderer beteiligt gewesen war.

Und nun, da sie es wusste, verhielt sie sich auf eine Art, die ihm allergrößten Respekt abnötigte. Sie war zutiefst verletzt, voller Wut, und sie hatte Angst. Aber sie hatte das Richtige getan.

»Sie trifft keine Schuld«, sagte er ruhig.

Sie presste die Kiefer zusammen. »Vielen Dank, Agent Papadopoulos, aber Sie müssen mich nicht aufbauen.«

»Sie meinen, dass ich Sie nicht verstehe«, erwiderte er sanft, obwohl er sie am liebsten angeknurrt hätte.

»Ich bin sicher, dass Sie *glauben,* mich zu verstehen. Sie meinen es gut, aber –«

Verdammt, er glaubte es nicht nur, er *wusste* es. Sein brodelnder Zorn drohte überzukochen. »Vor vier Tagen fand ich drei tote Kinder«, unterbrach er sie. Die Worte waren heraus, bevor er wusste, dass er sie aussprechen wollte. »Neun, zehn und zwölf Jahre alt. Ich war zu spät, nicht einmal einen ganzen Tag.«

Sie atmete kontrolliert ein und wieder aus. Ihr Körper schien zur Ruhe zu kommen, ihr Zorn jedoch anzusteigen. »Wie sind sie gestorben?«, fragte sie verdächtig ruhig.

»Kopfschuss.« Und er sah noch immer ihre kleinen Gesichter, sobald er die Augen schloss. »Aber bevor man sie getötet hat,

hat man sie vor einer Webcam missbraucht. Jahrelang«, spuckte er aus. »Für Geld. Damit Perverse auf der ganzen Welt es sehen konnten.«

»Diese Schweine.« Ihre Stimme zitterte. »Das muss scheußlich für Sie gewesen sein.«

»Für sie war es viel scheußlicher«, murmelte er, und sie gab einen zustimmenden Laut von sich.

»Ich nehme an, ich sollte Ihnen jetzt sagen, dass Sie daran keine Schuld tragen. Denn offensichtlich denken Sie, Sie täten es.«

Seine Hände packten das Steuer so fest, dass es weh tat. »Offensichtlich.«

Ein paar Augenblicke verstrichen, dann sagte sie: »Sie sind also einer von denen.«

Er spürte, dass sie ihn musterte, und das machte ihn nervös. »Einer von welchen?«

»Einer von den Ermittlern, die gegen Kinderpornographie im Netz vorgehen. Ich habe schon im Büro der Staatsanwaltschaft mit einigen zu tun gehabt. Ich frage mich immer wieder, wie Sie das schaffen.«

Sein Kiefer verspannte sich. »Manchmal schaffe ich es nicht.«

»Aber an den meisten Tagen tun Sie, was Sie müssen. Und jeden Tag stirbt ein klein wenig mehr von Ihnen.«

Und damit hatte sie seine seelische Verfassung recht gut auf den Punkt gebracht. »Ja. So ähnlich.«

»Dann sind Sie wohl einer von den Guten. Und haben keine Schuld.«

Er räusperte sich. »Danke.«

Aus dem Augenwinkel sah er, dass sie ihn noch immer betrachtete. Ein wenig Farbe war in ihr Gesicht zurückgekehrt, und er wusste, dass sie nun über etwas anderes nachgrübelte.

Zwar wollte er nicht über dieses Thema reden und wäre froh gewesen, wenn er den Mund gehalten hätte, aber andererseits hatte er damit erreicht, dass sie abgelenkt war, und dafür war ihm jedes Thema recht.

»Aber ich muss zugeben, dass ich verwirrt bin«, fuhr sie fort. »Ich dachte, Daniel und Sie wären bei der Mordkommission.«

»Daniel ja. Ich bin bei der Internettruppe. Seit über einem Jahr schon.«

»Das ist verdammt lang, wenn man sich mit solchen Dingen abgeben muss. Ich kenne Männer, die zehn Jahre lang bei der Sitte gewesen sind und es keine vier Wochen bei der Abteilung Kinderpornographie ausgehalten haben.«

»Wie Sie schon sagten, tun wir, was wir tun müssen. Ich bin zwar Daniels Freund, aber nicht sein Partner. Ich helfe nur ausnahmsweise. Nachdem ich am Dienstag die Kinder entdeckt hatte, brauchte ich eine Auszeit und bat um eine andere Aufgabe. Und Daniel konnte auf der Jagd nach diesem Kerl, der die Frauen aus Dutton ermordet hat, jede Hilfe gebrauchen. Es ist schon seltsam – überall stößt man auf Simon. Simon ist in diesem Fall wie ein roter Faden. Der Mörder wollte, dass wir Simons Club aufdecken. Simons Fotos finden. Und den Schlüssel.«

»Der Schlüssel zum Banksafe, der leider leer war, obwohl Sie hofften, die Fotos darin zu finden.«

Auch das hatte er ihr auf dem Weg zu ihrem Elternhaus erzählt. »Ja. Der Killer bindet seinen Opfern Schlüssel an die Zehen, damit wir auch wirklich begreifen, dass die Schlüssel wichtig sind. Der Detective aus Philadelphia fand einen Banksafeschlüssel bei Simons persönlicher Habe, aber als Daniel dann das Fach geöffnet hat, musste er feststellen, dass es leergeräumt war. Falls die Bilder je dort gelagert worden sind, hat sie jemand an sich genommen.« Er warf ihr einen kurzen Blick zu. »Zum Glück wussten Sie, wo wir Simons persönliche Exemplare finden konnten.«

»Von der Fotoschachtel wusste ich nichts. Ich wusste nur, dass er ein Geheimversteck hatte.«

Weil sie selbst ein ähnliches Geheimversteck hinter dem Schrank in ihrem ehemaligen Kinderzimmer gehabt hatte, dachte er verbittert. Simon hatte seine bewusstlose Schwester dorthin verfrachtet, nachdem seine Freunde sie missbraucht hatten. Es musste furchtbar gewesen sein, dort im Dunkeln zu erwachen, voller Angst, voller Schmerzen, kaum in der Lage, sich in der Enge zu bewegen. Dass sie das Haus hasste, war überdeutlich zu bemerken gewesen. Dass sie diese Stadt hasste auch, weswegen er nicht sicher war, ob er sie bitten durfte, noch zu bleiben, selbst wenn es um Daniels willen war. »Jetzt ist Simon jedenfalls wirklich tot«, sagte er.

»Tja, selbst als Toter macht er einem das Leben schwer.«

Seine Lippen zuckten. Die Bemerkung deutete auf einen Galgenhumor hin, und das gefiel ihm. »Gut gesagt. Nun, Daniel war jedenfalls auf der Suche nach einem Datenanalytiker, und daher bin ich zum Team gestoßen. Gestern bekamen wir einen Tipp, der uns zu den O'Briens führte. Der ältere der beiden Söhne gehörte zu Simons Club.«

»Jared«, murmelte sie. »Ich kann mich an ihn erinnern. Er hielt sich auf der Highschool für Gottes Geschenk an die Frauen. Ich hatte keine Ahnung, dass er zu denen gehörte, die …« Sie ließ den Satz offen.

… sie vergewaltigt hatten. Luke unterdrückte den erneut aufsteigenden Zorn. Sie würde zurechtkommen. Und er auch. »Jared verschwand vor ein paar Jahren. Wir gehen davon aus, dass

44

die anderen Clubmitglieder ihn beseitigten, weil sie fürchteten, dass er sie alle verraten könnte. Vergangene Nacht habe ich damit verbracht, so viel wie möglich über Jared O'Brien und seine Familie herauszufinden. Dabei stellte sich heraus, dass der jüngere Bruder, Mack, gerade aus dem Gefängnis entlassen worden ist. Er hegte einen Groll gegen all die Frauen, die ermordet wurden. Und natürlich ist er nun unser Hauptverdächtiger. Wir sind auf der Suche nach ihm. Und wir haben die beiden Vergewaltiger, die wir bisher identifizieren konnten, beschatten lassen.«

»Warum haben Sie den Bürgermeister und den Deputy nicht einfach festgenommen?«

»Aus zwei Gründen. Zum einen wissen wir noch immer nicht, wer der dritte Mann ist.«

»Wenn Sie Mansfield und den Bürgermeister verhafteten, würden die doch sofort reden.«

»Vielleicht. Vielleicht taucht er aber auch ab, und wir finden ihn nie. Aber vor allem haben wir es nicht getan, weil Mack O'Brien versucht hat, mit den Opfern die überlebenden Clubmitglieder hervorzulocken. Sie haben seinen Bruder getötet. Er wollte Rache.«

»Und wenn Sie sie verhaften würden, hätte er den Eindruck, es sei gelungen, und würde untertauchen.«

»Das trifft es ungefähr. Wir hatten geplant, gleichzeitig zuzuschlagen, sobald wir O'Brien aufgespürt hätten, aber Mansfield hat unseren Plan zunichtegemacht. Dieser Mistkerl.«

»Er hat seinen Beschatter getötet. Agent Johnson. Das tut mir leid.«

*Und mir erst.* »Wir werden sie beide kriegen – Mansfield und O'Brien. Ich hoffe bloß, dass Mansfield uns zu Bailey führt.« *Und wenn nicht, dann werde ich das Schwein zum Reden bringen.*

»Sie haben Alex Fallon gesagt, sie soll die Hoffnung nicht aufgeben. Aber glauben Sie wirklich, dass Bailey noch am Leben ist?«

Er zuckte mit den Schultern. »Sie wird seit einer Woche vermisst. Wie Sie eben schon bemerkten ... es sieht nicht besonders gut aus.«

Ein Handy klingelte, und Susannah griff automatisch nach ihrer Tasche.

»Das ist meins«, sagte Luke und runzelte die Stirn, als er einen Blick auf das Display warf. »Daniel.« Er lauschte, und sein Blick wurde noch finsterer, dann beendete er das Gespräch und warf Susannah einen Blick zu. »Sie werden einen späteren Flug nehmen müssen.«

Sie packte die Armlehne und hielt sich fest, als der Wagen eine scharfe Wende vollführte. »Wieso? Wohin fahren Sie?«

»Zurück nach Dutton. Daniel hat einen Anruf von Sheriff Loomis bekommen.«

»Und?« Susannah war eindeutig verärgert.

»Loomis behauptet, er wüsste, wo Bailey Crighton gefangen gehalten wird.«

»*Der* Sheriff Loomis, gegen den ermittelt wird, weil er in der Untersuchung des Mordfalls an Alex Fallons Schwester vor dreizehn Jahren Beweise gefälscht hat?«, fragte sie sarkastisch. »Ich habe die Schlagzeile in der Zeitung auf Ihrem Schreibtisch gesehen.«

Luke trat aufs Gaspedal. »Und *der* Sheriff Loomis, der jeden Versuch, Bailey zu finden, behindert hat? Ja, genau der.«

»Und Sie glauben ihm?«

»Nein, aber wir können es uns nicht leisten, dieser Spur *nicht* nachzugehen. Daniel soll Loomis an der Mühle treffen. Er sagt, Sie wüssten, wo das ist.«

»O'Briens Papiermühle? Wenn das keine Ironie ist.«

»Nicht wahr? Unsere Teams sind allerdings schon den ganzen Tag auf dem Grundstück auf der Suche nach Mack O'Brien. Aber Daniel sprach von der *alten* Mühle. Kennen Sie sie?«

Sie biss sich auf die Unterlippe. »Ja, aber ich war nicht mehr dort, seit ich in der vierten Klasse einen Schulausflug dorthin gemacht habe. Eigentlich geht niemand mehr dorthin – da sind nur Ruinen und Schutt. Außerdem befindet sich irgendwo in der Nähe eine Schwefelquelle, und es stinkt nach faulen Eiern. Wahrscheinlich treiben sich nicht einmal mehr Kids zum Rauchen dort herum.«

»Sie wissen aber, wie wir hinkommen?«

»Ja.«

»Fein. Mehr wollte ich nicht wissen. Halten Sie sich fest, es könnte holprig werden.«

*Dutton,*
*Freitag, 2. Februar, 15.30 Uhr*

Zu viel Zeit war vergangen. Rocky überprüfte die Fesseln der Mädchen und achtete sorgfältig darauf, ihnen nicht in die Augen zu blicken. Natürlich sahen sie sie alle an. Einige trotzig, andere verzweifelt. Aber sie erwiderte diese Blicke nicht. Stattdessen stieg sie hinauf an Deck und sah Jersey Jameson, den alten Mann, dem das Boot gehörte, finster an. Der Mann fischte schon sein ganzes Leben lang auf diesem Fluss und schmuggelte, welche Ware auch immer gerade gefragt war. Die Wasserschutzpolizei hatte noch nie Interesse an Jersey gezeigt, weswegen er sehr beliebt war.

»Warum sind wir immer noch hier?«, fuhr sie ihn an.

Jersey deutete auf Mansfields Gestalt, die in der Ferne verschwand. »Er hat gesagt, ich soll warten, bis der Doc kommt. Ich habe ihm fünf Minuten gegeben. Danach legen wir ab.« Er warf ihr einen angewiderten Blick zu. »Ich habe verdammt viel Zeug für dich transportiert, Rocky, aber so etwas noch nicht. Sag deinem Boss, dass ich es auch nie wieder tun werde.«

»Sag's ihm selbst.« Als Jersey den Kiefer anspannte, lachte Rocky auf. »Oder besser doch nicht.« Bobby mochte es gar nicht, wenn man sich verweigerte. »Herrgott, wo bleiben die denn? Sie sollten doch alles beseitigen, was wir nicht mitnehmen können.«

»Ich will kein weiteres Wort hören«, sagte Jersey.

Sie warteten kurz, doch Mansfield kehrte nicht zurück. »Okay, ich geh ihm nach.« Rocky wollte gerade den Steg betreten, als ein Schuss die Luft zerriss.

»Das kam von der Straße«, sagte Jersey.

Rocky sprang zurück an Deck. »Wir verschwinden. Sofort.«

Jersey zog bereits am Gashebel. »Und was ist mit dem Doc und dem Deputy?«

»Sie müssen allein zurechtkommen.« Aber Bobby würde nicht gerade glücklich sein, dass sie die Leichen zurückgelassen hatten, und der Gedanke, Bobbys rasendem Zorn gegenüberzutreten, verursachte Rocky Übelkeit. »Ich bin unten.«


*Dutton,*
*Freitag, 2. Februar, 15.35 Uhr*


Die Tachonadel bewegte sich kontinuierlich nach rechts. *Und wahrscheinlich bringt es gar nichts,* dachte Susannah finster, als der Wagen ein Schlagloch traf und sich kurz in der Luft befand. Doch dann erinnerte sie sich an die Qual und die Angst in Alex Fallons Augen. Die Stiefschwester dieser Frau wurde seit einer Woche vermisst, und ihr Verschwinden hing irgendwie mit diesem verzwickten Fall zusammen, den Daniel und seine Leute zu lösen hatten. Natürlich schuldeten sie es Bailey, jeder Spur nachzugehen.

*Ich kann morgen früh den ersten Flug nehmen.* Sie musste einfach nur im Zwinger anrufen und bitten, dass man ihren Hund noch eine Nacht dortbehielt. Darüber hinaus kümmerte es niemanden, ob sie heute oder morgen kam. Niemand wartete auf sie. Das war die traurige Wahrheit.

»Daniel hat Sheriff Corchran in Arcadia angerufen«, sagte Luke gepresst, ohne den Blick von der Straße zu nehmen. »Arcadia ist nur knapp zwanzig Meilen von hier entfernt, also wird er bald hier sein. Daniel vertraut ihm, und Sie und Alex werden mit ihm fahren, damit es sicherer ist – verstanden?«

Susannah nickte. »Okay.«

Er warf ihr einen erstaunten Blick zu. »Keine Diskussion?«

»Warum sollte ich?«, gab sie zurück. »Ich habe keine Waffe und bin nicht bei der Polizei. Ich habe überhaupt nichts dagegen, diesen Job euch Jungs zu überlassen und den Stab erst im Gerichtssaal zu übernehmen.«

»Prima. Können Sie fahren?«

»Wie bitte?«

»Ob Sie fahren können«, wiederholte er überdeutlich. »Sie leben in New York. Ich kenne New Yorker, die nie einen Führerschein gemacht haben.«

»Doch, ich habe einen. Ich fahre nicht oft, aber ich kann es.« Eigentlich fuhr sie nur einmal im Jahr immer zum selben Ort im Norden der Stadt, und für diese Fahrt mietete sie sich einen Wagen.

»Gut. Wenn irgendetwas schiefgeht, steigen Sie mit Alex ins Auto und hauen ab, okay?«

»Ja, okay. Aber was …?« Susannah blinzelte, weil ihr Verstand nicht gleich akzeptierte, was sie vor sich sah. »Oh, mein Gott. Luke, Vorsicht!«

Ihr Ruf wurde vom Quietschen der Reifen übertönt, als Luke mit aller Kraft auf die Bremsen trat und das Heck des Wagens ausbrach. Das Auto schlingerte und rutschte und kam nur Zentimeter vor dem Körper auf der Straße zum Stehen.

»Verdammt.« Luke war aus dem Wagen, noch bevor sie Luft holen und sich abschnallen konnte.

Sie folgte ihm zu der Frau, die zusammengekrümmt vor dem Kühler lag. Sie blutete, und ihr Gesicht sah so zerschunden aus, dass Susannah ihr Alter nur ahnen konnte. »Haben Sie sie angefahren? Mein Gott, haben wir das getan?«

»Nein«, sagte er und hockte sich neben die Frau. »Sie ist zusammengeschlagen worden.« Er zog zwei Paar Latexhandschuhe aus seiner Tasche. »Hier, ziehen Sie die an.« Er streifte sich das andere Paar über, dann glitten seine Hände sanft über die Beine der Frau. An ihren Knöcheln hielt er inne. Susannah beugte sich vor und erkannte vage unter all dem Blut und Schmutz die Tätowierung eines Schafs. Luke hob behutsam das Kinn der Frau an. »Sind Sie Bailey?«

»Ja«, sagte sie heiser. »Meine Kleine. Hope. Geht es ihr gut?«

Er strich ihr das strähnige Haar aus dem Gesicht. »Ja, es geht ihr gut, und sie ist in Sicherheit.« Er reichte Susannah das Handy. »Rufen Sie Chase an. Sagen Sie ihm, dass wir Bailey gefunden haben und dringend einen Krankenwagen brauchen. Und dann rufen Sie bitte auch Daniel an. Er soll umkehren.«

Luke lief zum Kofferraum und holte einen Erste-Hilfe-Kasten, während Susannah Special Agent Chase Wharton, Daniels und Lukes Chef, anwählte. Sie hatte Mühe, mit Lukes Handschuhen, die ihr zu groß waren, die Tastatur zu bedienen.

Bailey packte Lukes Arm, als er begann, die noch blutende Wunde am Kopf zu verarzten. »Wo ist … Alex?« Als Luke die Straße hinaufblickte, die Daniel gefahren sein musste, trat ein Ausdruck von Panik in Baileys Augen. »War sie etwa in dem Wagen, der eben vorbeikam? Mein Gott.«

Seine Augen verengten sich. »Warum?«

»Er bringt sie um. Er bringt sie alle um.«

*Er bringt sie alle um.* Susannahs Herz setzte einen Schlag aus. Endlich fand sie Daniels Namen in Lukes Kurzwahlverzeichnis, wählte und ließ es klingeln.

Luke drückte sanft Baileys Kinn. »Wer? Bailey, hören Sie mir zu. Wer hat Ihnen das angetan?« Aber die Frau schwieg. Sie begann sich zu wiegen, und Susannah schauderte. »Bailey. Wer war es?«

In diesem Moment meldete sich Daniels Mailbox. »Daniel. Wir haben Bailey gefunden. Fahr nicht weiter. Ruf erst zurück.« Sie wandte sich wieder an Luke. »Der Krankenwagen ist unterwegs, und Chase schickt Hilfe, aber Daniel meldet sich nicht.«

Luke stand auf. Ein Muskel zuckte an seinem Kiefer. »Ich kann Sie nicht einfach hier allein zurücklassen. Corchran wird noch mindestens zehn Minuten brauchen. Bleiben Sie bei ihr«, befahl er. »Er wird uns so viel Verstärkung wie möglich schicken müssen.«

Susannah kniete sich neben Bailey und strich ihr mit der behandschuhten Hand über das stumpfe Haar. »Bailey. Ich heiße Susannah. Bitte sagen Sie uns, wer das getan hat.«

Die Lider der Frau flatterten.

»Sie haben Alex.«

»Daniel ist bei ihr«, sagte Susannah beruhigend. »Er wird auf sie aufpassen.« Und dessen war sie sich hundertprozentig sicher, auch wenn sie Probleme mit ihrem Bruder hatte. »Hat Deputy Mansfield Ihnen das angetan?«

Baileys Nicken war schwach. »Ja. Und Toby Granville.« Ihre Lippen zuckten verächtlich. »*Dr.* Granville.«

Toby Granville. Die fehlende Person des überlebenden Trios. Susannah wollte aufstehen, um mit Luke zu sprechen, doch Bailey hielt sie am Arm zurück. »Da ist noch ein Mädchen. Da unten.« Sie deutete auf die Böschung. »Sie ist verletzt. Helfen Sie ihr. *Bitte.*«

Susannah richtete sich auf und blickte hinab, konnte aber nichts erkennen. *Moment mal.* Da lag etwas Helles hinter den Bäumen. »Luke. Da unten liegt jemand!«

Sie hörte ihn ihren Namen rufen, hastete jedoch schon in ihrem engen Rock und den hohen Schuhen halb rutschend, halb stolpernd die Böschung hinab. Jetzt sah sie, dass dort unten tatsächlich eine Gestalt lag. Sie begann zu rennen. Ein Mädchen. *Mein Gott.*

Die Gestalt lag vollkommen reglos da. Susannah sank neben ihr auf die Knie und presste ihr zwei Finger an den Hals. Erleichterung durchströmte sie. Der Puls war zu spüren, das Mädchen lebte. Die Kleine war noch jung, zierlich gebaut, aber auch so abgemagert, dass ihre Arme spindeldürr wirkten. Und sie war so voller Blut, dass Susannah kaum ausmachen konnte, wo sie verwundet war.

Susannah wollte sich gerade aufrichten und Luke heranwinken, als sich das Mädchen plötzlich an Susannahs Arm klammerte. Sie schlug die Augen auf, und Susannah erkannte Schmerz und Angst darin.

»Wer … sind Sie?«, krächzte das Mädchen.

»Ich heiße Susannah Vartanian. Ich will dir helfen. Bitte – hab keine Angst mehr.«

Das Mädchen ließ sich keuchend zurückfallen. »Vartanian. Sie sind gekommen.« Dann setzte Susannahs Herz aus, denn das Mädchen starrte zu ihr auf, als ... als sei sie eine Heilige. »Sie sind wirklich gekommen.«

Susannah zupfte vorsichtig an dem zerschlissenen T-Shirt des Mädchens, bis sie die Schusswunde sah. Entsetzt ließ sie den Stoff los. *O Gott.* Das Mädchen war in die Seite getroffen worden. *Was nun?*

*Denk nach, Vartanian, dir wird wieder einfallen, was zu tun ist.* Druck. Sie musste Druck auf die Wunde ausüben. Rasch zog sie ihr Kostümjackett aus, dann die Bluse und fröstelte in der kalten Luft. »Wie heißt du, Liebes?«, fragte sie, während ihre Hände arbeiteten, doch das Mädchen sagte nichts. Ihre Augen waren wieder zugefallen.

Susannah zog ein Lid hoch. Keine Reaktion, doch der Puls war immer noch zu spüren. Hastig wickelte sie ihre Bluse zu einem festen Ball und presste sie auf die Wunde. »*Luke!*«

Sie hörte Schritte hinter sich, dann einen leisen Fluch. Sie warf einen Blick über die Schulter und riss die Augen auf, als sie in die Mündung seiner Waffe starrte.

»Ich sagte doch, Sie sollen bei Bailey – oh, verdammt!« Sein Blick blieb einen kurzen Moment an ihrem Spitzen-BH hängen, dann richtete er sich auf das Mädchen. »Wissen Sie, wer sie ist?«

Sie konzentrierte sich wieder darauf, Druck auf die Seite des Mädchens auszuüben. »Nein. Bailey hat mir eben gesagt, dass sie hier liegt. Während Sie telefoniert haben. Und sie hat auch gesagt, dass Mansfield und Granville diejenigen waren, die sie entführt haben.«

»Granville.« Er nickte. »Der Arzt dieser Stadt, nicht wahr? Ich habe ihn vor ein paar Tagen an einem Tatort kennengelernt. Also ist er wohl der fehlende Dritte.«

»Ja, das denke ich auch.«

»Hat das Mädchen etwas gesagt?«

Susannah zog die Brauen zusammen. »Sie hat meinen Nachnamen gesagt und dann ›Sie sind gekommen‹. Als hätte sie mich erwartet.« *Und dann hat sie mich angesehen, als sei ich eine Heilige.* Das verursachte ihr Unbehagen. »Sie ist angeschossen worden und hat eine Menge Blut verloren. Geben Sie mir Ihren Gürtel. Damit kann ich den Druck erhöhen.«

Sie hörte das Sirren, als er seinen Gürtel hastig aus den Schlaufen zog. »Ziehen Sie Ihre Jacke an«, sagte er, »und warten Sie bei Bailey.«

»Aber …«

Er ließ sich neben sie auf die Knie fallen. »Tun Sie es. Ich kümmere mich um dieses Mädchen. Wer weiß, wer hier durch den Wald läuft. Ich will nicht, dass Bailey unbeaufsichtigt ist.« Er zögerte. »Können Sie mit einer Waffe umgehen?«

»Ja«, gab sie prompt zurück.

»Gut.« Er zog eine Pistole aus dem Holster an seinem Fußknöchel. »Los jetzt. Ich trage sie hoch.«

Susannah griff nach ihrer Jacke und streifte sie über. »Luke … sie ist noch ein Kind. Und sie wird sterben, wenn wir nicht bald Hilfe bekommen.«

»Ich weiß«, erwiderte er grimmig und führte den Gürtel unter dem Körper des Mädchens durch. »Gehen Sie schon. Ich komme nach.«

# 3. Kapitel

Luke befestigte gerade die Riemen seiner schusssicheren Weste, als zwei Streifenwagen aus Arcadia herankamen. Ein Mann stieg aus und sah sich um. »Ich bin Corchran. Wo ist Vartanian?«

»Hier.« Susannah sah auf. Sie kniete zwischen Bailey und dem Mädchen. Ihr Jackett, das sie bis obenhin zugeknöpft hatte, war wie ihr Rock blutverschmiert. Ihre schmalen Hände in den großen Gummihandschuhen pressten noch immer den Stoff auf die Wunde in der Seite des Mädchens. »Wo bleibt der verdammte Krankenwagen?«

Corchran runzelte die Stirn. »Ist unterwegs. Wer sind Sie?«

»Das ist Susannah Vartanian, Daniels Schwester«, sagte Luke. »Und ich bin Agent Papadopoulos.«

»Und wo ist Daniel Vartanian?«, wollte Corchran wissen.

Luke deutete die Straße entlang. »Er ist in diese Richtung gefahren und geht leider nicht an sein Handy oder ans Funkgerät.«

Corchrans Miene verfinsterte sich. »Und wer sind die beiden?«

»Die Frau ist Bailey Crighton«, antwortete Luke. »Von dem Mädchen wissen wir noch nichts. Beide sind bewusstlos. Ich habe einen Hubschrauber angefordert. Es ist möglich, dass der oder die Täter, die den beiden das angetan haben, sich noch in der Nähe aufhalten oder sich dort verschanzen, wo die beiden Frauen hergekommen sind.« Er stieß geräuschvoll den Atem aus. »Und ich denke, dass Daniel in Schwierigkeiten steckt. Da Sie nun hier sind, fahre ich los.«

Corchran zeigte auf die beiden Männer aus dem zweiten Streifenwagen. »Die Officers Larkin und DeWitt. Ich habe sechs weitere Männer angefordert, außerdem einen zweiten Krankenwagen. Larkin und DeWitt können die ankommenden Fahrzeuge koordinieren. Ich fahre mit Ihnen.«

»Agent Pete Haywood ist ebenfalls zur Verstärkung unterwegs. Wenn er hier eintrifft, schicken Sie ihn hinter uns her.« Er nickte Corchran zu. »Dann los.«

»Agent Papadopoulos, warten Sie.« Susannah reichte ihm seine Zweitwaffe. »Ich brauche sie nicht mehr, Sie aber vielleicht.« Luke beobachtete, wie sie sich abwandte und wieder dem Mädchen widmete.

Sie hatte ruhig, besonnen und mutig gehandelt. Wenn Luke wieder Zeit zum Atemholen hatte, würde er beeindruckt sein, das wusste er. Er würde außerdem daran zurückdenken, wie sie im engen Rock und mit Spitzen-BH mitten im Wald gekniet hatte. Aber nun musste er sich unbedingt konzentrieren. Auf Daniel, dessen Leben davon abhängen konnte.

»Falls Bailey zu sich kommt, soll sie Ihnen erzählen, was sie weiß – wie viele Leute wo sind, wie viele Waffen sie gesehen hat, wo die Türen sind – alles. Larkin soll uns jedes Detail rüberfunken, wie unbedeutend es Ihnen auch vorkommen mag.«

Sie blickte nicht einmal auf. »In Ordnung.«

»Dann los.«

Kurz darauf bog Luke um eine Kurve, Corchran in seinem eigenen Auto direkt hinter ihm. Lukes Herz setzte aus. »O mein Gott«, flüsterte er. Ein Hinterhalt. Frank Loomis hatte Daniel verraten.

Luke starrte auf einen mindestens dreißig Meter langen Betonbunker. Hinter dem Bunker war der Fluss zu sehen, davor standen drei Wagen. Zwei waren Streifenwagen aus Dutton, der dritte Daniels Limousine, dessen Heck einen der Streifenwagen gerammt hatte, als der ihm offenbar den Fluchtweg versperren wollte.

Die beiden vorderen Türen von Daniels Auto standen weit offen, und Luke sah auf den ersten Blick, dass das Fahrerfenster blutverschmiert war. Leise näherte sich Luke mit gezogener Waffe und winkte Corchran zur Beifahrerseite.

Luke stieß den Atem aus, den er instinktiv angehalten hatte. Daniels Wagen war leer. Corchran beugte sich an der Beifahrerseite hinein. »Blut«, murmelte er und zeigte auf das Armaturenbrett. »Nicht viel. Und Haare.« Er hob ein paar Haare vom Boden auf. Lang und braun.

»Die sind von Alex.« Erst in diesem Moment sah Luke die männliche Gestalt in ungefähr zehn Meter Entfernung am Boden liegen. Er lief hin und ließ sich neben dem Körper auf die Knie fallen. »Frank Loomis.«

»Duttons Sheriff?« Corchrans Stimme klang gequält. »Wollen Sie damit sagen, dass er auch in diese Sache verwickelt ist?«

Luke drückte dem Mann zwei Finger an den Hals. »Er hat seit mindestens einer Woche die Ermittlungen behindert. Loomis ist tot. Wie lange noch, bis Ihre sechs Mann Verstärkung eintreffen können?«

Corchran sah sich um, und beide entdeckten drei Streifenwagen, die um die Ecke bogen. »Gar nicht mehr.«

»Positionieren Sie sie rund um das Gebäude. Halten Sie die Waffen bereit und bleiben Sie in Deckung. Ich sehe nach, wo die Eingänge sind.« Luke setzte sich in Bewegung. Der Bunker war größer, als er von vorn aussah, und L-förmig gebaut.

Es gab ein Fenster an einem Ende, eine Tür am anderen. Das Fenster lag zu hoch, als dass man hindurchsehen könnte.

Dann hörte er im Inneren einen Schuss. Und Stimmen, gedämpft, kaum voneinander zu unterscheiden. »Corchran«, zischte Luke ins Funkgerät.

»Ich hab's gehört«, kam die Antwort. »Der zweite Krankenwagen ist gerade angekommen. Ich gehe von der anderen Seite herum.«

Luke hörte wieder einen Schuss und begann zu rennen. Er traf an der Tür mit Corchran zusammen. »Zielen Sie nach unten, ich nach oben.« Er wollte sich in Bewegung setzen, fuhr dann jedoch zurück. »Da kommt jemand.«

Corchran zog sich hinter die Ecke zurück und wartete. Auch Luke entfernte sich lautlos, ohne die Tür aus den Augen zu lassen. Dann trat eine blutüberströmte Frau ins Freie.


*Ridgefield, Georgia,*
*Freitag, 2. Februar, 16.00 Uhr*


»Schnell.« Rocky stieß das letzte Mädchen von Bord. »Wir haben keine Zeit zum Trödeln.«

Sie musterte rasch die fünf, die sie mitgenommen hatten, und versuchte, ihren Restwert einzuschätzen. Zwei waren mager wie Vogelscheuchen. Eine war groß, blond und sportlich. Für sie konnte man einen Spitzenpreis verlangen. Die anderen zwei waren verlässliche Arbeiterinnen, wenn sie gesund waren. Immerhin hatte sie gut aussortiert. Alle fünf knieten auf dem Boden, alle fünf waren bleich. Eines der Mädchen hatte sich vollgekotzt, die anderen wandten angewidert ihre Gesichter ab. Das war gut. Freundschaft unter der Ware war unerwünscht und wurde stets von Rocky im Keim erstickt. Manchmal musste man Premiumware opfern, wie Becky, aber es war sehr effektiv gewesen, das Mädchen vor den Augen und Ohren der anderen totzuprügeln. Becky hatte einige der Mädchen zum Reden ermutigt, und Reden führte unweigerlich zu Fluchtplänen, was nicht hingenommen werden konnte.

Ein Pferdetransporter, weiß, ohne besondere Kennzeichen, fuhr heran. Bobby saß am Steuer. Rocky wappnete sich innerlich gegen den Wutanfall, der sicher kommen würde, wenn Bobby zählte, was sie hatte retten können.

Bobby stieg aus dem Transporter und musterte sie aus schmalen Augen. »Es sollten doch sechs sein. Und wo sind Mansfield und Granville?«

Rocky blickte auf, sah in die kalten, blauen Augen und hörte das Hämmern ihres Herzschlags in den Ohren. Aber die Mädchen waren in Hörweite, und ob man sie, Rocky, in Zukunft respektierte, würde davon abhängen, wie sie sich jetzt verhielt. Die Ware ließ sich zu neunzig Prozent mit Einschüchterungen und unausgesprochenen Drohungen beherrschen – Psychologie war alles. Die Mädchen blieben, wo sie waren, weil die Angst vor einer Flucht viel zu groß war.

Rocky durfte nicht an Boden verlieren. »Laden wir ab, was wir haben, und reden anschließend.«

Bobby trat zurück. »Gut. Mach schnell.«

Rocky scheuchte die Mädchen in den Transporter und befestigte die Handschellen an der Wand. Dann klebte sie ihre Münder mit breitem Klebeband zu, damit keines auf die glorreiche Idee kam, an einer Ampel um Hilfe zu schreien.

Jersey vermied jeden Augenkontakt, als er die Kisten auf dem Stroh stapelte. Dann wandte er sich zu Bobby um. »Ich transportiere, was ihr wollt – aber keine Kinder mehr.«

»Es käme mir niemals in den Sinn, etwas zu verlangen, mit dem du dich unwohl fühlst«, sagte Bobby mit Samtstimme, und Rocky wusste, dass Bobby den alten Mann nun zwingen würde, jeden dieser Transporte zu übernehmen. Es war ein Leichtes, Jersey mit dem, was er bereits getan hatte, zu erpressen.

Aus seinem Gesichtsausdruck zu schließen hatte Jersey das ebenfalls begriffen. »Ich meine es ernst, Bobby.« Er schluckte. »Meine Enkelinnen sind in dem Alter.«

»Dann solltest du dafür sorgen, dass sie sich nicht in Chatrooms herumtreiben«, sagte Bobby trocken. »Und dir ist doch klar, dass das andere ›Zeug‹, das du für uns fährst, letztendlich in Kids landet, die noch jünger sind als diese da?«

Jersey schüttelte den Kopf. »Das ist freiwillig. Wer für Drogen zahlt, tut es, weil er es will. Die da wollen nicht.«

Bobbys mildes Lächeln war aufgesetzt. »Du hast wirklich eine interessante Doppelmoral, Jersey Jameson. Du wirst bezahlt wie immer. Und jetzt geh.«

Bobby schloss die Hecktüren des Transporters, und Rocky wusste, dass nun sie an der Reihe war. »Granville und Mansfield sind noch dort«, sagte sie, bevor Bobby erneut fragen konnte. Sie wappnete sich innerlich und fügte hinzu: »Wie die Leichen der Mädchen, die Granville erschossen hat.«

Das Schweigen, das folgte, kam Rocky wie eine Ewigkeit vor. Sie hatte die Augen geschlossen, und als sie sie schließlich wieder öffnete, ließ ihr der Zorn in Bobbys Blick das Blut in den Adern gefrieren.

»Ich sagte, ich will nicht, dass etwas zurückbleibt.« Leise, ruhige Worte.

»Ich weiß, aber …«

»Nichts aber«, fauchte Bobby und begann, auf und ab zu gehen. »Wieso hast du sie zurückgelassen?«

»Granville war noch im Bunker, und Mansfield wollte ihn holen gehen und helfen, die Leichen rauszubringen. Dann hörten Jersey und ich Schüsse von der Straße. Wir hielten es für besser, die Ware in Sicherheit zu bringen.«

Bobby blieb stehen, wirbelte zu ihr herum und sah sie eiskalt an. »Besser wäre es gewesen, du hättest deine Aufgabe richtig erledigt. Weiter!«

Rocky wich Bobbys Blick nicht aus. »Auf der Fahrt habe ich den Funk abgehört. Man hat Frank Loomis' Leiche gefunden. Vor dem Bunker.«

Bobby zog die Brauen zusammen. »Loomis? Was zur Hölle hat er dort gemacht?«

»Weiß ich nicht.«

»Wie viele?«

Rocky schüttelte den Kopf. »Wie viele was?«

Bobby war mit einem Schritt bei ihr, packte sie am Kragen, zerrte sie auf die Fußspitzen. »Wie viele habt ihr dagelassen?«

Rocky gab sich Mühe, ruhig zu bleiben. »Sechs.«

»Und du bist sicher, dass sie tot sind? Hast du die Leichen gesehen?«

Das hatte sie nicht geprüft, obwohl sie es hätte tun müssen. Sie hätte sich vergewissern müssen, dass Granville die Mädchen wirklich getötet und in den Fluss geworfen hatte. Die traurige Wahrheit lautete, dass ihr Magen sich als zu schwach erwies, wenn es sich um Mord handelte. Aber Granville war ein krankes Schwein und hatte sich ganz sicher darum gekümmert, dass die Mädchen nicht mehr lebten. »Ja. Ich bin sicher.«

Bobby lockerte den Griff, und Rocky sank auf die Füße zurück. »Also gut.«

Sie schluckte, spürte noch die Fingerknöchel, die sich gegen ihre Luftröhre gepresst hatten. »Die Mädchen, die wir zurücklassen mussten, können nicht identifiziert werden. Wir haben nichts zu befürchten, sofern Granville oder Mansfield den Mund halten. Wenn man sie überhaupt erwischt hat.«

Bobby ließ sie los und versetzte ihr einen Stoß. »Ich kümmere mich um die beiden.«

Rocky stolperte, fing sich jedoch rasch wieder. »Aber was, wenn sie erwischt worden *sind*?«

»Ich kümmere mich um die beiden. Mansfield ist nicht der einzige Bulle, der auf meiner Gehaltsliste steht. Was noch?«

»Ich habe dafür gesorgt, dass keinerlei Unterlagen und Papiere dortgeblieben sind. Granville hatte sie nicht geschreddert.«

Bobbys Blick wurde noch eine Spur kälter. »Dieser verfluchte Bastard. Ich hätte ihn schon vor Jahren umbringen sollen.«

»Wahrscheinlich.«

Plötzlich beugte Bobby sich vor und flüsterte ihr ins Ohr. »Aber dich könnte ich jetzt und hier töten. Mit bloßen Händen könnte ich dir das Genick brechen. Und ich sollte es tun. Du hast gründlich Mist gebaut, Rocky.«

Wieder glaubte Rocky, dass ihr das Blut in den Adern gefror. »Aber du wirst mich nicht umbringen«, brachte sie mit erzwungener Ruhe hervor.

»Ach. Und warum nicht?«

»Weil du ohne mich keinen Zugang zu den Chatrooms hättest und all die ›süßen Dinger‹, die wir in Aussicht haben, verloren wären. Euer Nachschub würde schneller versickern als ein Tropfen Wasser in der Wüste.« Sie beugte sich vor und stellte sich auf Zehenspitzen, bis sie ungefähr auf Augenhöhe waren. »Ganz schlecht fürs Geschäft.«

Bobby starrte sie einen Moment lang an, ein verbittertes Lächeln auf den Lippen. »Du hast recht. Und du hast Glück. Im Augenblick brauche ich dich mehr, als dass ich dich hasse.

Aber es wird knapp, meine Liebe. Noch ein Patzer, und das war's für dich. Du bist ersetzbar, und die anderen Geschäfte versorgen mich mit genug Mitteln, um oben zu bleiben, bis ich eine neue Pipeline gelegt habe. Wenn wir in Ridgefield angekommen sind, siehst du zu, dass diese Mädchen sauber und ordentlich aussehen. Heute Abend kommt ein Kunde. Jetzt steig ein.« Bobby setzte sich hinter das Steuer, ein Handy in der Hand. »Hey, Chili. Ich bin's. Ich habe zwei Aufträge für dich, aber es muss schnell gehen. Am besten in der nächsten Stunde.«

Rocky konnte Chilis lautstarken Protest hören, als Bobby das Handy mit ausgestrecktem Arm vom Ohr weghielt.

»Hör zu, Chili. Wenn du den Job nicht willst – okay. Ich finde schon jemand anderen ...« Bobby grinste. »Das dachte ich mir. Also ... du müsstest zwei Häuser abfackeln. Übliches Honorar, übliche Zahlweise ...« Bobbys Grinsen gefror. »Also gut, das Doppelte. Aber ich will, dass alles bis auf die Grundmauern niederbrennt. Nichts darf mehr übrig bleiben.«

*Dutton,*
*Freitag, 2. Februar, 16.15 Uhr*

»Alex!« Luke stürmte zur Tür, als Alex Fallon blutüberströmt ins grelle Sonnenlicht trat und blinzelte. »Sie ist verletzt. Sanitäter hierher!«

Alex stieß Lukes Hände weg. »Nicht ich, Daniel. Sein Zustand ist kritisch. Er muss mit dem Hubschrauber in die Notaufnahme gebracht werden. Ich zeige dir, wo er liegt.«

Luke packte ihren Arm, als sie kehrtmachte und wieder im Bunker verschwinden wollte. »Er lebt?«

»Gerade noch«, fauchte sie. »Wir vergeuden Zeit. Komm schon.«

»Ich funke Larkin an, dass der Hubschrauber, den wir für das Mädchen angefordert haben, auf Vartanian wartet«, sagte Corchran. Er winkte den Männern von der Ambulanz. »Folgen Sie ihr.«

Alex rannte bereits durch den Bunker. Luke folgte ihr mit den beiden Sanitätern, die eine quietschende Trage schoben. »Bailey muss entkommen sein«, sagte Alex, als sie sie einholten.

»Ja, ist sie«, gab Luke zurück. »Wir haben sie gefunden. Sie lebt. Zwar ist sie in keinem guten Zustand, aber sie lebt.«

»Gott sei Dank. Beardsley ist auch da drin.«

»Beardsley? Der Armeekaplan?« Captain Beardsley wurde seit Montag vermisst – seit er versucht hatte, Bailey in Dutton ausfindig zu machen.

»Ja, er lebt. Vielleicht kann er sich noch auf den Beinen halten, aber gut sieht es auch bei ihm nicht aus.«

Sie erreichten den Raum am Ende des langen Korridors, und Luke blieb wie angewurzelt stehen. Die zwei Sanitäter schoben sich an ihm vorbei, um zu Daniel zu gelangen, der in einer Ecke auf dem Boden lag. Er trug einen provisorischen Verband um die Brust, den Alex ihm wahrscheinlich angelegt hatte. Daniels Gesicht war erschreckend grau, aber er atmete.

Was man von den drei anderen menschlichen Gestalten, die auf dem Boden lagen, nicht behaupten konnte. In Deputy Mansfields Brust waren zwei Einschusslöcher zu sehen. Mack O'Briens Stirn wies ebenfalls ein sauberes Loch auf. Bei dem dritten Mann zählte Luke sogar fünf Treffer im Torso, einen weiteren in der Hand. Seine blutigen Handgelenke waren hinter seinem Rücken gefesselt, und sein Gesicht war nicht mehr vorhanden.

Eine vierte Person, ein Mann, saß an die Wand gelehnt und atmete schwer. Sein Gesicht war blutverschmiert und schmutzig, und er hatte die Augen geschlossen. Luke nahm an, dass es sich um den Armeekaplan handelte, obwohl er im Augenblick eher wie Rambo aussah.

»Heilige Mutter Gottes«, murmelte Luke und warf der einzigen Person, die aufrecht stand und offenbar unverletzt war, einen ungläubigen Blick zu. »Hast du das angerichtet?«

Alex sah sich um, als sähe sie das Bild der Zerstörung zum ersten Mal. »Zum Teil. Mansfield hat Daniel angeschossen, dann habe ich *ihn* erschossen. Und dann kam Granville.« Grimmig musterte sie den Mann ohne Gesicht. »Er war der dritte Vergewaltiger.«

»Ja, ich weiß«, gab Luke zurück. »Bailey hat es uns schon gesagt. Du hast also auch Granville getötet?«

»Nein, nur verwundet. O'Brien hat Granville den Rest gegeben. Hier ging es um seine Rache.«

Luke stieß O'Brien mit der Schuhspitze an. »Und der hier?«

»Na ja, nachdem O'Brien Granville umgebracht hat, hat er mir eine Waffe an den Kopf gehalten. Beardsley hat ihm die Pistole aus der Hand genommen, und Daniel hat ihn in den Kopf geschossen.« Plötzlich erschien ein breites Grinsen auf ihrem Gesicht. »Ich fand uns nicht schlecht.«

Luke konnte nicht anders, als ihr Grinsen zu erwidern, obwohl ihm Daniels Stöhnen Übelkeit verursachte. Die Sanitäter hoben ihn soeben auf die Trage. »Du hast recht. Du hast sie ausgeschaltet, Herzchen.«

Aber der Armeekaplan schüttelte den Kopf. »Wir sind zu spät gekommen«, sagte er müde.

Das ernüchterte Alex und Luke augenblicklich. »Wovon reden Sie?«, fragte Alex.

*Er bringt sie alle um,* hatte Bailey gesagt. Die Furcht schwemmte die kurzzeitige Befriedigung, die Luke empfunden hatte, fort. »Du bleibst hier bei Daniel«, sagte er zu Alex. »Ich gehe nachsehen.«

Alex warf den Sanitätern einen Blick zu. »Ist sein Zustand stabil?«

»Einigermaßen. Er wird es schaffen«, sagte einer der beiden. »Wer hat die Wunde versorgt?«

»Ich«, sagte Alex. »Ich bin Krankenschwester der Notfallambulanz.«

Der Mann nickte anerkennend. »Gute Arbeit. Er atmet selbständig.«

Alex' Blick flackerte. »Gut.« Dann wandte sie sich an Luke. »Gehen wir. Ich muss es auch wissen.«

Luke konnte es ihr nicht verübeln. Ihre Stiefschwester war eine Woche hier festgehalten worden, und obwohl ihr jeder gesagt hatte, dass Bailey als Drogensüchtige wahrscheinlich nur abgetaucht war, hatte Alex an sie geglaubt und ein Verbrechen hinter dem Verschwinden vermutet. Sie hatte recht gehabt.

Beardsley stemmte sich an der Wand hoch. »Kommen Sie mit.« Er betrat den Korridor und öffnete die erste Tür zu ihrer Linken. Sie war unverschlossen, der Raum jedoch nicht leer.

Luke sog scharf die Luft ein. Ein junges Mädchen lag auf einer schmalen Pritsche, die Arme an die Wand gekettet. Es war abgemagert, entsetzlich knochig, und seine Augen waren weit aufgerissen. Auf der Stirn prangte ein sauberes, rundes Einschussloch. Das Mädchen war höchstens fünfzehn.

*Er bringt sie alle um.*

Luke trat langsam an die Pritsche heran. *Lieber Gott,* war alles, was er denken konnte. Und dann traf ihn die Erkenntnis wie ein

Faustschlag. *Ich kenne sie.* Verdammt, er hatte das Mädchen bereits gesehen. Bilder spulten in seinem Kopf ab, scheußliche Szenen. Gesichter. Gesichter konnte er nie vergessen.

Und dieses Gesicht kannte er. *Angel.* Die Dreckschweine, die sie auf ihrer Webseite ausgestellt und sich so widerwärtig an ihr vergangen hatten ... sie hatten sie Angel genannt.

Bittere Galle stieg in seiner Kehle auf, als er fassungslos auf sie herabblickte. Angel war tot. Sie war ausgemergelt, ihr Körper missbraucht und gefoltert. *Du bist wieder zu spät gekommen.*

Der Schock ebbte ab, und der Zorn, der stets in ihm brodelte, kochte über. Er ballte die Fäuste und presste die Kiefer zusammen. Er musste sich beherrschen. Es hatte keinen Sinn. Der Zorn durfte ihn nicht daran hindern, seine Arbeit zu erledigen.

*Die Bürger zu schützen und ihnen zu dienen,* verspottete ihn eine Stimme in seinem Verstand.

*Bloß hast du sie nicht beschützt. Du hast versagt. Du warst mal wieder zu spät.*

Alex sank neben der Pritsche auf die Knie und legte dem Mädchen zwei Finger an den Hals. »Sie ist tot. Aber höchstens seit einer Stunde.«

»Sie sind alle tot«, sagte Beardsley heiser. »Jedes Mädchen, das nicht weggebracht werden konnte.«

»Wie viele waren es?«, fragte Luke, mühsam beherrscht.

»Bailey und ich waren ganz am hinteren Ende des Korridors eingesperrt. Gesehen habe ich nichts. Aber ich habe sieben Schüsse gezählt.«

Sieben Schüsse. Das Mädchen, das Susannah gerettet hatte, war zweimal getroffen worden. Eine Kugel hatte ihre Seite verletzt, die anderen ihren Schädel gestreift. Blieben noch fünf weitere Schüsse. Fünf Tote? *Mein Gott.*

»Was ist das hier?«, flüsterte Alex.

»Mädchenhandel«, antwortete Luke tonlos.

Alex sah ihn mit offenem Mund an. »Du meinst, diese Mädchen sollten alle …? Aber warum wurden sie getötet? *Warum?*«

»Sie hatten keine Zeit, alle rauszuschaffen«, erwiderte Beardsley. »Und sie wollten nicht, dass jemand redet.«

»Wer ist für all das verantwortlich?«, zischte Alex.

»Der Mann, den Sie Granville genannt haben.« Beardsley lehnte sich an die Wand und schloss die Augen. Jetzt sah Luke den dunklen Fleck auf seiner Brust, der sich langsam vergrößerte.

»Sie sind ja auch angeschossen worden«, sagte Alex und streckte die Hand nach ihm aus. »Um Himmels willen, setzen Sie sich.« Sie drückte ihn nieder, ging neben ihm in die Hocke und zog sein Hemd von der Wunde.

Luke kehrte in den anderen Raum zurück und winkte einen der Sanitäter heran, einen ernst wirkenden jungen Mann, dessen Namensschild ihn als Eric Clark auswies. »Captain Beardsley ist verwundet worden. Wir brauchen noch eine Trage.«

Er musterte Daniel vom Türrahmen aus. Sein Freund war noch immer tödlich blass, und seine Brust hob und senkte sich kaum merklich. »Wie geht's ihm?«

»So gut, wie es im Augenblick möglich ist«, erwiderte Clark.

»Fordern Sie über Funk ein zweites Team an und kommen Sie mit. Da hinten liegt ein totes Mädchen. Es könnten noch mehrere Opfer hier sein.«

Der junge Sanitäter folgte Luke in den Korridor hinaus. Die erste Zelle rechts neben dem Büro war leer, aber Luke sah die Blutspur, die zur Tür führte und sich im Gang fortsetzte. »Hier drin war das Mädchen, das entkommen konnte. Weiter.«

In der nächsten Zelle entdeckten sie eine Gestalt, die genauso

68

ausgemergelt war wie Angel. Auch sie lag auf einer fleckigen Matratze auf einem rostigen Bettgestell. Luke hörte Eric Clark entsetzt nach Luft schnappen. »O mein Gott.« Der junge Mann wollte sich in Bewegung setzen, aber Luke hielt ihn zurück.

»Vorsicht. Sehen Sie zunächst nur nach, ob sie noch lebt, und fassen Sie so wenig wie möglich an.«

Clark versuchte vergeblich, einen Puls zu finden. »Sie ist tot. Was ist hier bloß passiert?«

Luke gab keine Antwort, sondern führte Clark von Zelle zu Zelle.

In insgesamt zwölf dunklen, schmutzigen Kammern fanden sie fünf Tote. Sieben Räume waren leer, aber einige der Matratzen waren feucht und dünsteten den Geruch von Körperflüssigkeiten aus. Hier hatte sich bis vor kurzem jemand aufgehalten. In einer Zelle war das Mädchen festgehalten worden, das mit Bailey geflohen war. Das bedeutete, sie hatten bis zu sechs Mädchen hinausgeschafft. *Sechs.*

Und Daniels Team hatte nichts, keine Spuren, keine Hinweise darauf, wie viele es wirklich gewesen waren und wie sie hießen. Nichts, keine Beschreibungen, keine Namen.

Wie Angel waren auch die anderen vier Toten an die Wand gekettet worden, wie Angel starrten sie an die Decke, und wie Angel hatten sie ein kreisrundes Loch in der Stirn. Clark überprüfte jedes Mädchen auf Lebenszeichen und schüttelte jedes Mal den Kopf.

Am Ende des Korridors versuchte Luke, mit tiefen Atemzügen seinen Magen zu beruhigen, aber es wollte ihm nicht gelingen. Es war genau, wie Beardsley gesagt hatte. Keine Überlebenden. Nur das Mädchen, das Susannah im Wald gefunden hatte. Was hatte sie gesehen? Was wusste sie?

Clark hatte deutlich Mühe, das alles zu verarbeiten. »So was habe ich noch nie …« Er brach ab und sah zu Luke auf, und in seinem Blick lag reines Entsetzen. »Es sind doch noch Kinder. *Kinder.*«

Dies war ein Tatort, der auch gestandene Cops verzweifeln ließ. Clark würde wahrscheinlich nie mehr der Alte sein. »Kommen Sie. Schauen wir uns den hinteren Gang an.«

Im kurzen Teil des L-förmigen Baus befanden sich nur zwei Zellen, und diese waren eindeutig älter als die im vorderen Trakt. Eine der Türen stand offen, und eine Leiche lag auf der Schwelle. Als Luke seine Taschenlampe auf die Gestalt richtete, musste er würgen: Der Mann war wie Schlachtvieh aufgeschlitzt worden, doch das Schneidinstrument konnte nicht besonders scharf gewesen sein.

Darüber hinaus befand sich nichts in der Zelle, aber Luke sah ein Loch unterhalb der Wand zum benachbarten Raum und begriff, dass Beardsley Bailey dadurch befreit haben musste.

»Sollen wir die Tür aufbrechen?«, fragte Clark unsicher und deutete auf die Nebenzelle.

»Nein, dort ist niemand. Gehen Sie zurück zu Vartanian. Ich rufe die Rechtsmedizin, damit sie sich um die toten Männer kümmert.« Luke schluckte. »Und um die Mädchen.«

Unschuldige Mädchen. Mädchen in demselben Alter wie seine Nichten. Sie hätten auf Partys gehen und kichernd mit gleichaltrigen Jungs flirten sollen. Stattdessen hatte man sie versklavt, gefoltert, ausgehungert und wahrscheinlich mehrmals täglich vergewaltigt. Jetzt waren sie tot. Sie kamen zu spät.

*Ich kann das nicht mehr. Ich kann diese Art von Perversion einfach nicht mehr ertragen.*

*Doch. Du kannst. Und du wirst es. Du musst.* Er presste die Kiefer zusammen und straffte den Rücken. *Finde den, der das hier getan hat. Nur so bleibst du geistig gesund.*

Der Sanitäter kehrte zu Daniel zurück, und Luke machte sich zu Alex auf, die noch immer bei Beardsley war und Mullbinden auf die Wunde drückte.

»Wie viele Mädchen haben sie rausgeschafft?«, fragte Luke ihn.

Beardsleys Augen blickten müde. »Fünf oder sechs, denke ich. Sie hatten ein Boot.«

»Ich benachrichtige die Wasserschutzpolizei«, sagte Luke. »Und die Küstenwache.«

Hinter ihm schoben die Sanitäter Daniel aus dem Raum, während eine weitere Trage für Beardsley hereingefahren wurde. Alex dankte ihm, dass er ihr das Leben gerettet hatte, und ging hinaus, um bei Daniel zu sein. Luke nahm ihren Platz ein und hockte sich so neben Beardsley, dass die Sanitäter ungestört arbeiten konnten. »Ich muss ganz genau wissen, was Sie gesehen und gehört haben.«

Beardsley schnitt eine Grimasse, als man ihn auf die Trage hob. »Ich war nicht so nah am Büro dran, daher habe ich nicht viel gehört. Bailey und ich waren in den Zellen ganz hinten im Bunker. Die Trennung war, wie mir schien, beabsichtigt. Aber jeden Tag holten sie uns. Zum Verhör. Einzeln.«

»Das Büro … Sie meinen den Raum, in dem Mansfield und die anderen ums Leben gekommen sind?«

»Ja. Sie wollten Baileys Schlüssel. Sie haben auf sie eingeschlagen und …« Seine Stimme brach. »Gott, Granville hat sie gefoltert.« Er presste die Zähne zusammen. »Und alles wegen eines Schlüssels! Sie können sich nicht vorstellen, wie gerne ich ihn umgebracht hätte.«

Luke warf unwillkürlich einen Blick in Richtung der Zelle, in der Angel tot auf der Pritsche lag, und dachte an Susannah Vartanian und all die anderen Unschuldigen, die Granvilles und Simons Club zu Opfern gemacht hatten. »O doch, ich glaube schon.«

Er musste seinen Chef anrufen. Sie mussten das Team zusammentrommeln. Sie brauchten einen Plan.

Und sie mussten beten, dass das Mädchen im Wald überlebte.

Luke folgte den Sanitätern und Beardsley hinaus in den Sonnenschein. Agent Pete Haywood aus Chases Team war inzwischen eingetroffen. »Was ist da drin passiert?«, fragte Pete sofort.

Luke erzählte ihm die Kurzversion, und Petes Augen weiteten sich von Sekunde zu Sekunde mehr. »Jetzt muss ich mit diesem Mädchen reden. Vielleicht ist sie die einzige Person, die weiß, wer die anderen weggebracht hat.«

»Geh schon«, sagte Pete. »Ich bleibe hier. Sag mir Bescheid, sobald du etwas von Daniel weißt.«

»Sichere den Tatort ab. Keiner kommt rein, und Funkstille, bis wir Chase informiert haben.« Er begann, zum Auto zu laufen, während er Chases Nummer wählte. Daniel wurde gerade in den Krankenwagen geschoben.

»Verflucht«, knurrte Chase, bevor Luke etwas sagen konnte. »Ich versuche seit zwanzig Minuten, bei Ihnen durchzukommen. Was ist da los?«

Der Krankenwagen fuhr an. »Daniel lebt, aber sein Zustand ist kritisch. Alex ist unverletzt. O'Brien, Mansfield, Granville und Loomis sind tot.« Luke sog die frische Luft in seine Lungen, doch der Geschmack des Todes hatte sich auf seiner Zunge festgesetzt. »Und dummerweise ist dieser Fall noch komplizierter geworden, als er ohnehin schon war.«

# 4. Kapitel

Susannah sah zu, wie das Mädchen in den Hubschrauber geschoben wurde. »Kann ich mitkommen?«

Der ältere der beiden Sanitäter schüttelte den Kopf. »Gegen die Vorschrift. Im Übrigen ist kein Platz.«

Susannah runzelte die Stirn. »Aber Bailey ist mit dem Krankenwagen weggebracht worden. Das Mädchen ist doch allein da drin.«

Die beiden Sanitäter warfen einander einen Blick zu. »Wir warten noch auf einen anderen Patienten, Ma'am.«

Susannah öffnete den Mund, um zu fragen, um wen es sich handelte, als ein weiterer Krankenwagen erschien. Luke bremste hinter ihm und stieg aus, als auch schon Alex Fallon aus dem Krankenwagen kletterte. Sie war voller Blut, aber offensichtlich unverletzt.

»Was ist passiert?«, rief Susannah ihnen entgegen, doch im selben Moment sah sie es selbst.

*Daniel.*

Ihr Bruder lag unter einer Sauerstoffmaske angeschnallt auf einer Trage. Reglos beobachtete sie, wie man ihn an ihr vorbeischob und in den Hubschrauber lud.

Daniel hatte immer stark, ja unbesiegbar gewirkt, doch nun, auf der Trage, sah er gebrochen und hilflos aus. Und er war der letzte Mensch, der ihr auf dieser Welt geblieben war. *Stirb nicht. Bitte stirb nicht.*

Luke legte ihr den Arm um die Schultern und stützte sie, und erst jetzt merkte sie, dass ihre Knie weich geworden waren.

»Er lebt«, sagte Luke leise. »Es geht ihm sehr schlecht, aber er lebt.«

*Gott sei Dank.* »Gut.« Sie wollte sich von Luke lösen, da sein stützender Arm sich plötzlich viel zu gut anfühlte, doch Luke hielt sie fest.

»Das Mädchen. Hat sie noch etwas gesagt?«

»Sie hat noch einmal kurz das Bewusstsein wiedererlangt, aber nur gesagt, dass jemand ›alle tötet‹. Und dann hat sie nach ihrer Mutter gerufen. Was hat sie gemeint? Was ist eigentlich passiert?«

Luke sah sie eindringlich an. »Hat sie sonst noch etwas gesagt? Irgendwas? Denken Sie nach!«

»Nein, nichts, dessen bin ich mir sicher. Sie fing an, nach Luft zu ringen, und sie mussten intubieren. Verdammt, Luke, *was ist passiert?* Was ist mit Daniel?«

»Ich erzähle es Ihnen unterwegs.« Er führte sie zur Beifahrerseite und öffnete Alex die Tür zur Rückbank. »Hoffentlich ist das Mädchen wieder bei Bewusstsein, wenn wir im Krankenhaus ankommen.« Er warf Susannah einen scharfen Blick zu, während er anfuhr. »Haben Sie irgendwelche offenen Wunden?«

»Nein.« Furcht wand sich in ihren Eingeweiden wie eine Schlange. »Wieso?«

»Wir haben fünf Mädchen im Bunker entdeckt, alle tot. Offenbar handelt es sich um eine Operation von Menschenhändlern. Und jemand hat weitere, lebendige Mädchen abtransportiert. Dummerweise haben wir keine Hinweise auf Täter oder Opfer.«

»O Gott.« Sie mochte sich kaum ausmalen, wie sehr das Mädchen gelitten hatte. Und plötzlich begriff sie, was Luke mit seiner Frage angedeutet hatte. »Wir sind voller Blut«, stellte sie ruhig fest. Sie hatten Handschuhe getragen, aber Susannahs Jacke war blutgetränkt und Lukes T-Shirt ebenso. »Wenn sie irgendetwas hat, besteht auch für uns eine Gefahr.«

»Man wird uns in der Notaufnahme auf alles Mögliche testen«, meldete sich Alex vom Rücksitz zu Wort. »Wahrscheinlich werden die sich eher wegen Hepatitis Sorgen machen. Dagegen wird man uns automatisch Gammaglobulin-Spritzen geben.«

»Wie lange dauert heutzutage ein HIV-Test?«, fragte Susannah ohne Umschweife.

»Vierundzwanzig Stunden«, erwiderte Alex.

»Okay.« Susannah lehnte sich zurück und versuchte, ihre Furcht niederzukämpfen. Vierundzwanzig Stunden konnte man noch aushalten. *Weit besser als die Woche, die es damals gedauert hatte.*

»Luke«, sagte Alex plötzlich. »Granville hat etwas gesagt, bevor er starb.«

*Wie bitte?* Susannah drehte sich erneut um, um sie anzusehen. »Granville ist tot?«

»Mack O'Brien hat ihn getötet.« Alex musterte Susannahs Gesicht, dann wurde ihre Miene sanft. »Tut mir leid. Jetzt können Sie ihm nie mehr gegenübertreten.«

Daniels neue Freundin war anscheinend sehr sensibel. »Nein. Aber es bleiben immerhin noch zwei.«

Alex schüttelte den Kopf. »Mansfield lebt auch nicht mehr. Ich habe ihn getötet, nachdem er Daniel angeschossen hat.«

Susannahs Dankbarkeit kämpfte gegen ihre aufsteigende Frustration an. »Hat er wenigstens gelitten?«

»Nicht genug«, sagte Luke grimmig. »Alex, was hast du gerade gemeint? Was hat Granville gesagt?«

»Er sagte wortwörtlich: ›Sie glauben, Sie wüssten Bescheid. Aber Sie wissen nichts. Es gibt andere.‹«

Luke nickte. »Ja, das ergibt natürlich Sinn. Jemand hat die anderen Mädchen weggebracht. Er konnte das nicht allein durchziehen.«

Alex schüttelte langsam den Kopf. »Nein, darum ging es nicht. Er sagte: ›Simon war mein Handlanger. Ich war der eines anderen.‹« Sie schnitt ein Gesicht. »Ich weiß, wie albern es ist, aber es klang ominös. Als wäre dies alles hier eine Art Kult oder so etwas.«

*Ich war der eines anderen.* Ein Schauder lief Susannah über den Rücken, als sich eine Erinnerung meldete, ein Gesprächsfetzen, den sie vor langer, langer Zeit mitgehört hatte.

»Hat er auch gesagt, wer dieser andere ist?«, fragte Luke.

»Hätte er vielleicht, wenn O'Brien nicht in diesem Moment gekommen wäre und ihm das Gehirn weggepustet hätte«, erwiderte Alex trocken.

»*Tick*«, murmelte Susannah, und Luke wandte den Kopf und sah sie verwirrt an.

»Was sagen Sie?«

»*Tick*«, wiederholte sie. Jetzt wurde das Bild klarer. »Ich habe sie damals gehört.«

»Was? Wen?«

»Simon und jemand anderen. Einen Jungen. Wer es war, weiß ich nicht – ich habe ihn nicht gesehen. Sie waren in Simons Zimmer und sprachen miteinander. Stritten sich. Der andere Junge hatte Simon offenbar in einem Spiel besiegt, und Simon behauptete, er würde betrügen. Aber der Junge meinte nur, jemand habe ihm beigebracht, wie man immer gewinnen könne.« Sie versetzte sich gedanklich in die Zeit zurück. »Er sagte irgendetwas davon, die Züge des Gegners vorausahnen, seine

76

Reaktion manipulieren zu können. Simon war trotzdem stocksauer, das konnte man hören. Er wollte ihm eine Lektion erteilen. Aber der Junge konnte ihn überreden, noch einmal zu spielen.«

Alex beugte sich gespannt vor. »Und was geschah dann?«

»Simon verlor erneut. Er war ein Schläger, aber er war auch sehr schlau. Er wollte wissen, wie der andere Junge es angestellt hatte. Wahrscheinlich ging seine Fantasie schon mit ihm durch, was er mit solch einem Talent alles anstellen könnte. Er verlangte, die Person, die es dem Jungen beigebracht hatte, kennenzulernen. Der Junge meinte, es sei sein *Tick*. Sein Meister. Am Anfang dachte ich, er würde einen Witz machen, und Simon dachte das wohl auch, aber der andere Junge meinte es sehr ernst. Er sprach ... ehrerbietig. Simon war natürlich fasziniert.«

»Und wie ging es weiter?«, wollte Luke wissen.

»Der Junge behauptete, Simon würde nach einer solchen Begegnung nicht mehr derselbe sein. Dass er dann ›einem anderen gehöre‹. Das waren seine Worte. Ich weiß es noch so gut, weil mir eiskalt wurde, obwohl es dort, wo ... wo ich mich aufhielt, höllisch warm war. Aber Simon lachte nur und tat das alles ab.«

Luke war hellhörig geworden. »Wie konnten Sie sie denn belauschen?«

»Ich hatte mich versteckt.« Sie verzog unwillkürlich das Gesicht.

»Im Geheimversteck?«, fragte er leise.

»Ja.« Sie holte tief Luft. »Im Geheimversteck. Hinter meinem Schrank konnte ich alles hören, was in Simons Zimmer gesprochen wurde.«

»Und warum haben Sie sich an jenem Tag dort versteckt?«, hakte er nach.

»Weil Simon mir aufgetragen hatte, zu Hause zu sein. Ein Freund, der mich gerne ›kennenlernen‹ wollte, würde ihn besuchen kommen. Ich war erst elf, aber ich verstand sehr genau, was er damit meinte. Und es war gut, dass ich mich versteckt hatte. Der Junge sagte nämlich, er würde Simon erst zu seinem Tick bringen, nachdem er bei mir war. Er war verdammt wütend, als sie mein Zimmer leer vorfanden.«

»Wer?«, fragte Luke. »Wer war verdammt wütend? Simon oder der andere?«

»Beide.«

»Also wusste Simon zu diesem Zeitpunkt noch nichts von dem Versteck?«

»Ich denke nicht, aber ich bin mir nicht sicher. Vielleicht wusste er doch schon Bescheid, ließ mich aber im Glauben, dass es nicht so wäre, so dass ich mich in Sicherheit wähnte. Simon liebte Psychotricks. Die Reaktionen des Gegners manipulieren zu können muss ihm sehr reizvoll erschienen sein.«

Luke zog die Brauen zusammen. »Aber was soll dieses Wort bedeuten? Tick – wie ein Spleen oder eine Marotte?«

»Ich weiß es nicht. Ich wollte es am nächsten Tag in der Bibliothek nachschlagen, fand aber nichts. Und ich konnte nicht riskieren, jemanden zu fragen.«

»Warum denn nicht?«, fragte Alex.

Sie zögerte, dann zuckte sie mit den Schultern. »Weil mein Vater es herausgefunden hätte.«

»Ihr Vater wollte nicht, dass Sie mit Bibliothekarinnen sprachen?«, fragte Luke behutsam.

»Mein Vater wollte mich mit niemandem sprechen lassen.«

Luke öffnete den Mund, entschied sich aber, besser nicht zu sagen, was ihm durch den Sinn ging. »Okay. Es wäre also möglich, dass der Junge damals Toby Granville war?«

»Absolut. Toby und Simon waren befreundet. Simon hatte vor kurzem sein Bein verloren, und viele Kids fanden die Prothese schauderhaft. Toby nicht. Er fand sie cool.«

»Gut, nehmen wir also an, dass es sich um Toby handelte. Er hatte eine Art Mentor, einen Lehrer. Jemand, der ihn in der Kunst der Manipulation schulte. Sein Tick. Hm.«

»Das ist Jahre her«, sagte Susannah zweifelnd. »Vielleicht lebt diese Person nicht einmal mehr. Und falls ja, muss derjenige noch lange nicht Granvilles Partner sein.«

»Stimmt«, sagte Luke. »Aber bis wir einen Durchsuchungsbefehl für Granvilles Haus bekommen oder unsere Unbekannte von heute das Bewusstsein wiedererlangt, ist das alles, was wir haben.« Er holte sein Handy aus der Tasche. »Rufen Sie bitte Chase an und sagen Sie ihm, was Sie uns gerade erzählt haben. Und bitten Sie ihn, das Wort ›Tick‹ zu recherchieren.«

Susannah gehorchte, während sie ihren Laptop aus der Tasche holte. Chase war unterwegs zum Hubschrauberlandeplatz der Klinik. Als sie ihm alles erklärt hatte, war ihr Computer hochgefahren.

»Gibt es etwas Neues von Daniel?«, fragte Alex erwartungsvoll.

Susannah schüttelte den Kopf und erstickte die aufkommende Übelkeit. *Er ist stark, er schafft es.* Sie sollte sich eher Sorgen um den Zustand des Mädchens machen. »Noch nicht. Chase meint, der Hubschrauber soll in ungefähr fünfzehn Minuten landen. Aber bis dahin können wir uns beschäftigen.«

Luke warf ihr einen Seitenblick zu. »Was haben Sie vor?«

»Selbst recherchieren. Ich kann's drahtlos.«

Er war beeindruckt. »Cool. Googeln Sie ›Tick‹ – mit k, c und ck – und ›Meister‹.«

»Schon eingegeben.« Ungeduldig wartete sie und runzelte

dann die Stirn. »Na ja. ›Tik‹ wird in Südafrika die Droge Crystal Meth genannt. Und es bedeutet Land und Himmel auf Kambodschanisch. Sonst nichts, was passen könnte. Es sei denn ...« Kambodscha löste eine andere Erinnerung aus. An einen Text aus einem Lehrbuch vom College.

»Es sei denn?«, fragte Luke nach.

»Es sei denn, es wird bloß so ausgesprochen, aber ganz anders geschrieben. Sie gab »*Aussprache + Tick + Meister*« ein und nickte einen Moment später. »Es ist ein vietnamesisches Wort, man schreibt es t-h-í-c-h. Ein respektvoller Titel für einen buddhistischen Mönch.« Sie sah zweifelnd auf. »Aber Buddhismus predigt Liebe und Harmonie. Das muss ja ein völlig pervertierter Mönch gewesen sein.«

»Schon richtig. Aber ein pervertierter Mönch ist weit mehr, als wir noch vor einer halben Stunde hatten.« Er zog eine Braue hoch. »Gut gemacht, Watson.«

Sie unterdrückte einen albernen Anflug von Stolz. »Danke.«

*Dutton,*
*Freitag, 2. Februar, 18.00 Uhr*

Charles schaltete den Polizeifunk ab und ließ sich gegen die Sofalehne sinken. Er hatte gewusst, dass dieser Tag kommen würde. Dennoch war es schwer zu verdauen.

Toby Granville war tot. Tot. Er presste die Kiefer zusammen. Tot durch die Hand eines Amateurs wie Mack O'Brien. Mack hatte Fantasie und Grausamkeit bewiesen, jedoch keinerlei Finesse. Weswegen Mack nun auch tot war, erlegt durch eine Kugel aus Vartanians Waffe. Wenigstens hatte Daniel nicht auch Toby erschossen. Das wäre unerträglich gewesen.

Toby. Er war ein brillanter Bursche gewesen. Immer auf der Suche, immer bereit, etwas Neues zu probieren. Philosophie, Mathematik, Religion, die menschliche Anatomie. Toby war im Medizinstudium der Beste seines Jahrgangs gewesen. Natürlich hatte er auch im Keller von Charles' Haus das Sezieren üben dürfen. Und für Charles' Protegé gab es nur das Beste. Keine Leichen, sondern Arbeiten am lebenden Objekt, und Toby hatte die Möglichkeit mit Freuden genutzt.

Charles dachte an das Objekt, das im Augenblick auf dem Tisch im Keller festgeschnallt war. Toby hatte die Arbeit nicht zu Ende gebracht. Das Objekt hatte noch immer Geheimnisse auszuplaudern. *Nun, dann muss ich es eben selbst machen.* Trotz der Trauer schauderte er vor Erregung.

Trauer. Denn Toby war tot, und er war unter erbärmlichen Umständen gestorben. Nun würde es kein großes Begräbnis auf dem Friedhof von Dutton geben, und niemand würde ihm nachweinen. Toby Granville war in Schande gestorben.

Charles erhob sich. *Dann werde ich dir wohl das letzte Geleit geben, mein junger Freund.* Aus dem Schrank nahm er das Gewand, das Toby damals so fasziniert hatte und durch das der Junge überhaupt erst auf ihn aufmerksam geworden war. Er streifte es über, zündete die Kerzen an und setzte sich in den Stuhl, den er extra für seine Sitzungen mit Toby gebaut hatte. Der Junge war so leicht zu verführen gewesen, wenn auch schwer zu steuern. Dennoch hatte er seinem Herrn gut gedient.

Charles begann die Töne zu singen, die ihm weniger als nichts bedeuteten, einem Dreizehnjährigen mit unstillbarem Durst nach Wissen und Blut aber die Welt des Okkulten eröffnet hatten. Charles glaubte nicht an die Worte, die er sang, Toby hatte es jedoch getan, und er war dadurch fokussierter und grausamer geworden. Vielleicht hatten sie auch seine mentale Instabilität verstärkt. *Leb wohl, Toby. Du wirst mir fehlen.*

»Und wer wird dich ersetzen?«, murmelte er halblaut. Es gab stets andere, die nur darauf warteten, dienen zu dürfen. Charles lächelte. *Mir dienen zu dürfen,* musste es korrekt heißen.

Er stand auf, blies die Kerzen aus und hängte das Gewand in den Schrank zurück. Bald schon würde er es wieder brauchen. Seine Kunden, die Omen und Zeichen sehen wollten, mochten es, wenn er sich angemessen kleidete.

*Atlanta,*
*Freitag, 2. Februar, 18.45 Uhr*

Luke stand an der Scheibe und starrte in den Verhörraum, in dem zwei Männer am Tisch saßen und schwiegen. Einer war Duttons Bürgermeister, Garth Davis, der andere sein Anwalt. In Garths Gesicht prangten blaurote Prellungen, und am rechten Ärmel seines Mantels war der rote Staub von Georgias Erde zu sehen. Luke warf Hank Germanio, der Davis im Laufe des Tages festgenommen hatte, einen Blick zu. »Hat er sich der Verhaftung widersetzt?«

Germanio zuckte mit den Schultern. »Nicht sehr.«

Luke dachte an Susannah und Alex' Zwillingsschwester und all die anderen Frauen, die Garth Davis vor dreizehn Jahren vergewaltigt hatte, und war froh, dass nicht er den Mann verhaftet hatte. Garth wäre lädierter gewesen. »Schade eigentlich.«

»Ja. Ich hab's mir auch gewünscht.«

»Hat er etwas gesagt?«

»Er hat nur nach seinem Anwalt gefragt. Das miese Schwein. Der Anwalt ist auch nicht besser.«

Luke sah auf die Uhr. »Chloe wollte mich hier treffen.«

»Und das tut sie auch.« Staatsanwältin Chloe Hathaway zog die Tür hinter sich zu. Sie war eine große, kurvige Blondine, die sich stilvoll zu kleiden wusste, aber sie war vor allen Dingen gerissen und klug, und Luke war froh, dass sie an diesem Fall beteiligt war. »Tut mir leid, dass ich so spät komme. Ich habe die Verfügungen für Granvilles, Mansfields und Davis' Privathäuser und Büros ausgefertigt.«

»Sind sie schon unterschrieben?«, fragte Luke.

»Noch nicht. Ich wollte meinen Chef bitten, einen Blick drauf zu werfen. Wir haben es hier mit einem Arzt, einem Deputy und einem Anwalt und Bürgermeister zu tun, und in allen Berufen gibt es Schweigepflichten und Vertrauensverhältnisse. Je nachdem, was Sie suchen und was Sie finden, könnte das zu einem echten Problem werden, wenn ich nicht alle möglichen Bereiche abdecken lasse. Ich will nicht, dass Ihnen wichtige Beweise durch die Lappen gehen.«

»Und ich will nicht, dass uns fünf entführte Mädchen durch die Lappen gehen, Chloe«, sagte Luke. »Je länger es dauert, umso weiter kommen sein Partner und seine Komplizen.«

»Ich weiß«, erwiderte sie. »Glauben Sie mir. Aber Sie wollen doch nicht diesen mysteriösen Partner schnappen und dann wieder gehen lassen müssen, weil Beweise nicht zugelassen werden, oder?«

Luke schüttelte zähneknirschend den Kopf. Sie hatte ja recht.

»Wie lange also noch?«

»Eine Stunde. Höchstens zwei.«

»Zwei Stunden? *Chloe!*«

»Luke. Konzentrieren wir uns jetzt auf Davis. Er ist der Einzige von ursprünglich sieben Vergewaltigern, der noch am Leben ist. Können wir ihn mit den fünf ermordeten Mädchen in

Verbindung bringen? Was haben wir außer den Fotos, die Sie im Haus von Daniels Eltern gefunden haben?«

»Nur seine gesellschaftliche Beziehung zu Granville und Mansfield. Und sie waren alle führende Mitglieder der Gemeinde. Wir hatten jedoch noch keine Gelegenheit, mit Nachbarn, Mitarbeitern oder sonst jemandem zu reden.«

»Und seine Familie?«

»Seine Frau hat gestern mit den zwei Kindern die Stadt verlassen. Mack O'Brien hatte einen Cousin von Garth umgebracht. Sie hatte Angst um ihre Sicherheit und wusste, dass Garth nicht zur Polizei gehen würde. Wir wissen nicht genau, wo sie sich aufhält. Ihre Schwägerin, Kate Davis, hat uns erzählt, sie sei ›irgendwo im Westen‹.«

»Nun, sobald die Nachrichten über den Fall berichten, wird sie wissen, dass keine Gefahr mehr besteht, und wahrscheinlich zurückkommen«, sagte Chloe. »Eltern, Geschwister?«

»Davis' Eltern sind tot, und er hat nur eine Schwester, besagte Kate Davis – wir werden noch einmal mit ihr reden.«

Chloe seufzte. »Also haben wir gar nichts.«

»Noch nicht«, gab Luke zu.

»Garth Davis weiß vielleicht gar nichts von Granvilles Nebeneinnahmen. Falls doch, dann wird sein Anwalt wahrscheinlich versuchen, einen Deal wegen der dreizehn Jahre alten Vergewaltigungen zu erwirken.«

Daran hatte Luke auch gedacht. »Und? Lassen Sie sich darauf ein?«, fragte er emotionslos.

Sie schüttelte den Kopf. »Ich will es auf keinen Fall. Und ich werde nicht einmal ansatzweise darüber nachdenken, bevor ich nicht weiß, was für Informationen er uns bieten kann und was sie taugen. Ich habe ein Dutzend weiterer Opfer, die es verdient haben, ihre Aussage machen zu dürfen. Aber ...«

Sie ließ den Satz offen.

Nicht ein Dutzend. Dreizehn, dachte Luke, sagte aber nichts. Susannahs Name stand nicht auf Daniels ursprünglicher Liste, weil er zu dem Zeitpunkt nichts davon gewusst hatte. Luke beschloss, es Susannah zu überlassen, sich bei Chloe zu melden. Ein weiteres Opfer würde Garth Davis nicht noch schuldiger machen, als er ohnehin schon war. »Aber Sie werden den Deal möglicherweise eingehen müssen.« Der Gedanke machte ihn krank. »Wir werden natürlich alles in seinem Haus und seinem Büro umkrempeln, um irgendetwas zu finden, das uns beweist, ob er etwas mit Granvilles Machenschaften zu tun hatte oder nicht.«

»Das ist ja das Problem«, sagte sie. »Und auch der Grund, warum ich die Verfügung so behutsam formuliert habe. Ich kann nur Beweismittel einschließen, die ihm die Vergewaltigungen nachweisen könnten, sofern ich keinen Anlass habe, ihn mit dem Menschenhandel in Verbindung zu bringen. Wenn Sie etwas finden, das darauf hinweist, darf ich es für nichts anderes mehr benutzen.«

»Aber dann wären wir wenigstens einen Schritt näher dran, die Mädchen zu finden.«

»Das ist wahr, *falls* er etwas Belastendes im Haus oder Büro hat. Aber das müssen Sie zunächst erst einmal finden. Und ich weiß, dass ich Ihnen das nicht extra sagen muss, Luke«, fügte sie sanft hinzu, »aber die Uhr tickt. Wir befinden uns in einer verzwickten Situation. Wie wir es auch machen – es kann in die Hose gehen.«

»Ich will nicht, dass dieses Schwein einfach gehen darf, Chloe. Mir ist egal, was er weiß und was nicht.«

»Sie werden nicht wissen, was er weiß, bevor Sie ihn nicht gefragt haben«, meldete sich Germanio zu Wort.

Chloe richtete den Träger ihrer Schultertasche. »Auch das ist wahr. Also fragen wir ihn, Papa.«

Garth Davis wartete, bis Chloe und Luke saßen, bevor er den Mund aufmachte. »Das ist ein absolut lächerlicher Vorwurf«, entfuhr es ihm. »Ich habe niemanden vergewaltigt. Weder heute noch vor dreizehn Jahren.«

Luke sagte nichts, sondern schob ihm nur stumm einen Ordner über den Tisch. Er enthielt vier Fotos, auf denen ein jugendlicher Garth Davis in kompromittierenden Posen zu sehen war. Davis warf einen Blick auf die Bilder, sog scharf die Luft ein und klappte die Mappe wieder zu. Er war leichenblass geworden.

Sein Anwalt blickte finster drein. »Wo haben Sie die her? Das sind doch Fotomontagen.«

»Die sind sehr echt«, sagte Luke ruhig. »Das sind die ersten, die mir in die Finger kamen, als wir das reichhaltige Bildmaterial, das sich nun in unserem Besitz befindet, durchgesehen haben.«

Er nahm eines der Fotos und betrachtete es eingehend. »Sie haben sich gut gehalten, Mayor Davis. Viele Männer kriegen mit den Jahren eine richtige Wampe, aber Sie sind noch so gut in Form wie damals.«

Davis' Blick war hasserfüllt. »Was wollen Sie?«

»Garth«, sagte der Anwalt warnend.

Davis ignorierte ihn. »Ich sagte, was wollen Sie?

Luke beugte sich vor. »Sie bis ans Ende Ihres jämmerlichen Lebens im Gefängnis verschimmeln sehen.«

»Agent Papadopoulos«, mahnte Chloe, und Luke lehnte sich wieder zurück, jedoch ohne den Blick von dem Bürgermeister zu nehmen. Chloe wandte sich an den Anwalt. »Wir haben fünfzehn Opfer hier. Fünfzehn Klagen gegen Ihren Mandanten wegen Vergewaltigung von Minderjährigen. Wenn man zehn Jahre pro Opfer zugrunde legt, übersteigt das durchaus die natürliche Lebensspanne, die Sie noch zu erwarten haben, Mayor Davis.«

»Ich will wissen, was Sie von mir wollen«, presste Davis durch die Zähne hervor.

»Sagen Sie ihm, was Sie wollen, Agent Papadopoulos«, sagte Chloe.

Luke betrachtete Davis einen Moment. »Erzählen Sie mir von Toby Granville«, sagte er, und einen Moment lang sah er ein Flackern der Angst in den Augen des anderen. Rasch war es jedoch wieder verschwunden und wurde durch Verachtung ersetzt.

»Er ist tot.« Er lächelte höhnisch. »Dumm gelaufen, nicht wahr?«

Luke erwiderte das Lächeln. »Ja, das kann man so sagen. Man kann ebenfalls sagen, dass sich durch Granvilles Tod der Hass der überlebenden Opfer auf Sie konzentriert. Sie sind der Einzige, der von den sieben noch lebt. Sie werden für die anderen sechs Schweine mit büßen müssen, Mayor Davis, und ich kann Ihnen garantieren, dass Ihre Opfer alles unternehmen werden, um Sie in Stücke zu reißen. Denn *Sie* sind nicht tot. Dumm gelaufen, nicht wahr?«

Der Anwalt flüsterte Davis etwas ins Ohr. Davis' Miene versteinerte erst, dann glättete sie sich plötzlich, als sei er wieder in die Rolle des Politikers geschlüpft. »Granville war der Arzt unserer Stadt. Er hat sich um Erkältungen, Grippe und aufgeschrammte Knie gekümmert. Mehr weiß ich nicht.«

»Kommen Sie schon, Mayor Davis«, sagte Chloe. »Verkaufen Sie uns nicht für dumm.«

Davis und sein Anwalt flüsterten erneut. »Wir wollen einen Deal.«

Sie schüttelte den Kopf. »Nicht, bevor ich nicht weiß, was Sie zu bieten haben.«

Davis' Anwalt lehnte sich zurück. »Dann hat er nichts mehr in der Hand.«

Luke breitete die Fotos auf dem Tisch aus. »Ich habe noch viele, viele weitere Fotos dieser Art, und auf jedem grinst Mayor Davis breit in die Kamera, während er ein anderes Mädchen vergewaltigt.«

Er sah Davis direkt in die Augen. »Sie haben ohnehin nichts mehr in der Hand. Sie können nur darauf hoffen, dass wir relativ gnädig sind, und im Augenblick ist meine Lust auf Gnade recht eingeschränkt. Also vergeuden Sie nicht länger meine Zeit.«

Davis sah seinen Anwalt an, der ihm zunickte. »Der Club war Tobys und Simons Idee. Es begann als Spiel, bekam aber irgendwie im Laufe der Zeit eine Eigendynamik.«

»Haben Sie je in Ihrer Eigenschaft als Clubmitglied einen Außenstehenden gesprochen oder getroffen?«

»Nein.«

»Wo haben die Vergewaltigungen stattgefunden?«

»Das hing vom Wetter ab. Wenn es warm genug war, draußen. War es kalt, drinnen.«

»Wo?«, wiederholte Luke barscher. »Ich will genauere Angaben.«

»In verschiedenen Häusern. Je nachdem, wessen Eltern gerade nicht da waren.«

»Haben Sie jemals ein Haus oder etwas Ähnliches benutzt, das nicht einem der Clubmitglieder oder dessen Angehörigen gehörte?«, wollte Luke wissen.

»Ja, einmal. Wir wollten zu Toby, aber dann wurde Jareds Mutter krank und musste die Party, die sie geben wollte, wieder absagen, was bedeutete, dass alle unsere Eltern zu Hause sein würden. Toby organisierte uns einen anderen Ort. Eine Hütte.«

Luke stieß den Atem aus. »Wo war diese Hütte, und wem gehörte sie?«

»Das weiß ich nicht. Toby fuhr uns im Van hin. Das Fahrzeug gehörte dem Gärtner seiner Mutter und hatte hinten keine Fenster. Toby hatte den vorderen Teil mit einem Tuch abgetrennt, so dass wir nicht sahen, wohin wir fuhren. Simon saß hinten bei uns und sorgte dafür, dass niemand an dem Tuch vorbeispähte. Das wagte aber sowieso niemand, denn Simon war damals schon ein Irrer.«

»Wie lange sind Sie ungefähr gefahren?«

Einen Sekundenbruchteil wirkte Davis' Blick verschlagen. »Ich kann mich nicht erinnern.«

Chloes verärgertes Schnauben sagte Luke, dass sie es auch mitbekommen hatte. »Ich denke doch, Mr. Davis.«

Garth wandte sich an seinen Anwalt. »Bringen Sie mich jetzt zurück. Und suchen Sie weiter.«

Nach was? *Oder wem!* »Muss hart sein, wenn die eigene Frau einen einfach im Stich lässt«, sagte Luke freundlich. »Und wenn man nicht weiß, wo die Kinder sind oder ob es ihnen gutgeht. Zwei Jungen haben Sie, nicht wahr? Sieben und vier. So klein und schon auf der Flucht! Da draußen lauern so viele Gefahren.«

Ein Muskel an Davis' Wange zuckte. »Sie wissen, wo sie sind.«

Luke hob eine Schulter. »Ich kann mich nicht erinnern.«

Davis setzte sich wieder. »Ich will meine Frau und meine Kinder sehen.«

»Vielleicht kann ich das arrangieren«, gab Luke ruhig zurück. »Wie weit sind Sie in dieser Nacht gefahren?«

Davis' Augen wurden eiskalt. »Keine Stunde. Es war eine Hütte. Oben in den Bergen.«

»Das ist alles?«, fragte Luke. »Das reicht nicht einmal annähernd.«

»Es war eben eine gottverdammte Hütte«, fauchte Davis. »Mit Kamin und Küchenzeile. Wie jede gottverdammte Hütte in den Bergen eben aussieht.«

»Irgendwelche Nippsachen, irgendetwas, das Aufschluss gab, wer die Hütte sonst benutzte?«

Garths Augen wurden noch kälter. »Ja. Und das erzähle ich Ihnen, wenn ich meine Kinder sehen kann. Vorher nicht. Ich habe keine Ahnung, warum diese Hütte so wichtig für Sie ist, Agent Papadopoulos, aber sie scheint es zu sein, und offenbar ist das alles, was ich im Moment zum Verhandeln habe.« Er erhob sich. »Ich bin fertig.«

Chloe wartete, bis sie wieder im Nebenraum waren. »Macht es Ihnen etwas aus, mir zu erzählen, worum es hier geht?«

Luke seufzte. »Granville hat etwas gesagt, das uns zu dem Schluss bringt, dass er eine Art von Mentor gehabt hatte. Vielleicht hat jemand anderes die Fäden gezogen. *Seine* Fäden gezogen.«

»Vielleicht sein Partner bei dem Geschäft mit den Mädchen«, sagte Chloe, »vielleicht aber auch nicht. Vielleicht der Besitzer der Hütte, vielleicht auch nicht.« Sie lächelte plötzlich. »Dennoch – ein sehr kluger Schachzug, Luke. Jetzt haben wir etwas in der Hand, ohne dass ich Zugeständnisse machen muss. Einen Deal wird es zwar vielleicht trotzdem geben, aber die Karte spiele ich erst ganz am Schluss aus.«

*Nur über meine Leiche.* »Danke. Ich hoffe bloß, wir finden

Mrs. Davis schnell. Wie ich schon sagte – uns läuft die Zeit davon. Mit jeder Stunde, die vergeht, verringert sich unsere Chance, die Mädchen ausfindig zu machen.« Er wandte sich an Agent Germanio, der bei dem Verhör zugesehen hatte. »Was hatte der Mann gerade getan, als Sie ihn festgenommen haben?«

»Telefonierte mit dem Flughafen.« Germanio warf Chloe einen Blick zu. »Fragen Sie einfach nicht.«

Chloe verdrehte die Augen. »Hank, wie oft habe ich Ihnen schon gesagt, dass Telefone tabu sind, bis eine richterliche Verfügung auf dem Tisch liegt?«

Hank schürzte die Lippen. »Ich habe nur gesagt, Sie sollen nicht fragen.«

»Und mit wem hat er gesprochen?«, murrte Chloe. »Als Sie auf Wahlwiederholung gedrückt haben, meine ich.«

»Eine Lady namens Kira Laneer. Sie arbeitet am Schalter einer kleineren Fluggesellschaft.«

»Klingt wie der Name einer Stripperin.« Chloe zog eine Grimasse. »Ich finde heraus, ob Mrs. Davis gestern oder heute mit ihren Jungs einen Flug gebucht hat. Und Sie halten sich von Kira Laneer fern, bis ich die Verfügung für Davis' Telefon habe.«

»Haben Sie jetzt genug, um den Durchsuchungsbefehl so zu formulieren, dass wir nutzen können, was immer wir in Bezug auf den Menschenhandel in Davis' Haus finden?«, fragte Luke und war nicht überrascht, als sie den Kopf schüttelte.

»Nein. Schauen Sie trotzdem nach.«

»Ja. Pete Haywood wartet bei Granvilles Haus mit seinem Team auf Ihren Anruf. Melden Sie sich bitte bei ihm, sobald der Richter unterschrieben hat. Es ist jetzt fast drei Stunden her, seit wir festgestellt haben, dass die Mädchen weggebracht worden sind.«

»Wenn sie das Land verlassen wollten, haben sie einen verdammt guten Vorsprung«, bemerkte Germanio.

»Ja«, erwiderte Luke grimmig. »Wir haben die Küstenwache und die Grenzpatrouillen informiert, aber solange wir nicht beschreiben können, wen wir suchen, haben wir gar nichts. Ich fahre zum Bunker zurück und schaue mir an, was Ed und seine Jungs am Tatort gefunden haben.«

*Atlanta,*
*Freitag, 2. Februar, 18.45 Uhr*

Susannah stand am Fenster des Wartezimmers im Krankenhaus und versuchte, das geschäftige Treiben hinter ihr auszublenden. Es kam ihr vor, als habe jeder Cop in Atlanta von Daniels Verwundung gehört und sei gekommen, um seiner Familie Trost zu spenden. Ihre Lippen verzogen sich zu einem bitteren Lächeln. Sie war die Familie. *Ich allein. Und was nützt uns das?*

Jeder, der kam, wollte ihr versichern, wie großartig ihr Bruder war und wie mutig. Wie ehrenhaft. Susannahs Gesicht schmerzte von dem gezwungenen Dauerlächeln, mit dem sie sich bei jedem Polizisten für seine freundlichen Worte bedankte. Zum Glück war inzwischen auch Alex nach ihrem Besuch bei Bailey vorbeigekommen, so dass es Susannah nun ihr überlassen konnte, allen Besuchern noch einmal zu erzählen, wie der große Held Daniel einmal mehr den bösen Schurken besiegt hatte.

Susannah hatte sich an dieses Fenster geflüchtet. Von hier oben konnte man die Lichter der Stadt und die Autoschlangen sehen, die sich in der Rushhour durch die Straßen wälzten. Wenn sie sich etwas Mühe gab, konnte sie so tun, als sei sie zu Hause in New York und nicht hier in Atlanta in diesem Alptraum, der gerade erst begonnen hatte.

Denn nach dem anfänglichen Adrenalinschub bei der Suche nach dem *thích* hatte die Wirklichkeit sie wieder eingeholt. Man hatte ihr bei ihrer Ankunft im Krankenhaus Blut abgenommen und Medikamente gespritzt, genau wie Alex es vorausgesagt hatte. Eine freundliche Krankenschwester hatte ihr einen Kittel geliehen, da ihre Kleider ruiniert waren.

Lukes Chef, Chase Wharton, hatte sie zu den Ereignissen des Nachmittags verhört. Das Mädchen war inzwischen in der OP. Es hatte das Bewusstsein noch nicht wiedererlangt.

Und das war vermutlich auch gut so. Sie mochte gar nicht daran denken, was die Kleine erlebt und gesehen hatte, und bei dem Gedanken an die anderen, die Granvilles Partner verschleppt hatte, gefror ihr das Blut in den Adern. Zu was würden sie gezwungen werden, wenn man sie nicht bald fand und rettete?

Susannah brauchte nicht viel Vorstellungskraft, um zu wissen, was man mit diesen Mädchen machen würde. Sie hatte die direkten Folgen von Prostitution und Vergewaltigung erlebt. *Von sehr nahem und mit erstklassiger emotionaler Beteiligung.* Der Lärm um sie herum verblasste, als die Erinnerung sie ungebeten um Jahre zurückversetzte. An jenem Tag war auch Blut geflossen. Und es hatte eine Leiche gegeben, die unbeschreiblich zugerichtet gewesen war.

*Bitte vergib mir, Darcy. Ich hatte Angst. Ich habe dich im Stich gelassen.* Aber Susannah wusste, dass ihre Entschuldigung nichts wert war. Darcy würde sie nicht hören. Darcy würde nie mehr etwas hören.

»Verzeihung?«

Die sanfte Stimme riss sie aus dem alten Alptraum zurück in

den der Gegenwart. Sie straffte sich, um einen weiteren wohlmeinenden Besucher zu begrüßen. Diesmal handelte es sich um eine Sie – eine kleine, zarte Blondine.

»Mein Name ist Felicity Berg. Ich komme aus der Gerichtsmedizin.«

Susannah fiel die Kinnlade herab, und die Frau beeilte sich, ihr beruhigend den Arm zu tätscheln.

»Nein, keine Sorge. Es ist niemand gestorben.« Sie verzog den Mund. »Nun, das stimmt natürlich nicht. Es sind sogar sehr viele Menschen gestorben, aber nicht Daniel.« Sie neigte den Kopf. »Und auch nicht das Mädchen, das Sie gerettet haben.«

»Woher wissen Sie das?«, fragte Susannah. Chase und Luke hielten die Existenz des Mädchens so geheim wie möglich.

»Luke rief mich an. Er hat mir erzählt, was heute Nachmittag geschehen ist. Wir hatten schon ziemlich viel mit Mack O'Briens Opfern zu tun – und jetzt das! Jedenfalls werde ich die Leichen gleich reinbekommen und habe dann wohl keine Möglichkeit mehr, mit Ihnen zu reden. Ich wollte Ihnen einfach nur sagen, dass Ihr Bruder ein guter Mensch ist. Ich bete für ihn. Und für Sie.«

*Gut.* Was immer Daniel getan und nicht getan hatte – dass er ein guter Mensch war, hätte Susannah niemals zu leugnen versucht. Ihre Kehle verengte sich, und sie musste schlucken, bevor sie sprechen konnte. »Ich danke Ihnen.«

Dr. Berg bedachte die Polizisten im Warteraum, die sich dort lautstark unterhielten, mit einem zweifelnden Blick. »Meine Mutter wurde vergangenes Jahr operiert, und der Raum hier war eine einzige große Party. Alle Mitglieder des Bingoabends und der Tanznachmittage waren hier.« Sie verzog das Gesicht. »Von den ›Mädels‹, mit denen sie in jede Chippendales-Vorstellung geht, ganz zu schweigen.«

Susannah musste grinsen, und Dr. Berg erwiderte das Lächeln scheu. »Ich bin in die Kapelle geflüchtet. Da ist es immer ruhig.«

Und plötzlich kam es Susannah vor, als gehöre sie genau dorthin. »Vielen Dank.«

Dr. Berg drückte ihren Arm. »Passen Sie auf sich auf. Und diese lauten Kerle da, die würden alles für Sie tun, nur weil Sie Daniels Schwester sind. Falls Sie also etwas brauchen, zögern Sie nicht, sie zu fragen. Ich würde Ihnen auch gerne helfen, aber ...« Sie wurde ernst. »Ich muss leider meine Arbeit erledigen.«

*Das muss ich auch.* Das war der Grund, warum sie heute Morgen ins Flugzeug gestiegen und hergekommen war. Sie musste noch bei der Staatsanwaltschaft ihre Aussage zu den Vergewaltigungen vor dreizehn Jahren machen. Heute waren alle so sehr mit den Ereignissen im Bunker beschäftigt gewesen, dass es noch keine Gelegenheit gegeben hatte, über die Vergangenheit zu sprechen. Aber bevor sie sich bei der Staatsanwaltschaft meldete, musste sie ihren Chef anrufen. Dass sie in diesen Fall verwickelt war, würde den Nachrichtensendern wahrscheinlich eine Meldung wert sein. Es wäre unfair gewesen, wenn er es erst durch CNN erführe. »Sie dürften den härtesten Job von allen haben, Dr. Berg.«

»Nein, ganz und gar nicht. Ich möchte nicht in Lukes Haut stecken, wenn wir die Opfer identifiziert haben und er den Eltern sagen muss, dass ihre Töchter nicht wieder heimkommen. Die Kapelle befindet sich im dritten Stock.«

*Ich muss hier raus. Unbedingt.* Ashley Csorka wickelte sich das Handtuch enger um den Körper. Sie war nicht länger in der Hölle aus Beton, aber ihre Lage hatte sich nicht gebessert. Dies hier war ein Haus, doch sie war genauso gefangen wie zuvor. Das Zimmer besaß keine Fenster, nicht einmal Lüftungsschlitze. Das Haus musste mindestens hundert Jahre alt sein. Die Badewanne war gesprungen und schäbig, aber erstaunlich sauber.

Und auch sie war jetzt sauber, verdammt. Die Frau hatte sie gezwungen, sich zu baden. Ihr Vater hatte Ashley immer gesagt, sie solle sich auf ihre Kleidung übergeben, sobald jemand versuchte, sie anzugreifen: Das würde jeden Vergewaltiger in die Flucht schlagen. Und als man sie mit den anderen auf das Boot getrieben hatte, hatte sie ihren Magen nicht erst mühsam zwingen müssen – sie wurde extrem schnell seekrank. Diese Tatsache hatte ihr Vater stets eigenartig gefunden, da sie Profischwimmerin war.

*Dad.* Ashley kämpfte mit den Tränen. Ihr Dad würde sie suchen … aber niemals finden. *Es tut mir so leid, Daddy. Ich hätte auf dich hören sollen.* Plötzlich kamen ihr all die verhassten Regeln und Verbote richtig vor. Aber nun war es zu spät.

*Sie werden mich verkaufen. Sie werden mich benutzen. Und ich werde hier sterben.*

*Nein. Du darfst nicht aufgeben.* Sie zwang sich, an ihren Vater und an ihren kleinen Bruder zu denken. Sie brauchten sie. Ihr Team brauchte sie. Ein Schluchzen stieg in ihrer Kehle auf. *Ich habe hier nichts verloren. Ich will für die Olympischen Spiele trainieren.*

*Also sieh zu, dass du hier rauskommst. Irgendwie.*

Irgendjemand suchte nach ihnen. Sie hatte die Frau mit dem irren Arzt reden hören. Jemand namens Vartanian war mit der Polizei gekommen. *Bitte – finde uns!*

Sie war wie ein Tier an die Wand gekettet gewesen. Aber sie hatte es geschafft, etwas zurückzulassen, hatte etwas in die Metallpritsche geritzt. Das Opfer, das sie dafür gebracht hatte, war es wert gewesen. Sie fuhr sich mit der Zunge über den abgebrochenen Schneidezahn. *Bitte. Entdeckt meinen Namen. Sagt meinem Dad, dass ich noch lebe. Sucht nach uns und findet uns, bevor es zu spät ist.*

# 5. Kapitel

Luke stand an der Tür zum Bunker und ignorierte die Rufe der Reporter, die ihm einen Kommentar entlocken wollten. Die Übertragungswagen der Nachrichtensender parkten die Straße entlang, und über ihnen kreiste ein Helikopter.

Chase Wharton würde in weniger als einer Stunde eine Pressekonferenz geben und die Öffentlichkeit darüber aufklären, was heute hier geschehen war, was sie im Bunker gefunden hatten und wieso sie davon ausgingen, dass junge Mädchen entführt worden waren. Bis dahin jedoch hielten sie alle Informationen zurück, die über die Tötungen von Loomis, O'Brien, Granville, Mansfield und dem noch nicht identifizierten Mann auf der Türschwelle der einen Zelle hinausging.

Fünf tote schuldige Männer. Fünf tote unschuldige Mädchen. Seine Mutter würde sagen, diese Zahlenübereinstimmung sei ein Omen. Er war sich nicht sicher, ob sie damit wirklich falsch lag.

Aber sie hatten in gewisser Hinsicht Glück gehabt und Daniel und das überlebende Mädchen im Hubschrauber nach Atlanta schaffen können, bevor der erste Reporter eingetroffen war. Sie hofften, dass sie sie so lange geheim halten konnten, bis sie erwacht war und ihnen erzählt hatte, was geschehen war.

Nach der Pressekonferenz würden sie die Leichen der jungen Mädchen ins Leichenschauhaus transportieren, und die Medien würden sich auf sie stürzen wie tollwütige Hunde. Zum

Glück war es Chase, der sich mit der Öffentlichkeit auseinandersetzte. Luke stand jedes Mal kurz davor, ihnen zu sagen, dass sie sich alle verpissen sollten, und damit war leider niemandem gedient.

»Sie können jetzt hineingehen, Agent Papadopoulos«, sagte der Officer, der an der Tür aufpasste. Er gehörte zu den vielen Bundespolizisten, die angefordert worden waren, um ihnen unter die Arme zu greifen.

»Danke. Ich versuche noch, die Energie aufzubringen.« *Oder den Mumm.* Sie waren noch immer da drin. Fünf tote Mädchen. *Du wirst dich ihnen stellen müssen.* Aber er wollte nicht.

Die Miene des Polizisten verriet Mitgefühl. »Schon etwas Neues von Agent Vartanian?«

»Sein Zustand ist stabil.« Alex hatte ihn eben angerufen. *Also geh schon rein und bring's hinter dich.* Vor drei Stunden hatte er den Bunker zum ersten Mal betreten. Danach hatte er die toten Männer ins Leichenschauhaus abtransportieren lassen und die Fragen der Reporter beantwortet, die noch immer dachten, die Verfolgung und Tötung von Mack O'Brien sei die größte Story des Tages. Tja. Wie wenig sie wussten.

Mack O'Brien war tatsächlich eine Nachricht von gestern. Und doch war es ihm zu verdanken, dass Granvilles widerliche Taten ans Licht gekommen waren.

Noch immer stand er an der Bunkertür. *Geh schon. Du schiebst das Unvermeidliche nur vor dir her.*

Ja, natürlich tat er das. Jedes Mal, wenn er die Augen schloss, sah er Angel vor sich. Er wollte sie nicht noch einmal in Wirklichkeit sehen. Aber man bekam im Leben eben nur selten, was man wollte. Also öffnete er die Bunkertür, als sein Handy zu klingeln begann.

»Papadopoulos.«

»Ja, das ist mir klar«, kam es trocken aus der Leitung. »Du hast mir versprochen, mich anzurufen. Hast du aber nicht.«

Luke seufzte innerlich. Er konnte sich vorstellen, wie seine Mutter neben dem Telefon gelauert und auf Nachrichten von Daniel gewartet hatte. Daniel war für sie eine Art Adoptivsohn. »Entschuldige, Mama. Daniel geht es gut.«

»Das weiß ich inzwischen selbst.« Ihre Stimme klang sanft, und er erkannte, dass sie nicht verärgert war. »Demi ist vorhin gekommen und hat endlich die Kinder abgeholt, und da bin ich ins Krankenhaus gefahren.«

»Du? Selbst? Auf dem Highway?« Seine Mutter hatte eine Höllenangst, im Berufsverkehr mehrspurige Schnellstraßen zu benutzen.

»Ja. Ich selbst.« Sie klang sehr stolz. »Und jetzt sitze ich vor der Intensivstation im Wartezimmer. Mit Alex. Sie gefällt mir. Sie ist gut für Daniel, findest du nicht?«

»Doch, der Meinung bin ich auch. Was hat der Arzt genau gesagt?«

»Dass Daniel zwar noch eine Weile auf der Intensivstation bleiben wird, sein Zustand aber stabil ist. Du kannst ihn morgen besuchen.«

»Schön. Und wie kommst du nach Hause, Mama?« Im Dunkeln fuhr sie sehr unsicher.

»Dein Bruder kommt, wenn er den Laden zugemacht hat, und holt mich ab. Du tust, was du tun musst, und machst dir um deine Mama keine Sorgen. Bis dann.«

*Du tust, was du tun musst.* »Moment, Mama. Hast du schon Daniels Schwester gesehen?«

»Ja, sicher. Sie war doch vergangene Woche auf dem Begräbnis ihrer Eltern.«

»Nein, ich meine, jetzt. Sie ist auch da, im Krankenhaus.«

»Mein Gott, ist sie etwa auch verletzt?«

»Nein, Mama. Sie ist möglicherweise bei einer anderen Patientin, die auch verletzt wurde.«

»Aber Daniel ist doch ihr Bruder.« In die Stimme seiner Mutter schlich sich Empörung. »Ihr Platz ist hier.«

Luke dachte an Susannahs Miene, als sie zugesehen hatte, wie man Daniel in den Hubschrauber geschoben hatte. Sie hatte innerlich zerrissen, verängstigt und unendlich einsam gewirkt.

»Es ist ein bisschen komplizierter, Mama.«

»Kompliziert! Was soll denn daran komp... oh, Moment.« Ihre Verärgerung verwandelte sich in Zustimmung. »Alex sagt mir gerade, dass sie in der Kapelle ist. Das ist gut.«

Luke zog unwillkürlich die Brauen hoch. Irgendwie konnte er sich Susannah nicht in der Kapelle vorstellen. »Bitte informiere sie über Daniel, ja?«

»Natürlich, Lukamou«, sagte sie sanft, und der Kosename war Balsam auf seiner Seele.

»Danke, Mama.« Luke steckte das Handy zurück in die Tasche, straffte die Schultern und betrat den Bunker. Eine drückende Stille hing über dem Ort und wurde nur hin und wieder von einer gedämpften Stimme unterbrochen. Die Flure waren dunkel, aber die Zellen, in denen die Spurensicherung arbeitete, waren grell ausgeleuchtet. Ed Randalls Leute erledigten ihre Arbeit effizient wie immer.

Luke sah im Vorübergehen in jede Zelle, und erneut machte sich beim Anblick der fünf toten Mädchen eine Eiseskälte in seinen Eingeweiden breit. Die Gerichtsmedizin hatte Tüten über ihre Hände und Füße gezogen, und neben jeder Toten lag ein gefalteter Leichensack.

Sieh nicht hin. Aber das würde er sich nicht zugestehen. Er

war zwar nicht rechtzeitig gekommen, um sie zu retten, aber sie brauchten ihn dennoch. Wer waren sie? Wie waren sie hergekommen? Waren sie vor kurzem entführt worden oder wie Angel schon lange vor ihrer Ankunft hier Opfer gewesen?

Luke fand den Techniker der Gerichtsmedizin über eine der Toten gebeugt. Er war offenbar gerade dabei, die Hände zu verpacken. Plötzlich hörte Luke ein unterdrücktes Schluchzen, das in der Stille herzzerreißend klang.

»Malcolm?«, fragte er leise.

Malcolm Zuckerman verharrte mitten in der Bewegung, dann legte er die Hand des Mädchens behutsam an ihre Seite. Als er aufblickte, sah Luke Tränen in seinen Augen. »Ich habe in diesem Job schon verdammt viel Schlimmes gesehen, Papa, aber so was ... so was noch nie. Sie wiegt keine vierzig Kilo mehr. Ihr Haar geht ihr in Büscheln aus.« Er musste abbrechen und sich fassen. »Wer das getan hat, kann nicht mehr als Mensch bezeichnet werden.«

Luke nickte. Er hatte solche Opfer schon viel zu oft gesehen und war viel zu oft zu derselben Schlussfolgerung gekommen. »Hast du die Fingerabdrücke genommen?«

»Ja. Trey ist damit schon ins Labor gefahren. Er bringt die fünf toten Männer ins Leichenschauhaus.« Malcolms Lächeln war verbittert. »Wir haben gelost, und er hat gewonnen.«

»Schwein gehabt. Wir geben die Abdrücke ein und hoffen, dass wir etwas finden.« Das NCMEC, das National Center for Missing and Exploited Children, war eine Datenbank, in der die Fingerabdrücke vermisster Kinder zu finden waren – wenn die Eltern daran gedacht hatten, ihre Kinder registrieren zu lassen. Die meisten Eltern, die von der Datenbank erfuhren, waren begeistert von dieser Möglichkeit, gaben die Fingerabdrücke ihre Kinder dann aber aus verschiedenen Gründen doch nicht ab. Luke hatte dafür gesorgt, dass die sechs Kinder seiner Schwester Demi registriert waren. Das war das Mindeste, was er tun konnte, um seine Familie zu beschützen.

»Ja, hoffentlich. Wann können wir sie hinausbringen?«

»Spätestens in einer Stunde. Nachdem Chase die Presse informiert hat.«

Malcolm schnaubte, nun wieder ganz der alte. »Chase wird langsam prominent. Das muss doch – die wievielte? – die dritte Konferenz in dieser Woche sein?«

»Die vierte sogar. Vorher ging es hauptsächlich um den O'Brien-Fall.«

Malcolm schüttelte den Kopf. »Verdammt elende Woche.«

»Wohl wahr. Ich sag dir Bescheid, wenn wir die Toten transportieren dürfen.«

»Luke?«, erklang in diesem Moment Ed Randalls gedämpfte Stimme. »Komm mal her. Schnell.«

Luke fand den Leiter der Spurensicherung in der Hocke neben einem Pritschengestell. Die Matratze befand sich auf einer Plastikfolie, die auf dem Boden lag. »Was ist denn?«

Ed sah auf. Seine Augen funkelten. »Ein Name, zumindest ein Teil davon. Sieh's dir an.«

»Ein Name?« Luke hockte sich ebenfalls hin, während Ed den Strahl seiner Taschenlampe auf eine Stelle im rostigen Metall richtete, in der Luke einige Buchstaben zu erkennen glaubte.

»Ashley«, murmelte Luke. »Ashley Os… mehr sehe ich nicht. Osborne? Oswald? Aber immerhin.«

»Und Ashley hat versucht, diese Buchstaben zu verstecken. Die geritzten Buchstaben waren mit einer Paste aus Schmutz und etwas anderem verschmiert.«

»Etwas anderem?«, fragte Luke. »Was meinst du?«

»Ich weiß es, wenn ich es im Labor untersucht habe«, sagte Ed, »aber wahrscheinlich Urin. Hier sind mindestens drei andere Opfer festgehalten worden, Luke. Die Matratzen sind mit frischem Urin durchtränkt.«

Luke hatte das bereits gerochen. »Können wir daraus oder aus der Paste, die sich über Ashleys Namen befand, DNA bekommen?«

»Die Chancen stehen recht gut. Dass sie alle in der Pubertät waren, macht die Sache für uns einfacher.«

»Wieso?«

»Weil die DNA, die wir aus Urin bekommen, aus den Epithelzellen stammt, die ausgeschwemmt werden, nicht aus dem Urin selbst. Ich habe bereits Proben zum Labor geschickt.« Ed setzte sich auf seine Fersen zurück. »Aber bevor du weitere Fragen stellst – wie geht's Daniel?«

»So weit ganz gut. Wir dürfen ab morgen zu ihm.«

»Gott sei Dank. Hat er heute Nachmittag irgendetwas gesehen, bevor er angeschossen wurde?«

»Das werden wir ihn fragen, sobald er aufwacht. Was hast du noch gefunden? Chase muss in einer halben Stunde seine Pressekonferenz abhalten und braucht Informationen.«

»Eine Schachtel mit gefüllten Infusionsbeuteln, eine Schachtel mit Spritzen, eine alte Trage und einen Infusionsständer.«

Luke runzelte die Stirn. »Hört sich an, als sei das eine Art Krankenhaus gewesen. Aber das ergibt wenig Sinn. Die Mädchen waren verdreckt und sahen aus, als hätten sie seit Wochen nicht mehr vernünftig gegessen.«

»Ich sage dir ja nur, was ich gefunden habe.« Ed zuckte mit den Schultern. »Wir haben acht Pistolen, sieben Handys, zwei selbst fabrizierte Messer, ein Schnappmesser und ein Set bösartig aussehender Skalpelle.«

»Erzähl mir etwas zu den Handys.«

»Wenn man die von Daniel, Alex und Loomis beiseitelässt, handelt es sich ausschließlich um Prepaid-Handys. Ich habe mir alle eingehenden und ausgehenden Anrufe notiert.«

Luke überflog die Liste. »Mansfield und Loomis haben beide jeweils eine SMS von O'Brien bekommen.« Er sah auf. »Damit hat er sie wahrscheinlich hergelockt.«

»Der einzige Anruf, der für uns eine weiterreichende Bedeutung haben kann, war einer von Granville an eine Nummer, die zu keinem anderen Telefon passt. Er hat ihn eine halbe Stunde nach der SMS von O'Brien getätigt.«

Luke verengte die Augen. »Er hat seinen Partner angerufen.«

Ed nickte. »Davon können wir wohl ausgehen.«

»Damit haben wir mehr, als ich gedacht habe. Ich rufe Chase an. Anschließend fahre ich zu Granvilles Haus. Pete Haywood durchsucht es, sobald wir die richterliche Verfügung haben. Wir sehen uns nachher. Um zehn in Chases Konferenzraum.«

»Agent Papadopoulos.« Der dringliche Ruf kam von der Tür und hallte im Flur wider.

Luke und Ed rannten zum Eingang, von wo aus der Polizist gerufen hatte. »Ein Anruf von Agent Haywood. Granvilles Haus steht in Flammen.«

*Atlanta,*
*Freitag, 2. Februar, 20.00 Uhr*

In der Stille der Kapelle war es Susannah endlich gelungen, ihre Gedanken zu ordnen. Sie wusste, was sie zu tun hatte. Sie hatte es schon gewusst, als sie am Morgen ins Flugzeug gestiegen war. Sie würde aussagen und ihre Stimme denen der anderen hinzufügen. Sie würde ihren Teil dazu beitragen, dass es Gerechtigkeit gab, wie teuer sie auch erkauft werden musste.

Denn ihr Gewinn war erheblich gefallen. Am Morgen noch hatte sie sich darauf vorbereitet, mehreren Männern am Tisch der Verteidigung gegenüberzutreten. Nun würde nur noch einer da sein. Bürgermeister Garth Davis war der Einzige, der von Simons Club noch übrig geblieben war. Nur ein Mann würde sich denen stellen, deren Leben er vernichtet hatte.

Nur einer. Aber der Preis hatte sich um keinen Deut verringert. Ihr Leben, ihre Arbeit … alles würde sich für immer verändern. Dennoch war sie es den fünfzehn anderen Vergewaltigungsopfer schuldig, denn ihnen wäre viel Leid erspart worden, wenn sie bereits vor vielen Jahren den Mund aufgemacht hätte. Und den fünf toten Mädchen, die Luke im Bunker entdeckt hatte. Den anderen, die vermisst wurden. Das Mädchen, das sie angesehen hatte, als sei sie eine Heilige. *Und dir. Bist du es nicht auch dir schuldig, Susannah?*

»Ja«, murmelte sie. »Auch mir.« Ihrem Selbstrespekt. *Ich muss mich wieder im Spiegel ansehen können.*

»Entschuldigung. Darf ich mich hersetzen?«

Susannah blicke auf und sah eine große Frau mit dunklem Haar und einem eindringlichen Blick, deren Handtasche die Größe von Susannahs Aktenkoffer hatte. Die Kapelle war bis auf sie beide leer, es gab genügend andere Sitzplätze. Susannah wollte gerade nein sagen, als etwas im Blick der Frau sie innehalten ließ. *Vielleicht braucht sie Gesellschaft,* dachte Susannah, während sie nickte.

Der Duft nach Pfirsichen kitzelte Susannah in der Nase, als die Frau sich setzte und ihre Tasche auf dem Schoß abstellte. *Ich kenne sie.* Sie war der Frau schon einmal begegnet.

»Sind Sie katholisch?«, fragte die Frau. Sie sprach mit schwerem Akzent, und in ihrer Stimme lag Überraschung.

Susannah folgte ihrem Blick, der auf den Rosenkranz in ihrer Hand gerichtet war. »Ja.« Gegen den Willen ihrer Eltern, weswegen sie überhaupt konvertiert war. »Ich habe den Rosenkranz dort drüben am Altar gefunden. Ich dachte mir, dass wohl niemand was dagegen hat, wenn ich ihn benutze.«

»Sie können einen von mir nehmen«, sagte die Frau und wühlte bereits in ihrer ausladenden Tasche. »Ich habe immer zwei dabei. Für alle Fälle.« Sie kam aus Europa. Aus dem Osten oder … aus Griechenland. Okay. Nun verstand sie.

»Sie sind Mrs. Papadopoulos«, murmelte Susannah. Lukes Mutter. »Sie waren auf der Beerdigung meiner Eltern.«

»Ja, das stimmt.« Sie nahm Susannah den geliehenen Rosenkranz aus der Hand und ersetzte ihn durch ihren eigenen. »Nennen Sie mich Mama Papa. Das tun alle.«

Susannahs Mundwinkel hob sich unwillkürlich. Irgendwie war sie sich sicher, dass diese Frau kein Nein akzeptierte. »Danke.«

»Gern geschehen.« Mrs. Papadopoulos holte einen weiteren Rosenkranz aus der Tasche und begann zu beten. »Beten Sie nicht für Ihren Bruder?«, fragte sie unvermittelt.

Susannah senkte den Blick. »Doch, natürlich.« Aber das hatte sie nicht getan, nicht wirklich. Sie hatte um Kraft gebetet, zu tun, was sie tun musste.

»Daniel ist außer Gefahr«, sagte Mrs. Papadopoulos. »Er wird wieder ganz gesund.«

*Danke.* Ihr Herz flüsterte das Gebet, das ihr Verstand nicht über die Lippen brachte. »Danke«, murmelte sie, als sie den Blick der Frau spürte.

»Kompliziert«, murmelte die Frau schließlich. »Warum sind Sie wirklich hier, Susannah?«

Susannah legte die Stirn in Falten. Das ging allerdings ein wenig zu weit. »Weil es hier ruhig ist. Ich musste nachdenken.«

»Worüber?«

Sie sah auf. Ihr Blick war kühl. »Ich denke, das ist nicht Ihre Sache, Mrs. Papadopoulos.«

Sie erwartete, dass die Frau sich zurückgewiesen fühlen würde, aber stattdessen lächelte die andere. »Ich weiß. Ich frage trotzdem. Daniel gehört für mich zur Familie. Sie gehören zu Daniels Familie.« Sie zuckte mit den Schultern. »Also frage ich nach.«

Plötzlich brannten Tränen in Susannahs Augen, und sie senkte hastig den Blick. Ihre Kehle verengte sich, aber die Worte schienen hinauszuwollen. »Ich stehe an einem Scheideweg.«

»Das Leben ist voller Scheidewege.«

»Ja, weiß ich. Aber dieser hier ist bedeutend.« *Hier geht es um mein Leben, meine Karriere. Meine Träume.*

Mrs. Papadopoulos schien einen Moment nachzudenken. »Sind Sie deswegen in die Kirche gegangen?«

»Nein. Eigentlich bin ich hergekommen, weil es hier ruhig war.« Sie war hierhin geflüchtet, wie sie es schon einmal getan hatte. Damals, als sie eine derart verachtenswerte Tat begangen hatte …

Sie hatte sich damals so sehr verabscheut, dass sie es nicht einmal einem Priester hatte beichten können. Dennoch hatte sie sich in eine Kirche zurückgezogen und irgendwie die Kraft gefunden, ihr Leben fortzusetzen. Heute würde sie *das Richtige* tun. Dieses Mal würde es kein Zurück geben. Dieses Mal würde sie sich den Respekt vor sich selbst zurückholen.

Lukes Mutter blickte auf den Rosenkranz in Susannahs Händen. »Und Sie haben Frieden gefunden.«

»Soweit ich …« *Es verdiene.* »… es erwarten kann.« Sie hatte eher Kraft als Frieden gefunden, und Kraft war es, die sie brauchte.

»Als ich eben eintrat, dachte ich, Sie seien Ärztin.« Lukes Mutter zupfte an ihrem Kittel. »Was ist mit Ihren Kleidern passiert?«

»Völlig ruiniert. Eine der Krankenschwestern hat mir das hier geliehen, bis ich mir etwas zum Anziehen besorgen kann.«

Mrs. Papadopoulos packte ihre Tasche mit beiden Händen. »Wo ist denn Ihr Koffer? Ich bringe ihn Ihnen, damit Sie bei Daniel bleiben können.«

»Ich habe nichts bei mir. Ich bin ohne Gepäck gekommen.«

»Sie sind von New York hergeflogen, ohne Sachen zum Wechseln mitzunehmen?« Die Frau zog die Brauen hoch, und Susannah fühlte sich genötigt, es zu erklären.

»Ich … ich hatte mich spontan entschieden herzukommen.«

»Spontan.« Sie schüttelte den Kopf. »Kompliziert. Sie hatten also nicht vor zu bleiben?«

»Nein. Ich fliege wieder nach Hause.« Susannah war plötzlich verunsichert, und das gefiel ihr nicht. »Ich warte nur darauf, dass eine andere Patientin aufwacht. Wenn es ihr einigermaßen gutgeht, fliege ich zurück nach New York.«

Mrs. Papadopoulos stand auf. »Nun, so wie Sie angezogen sind, können Sie nirgendwo hingehen. Sie haben ja nicht einmal Schuhe an.« Das entsprach der Wahrheit. Susannah trug Krankenhausslipper. »Nennen Sie mir einfach Ihre Kleidergröße. Meine Enkelin arbeitet in einer Boutique im Einkaufszentrum. Sie ist immer sehr schick angezogen. Sie wird Ihnen das Richtige besorgen.« Sie stand auf, und Susannah tat es ihr nach.

»Mrs. Papadopoulos, Sie müssen das nicht …« Das Aufblitzen in den Augen der anderen ließ sie innerlich zurückweichen.

»Mama Papa, das ist sehr nett von Ihnen, aber Sie müssen das nicht tun.«

»Ich weiß.« Die ältere Frau blickte streng auf sie herab, und Susannah sah nun, von wem ihr Sohn diesen eindringlichen Blick geerbt hatte. »Daniels Alex hat mir erzählt, was Sie für dieses Mädchen getan haben.«

»Ich dachte, im Augenblick soll noch niemand von ihr wissen.«

Mrs. Papadopoulos zuckte mit den Schultern. »Ich habe sie ja auch schon wieder vergessen.« Dann lächelte sie freundlich. »Sie hätten sie nicht retten müssen.«

Susannah schluckte. Man hatte ihr Blut abgenommen, präventiv Medikamente gegeben und jede Vorkehrung getroffen, um für ihre körperliche Unversehrtheit zu sorgen, aber es war dennoch möglich, dass sie für das, was sie getan hatte, teuer würde zahlen müssen.

Andererseits hatte das Mädchen für das, was Susannah *nicht* getan hatte, bereits teuer bezahlt. »Doch, ich musste es tun. Unbedingt.«

»Dann muss ich auch«, sagte Mrs. Papadopoulos so sanft, dass erneut Tränen in Susannahs Augen brannten. »Unbedingt. Also bedanken Sie sich und lassen Sie mich diese gute Tat tun.«

Das Bedürfnis, eine gute Tat zu tun, kannte Susannah nur allzu gut. »Ich trage Größe sechsunddreißig«, sagte sie. »Danke.« Lukes Mutter nahm sie in die Arme, drückte sie fest und verließ die Kapelle.

Susannah straffte die Schultern. Sie hatte heute Morgen getan, was sie musste, indem sie die Schachtel ans Licht geholt hatte. Sie hatte heute Nachmittag getan, was sie musste, indem sie das Mädchen vor dem Verbluten gerettet hatte. Nun würde sie wieder tun, was sie musste. Daniels Chef hatte ihr die Telefonnummer von Chloe Hathaway gegeben, der Staatsanwältin, die den einzigen Überlebenden aus Simons Club anklagen würde.

Susannah nahm ihre Tasche und verließ die Stille der Kapelle. Sie hatte einiges zu erledigen. Anrufe zu tätigen. Den Respekt vor sich selbst zurückzuerlangen. Aber zunächst musste sie sehen, wie es dem verletzten Mädchen ging.

*Ridgefield House,*
*Freitag, 2. Februar, 20.00 Uhr*

»Sie sind fertig«, sagte Rocky.

Bobby sah vom Computerbildschirm auf und unterdrückte den erneut aufkommenden Zorn. Rocky hatte ihr ganzes Unternehmen gefährdet. *Ich hätte selbst zum Flusslager fahren müssen.* Nun musste Bobby einen neuen Arzt und einen neuen Cop im Sheriffbüro in Dutton finden.

Immerhin hatte Chili gute Arbeit geleistet. Das Funkabhörgerät summte nur so von Hilferufen an jede verfügbare Löscheinheit. Granvilles Haus brannte lichterloh. Mansfields würde das nächste sein. Niemand konnte wissen, ob einer der beiden belastendes Material verwahrt hatte.

Das Geschäft musste geschützt werden. Und heute Abend gab es darüber hinaus Geld zu verdienen.

Bobby sah zu den fünf Mädchen hinüber, die in einer Reihe standen. Zwei waren brandneue Schönheiten aus dem Flusslager, wieder sauber, angezogen und präsentabel. Die anderen drei waren schon routiniert. Alle fünf hatten die Augen gesenkt. Alle fünf zitterten, zwei davon so sehr, dass ihre Ohrringe klimperten. *Gut.* Angst war gut.

Wie sich der Abend entwickeln würde, war für Bobby leicht vorauszusehen. Haynes mochte Blondinen mit dem gesunden, typisch amerikanischen Aussehen. Dieses Aussehen war Bobbys Marktnische in dem wachsenden Importgeschäft. Hier hatten die Kunden eine Chance auf echte amerikanische Ware.

»Haynes wird die Blonde da nehmen. Ashley, richtig?«

»Nein.« Das Mädchen erstarrte, während die anderen vier vor Erleichterung in sich zusammenzufallen schienen. »Bitte nicht.«

Bobby lächelte freundlich. »Rocky, wie lautet Ashleys Adresse?«

»Ihre Familie lebt in 721 Snowbird Drive, Panama City, Florida«, antwortete Rocky sofort. »Ihre Mutter ist vor zwei Jahren gestorben, ihr Vater arbeitet in der Nachtschicht. Nun, da seine Tochter ›weggelaufen‹ ist, hat er einen Babysitter engagiert, der auf den Bruder aufpasst, wenn er arbeiten geht. Der Bruder schleicht sich manchmal nachts raus, um …«

»Danke, das reicht«, sagte Bobby, als das blonde Mädchen zu weinen begann. »Ich weiß alles über deine Familie, Ashley. Ein falscher Schritt, ein unzufriedener Kunde, und jemand aus deiner Familie wird sterben. Qualvoll. Du warst diejenige, die das Abenteuer gesucht hat, und jetzt bekommst du es. Also hör auf zu heulen. Meine Kunden wollen lächelnde Mädchen. Rocky, bring sie raus. Ich habe zu tun.«

Bobby öffnete die Personalakten, die auf dem Schreibtisch lagen, und vertiefte sich gerade in eine sehr vielversprechende Bewerbung eines Mediziners, als eines der Prepaid-Handys klingelte. Das war die Nummer für die Kontakte und Informanten – für »Mitarbeiter«, die deshalb in Bobbys Diensten standen, weil sie etwas Schlimmes getan hatten, das nicht an die Öffentlichkeit dringen durfte.

Informationen zu besitzen bedeutete Macht. Bobby mochte Macht. Die Nummer des Anrufers hatte eine Vorwahl von Atlanta. »Ja?«

»Sie wollten, dass ich anrufe, wenn etwas im Krankenhaus passiert. Ich habe Neuigkeiten.«

Bobby brauchte einen Augenblick, um die Stimme einzuordnen. Ach ja. Jennifer Ohman, die Krankenschwester mit dem Drogenproblem. Die meisten Informanten hatten ein Drogenproblem. Oder waren leidenschaftliche Spieler. Oder sexsüchtig. Wie auch immer die geheime Sucht geartet war, das Verhalten war immer das gleiche.

»Nun, dann schieß los. Ich habe nicht den ganzen Tag Zeit.«

»Zwei Patienten sind per Hubschrauber eingeliefert worden. Einer davon ist Special Agent Daniel Vartanian.«

Bobby setzte sich augenblicklich gerader auf. Dass Vartanian angeschossen worden war, hatten sie natürlich schon über den Polizeifunk erfahren. Genauso wie die Tatsache, dass Loomis, Mansfield, Granville und Mack O'Brien tot waren. Es war umso bemerkenswerter, dass nichts, aber auch gar nichts über andere Tote, die man eventuell im Bunker gefunden haben mochte, zu hören gewesen war. »Wer war die zweite Person?«

»Eine Unbekannte, ungefähr sechzehn oder siebzehn Jahre alt. Ihr Zustand war kritisch, aber sie hat die OP überlebt.«

Bobby erhob sich langsam, wütend. Dann verwandelte sich die kochende Wut in kalte Furcht. »Und?«

»Ihr Zustand ist stabil. Niemand soll wissen, dass sie hier ist, und vor der Tür steht rund um die Uhr eine Wache.«

Bobby holte tief Luft. Rocky hatte behauptet, alle Mädchen, die sie zurückgelassen hatten, seien tot gewesen. Also war dieses Mädchen entweder ein moderner Lazarus, oder Rocky war einem fatalen Irrtum aufgesessen. »Ich verstehe.«

113

»Noch etwas. Zwei weitere Personen sind in die Notfallambulanz eingeliefert worden, ein Mann und eine Frau. Die Frau heißt Bailey Crighton. Sie ist diejenige, die eine Woche lang als vermisst galt.«

»Ich weiß, wer sie ist.« *Granville, du Arschloch. Rocky, du Vollidiotin.* »Und der Mann?«

»Ein Armeekaplan. Beasley ... nein, Beardsley, genau. Beide befinden sich im stabilen Zustand. Das ist alles, was ich weiß.« Die Schwester zögerte. »Wir sind jetzt quitt, oder?«

Nun hatten sie drei Personen zu neutralisieren. Die Schwester allein reichte nicht, aber sie war ein wertvoller Aktivposten. »Nein, tut mir leid, so funktioniert das nicht. Das Mädchen muss sterben. Vergifte sie, erstick sie, ist mir egal, wie. Aber sie wird nicht mehr aufwachen, verstanden?«

»Aber ... nein! So etwas mache ich nicht.«

Das sagten sie anfangs alle. Manche mussten etwas stärker gedrängt werden als andere, aber letztendlich funktionierte es immer. »Aber natürlich wirst du das tun.«

»Das kann ich nicht!« Die Frau klang entsetzt. Aber auch das taten anfangs alle.

»Mal sehen ...« Die Akte über die Krankenschwester war sehr umfangreich. Bobbys Kontakt bei der Polizei von Atlanta hatte gute Arbeit geleistet. »Du lebst bei deiner Schwester. Dein Sohn wohnt beim Vater, weil man dir das Sorgerecht entzogen hat. Du hast deinem Mann dein Kind überlassen, damit er dein kleines Problem nicht verrät. Nett von ihm. Aber du kannst nicht die ganze Zeit auf die beiden aufpassen, meine Liebe.«

»Ich ... ich gehe zur Polizei«, stammelte die Schwester.

»Um ihr was zu sagen? Dass man dich mit Drogen erwischt hat, die du aus dem Krankenhaus entwendet hast, um sie zum Teil selbst zu verbrauchen, zum Teil aber auch zu verkaufen?

Dass der Bulle dich hat gehen lassen, wodurch nun ein böser Schurke in der Lage ist, dich zu erpressen? Ja, tu das doch bitte. Aber wie lange hast du wohl noch deine Stelle, wenn die Wahrheit herauskommt? Du tust, was ich sage, oder jemand aus deiner Familie wird sterben. Und für jeden Tag, den du zögerst, ein weiterer.«

Bobby legte auf, wählte erneut. »Paul. Ich bin's.«

Einen Augenblick herrschte Schweigen, dann stieß der andere einen leisen Pfiff. »Da schau her. Wie mir scheint, hast du ein dickes Problem.«

»Ach, wirklich?«, schnarrte Bobby verärgert. »Fein, dass du mich aufklärst. Hör zu, ich brauche dich. Bezahlung wie üblich.« Paul war nützlich – ein Cop mit einem ausgedehnten und verlässlichen Informationsnetzwerk und keinerlei moralischen Bedenken. Seine Loyalität gehörte schlicht demjenigen, der am meisten bot. »Ich will bis Mitternacht wissen, wer beim GBI auf den Granville-Fall angesetzt ist. Und zwar bis zum unbedeutenden Aktenwälzer.«

»Oder dem Putzmann, der den Müll rausbringt. Schon klar.«

»Gut. Und ich will wissen, welche anderen Abteilungen das Büro unterstützen und ob irgendwelche Leute vor Ort intensiv genug mitarbeiten, um Bericht zu erstatten. Ich will über jeden Schritt informiert werden –«

»Bevor sie ihn tun«, endete Paul. »Auch das ist klar. Noch was?«

Bobby betrachtete das Foto, das Charles am Nachmittag beim Abschied »ganz zufällig« dagelassen hatte. Susannah Vartanian, die auf der Beerdigung ihrer Eltern mit versteinerter Miene neben ihrem Bruder stand. Rockys Versäumnis wegen musste Susannah nun noch ein wenig warten. Doch sobald das Geschäft nicht mehr bedroht war, kam sie an die Reihe.

»Nein, im Augenblick nicht. Aber halte dich bereit. Und ich warte auf deinen Anruf. Enttäusche mich nicht.«

»Habe ich das je?« Ohne auf eine Antwort zu warten, legte der andere auf.

»Rocky. Zu mir.«

Rockys Schritte polterten die Treppe hinab. »Was ist los?«

»Alles. Ich habe einen Extra-Auftrag für dich. Es ist Zeit, dass du die Suppe, die du dir eingebrockt hast, wieder auslöffelst.«

# 6. Kapitel

Luke sprang aus dem Wagen und lief auf Pete Haywood zu, der mit düsterer Miene auf Dr. Toby Granvilles Haus starrte, das – genau wie jedes noch so winzige Beweisstück, das sich im Inneren befinden mochte – gerade zu Asche verbrannte. Die Mädchen konnten überall sein, und nun ging jeder Hinweis, der sie vielleicht zu ihnen führen konnte, in Rauch auf.

»Was zum Teufel ist hier passiert?«, wollte Luke wissen, aber Pete reagierte nicht. Er regte sich überhaupt nicht, sondern starrte nur wie hypnotisiert in die Flammen. »Pete!« Luke packte seinen Arm und musste einen Satz zurück machen, als Pete herumwirbelte und die geballten Fäuste hochriss.

»Hey, ich bin's nur«, sagte Luke und hielt abwehrend die Hände hoch. Aber im gleichen Moment sah Luke den Schrecken in Petes dunklen Augen und das dicke Pflaster, das sich von seiner Schläfe aus halb um den kahlen, dunkelbraunen Schädel zog. »Was zum Teufel ist passiert?«

Pete schüttelte den Kopf. »Ich kann dich nicht hören«, brüllte er. »In meinen Ohren klingelt es noch. Es war eine Bombe, Luke. Hat drei von uns durch die Gegend geschleudert, als wären wir aus Pappmaché.«

Pete Haywood war ein Koloss von über einem Meter neunzig, der hundertzwanzig Kilo wog. Luke mochte sich nicht vorstellen, was für einer Wucht es bedurft hatte, um einen

117

Mann seiner Statur durch die Gegend zu schleudern. Das Blut sickerte bereits aus Petes Verband. »Du musst genäht werden«, brüllte Luke.

»Die Ärzte müssen sich erst mal um andere kümmern. Zach Granger ist von einem Metallsplitter getroffen worden.« Pete schluckte. »Er verliert vielleicht sein Auge. Ein Hubschrauber bringt ihn ins Krankenhaus.«

Es wurde einfach immer schlimmer. »Wo ist der Brandursachenermittler?«, schrie Luke.

»Noch nicht da. Aber der Chef des Löschtrupps steht da drüben.«

Luke riss erstaunt die Augen auf, als er den Mann erkannte, der neben dem Feuerwehrmann stand. »Corchran? Was macht der denn hier?«

»Er traf ungefähr fünfzehn Minuten nach unserem Hilferuf ein.«

Luke führte Pete zu seinem Wagen, fort von möglichen Lauschern. »Setz dich und erzähl mir, was passiert ist. Und du musst nicht brüllen, ich verstehe dich sehr gut.«

Müde sank Pete auf den Beifahrersitz. »Wir haben hier auf Chloes Anruf gewartet, auf das Okay, dass wir hineinkönnen. Niemand ist in der Zeit hinein- oder herausgekommen. Chloe rief genau um 19 Uhr 45 an. Ich öffnete die Tür, und die Hölle brach los. Buchstäblich.«

Luke zog die Brauen zusammen. »Was ist mit Mansfields Haus?«

»Nancy Dykstra wartet mit ihrem Team dort. Ich habe sie angerufen, sobald ich mich wieder vom Boden geklaubt hatte, und sie gewarnt, dass sie nicht reingehen soll. Sie warten jetzt auf die Experten, die die Bombe entschärfen können, damit unser kleiner Pyromane nicht zweimal Erfolg hat.«

»Gut mitgedacht. Hast du Granvilles Frau gesehen?«

»Falls sie im Haus war, ist es jetzt wohl zu spät. Zach und der Rest des Teams sind seit 17 Uhr 15 hier und haben alle Ausgänge bewacht.«

»Okay. Die Bombe muss also zwischen 13 Uhr 38 und 17 Uhr 15 gelegt worden sein.«

Pete sah ihn stirnrunzelnd an. »Warum 13 Uhr 38?«

»Um diese Zeit hat Granville jemanden angerufen, von dem wir denken, dass er sein Partner sein könnte. Die Nachricht, dass Granville tot ist, war um viertel nach fünf noch nicht an die Medien gegangen. Nur Granvilles Partner konnte wissen, dass er den Bunker nicht mit den anderen verlassen hat.«

»Und dieser Partner musste fürchten, dass Granville reden würde, wenn man ihn erwischt, oder dass er belastendes Material im Haus gehabt hat. Also hat er den Kasten in die Luft gejagt. Und nun?«

»Nun lässt du dir deinen Holzkopf verarzten. Ich übernehme. Wir treffen uns um zehn bei Chase. Komm dazu, falls es geht. Falls nicht, ruf an.«

Luke drückte Pete aufmunternd die Schulter und setzte sich in Richtung Corchran und des Feuerwehrhauptmanns in Bewegung.

Die beiden kamen ihm ein Stück entgegen. »Ich bin losgefahren, sobald ich über Funk hörte, dass Ambulanzen und Feuerwehr angefordert wurden«, sagte Corchran.

»Danke. Das weiß ich zu schätzen.« Luke wandte sich an den Feuerwehrhauptmann. »Ich bin Agent Papadopoulos, GBI.«

»Chief Trumbell. Wir bekämpfen das Feuer von außen. Da es Explosionen gegeben hat, habe ich meine Männer noch nicht reingeschickt. Ich will nicht, dass sie über weitere Drähte stolpern.«

»So ist die Bombe also gezündet worden?«, fragte Luke. »Durch Drähte?«

»Das werden Ihre Brandermittler wohl genauer festlegen können, aber ich habe am Türknauf innen einen Draht baumeln sehen, drei oder vier Zentimeter lang. Wahrscheinlich eine ziemlich simple Konstruktion. Man macht die Tür auf, zieht dadurch am Draht und zündet die Bombe. Übrigens brannte es innen schon sehr gleichmäßig, als wir ankamen. Ich wette, die Jungs werden Reste von Brandbeschleunigern finden.«

»Okay. Hören Sie, Granville war verheiratet. Wir glauben allerdings nicht, dass seine Frau im Haus war.«

»Ja, das hat Haywood auch gesagt.« Trumbell warf einen Blick über die Schulter zu der Feuersbrunst hinüber. »Aber falls doch …« Er schüttelte den Kopf. »Ich kann niemanden reinschicken. Das Risiko ist zu groß.«

Wie um seine Worte zu unterstreichen, ertönte plötzlich ein fürchterliches Krachen. Alle duckten sich instinktiv, bis auf Trumbell, der sein Funkgerät hochriss und Befehle bellend auf das Haus zurannte.

»Anscheinend ist eine Decke eingestürzt«, bemerkte Corchran.

Und jede Verbindung zu Granvilles Partner war nun unter einem Berg von Schutt begraben. »Verdammt«, sagte Luke.

Corchran deutete mit dem Kopf zur Straße, wo gerade zwei Vans bekannter Nachrichtensender hielten. »Die Geier haben den Aasgeruch gewittert.«

»Das hat uns gerade noch gefehlt«, murmelte Luke. »Hey, danke, dass Sie gekommen sind. Ich weiß, dass Dutton nicht in Ihren Verantwortungsbereich fällt.«

Corchran zog unbehaglich die Schultern hoch. »Nein, tut es nicht. Aber ich dachte, dass Sie jede Hilfe gebrauchen könnten. Es ist ja kein Geheimnis, dass sich die Polizei in Dutton in einem ... ungeordneten Zustand befindet.«

Luke hätte fast gelacht. »Eine hübsche Untertreibung in Anbetracht der Tatsache, dass sowohl der Sheriff als auch der Deputy tot sind.«

»Falls Sie Unterstützung brauchen, rufen Sie mich an. Ich möchte keinem in Zuständigkeitsfragen auf die Zehen treten.«

»Danke. Ich nehme an, dass der Gouverneur in diesem Moment den Sheriffposten neu besetzt, also werden wir hoffentlich bald wieder eine gewisse Ordnung in Dutton haben. So, nun muss ich den Tatort absperren.«

Corchran warf den Fernsehteams einen düsteren Blick zu. »Dann tun Sie das bloß weiträumig.«

»Darauf können Sie wetten.«

Luke trieb die Reporter zurück, appellierte an ihre Vernunft und bat sie, die Rettungsarbeiten nicht zu behindern. Er erduldete schweigend die eine oder andere gemurmelte Beleidigung und war stolz auf sich, dass er keine Bemerkung machte, die er anschließend mit Sicherheit bereut hätte. Er hatte gerade einen Polizisten eingewiesen, der auf die Einhaltung der Absperrung achten sollte, als sein Handy summte.

Stirnrunzelnd sah er auf die Vorwahl 917, bis ihm wieder einfiel, dass Susannah eine Nummer aus Manhattan hatte. *Bitte. Lass das Mädchen nicht tot sein.* Er sah zu den Ruinen von Granvilles Haus hinüber. Vielleicht war sie die Einzige, die ihnen weiterhelfen konnte. »Susannah. Was kann ich für Sie tun?«

»Das Mädchen ist aufgewacht. Sie kann nicht sprechen, aber sie ist wach.«

*Danke.* »Ich komme, so schnell ich kann.«

»Jetzt wird gefeiert, Ashley«, sagte Rocky, als sie die Tür aufschloss. »Mr. Haynes ist bereits –«

Rocky blieb wie angewurzelt stehen. Der Schock raubte ihr einen Moment lang jeden klaren Gedanken. Doch rasch stieg Zorn auf, heißer, weißglühender Zorn, und sie stürzte sich auf das Mädchen, das wie ein Embryo zusammengerollt auf dem Boden lag.

»Was zum Teufel hast du gemacht?«, fauchte Rocky und packte Ashley bei dem wenigen Haar, das sie übrig gelassen hatte. »Verdammt noch mal, was hast du nur gemacht?«

Ashleys durchgebissene Lippe blutete noch immer stark, und auch die Kopfhaut war rot, vor allem an den mindestens acht kahlen Stellen, die die Größe von Silberdollars hatten. Die verdammte Schlampe hatte sich das Haar an den Wurzeln ausgerissen.

Ashleys Augen waren nass von Tränen, aber voller Trotz. »Er wollte eine Blondine, nicht wahr? Ob er mich jetzt noch will?«

Rocky schlug so fest zu, dass Ashleys Kopf zurück auf den Boden krachte.

»He, was machst du da?« Bobby stand im Türrahmen. »Verdammter Mist!«

Rocky starrte schwer atmend auf das Mädchen herab. »Sie hat sich die Haare ausgerissen. So können wir sie Haynes nicht anbieten.«

»Dann muss er eben eine der anderen nehmen.«

Bobby war verärgert. Was bedeutete, dass Rocky den Preis dafür zahlen musste. »Soll ich sie den Wachen geben?«

Bobby musterte das Mädchen mit verengten Augen. »Noch nicht. Ich will, dass sie gehorcht, aber ich will sie relativ unversehrt. Steck sie ins Loch. Kein Essen, kein Wasser. Ein paar Tage da unten werden ihr den Trotz schon austreiben. Wenn du sie wieder rausholst, rasier ihr den Schädel. Sie kann eine Perücke tragen. Jeder Rockstar tut das, warum nicht auch unsere Mädels? Und, Rocky – sieh zu, dass wir bald ein paar Blondinen haben. Ich habe Haynes für heute eine versprochen, jetzt werde ich ihm wohl einen Preisnachlass gewähren müssen. Das nächste Mal will ich ihm liefern können, wonach er verlangt. Ein Viertel unserer Aufträge bekommen wir durch ihn.«

Rocky dachte an die Mädchen, mit denen sie gerade online chattete. »Da sind zwei, vielleicht sogar drei, die langsam reif sein dürften.«

»Blond?«

Sie nickte. »Ich hab's selbst überprüft. Aber wer holt sie uns? Das war Mansfields Job.«

»Kümmre du dich darum, dass sie so weit sind. Den Rest mache ich. Und jetzt schaff mir die da aus den Augen, bevor ich meine Meinung ändere und sie persönlich vertrimme, bis sie nicht mehr weiß, wie sie heißt. Und komm nicht zu spät zu deiner Verabredung. Ich habe dir eine Chance gegeben, einiges wiedergutzumachen. Bau keinen Mist.«

Rocky biss sich auf die Wangeninnenseite. Sie war schlau genug gewesen, nicht gegen die »Zusatzaufgabe«, die Bobby ihr gegeben hatte, zu protestieren, aber deswegen musste sie den Job ja nicht gleich mögen. Sie sah auf die Uhr. Sie musste dieses Mädchen hier ins Loch schaffen, oder sie würde den Schichtwechsel im Krankenhaus verpassen.

»Susannah.«

Susannah hob den Blick und sah Lukes Spiegelbild in der Glasscheibe, hinter der das unbekannte Mädchen auf der Intensivstation lag. Er wirkte müde. »Ich durfte ein paar Minuten zu ihr.«

»War sie bei klarem Bewusstsein?«

»Ich denke ja. Sie hat mich erkannt und meine Finger gedrückt. Sie hat jetzt zwar die Augen geschlossen, aber vielleicht ist sie noch wach.«

»Aber sie atmet noch durch den Schlauch.«

»Wie ich schon am Telefon sagte, sie kann nicht sprechen. Der Arzt sagte, sie habe eine Schocklunge.«

Luke verzog das Gesicht. »Verdammt.«

»Sie wissen, was das ist?«

»Ja. Mein Bruder Leo war bei der Marine, einmal wurde er bei einem Kampf verwundet. Auf einer Seite brachen gleichzeitig drei Rippen, und seine Lunge kollabierte.« Sein Blick verfinsterte sich. »Habe ich das verursacht, als ich sie getragen habe?«

Seine Sorge rührte sie. »Das kann ich mir nicht vorstellen. Ihr Brustkasten war mit Prellungen übersät. Einer der Ärzte sagte, es sähe nach einer Stiefelspitze aus. Wahrscheinlich muss sie noch ein, zwei Tage intubiert bleiben.«

»Wir können sie trotzdem befragen. Wenn sie bei klarem Verstand ist, benutzen wir eine Buchstabentabelle, und sie kann blinzeln. Jedenfalls müssen wir unbedingt herausfinden, was sie weiß.«

Er trat einen Schritt näher, bis er direkt hinter ihr stand, und die Wärme, die sein Körper ausstrahlte, ließ sie schaudern. Er beugte sich vor, um durch die Scheibe zu sehen, und wenn sie den Kopf gedreht hätte, wären kaum zwei Zentimeter Platz zwischen ihrer Nasenspitze und seiner mit Bartstoppeln bedeckten Wange gewesen. Heute Nachmittag im Auto hatte er nach Zedern gerochen. Nun roch er nach Rauch. Susannah blickte stur geradeaus durch die Scheibe.

»Sie sieht jünger aus als vorhin«, murmelte Luke.

»Sie war vorhin unter all dem Blut kaum erkennbar. Wo hat es gebrannt?«

Er wandte den Kopf, und sie spürte seinen Blick. »In Granvilles Haus.«

Susannah schloss die Augen. »Verdammt.«

»Das war auch mein erster Kommentar.« Er trat zurück und nahm die Wärme mit, und sie schauderte wieder, da ihr plötzlich kalt war. »Ich werde versuchen, mit ihr zu reden.« Er hielt ihr eine Einkaufstüte hin. »Das ist für Sie.«

In der Tüte befanden sich Kleidungsstücke, und Susannah nahm sie und sah überrascht zu ihm auf. »Wo haben Sie die her?«

Sein Mund zuckte. »Wir hatten eine spontane Familienzusammenführung in der Eingangshalle. Meine Mutter hat auf meinen Bruder und meine Nichte gewartet, die sie abholen wollten. Leo hat Stacie von der Arbeit in der Mall abgeholt, wo sie Ihnen die Sachen besorgt hat. Leo fährt jetzt Mama heim, und Stacie fährt Mamas Auto heim, denn das letzte Mal hat sie einen Strafzettel bekommen, weil sie zu langsam gefahren ist.« Er zuckte mit den Schultern. »Auf diese Art sind Cops und Mama glücklich, und alles ist in Ordnung.«

Susannah hatte den leisen Verdacht, dass kein Cop Mrs. Papadopoulos freiwillig einen Strafzettel geben würde. »Ähm, vielen Dank. Ich schreibe Ihrer Nichte einen Scheck aus.«

Er nickte, dann ging er an ihr vorbei in das kleine Kranken-zimmer.

Die Schwester stand auf der anderen Seite des Bettes. »Zwei Minuten. Mehr nicht.«

»Ja, Ma'am. Hallo, Kleine.« Lukes Stimme war sanft. »Bist du wach?«

Die Augenlider des Mädchens flatterten, aber sie schlug sie nicht auf. Er zog sich einen Stuhl heran und setzte sich. »Erin-nerst du dich an mich? Ich bin Agent Papadopoulos. Ich war bei Susannah Vartanian, als wir dich heute Nachmittag gefun-den haben.«

Die Gestalt in dem Bett rührte sich, und die Kurve auf dem Monitor des Blutdruckmessgeräts stieg leicht an.

»Ich will dir nichts tun, Honey«, fuhr er fort. »Aber ich brau-che deine Hilfe.«

Der Puls des Mädchens beschleunigte sich, und das Gerät be-gann zu piepen. Sie warf den Kopf zur Seite, und Luke wand-te sich besorgt zu Susannah um, während die Schwester den Eindruck machte, als wolle sie ihn am liebsten sofort hinaus-werfen.

Susannah betrat den Raum, stellte die Tüte ab und strich dem Mädchen behutsam über die Wange. »Ich bin auch hier«, sagte sie. »Hab keine Angst.«

Tatsächlich zeigten die Monitore an, dass das Mädchen sich beruhigte, und Luke stand auf. »Ich warte auf der anderen Sei-te der Glasscheibe. Reden Sie mit ihr. Sie wissen, was wir brau-chen. Ich hole Ihnen eine Buchstabentabelle.«

»Okay.« Susannah beugte sich vor und bedeckte eine Hand des Mädchens mit ihrer. »Hey, es geht dir gut, und du bist hier in Sicherheit. Niemand kann dir mehr etwas antun. Aber die anderen Mädchen hatten kein solches Glück wie du. Einige sind weggebracht worden, und wir müssen sie finden. Dazu brauchen wir deine Hilfe.«

Sie schlug die Augen auf, und Susannah sah Angst und Panik darin.

»Ich weiß«, sagte sie tröstend. »Du fürchtest dich, und du fühlst dich hilflos. Das Gefühl mag keiner, glaub mir das. Aber mit deiner Hilfe *können* wir etwas tun. Die Schweine erwischen, die dir das angetan haben. Bitte hilf mir. Wie heißt du?«

Susannah nahm das Stück Papier, das Luke ihr durch die Tür reichte. Darauf hatte er das Alphabet geschrieben. Susannah hielt es dem Mädchen vor die Nase. Langsam fuhr sie mit dem Finger über die Buchstaben. »Blinzle, wenn ich am richtigen Buchstaben angelangt bin.«

Susannah fixierte das Gesicht des Mädchens und stellte zufrieden fest, dass es blinzelte. »M? Dein Name beginnt mit M? Blinzle zweimal für ja.«

Das Mädchen tat es, und ihr Blick zeigte nun weniger Furcht und ein bisschen mehr Entschlossenheit.

»Dann den nächsten Buchstaben.

»Tut mir leid, aber die zwei Minuten sind mehr als um«, sagte die Schwester.

»Aber ...«, setzte Luke an.

Die Schwester schüttelte den Kopf. »Die Patientin ist in einem kritischen Zustand. Wenn Sie irgendetwas aus ihr herauskriegen wollen, dann müssen Sie ihr Zeit zur Erholung geben.«

Luke presste die Kiefer zusammen. »Bei allem Respekt – das Leben von fünf anderen Mädchen könnte davon abhängen.«

Die Frau hob das Kinn. »Bei allem Respekt – das Leben dieses Mädchens steht auf dem Spiel. Sie können morgen wiederkommen.«

Susannah konnte den Zorn in Lukes Augen aufblitzen sehen, aber er ließ sich nichts anmerken. »Nur noch eine Frage, die sich mit ja oder nein beantworten lässt … bitte.«

Die Schwester stieß den Atem aus. »Eine.«

»Danke. Susannah, fragen Sie sie bitte, ob sie eine Ashley kennt.«

Susannah beugte sich wieder vor. »Kennst du ein Mädchen namens Ashley? Blinzle zweimal, falls ja.« Das Mädchen blinzelte zweimal, und zwar sehr bewusst. »Ja. Sie kennt sie.«

Luke nickte. »Dann sind wir auf der richtigen Spur.«

Susannah liebkoste das Gesicht des Mädchens, das nun frustriert aus seinen braunen Augen zu ihr aufsah. »Ich weiß. Ich komme morgen wieder. Und hab keine Angst. Draußen vor der Tür steht ein Polizist, der keine Fremden reinlässt. Schlaf jetzt und ruh dich aus.«

Luke nahm die Einkaufstüte. »Ich bringe Sie zu Daniels Haus«, sagte er, sobald sie das Zimmer verlassen hatten.

Susannah schüttelte den Kopf. »Nein, danke. Ich habe mir ein Hotelzimmer genommen. Bitte«, sagte sie schnell, als er protestierend den Mund öffnen wollte, »ich weiß Ihre Sorge zu schätzen, aber … es *ist* nicht Ihre Sorge.« Sie lächelte, um der Abfuhr die Spitze zu nehmen.

Er sah sie einen Moment lang prüfend an, dann nickte er. »Gut. Wollen Sie sich umziehen?«

»Ich … warte damit noch, bis ich im Hotel bin. Ich möchte mich auch waschen.«

»Gut«, sagte er wieder, und sie begriff, dass es in seinen Augen alles andere als gut war. »Ich fahre Sie zum Hotel, aber ich will noch eben nach Daniel sehen.«

Sie nickte und folgte ihm, obwohl ihr nicht der Sinn danach stand, aber sie hätte sich andernfalls geschämt. Luke betrat das

Zimmer, während Susannah im Türrahmen stehen blieb und beobachtete, wie sich Daniels breiter Brustkasten leicht hob und senkte. Er atmete noch immer viel zu flach. Heute wäre er fast gestorben. *Und dann wäre ich allein gewesen.*

*Was für ein Unsinn. Du bist seit elf Jahren allein.* Seit er damals das Elternhaus und ihr Leben verlassen hatte, ohne ein einziges Mal zurückzublicken. Dennoch war es etwas anderes, ob man sich allein fühlte oder wirklich keine Angehörigen mehr hatte. Nun – heute wäre das fast eingetroffen.

Alex wachte neben Daniels Bett. »Wie geht's ihm?«, murmelte Luke.

»Besser«, erwiderte Alex. »Sie mussten ihn ruhigstellen. Er fing an, sich hin und her zu werfen, und hätte fast alle Schläuche rausgezogen. Aber er ist nur zur Beobachtung hier, nun, da er nicht mehr beatmet wird. Morgen kommt er auf eine normale Station.« Sie wandte sich um und bedachte Susannah mit einem müden Lächeln. »Susannah. Wie geht es Ihnen?«

»Gut, danke.« Ihre Worte waren so knapp, dass es an Unhöflichkeit grenzte, aber Alex Fallon schien es nicht zu bemerken. »Das freut mich. So einen Tag wie heute muss ich wirklich nicht noch einmal erleben. Ich habe den Schlüssel von Daniels Haus. Er würde ihn Ihnen geben, das weiß ich.«

»Ich werde mir ein Hotelzimmer nehmen.« Sie zwang sich zu einem Lächeln. »Aber danke.«

Alex zog leicht die Stirn in Falten, nickte aber. »Ruhen Sie sich aus. Ich sehe nach ihm.«

*Ja, tu das nur,* dachte Susannah und ignorierte die plötzliche Enge in ihrer Kehle standhaft. »Und nach dem Mädchen«, murmelte sie.

»Und nach dem Mädchen. Machen Sie sich keine Sorgen, Susannah. Morgen sieht die Welt schon viel rosiger aus.«

Aber Susannah wusste es besser. Morgen würde es, um mit Lukes Worten zu sprechen, *schwierig* werden. Sehr schwierig.

»Ja, bestimmt«, sagte sie ruhig, weil das die Antwort war, die die Konvention verlangte.

Luke berührte ihren Arm – nur ganz kurz –, und als sie aufsah, war es Verständnis, das sie sah, nicht die Kritik, die sie erwartet hatte. »Fahren wir«, sagte er. »Ich kann Sie auf dem Weg ins Büro am Hotel absetzen.«

*Ridgefield House, Georgia,*
*Freitag, 2. Februar, 21.45 Uhr*

Bobby legte zufrieden auf. Es war klug, mehrere Leute auf ähnlichen Posten zu haben, die Kräfte zu streuen. Auf Bobbys Gehaltsliste standen mehrere Krankenhausangestellte. Einer davon hatte nun die Aufgabe, sich um Captain Ryan Beardsley und Bailey Crighton zu kümmern. Baileys Abschied freute Bobby in vielerlei Hinsicht.

Natürlich wäre es schöner gewesen, Bailey persönlich zu beseitigen. Aber Gefühle hatten im Geschäft nichts zu suchen. Leidenschaft führte zu Fehlern, und Fehler waren an diesem Tag schon genug gemacht worden.

In wenigen Stunden würden alle lebenden Beweise vernichtet sein, so dass das Geschäft wieder normal laufen konnte. Draußen schlug eine Autotür zu. *Wo wir gerade beim Thema sind ...*

Haynes war da. Es war Zeit, etwas Geld zu verdienen.

»Luke, die sind für dich.« Leigh Smithson, Chases Assistentin, legte einen Stapel Ordner vor ihn auf den Konferenztisch. »Dr. Berg hat sie geschickt. Und Latent hat den toten Wachmann identifizieren können.«

»Wer also ist unser geheimnisvoller Mann?«, fragte Chase und stellte zwei Kaffeetassen auf den Tisch.

»Ein Jesse Hogan«, las Luke. »Vorstrafen wegen Körperverletzung, Einbruch. Beardsley hat der Welt einen Gefallen getan.«

»Er ist wach«, sagte Leigh. »Beardsley, meine ich. Sein Vater hat vor ein paar Minuten angerufen. Beardsley meint, ihr könnt kommen, wann immer ihr wollt. Ich habe ihm deine Handynummer gegeben.«

»Ich fahre wieder ins Krankenhaus, sobald wir hier fertig sind. Etwas Neues von der Datenbank der vermissten Kinder?«

Leigh schüttelte den Kopf. »Sie werden ohnehin direkt dich oder Sie, Chase, anrufen, wenn sie etwas gefunden haben. Allerdings meinte man dort, dass der Abgleich eine Weile dauern kann. Die meisten Fingerabdrücke wurden in Schulen oder Zentren genommen, als die Kinder sehr viel jünger waren, und wenn sie unter vier oder fünf Jahren sind …«

»Dann verändern sich die Fingerabdrücke. Okay, drücken wir uns einfach die Daumen«, sagte Luke. »Und was ist mit dem Namen Ashley O-S-Sowieso?« Er hatte Leigh angerufen und ihr von der Spur erzählt, als er zu dem Brand in Granvilles Haus gefahren war.

»Noch nichts. Ich habe außerdem bei allen umliegenden Staaten nach vermissten Mädchen gefragt.«

»Danke, Leigh.«

Sie wandte sich zum Gehen. »Ich warte noch, bis ihr fertig seid, dann gehe ich auch nach Hause. Drei Telefonistinnen sind gerade gekommen. Seit der Pressekonferenz hört es nicht mehr auf zu klingeln.«

»Das war zu erwarten«, sagte Chase. »Ich habe auch für morgen zusätzliches Personal für die Anrufe angefordert. Wir müssen jedem Hinweis nachgehen.«

Leigh neigte den Kopf, als man von draußen zwei Stimmen hörte, die sich zankend näherten – eine tief und dröhnend, die andere melodischer und höher. »Pete und Nancy sind offenbar zurück.«

Sie ging, als die beiden eintraten.

Pete ließ Nancy mit einer übertriebenen Geste den Vortritt.

»Dieser starrsinnige Vollidiot«, verkündete Nancy ohne Einleitung. »Man näht ihm seinen hohlen Schädel mit neun Stichen zu, aber er muss den Helden spielen und noch mit herkommen.«

Pete verdrehte die Augen. »Ich hatte vom Football schon schlimmere Verletzungen. Chase, sagen Sie dieser Frau, sie soll den Mund halten.«

Chase seufzte. Pete und Nancy waren wie ein altes Ehepaar. »Was hat der Arzt gesagt, Pete?«

»Dass ich arbeiten kann«, brummte Pete. »Ich habe die verdammte Freigabe sogar schriftlich.«

Chase zuckte mit den Schultern. »Tut mir leid, Nancy. Arzt ist Trumpf.«

Pete setzte sich zufrieden. Luke neben ihm neigte sich ihm zu, um leise zu fragen: »Hattest du wirklich schon schlimmere Verletzungen vom Football?«

»Nie und nimmer«, murmelte Pete, »und es brennt höllisch, aber ich werde den Teufel tun und es ihr sagen.«

»Kluge Idee.« Nancys Zorn konnte Luke nicht mehr treffen, da just in diesem Moment Ed, Nate Dyer und ASA Chloe Hathaway eintraten.

Chase wirkte überrascht. »Chloe. Sie habe ich heute nicht mehr erwartet.«

Chloe setzte sich und schlug ihre langen Beine übereinander. Obwohl diese Geste sehr natürlich wirkte, war Luke sicher, dass sich Chloe ihrer Wirkung bewusst war. »Mein Chef sagt, ich sei Teil dieses Teams. Er will sichergehen, dass jedes Beweisstück vor Gericht Bestand hat.«

»Das wollen wir auch«, sagte Luke. Fünf tote Mädchen, fünf vermisste und ein Mädchen, das nur knapp dem Tod entronnen war. »Ihr kennt Nate?«

Nate betrachtete bereits die Autopsiefotos und hatte Angels Bild zur Seite geschoben. Nun blickte er auf und nickte den anderen zu. »Nate Dyer. ICAC, Internet Crimes Against Children.«

Chloe zog die Brauen zusammen. »ICAC? Was hat die Abteilung für Internetverbrechen gegen Kinder damit zu tun?«

Luke tippte auf das Foto von Angel, das Nate zur Seite gelegt hatte. »Wir haben dieses Mädchen schon woanders gesehen. Aber lassen Sie uns die Frage noch eine Weile zurückstellen, Chloe. Wir kommen noch dazu. Okay, sind alle da?«

»Ich fange an«, sagte Chase. »Alle Abteilungen sind informiert, bis hinauf zum Gouverneur. Ich muss Ihnen nicht erst sagen, dass jeder Zug von uns mit Argusaugen beobachtet wird. Ich kümmere mich um die Verwaltung und die Presse. Heute Abend habe ich die Öffentlichkeit über Mack O'Briens Tod und den Zusammenhang mit den Vergewaltigungen, die vor dreizehn Jahren begangen wurden, informiert. Gegen sieben Uhr abends waren außerdem alle Opfer der damaligen

Verbrechen über den Status der Ermittlungen informiert. Ob eine der Frauen sich zur Aussage entschließt, ist ab jetzt Sache der Staatsanwaltschaft.«

»Ich habe bereits Anrufe von sechs Opfern Ihrer Liste erhalten, Chase«, sagte Chloe. »Und eine Nachricht auf dem Anrufbeantworter von einem Opfer, das nicht auf der Liste stand.«

*Susannah.* Luke öffnete den Mund und schloss ihn wieder. Inwieweit ihr Name bekannt werden sollte, war Susannahs eigene Entscheidung. Aber sie hatte ihr Versprechen gehalten. Ein Anflug von Stolz regte sich in Luke und linderte ein wenig den Druck in seiner Brust. *Gut gemacht, Susannah.*

Chase nickte Luke knapp zu, um ihm zu verstehen zu geben, dass auch er Susannahs Namen heraushalten würde, bis sie selbst etwas daran änderte. »Selbstverständlich hat es einen ziemlichen Tumult gegeben, als wir die Szenerie im Bunker beschrieben haben. Wir haben die Fragen so gut beantwortet, wie wir konnten, aber es ist jedem aufgefallen, dass wir nicht besonders viel haben. Die Büchse der Pandora ist offiziell geöffnet, Leute. Hüten Sie sich vor der Presse. Niemand redet eigenmächtig mit Reportern.«

»Och«, jammerte Ed. »Dabei tue ich das doch so besonders gern.«

Chase lächelte flüchtig, wie Ed es beabsichtigt hatte. »Sie sind dran, Ed. Was haben Sie für uns?«

Eds aufgesetzte Fröhlichkeit verschwand sofort. »Die Hölle auf Erden, Chase. Der Schmutz, der Unrat, der Gestank ... es war unbeschreiblich. Wir haben Proben von Blut und anderen Körperflüssigkeiten aus jeder Zelle genommen und gehen nun davon aus, dass fünf weitere Mädchen weggebracht worden sind. Was wir in der zwölften Zelle fanden, war nicht frisch, aber wir haben für alle Fälle dennoch Proben genommen. Außerdem haben wir Beutel mit Infusionslösung und Spritzen gefunden – auf manchen noch lesbare Barcodes, die wir natürlich zum Hersteller zurückverfolgen werden. Der Hersteller sollte uns sagen können, wohin seine Produkte ursprünglich ausgeliefert worden sind. Anschließend müssen wir nachverfolgen, wie sie in den Bunker gekommen sind.«

»Gut«, sagte Chase. »Was wissen wir über die Opfer?«

»Dieses Mädchen haben wir schon im Internet gesehen.« Nate Dyer hielt Angels Foto hoch. »Und zwar auf einer Seite, die Luke und ich vor acht Monaten dichtgemacht haben. Wir schicken das Foto an unsere Partner weltweit. Vielleicht erkennt jemand das Mädchen oder die anderen beiden, die mit ihr auf der Website zu sehen waren.« Er wandte sich an Luke. »Wir werden uns die Akten noch einmal ansehen müssen. Vielleicht haben wir etwas übersehen.«

Luke nickte bedrückt. »Ja. Und das war mein Fall. Ich kenne ihn besser als jeder andere. Ich werde mich morgen früh als Erstes darum kümmern.«

»Und ich sehe mir die Unterlagen gleich noch einmal an.« Nate seufzte. »Aber was immer dabei rauskommt – gefallen wird's uns nicht.«

Luke wusste genau, was Nate meinte, denn derselbe Gedanke war ihm auch bereits gekommen. Wenn er etwas fand, das ihm beim ersten Mal entgangen war, bedeutete das, dass er Angel und den anderen vielleicht hätte helfen können. Wenn er nichts fand, steckten sie fest und kamen keinen Schritt weiter. Der Gedanke konnte einen wahnsinnig machen.

Luke richtete sich etwas auf. »Bisher haben wir zwei Hinweise zu den weiblichen Opfern im Bunker. Einerseits Angel, andererseits der eingekratzte Name, Ashley O-S.«

»Mein Team wird sich den Rahmen der Pritsche noch einmal ganz genau ansehen. Im richtigen Licht sehen wir vielleicht noch mehr. Allerdings haben wir bereits gefunden, womit sie den Namen eingeritzt hat.« Er hielt eine kleine durchsichtige Plastiktüte hoch. »Ein Stück Zahn, das abgebrochen ist.«

Luke zog die Brauen hoch. »Pfiffiges Mädchen.«

»Dann wollen wir hoffen, dass sie das auch bleiben darf«, sagte Chase. »Wissen wir schon etwas von dem Mädchen, das entkommen konnte? Wie sie heißt? Woher sie kommt?«

»Ihr Vorname fängt mit M an«, sagte Luke. »Mehr konnten wir bisher nicht herausbekommen. Sie ist erst vor kurzem aus der Narkose erwacht und wird noch künstlich beatmet, so dass sie nicht reden kann. Wir haben ihre Fingerabdrücke und ein Foto ins NCMEC eingegeben. Bisher haben wir noch keinen Treffer, aber es ist ja erst ein paar Stunden her. Im schlimmsten Fall müssen wir bis morgen warten, um ihren vollen Namen zu erfahren.«

»Gut«, sagte Chase. »Pete, was sagt der Brandermittler?«

»Er sucht noch in den Ruinen, hat aber Spuren eines Beschleunigers gefunden. Den Detonator allerdings noch nicht, als ich vor zwanzig Minuten mit ihm telefoniert habe. Er will sich sofort melden, wenn er mehr weiß.«

»Wie geht es Zach Granger?«, fragte Luke und sah erleichtert Petes Lächeln.

»Das Auge konnte gerettet werden. Möglicherweise wird seine Sehkraft eingeschränkt bleiben, aber das wird sich noch herausstellen. Der Rest des Teams hat kleinere Wunden, aber arbeiten können wir alle.«

»Na, wenigstens eine gute Nachricht«, murmelte Chase. »Nancy?«

»Die Sprengstofftruppe war gerade erst bei Mansfields Haus

angekommen, als ich eintraf«, antwortete Nancy. »Falls beide Häuser verdrahtet waren, werden wir zumindest den Mechanismus untersuchen können. Hoffen wir, dass unser Feuerteufel etwas Charakteristisches zurückgelassen hat. Wenn wir ihn haben, müssen wir nur noch die Spur des Geldes zurückverfolgen.«

Chase hielt die gekreuzten Finger hoch und wandte sich an Chloe. »Wie sieht's bei Ihnen aus?«

»Ich habe eine Verfügung für Garth Davis' Rufnachweise angefordert, und ich kann ihn höchstens bis Montag hierbehalten. Ich werde zwar Untersuchungshaft beantragen, fürchte aber, dass wir damit nicht durchkommen.«

»Ich lasse Davis beschatten, sobald er wieder auf freiem Fuß ist.«

»Aber nicht Germanio«, sagte Chloe finster. »Chase, Sie müssen Ihren Leuten verbieten, Telefone zu konfiszieren und die Wahlwiederholung zu drücken, solange sie keine richterliche Verfügung haben.«

Chase verzog das Gesicht. »Schon wieder?«

»Ja, schon wieder. Unterbinden Sie das. Das gilt in diesem Fall besonders für alle Telefone in Davis' Büro. Der Mann ist Anwalt. Er kann mit einem Mandanten telefoniert haben, und schon sind unsere Beweise nichtig, und wir haben eine Klage wegen Verstoßes gegen die Bürgerrechte am Hals. Ich meine es ernst, Chase. Kümmern Sie sich darum.«

»Mach ich. Versprochen, Chloe.«

»Okay.« Sie seufzte. »Ich habe den Namen überprüft, den ich von Germanio habe. Kira Laneer.«

»Eine Stripperin?«, fragte Luke trocken.

»Zumindest nicht in den letzten Jahren, aber ich würde wetten, dass sie es irgendwann in ihrer verkorksten Jugend war.

Sie ist vierunddreißig, verdient um die fünfundzwanzigtausend im Jahr und fährt einen brandneuen Mercedes. Der Kredit für den Wagen wurde von Garth Davis gegengezeichnet und bei der Davis Bank in Dutton aufgenommen. Zu einem lächerlichen Zinssatz. Sie könnte etwas wissen.«

»Zum Beispiel, wohin Garths Frau gegangen ist?«, fragte Luke. »Das interessiert mich nämlich im Moment am meisten. Ich habe mich bei den Fluggesellschaften erkundigt, doch niemand hat Davis' Frau und Kindern Tickets verkauft. Da der Minivan nicht in der Garage steht, gehe ich davon aus, dass sie mit dem Auto unterwegs ist. Sie hat schon einmal mit Davis' Schwester Kontakt aufgenommen, also hoffen wir, dass sie es noch einmal tut.«

»Warum ist Garth Davis' Frau denn so wichtig?«, fragte Ed.

»Weil Davis etwas über eine Hütte weiß, zu der Granville vor dreizehn Jahren Zugang hatte«, erklärte Luke. »Sie haben sie einmal für ihre Massenvergewaltigung benutzt, als ihnen die üblichen Räumlichkeiten nicht zur Verfügung standen.«

Ed war noch nicht zufrieden. »Und warum ist diese Hütte so wichtig?«

»Weil Granville vor dreizehn Jahren eine Art Mentor hatte. Jemand, der ihm beibrachte, andere zu manipulieren. Der Besitzer der Hütte könnte ein Verbindungsglied zu dieser Person oder der Mentor selbst sein. Aber Davis will uns diese Information nicht geben, bevor er seine Kinder gesehen hat.«

»Und du denkst, der Mentor ist Granvilles mysteriöser Partner?«, fragte Nancy.

»Vielleicht. So oder so wäre es gut, es so bald wie möglich zu wissen.«

»Was ist mit Granvilles Frau?«, fragte Pete. »Auch sie ist noch nicht wieder aufgetaucht.«

»Ich habe auch nach ihr auf den Flughäfen nachgefragt, aber einen Flieger hat sie nicht genommen«, sagte Luke. »Chase, wir sollten Fotos von ihr an alle Busstationen verteilen.«

»Daniel ist in Dutton aufgewachsen«, sagte Chloe. »Vielleicht weiß er etwas über diese Hütte.«

»Er ist noch nicht wieder bei Bewusstsein, oder?«, wollte Pete wissen.

»Man hat ihn ruhiggestellt«, erklärte Luke. »Aber seine Schwester könnte es ebenfalls wissen. Ich frage sie.«

Chase nickte. »Nun, zumindest kennen wir jetzt unsere nächsten Schritte. Gehen wir also …«

»Moment mal«, sagte Ed. »Was ist mit Mack O'Brien?«

Chase sah ihn verwirrt an. »Er ist tot. Daniel hat ihn erschossen.«

Luke sog scharf die Luft ein. »Aber ja, du hast ja recht, Ed. Leute, wisst ihr noch, wie Mack überhaupt von Simons Club erfahren hat? Er hat die Tagebücher seines Bruders gestohlen, die dessen Witwe versteckt hatte. Und Jareds Frau hat Daniel erzählt, dass ihr Mann jede Vergewaltigung detailliert beschrieben hat. Er könnte also auch über diesen Abend in der Hütte geschrieben haben. Möglicherweise steht in den Tagebüchern, was Davis uns nicht sagen will.«

Chase lächelte, und zum ersten Mal an diesem Abend wirkte das Lächeln echt. »Dann sollten wir sie finden, diese Tagebücher.« Er zeigte auf Pete. »Sie suchen nach Davis' Frau, nur für den Fall, dass wir die Bücher nicht finden. Sie muss eine Spur hinterlassen haben. Nancy, Sie kehren zu Mansfields Haus zurück und durchsuchen es von oben bis unten, sobald die Bombe dort entschärft und entfernt ist. Ed, Sie machen im Bunker weiter. Nate, Sie wären uns eine große Hilfe, wenn Sie mehr über Angel herausfinden würden.«

»Und ich befrage noch einmal Beardsley«, sagte Luke. »Jetzt, da er sich ein bisschen erholt hat, fällt ihm vielleicht noch mehr ein.«

»Dann los. Morgen früh um acht treffen wir uns wieder. Und passen Sie auf sich auf.«

# 7. Kapitel

*Da ist sie,* dachte Rocky, froh, etwas früher gekommen zu sein. Der Schichtwechsel hatte noch nicht stattgefunden, aber die Krankenschwester war offenbar früher gegangen, und ihre Schritte waren forsch. Nein, das war nicht der Gang einer Frau, die gerade ihren ersten Mord begangen hatte. Und es war kein gutes Zeichen, denn Rocky war dafür verantwortlich, dass die Krankenschwester das Mädchen tötete. Es war ein Test. Falls sie ihren Job gut machte, stand sie wieder in Bobbys Gunst.

Sie lenkte den Wagen neben die Frau und verlangsamte das Tempo zu Schrittgeschwindigkeit. »Entschuldigen Sie.«

»Kein Interesse«, fauchte die Schwester.

»Doch, ich denke doch. Bobby hat mich geschickt.«

Die Frau blieb abrupt stehen und wandte sich um. In ihren Augen war Angst zu erkennen, aber kein Schuldgefühl. Rocky seufzte. »Du hast es nicht getan, nicht wahr?«

Die Schwester verharrte angespannt. »Nicht wirklich.«

»Was soll das heißen – nicht wirklich?«

Verzweifelte Wut flammte in den Augen der Frau auf. »Das bedeutet, dass ich sie nicht umgebracht habe!«

»Steig ein.« Rocky zog ihre Pistole. »Hol Luft zum Schreien, und es wird dein letztes Mal sein«, sagte sie ruhig, obwohl ihr Herz zu rasen begonnen hatte. *Steig bitte ein. Zwing mich nicht zum Schießen.*

Die Schwester gehorchte zitternd, und Rocky erlaubte sich, wieder zu atmen.

»Werden Sie mich umbringen?«, fragte die Frau heiser.

»Nun, das kommt drauf an. Am besten sagst du mir erst mal, was genau ›nicht wirklich‹ bedeutet.«

Die Schwester starrte geradeaus. »Ich konnte es nicht tun. Ich konnte sie nicht umbringen. Aber ich habe dafür gesorgt, dass sie mit niemand anderem reden kann.«

»Niemand anderem? Was meinst du mit *anderem?*« *Verdammt.*

»Sie hatte heute zwei Besucher. Ein Mann und eine Frau.«

Bailey und Beardsley. *Verfluchter Granville.* Rocky hatte nicht gewusst, dass Granville die beiden in den Bunker gebracht hatte, bis Bobby sie damit konfrontiert hatte – damit und mit ihrer Lüge. *Du hast gesagt, sie seien alle tot, und du seiest dir sicher. Du hast mich angelogen. Und dieses Mädchen kann uns alle vernichten.*

Sie hatte sich hastig eine Ausrede ausgedacht – sie habe es durchaus überprüft, bei einem Mädchen aber in der Eile den Puls nicht finden können –, doch Bobby hatte ihr nicht geglaubt. Rocky musste sich beherrschen, um nicht unwillkürlich ihren Kiefer zu betasten. Bobby hatte ziemlich fest zugeschlagen. Es war zwar nichts gebrochen, tat aber höllisch weh.

Dennoch würde sie schlimmere Sorgen haben, falls das Mädchen geredet hatte. Der Schaden würde davon abhängen, welchem Mädchen die Flucht gelungen war. Angel war am längsten bei ihnen gewesen, aber Monica war die Unbeugsame gewesen. *Bitte – lass es nicht Monica sein.* »Wer waren die Besucher?«

»Der eine war ein Agent vom GBI. Papa… irgendwas. Papadopoulos. Die Frau war diejenige, die sie am Bunker in der Nähe des Flusses gefunden hat. Ihr Bruder liegt ebenfalls auf der Intensiv.«

Rocky blinzelte. »Susannah Vartanian hat das Mädchen an der Straße gefunden?«

*Wunderbar.* Und das war es wirklich. Rocky hatte keine Ahnung, wieso, aber Bobby hasste Susannah Vartanian. Neben Bobbys Computer stand ein Bild der Richterstochter, auf dem das Gesicht mit einem dicken roten X durchgestrichen war. Dass Susannah ins Spiel kam, brachte ihr vielleicht wieder mehr Pluspunkte ein. Zumindest aber würde ein Teil von Bobbys Zorn, den ihre Neuigkeiten hervorriefen, von ihr abgelenkt werden.

»Hat das Mädchen etwas zu Susannah gesagt?«

»Sie muss ein paar Worte gesagt haben, als man sie gefunden hat – jemand hat alle umgebracht, soll sie gesagt haben. Ich habe angenommen, dass es sich auf die Mädchen im Bunker bezog.« Die Schwester warf ihr einen nervösen Blick aus dem Augenwinkel zu. »Ich hab's in den Nachrichten gehört.«

Sie hatte gesehen, wie Granville die anderen erschossen hatte! *Das ist schlecht, ganz schlecht.* »Und später? Im Krankenhaus? Was hat sie da gesagt?«

»Nichts. Sie ist noch intubiert. Sie haben es mit einer Buchstabentabelle versucht und herausgefunden, dass ihr Vorname mit M anfängt. Aber dann mussten sie wieder gehen.«

*Monica.* Es wurde immer schlimmer. *Ich hätte sie mitnehmen müssen. Ich hätte Platz für sie schaffen müssen. Ich hätte sie niemals zurücklassen dürfen.* »Was noch?«

»Der GBI-Agent fragte sie, ob sie ein Mädchen namens Ashley kennen würde, und sie hat mit Blinzeln bejaht.«

Ashley? Woher hatte Papadopoulos von Ashley gewusst? Was

143

wusste er noch? Sie zwang sich, ihre Stimme ruhig zu halten. »Wie hast du dafür gesorgt, dass sie nichts mehr sagen kann?« Die Schwester stieß den Atem aus. »Ich habe ihr ein Mittel in den Tropf getan, das sie lähmt. Wenn sie erwacht, kann sie weder die Augen öffnen noch blinzeln, noch sich bewegen, geschweige denn sprechen.«

»Und wie lange hält die Wirkung an?«

»Ungefähr acht Stunden.«

»Und was hattest du für die Zeit danach vor?«, fragte Rocky scharf, lachte dann aber plötzlich humorlos. »Gar nichts, nicht wahr? Du wolltest verschwinden.«

Die Schwester blickte noch immer geradeaus. Ihre Kehle arbeitete. »Ich kann sie nicht umbringen. Das müssen Sie doch verstehen. Vor dem Zimmer steht rund um die Uhr eine Wache des GBI, und der Agent überprüft jeden, der hineingeht. In dem Augenblick, in dem sie zu atmen aufhört, gehen alle Sirenen los. Man kriegt mich sofort.« Spöttisch verzog sie die Lippen. »Und was denken Sie, werde ich denen wohl sagen? Dass ich auf eigene Rechnung gehandelt habe? Wohl kaum, oder?«

Die Panik drang durch Rockys Wut. »Ich sollte dich hier und jetzt erschießen.«

Die Schwester schnaubte. »Und in acht Stunden wird das Mädchen wie ein Vögelchen singen. Was wird sie den Cops sagen? Über mich garantiert nichts. Mich hat sie nicht gesehen.« Sie wandte leicht den Kopf. »Hat sie Sie gesehen?«

*Vielleicht. Verdammt, ja!* Im letzten Augenblick im Bunker. Sie hatte ihr ins Gesicht gestarrt, sich jede Einzelheit merken können. Das Mädchen musste sterben, bevor es mit jemandem sprach. *Und Bobby herausfindet, dass ich schlampig gearbeitet habe.* »Wie lange muss sie noch auf der Intensiv bleiben?«

Die Miene der Krankenschwester verriet Erleichterung. »Bis der Schlauch entfernt werden kann, und das tun sie nur, wenn sie sicher sein können, dass sie selbständig atmet. Die Person, die sie zusammengeschlagen hat, war sehr gründlich. Sie hat vier gebrochene Rippen auf der rechten Seite. Ihre Lunge ist kollabiert. Sie wird noch einige Tage im Krankenhaus bleiben müssen.«

Rocky knirschte mit den Zähnen. »Wie lange muss sie noch auf der Intensiv bleiben?«, wiederholte sie.

»Ich weiß es nicht. Wenn sie nicht paralysiert wäre, vielleicht vierundzwanzig bis achtundvierzig Stunden.«

»Wie lange kannst du sie in diesem Zustand halten?«

»Nicht lange. Höchstens ein oder zwei Tage. Irgendwann wird das Personal misstrauisch und ordnet ein EEG an. Dann zeigt sich das Medikament.« Ihr Kinn hob sich. »Dann wird man mich wahrscheinlich schnappen, und …«

»Ja, ja«, murmelte Rocky. »Du verpfeifst mich, und wir gehen alle in den Knast.«

Mit hämmerndem Herzen dachte Rocky nach. Die Situation wurde sekündlich katastrophaler. *Bobby darf nichts davon erfahren.* Sie hatte für einen Tag genug Mist gebaut. Noch einen Fehler, und … Es drohte ihr den Magen umzudrehen. Sie hatte gesehen, was Bobby unter »Personalkürzung« verstand. Sie schluckte hart. Der Letzte, der einen Fehler zu viel gemacht hatte, war um einen Kopf kürzer gemacht worden. Buchstäblich. Es war verdammt viel Blut geflossen.

So viel Blut. Sie konnte weglaufen. Aber im Grunde wusste sie, dass sie nicht weit kommen würde. Bobby würde sie finden und … Rocky zwang sich, sich auf das zu konzentrieren, was momentan zählte, zu rekapitulieren, was sie über Monica Cassidy wusste. Und ein Plan entstand in ihrem Kopf. *Ich*

145

*kann das wieder geradebiegen.* Es würde funktionieren. Es *musste* funktionieren. Es sei denn, sie war bereit, in die Intensivstation zu marschieren und das Mädchen eigenhändig zu ersticken. Und das war sie nicht.

»Also gut. Hör mir zu.«

*Hiermit versichere ich, Susannah Vartanian, dass ich die oben stehende Aussage, die von Chloe M. Hathaway, Assistant State's Attorney, bezeugt wurde, aus freiem Willen gemacht habe.*

Am Tisch ihres Hotelzimmers las Susannah noch einmal, was sie auf ihrem Laptop geschrieben hatte. In dieser Aussage stand alles, was sie noch von jenem Tag vor dreizehn Jahren wusste, jede Einzelheit, und war sie noch so scheußlich. Sie und Chloe Hathaway hatten ihre Handynummern ausgetauscht und würden sich am folgenden Morgen treffen, um über Susannahs schriftliche Aussage und spätere Zeugenaussage zu sprechen.

*Spätere Zeugenaussage.* Das klang so banal, so unpersönlich … nach dem Leben einer anderen. *Aber es geht um* mein *Leben.* Plötzlich stand sie auf. Sie würde kein Wort mehr ändern. Dieses Mal nicht. Dieses Mal würde sie das Richtige tun.

Es war nur eine Frage der Zeit, bis ihre Verwicklung in den Fall, den die Medien bereits die »Richie Rich Rapists« getauft hatten, bekannt wurde. Und als sie eingecheckt hatte, war ein Fotograf in der Lobby gewesen. Er musste Lukes Wagen gefolgt sein, als dieser sie vom Krankenhaus zum Hotel gefahren hatte.

Luke. Sie hatte an diesem Tag oft an ihn gedacht, jedes Mal ein wenig anders. Er war groß und stark genug gewesen, um das verletzte Mädchen einen steilen Hang hinaufzutragen, ohne dabei in Atemnot zu geraten, und er war unendlich zart mit dem Mädchen umgegangen. Susannah war natürlich klar, dass große Männer durchaus sanft und zärtlich sein konnten, aber sie hatte die Erfahrung gemacht, dass das äußerst selten vorkam. Sie hoffte, dass die Frau in Lukes Leben diese Eigenschaft zu schätzen wusste.

Und dass es eine Frau in seinem Leben geben musste, stand außer Frage. Den Mann umgab eine Aura der Intensität, die die Luft um ihn herum zum Schwingen brachte. Ganz abgesehen davon sah er verflucht gut aus, und Susannah war ehrlich genug zu sich selbst, um sich einzugestehen, dass sie sich sexuell von ihm angezogen fühlte. Sie hatte ein ausgesprochen angenehmes Prickeln im Bauch verspürt, als er auf der Intensivstation so dicht bei ihr gestanden hatte, und sogar erwogen, ihre Lippen auf seine Wange zu legen.

Aber Susannah war auch schlau genug, sich von Beziehungen fernzuhalten. Beziehungen führten zu Fragen, und Fragen verlangten irgendwann Antworten. Sie war nicht gewillt, Luke Papadopoulos Antworten zu geben. Oder einem anderen. Niemals.

Dennoch erinnerte sie sich gut an das Entsetzen in seinem Blick, als er aus dem Bunker gekommen war. Selbst in diesem Moment hatte er sie noch gestützt, als ihre Knie nachgaben. Er schien zu intensiven Gefühlen fähig, war aber dennoch in der Lage, sie notfalls zur Seite zu schieben, sofern er sich auf etwas anderes konzentrieren musste. Das nötigte ihr Anerkennung ab, denn sie wusste sehr gut, wie schwer dies zu bewerkstelligen war.

Luke hatte sie am Hotel abgesetzt, ohne noch einmal mit ihr zu diskutieren, was bedeutete, dass er ihre Wünsche respektierte, auch wenn er ihre Entscheidung nicht guthieß. Dann war er davongefahren, um sich mit seinem Team zu treffen, und er hatte vollkommen konzentriert und zielstrebig gewirkt. Fokussiert. Was sein Normalzustand zu sein schien.

Sie beneidete ihn. Luke Papadopoulos hatte wichtige Dinge zu tun, während sie den ganzen Tag nur dagesessen und abgewartet hatte. Oh, nein, das entsprach natürlich nicht den Tatsachen. Am Morgen und Nachmittag hatte sie alle Hände voll zu tun gehabt, und erst am Abend war mit dem Warten die Hilflosigkeit gekommen, denn sie hatte zu viel Zeit zum Nachdenken gehabt. Hatte sie noch. Erst morgen konnte sie wieder etwas tun. Sie würde sich zu dem Mädchen ohne Namen setzen. *Schließlich bist du für sie verantwortlich.* Aber zunächst würde sie bei Chloe Hathaway ihre Aussage machen.

Sie blickte auf die Zeitung, die sie unten gekauft hatte. Die Schlagzeile erzählte reißerisch von einem Serienmörder in Dutton. Veraltete Nachrichten. Auf der unteren Seitenhälfte befand sich ein Artikel über die Toten und den Stand der Dinge am Tag zuvor. Ein Name weckte ihre Aufmerksamkeit. Sheila Cunningham. Morgen würde Sheila beerdigt werden, und Susannah fand plötzlich, dass sie dabei sein müsste. Sheila und sie hatten vor vielen Jahren dasselbe durchgemacht. Also würde sie morgen erneut auf Duttons Friedhof stehen.

Morgen würde ein *schwieriger* Tag werden.

Zum Glück knurrte ihr Magen und lenkte sie von ihren Gedanken ab. Sie hatte seit dem Frühstück nichts mehr gegessen, und der Zimmerservice ließ sich Zeit. Sie nahm den Hörer vom Telefon, um nachzufragen, als es an der Tür klopfte. Endlich.

»Vielen D…«

Ihre Kinnlade fiel herab. Draußen im Gang stand ihr Chef.

»Al. Was machen Sie denn hier? Kommen Sie rein.«

Al tat es und schloss die Tür hinter sich. »Ich wollte mit Ihnen reden.«

»Aber wie sind Sie hergekommen? Ich habe Ihnen doch gar nicht gesagt, in welchem Hotel ich bin.«

»Sie sind ein Gewohnheitsmensch«, erklärte Al. »Sie steigen immer in derselben Hotelkette ab. Ich musste nur ein paar Anrufe tätigen, bis ich das richtige Hotel gefunden hatte.«

»Aber Sie standen vor meinem Zimmer. Hat man Ihnen die Nummer etwa am Empfang mitgeteilt?«

»Nein, keine Sorge. Ich habe mitgehört, wie ein Reporter den Concierge bestechen wollte, ihm Ihre Zimmernummer zu verraten.«

»So musste es wahrscheinlich kommen. Der Name Vartanian ist im Augenblick ein echter Renner.« Dafür hatte Simon gesorgt.

»Nun, jedenfalls hat der Concierge sich bestechen *lassen*, wodurch ich Ihre Zimmernummer erfahren habe. Ich habe den Mann übrigens beim Manager gemeldet. Sie sollten sich vielleicht das nächste Mal ein anderes Hotel suchen.«

*Wenn dies hier vorbei ist, gibt es kein nächstes Mal.* »Sie wollten mit mir reden.«

Al blickte sich um. »Haben Sie etwas zu trinken?«

»Scotch in der Minibar.« Sie schenkte ihm ein Glas ein und setzte sich auf die Armlehne des Sofas.

Er trat an den Schreibtisch und warf einen Blick auf den Laptop. »Deswegen bin ich hier.«

»Wegen meiner Aussage? Warum?«

Er ließ sich Zeit mit der Antwort und trank erst ein paar

Schlucke aus dem Glas. »Sind Sie sicher ... sind Sie sicher, dass Sie das wirklich tun wollen, Susannah? Wenn Sie sich erst einmal in die Rolle des Opfers begeben, wird Ihr Leben, Ihre Karriere nicht mehr sein wie vorher.«

Susannah wanderte zum Fenster und blickte auf die Stadt hinaus. »Das ist mir klar, glauben Sie mir. Aber ich habe meine Gründe, Al. Vor dreizehn Jahren bin ich ...«, sie schluckte hart, »... vergewaltigt worden. Eine Truppe Jungs betäubte mich, vergewaltigte mich und kippte Whisky über mich, genau wie sie es anschließend im Verlauf eines Jahrs mit fünfzehn anderen Mädchen taten. Als ich erwachte, steckte ich hinter meiner Zimmerwand in meinem Geheimversteck. Nun ja ... ich hatte *gedacht*, es sei ein Geheimversteck, aber Simon wusste davon.« Hinter sich hörte sie, wie Al bedächtig den Atem ausstieß. »Simon war also auch beteiligt?«

O ja. »Simon war der Chef der Truppe.«

»Gab es niemandem, mit dem Sie reden konnten?«, fragte er vorsichtig.

»Nein. Mein Vater hätte mich der Lüge bezichtigt. Außerdem sorgte Simon dafür, dass ich keine Lust hatte, darüber zu sprechen. Er erpresste mich mit einem Foto, auf dem ich ... Sie wissen schon.«

»Ja«, erwiderte Al leise. »Ich denke schon.«

»Er sagte, sie würden es wieder tun. Und ich könne mich nirgendwo verstecken.« Sie sog bebend die Luft ein, die Furcht war noch immer so lebendig, als wären keine dreizehn Jahre vergangen. »Ich müsste schließlich irgendwann schlafen, sagte er, ich solle mich also tunlichst aus seinen Angelegenheiten heraushalten. Und das tat ich. Ich sagte kein Wort. Und diese Gruppe vergewaltigte fünfzehn andere Mädchen. Fotografierte jede Tat. Und bewahrte die Fotos wie Trophäen auf.«

»Hat die Polizei die Fotos jetzt?«

»Das GBI, ja. Ich habe sie heute Nachmittag gefunden. In Simons Geheimversteck. Eine ganze Schachtel voll.«

»Das GBI hat also unwiderlegbare Beweise. Susannah, es ist doch nur noch eines von diesen Schweinen übrig. Warum wollen Sie sich das ausgerechnet jetzt antun?«

Zorn wallte in ihr auf, und sie wirbelte herum, um den Mann anzusehen, der ihr so viel über Recht und Gesetz beigebracht hatte. Einen Mann, den sie als Vorbild betrachtete. Der all das war, was ihr Vater, Richter Arthur Vartanian, nicht gewesen war. »Wieso wollen Sie mir ausreden, das Richtige zu tun?«

»Weil ich mir nicht so sicher bin, dass es das Richtige ist«, gab er ruhig zurück. »Susannah, Sie haben die Hölle durchgemacht. Das wird sich nicht ändern, wenn Sie nun vortreten und den Mund aufmachen. Die Fakten bleiben dieselben. Man hat doch Fotos von dem Mann … wie heißt er noch? Der, der noch übrig ist?«

»Garth Davis«, spuckte sie aus.

Seine Augen blitzten gefährlich auf, aber seine Stimme blieb ruhig. »Man hat also Bilder, wie dieser Mann Sie und andere vergewaltigt. Treten Sie an die Öffentlichkeit, wird man Sie bald als Opfer kennen, das Staatsanwältin geworden ist. Jeder Verteidiger wird in Zukunft Ihre Motive in Zweifel ziehen. ›Will Ms. Vartanian wirklich die Schuld meines Mandanten beweisen, oder will sie einfach Rache für das, was man ihr damals angetan hat?‹«

»Das ist nicht fair«, sagte sie gepresst.

»Das Leben ist nicht fair«, sagte er, noch immer ruhig.

Sie blinzelte frustriert, als ihre Augen feucht wurden. »Er war mein Bruder, wollen Sie das denn nicht verstehen? Er war mein Bruder, und ich habe ihm erlaubt, mir so etwas anzutun.

Anderen so etwas anzutun. Und weil ich den Mund gehalten habe, wurden fünfzehn andere Mädchen vergewaltigt, und in Philadelphia mussten siebzehn Menschen sterben. Wie soll ich das jemals wiedergutmachen?«

Al packte sie an beiden Armen. »Das können Sie nicht. Sie können es nicht! Und wenn das der Grund ist, warum Sie aussagen wollen, dann ist es leider der falsche. Ich lasse nicht zu, dass Sie Ihre Karriere aus völlig falschen Beweggründen ruinieren.«

»Ich sage aus, weil es richtig ist.«

Er sah ihr direkt in die Augen. »Sind Sie sicher, dass Sie das nicht nur wegen Darcy Williams tun?«

Alles in ihr erstarrte. Ihr Herz hörte auf zu schlagen. Ihre Lippen bewegten sich, aber kein Wort kam heraus. Sofort sah sie die Szene vor ihrem inneren Auge. Das viele Blut. Darcys Leiche. *Das viele Blut.* Und Al wusste es. *Er weiß es. Er weiß es!*

»Ich habe es schon immer gewusst, Susannah. Sie glauben doch nicht, dass ein kluger Cop wie Detective Reiser aufgrund eines anonymen Tipps handeln würde? Bei einem Kapitalverbrechen wie Mord?«

Irgendwie fand sie ihre Stimme wieder. »Mir war nicht klar, dass er wusste, wer ihn angerufen hat.«

»O, doch. Er hat Sie doch dazu gebracht, ein zweites Mal anzurufen. Er hatte Ihren ersten Anruf zu einer öffentlichen Telefonzelle zurückverfolgt, und als Sie das zweite Mal anriefen, wartete er in einiger Entfernung und beobachtete Sie.«

»Ich bin ein Gewohnheitsmensch«, sagte sie dumpf. »Ich bin zur gleichen Telefonzelle zurückgegangen.«

»Das machen die meisten Menschen, wie Sie wissen.«

»Aber warum hat er nie etwas gesagt?« Sie schloss die Augen, als das Gefühl, bloßgestellt worden zu sein, übermächtig wurde. »Wir haben seitdem doch an mindestens zehn Fällen zusammengearbeitet. Er hat nie auch nur eine Andeutung gemacht.«

»Er ist Ihnen an jenem Abend nach Hause gefolgt. Sie haben ja damals schon für mich gearbeitet, und Reiser und ich kennen uns schon eine Ewigkeit, also kam er zuerst zu mir. Obwohl Sie noch Praktikantin waren, konnte man bereits Ihr Potenzial erkennen.« Er seufzte. »Und den ständigen Zorn. Immer waren Sie beherrscht, äußerlich ruhig und gelassen, aber in Ihnen brodelte der Zorn. Als Reiser mir erzählte, was Sie gesehen hatten und erlebt haben mussten, war mir klar, dass noch sehr viel mehr dahintersteckten würde … etwas Düsteres, das nur Sie betraf. Ich fragte ihn, ob er der Meinung sei, auch Sie hätten etwas Illegales getan, aber er konnte nichts vorbringen.«

»Also baten Sie ihn, meinen Namen aus der Sache herauszuhalten«, folgerte sie steif.

»Nur solange er keine Beweise dafür fand, dass Sie eine Straftat begangen hatten. Durch Ihren Tipp konnte er einen Durchsuchungsbefehl bekommen und fand die Tatwaffe im Schrank des Mörders sowie Darcys Blut an seinen Schuhbändern. Er konnte seinen Fall auch ohne Sie durchsetzen.«

»Aber wenn es ihm nicht gelungen wäre, hätten Sie ihm erlaubt, mich in den Zeugenstand zu rufen.«

Als Lächeln war grimmig. »Es wäre das Richtige gewesen. Susannah, Sie besuchen Darcys Grab jedes Jahr an ihrem Todestag. Sie trauern noch immer um sie. Aber Sie haben Ihrem Leben die richtige Richtung gegeben. Sie verfolgen Täter mit einer Leidenschaft, die man in unserem Beruf selten findet. Sie hätten nichts gewonnen, wenn Sie damals zu Darcy Williams' Tod ausgesagt hätten.«

»Da irren Sie sich«, sagte sie leise. »Ich muss mich jeden Tag im Spiegel betrachten und mir sagen, dass ich nur einen knapp zulässigen Ersatz für das Richtige getan habe. Aber dieses Mal möchte ich mit meiner Entscheidung leben können. Ich muss es tun, Al. Ich trage die Scham darüber, *nicht* das Richtige getan zu haben, schon mein halbes Leben lang mit mir herum. Ich will eine Chance haben, den Kopf wieder hochzuhalten. Wenn es nötig ist, deswegen meine Karriere zu opfern, dann muss es eben so sein. Und ich kann nicht fassen, dass ausgerechnet *Sie* es mir auszureden versuchen. Sie sind ein Mann des Gesetzes, Herrgott noch mal.«

»Ich habe meine Robe abgelegt, sobald ich Ihr Zimmer betreten habe. Ich bin als Ihr Freund hier.«

Ihre Kehle verengte sich, und sie räusperte sich resolut. »Es gibt eine Menge Staatsanwälte, die eine ähnliche Vergangenheit haben wie ich. Bei ihnen funktioniert es auch.«

»Sie heißen aber nicht Vartanian.«

Sie zog mental den Kopf ein. »Okay, das ist ein Punkt. Aber meine Entscheidung steht fest. ASA Hathaway und ich haben morgen früh einen Termin. Sie kommt her. Und ich mache meine Aussage.«

»Soll ich dabei sein?«

»Nein.« Die Ablehnung war ein Reflex gewesen, und als ihr das bewusst wurde, senkte sie den Kopf. »Ja«, verbesserte sie sich leise.

Er nickte. »Gut.«

Sie zögerte. »Anschließend gehe ich zu einer Beerdigung. In Dutton.«

»Wessen?«

»Sheila Cunninghams. Sie war eines der Vergewaltigungsopfer. Am vergangenen Dienstag wollte sie meinem Bruder offenbar etwas erzählen, das mit dem zusammenhing, was vor dreizehn Jahren geschah, aber man hat sie vorher erschossen. Eines der Mitglieder von Simons Truppe war der Deputy unserer Heimatstadt. Er engagierte jemanden, der sie tötete, und erschoss den Mann nachher selbst, damit er nicht plaudern konnte. Und heute hat dieser Deputy meinen Bruder angeschossen.«

Al riss die Augen auf. »Sie haben mir bei Ihrem Anruf vorhin gar nicht mitgeteilt, dass Ihr Bruder angeschossen worden ist.«

»Nein, habe ich nicht.« Und wirklich verstehen konnte sie dieses Versäumnis auch nicht. »Daniel wird es schaffen. Dank seiner Freundin, Alex Fallon.«

»Hat man diesen Deputy gefasst?«

»Na ja, sozusagen. Nachdem er Daniel niedergeschossen hatte, wollte er Alex erschießen. Sie ist ihm zuvorgekommen.«

Al blinzelte. »Ich brauche noch einen Drink.« Susannah holte eine weitere Miniflasche Whisky aus der Bar und nahm sich selbst ein Wasser.

Al stieß sein Glas leicht an ihre Flasche. »Auf das Richtige.«

Sie nickte. »Selbst wenn es hart wird.«

»Ich würde Ihren Bruder gerne kennnenlernen. Ich habe viel über ihn gelesen.«

*Selbst wenn es hart wird.* Ob es ihr gefiel oder nicht, Daniel würde noch eine ganze Weile Teil ihres Lebens sein. »Ab morgen darf er Besuch empfangen.«

»Möchten Sie, dass ich zu dieser Beerdigung morgen mitkomme?«

»Das müssen Sie nicht«, sagte sie.

Der Blick, den er ihr zuwarf, besagte, dass er langsam die Geduld mit ihr verlor. »Und Sie müssen das alles nicht allein durchstehen. Das war und ist vollkommen unnötig. Ich will Ihnen helfen, aber Sie müssen es mir erlauben. Also, was wollen Sie?«

Vor Erleichterung sackte sie ein wenig in sich zusammen. »Sie ist um elf, die Beerdigung. Wir müssen sofort nach dem Gespräch mit Ms. Hathaway los.«

»Dann lasse ich Sie jetzt schlafen. Versuchen Sie, sich nicht so viele Sorgen zu machen.«

»Ja, ich versuch's. Sie …« Wieder schnürte es ihr die Kehle zu. »Sie sind derjenige, der mir den Glauben an Recht und Gesetz zurückgegeben hat, Al. Ich weiß, dass ich es richtig machen kann. Damals habe ich es nicht einmal probiert.«

»Morgen um neun. Diesmal probieren wir es.«

Sie brachte ihn zur Tür. »Ja. Vielen Dank.«

*Atlanta,*
*Freitag, 2. Februar, 23.30 Uhr*

Luke betrat den Fahrstuhl, aus dem ihm ein starker Essensduft entgegenschlug. Ein Kellner in weißem Jackett stand hinter einem Wägelchen vom Zimmerservice, auf dem für zwei Personen gedeckt war. Es war lange her, dass Luke etwas gegessen hatte, und er würde auch nichts Besseres mehr bekommen als irgendeinen Burger vom nächstbesten Fast-Food-Restaurant, an dem er auf dem Rückweg vorbeikam und das noch geöffnet hatte.

*Du hättest den Burger schon längst haben können. Es wäre kein Problem gewesen, Susannah telefonisch nach der Hütte zu fragen.* Ja, das hätte er tun können. Und das hätte er auch tun sollen. Trotzdem war er hier.

Der Fahrstuhl gab ein leises *Pling* von sich, und die Tür glitt auf. »Nach Ihnen, Sir«, sagte der Kellner.

Luke nickte und ging durch den Flur. *Sie schläft wahrscheinlich schon. Du hättest besser angerufen.* Aber hätte er angerufen, hätte er sie vielleicht geweckt. Nun konnte er an der Tür lauschen. Wenn er nichts hörte, würde er eben wieder gehen. *Ja, na klar, Papa. Du willst dich natürlich nur vergewissern, dass es ihr gutgeht.*

Genau. Nur das wollte er. *Klar.*

Am Ende des Flurs trat ein älterer Mann aus einem Zimmer, und die Person darin schloss die Tür hinter ihm. Der Mann war ungefähr Mitte fünfzig und trug einen teuren Anzug. Er begegnete Lukes Blick, als dieser vorbeiging, und betrachtete ihn unverhohlen.

Stirnrunzelnd blieb Luke stehen und wandte sich um, wodurch der Kellner, der die Speisen nur wenige Schritte hinter ihm herschob, ihn fast gerammt hätte. »Verzeihung, Sir«, sagte der Mann und setzte seinen Weg fort. Vor exakt jener Tür, durch die der ältere Mann gerade gekommen war, hielt er an.

Luke blickte noch finsterer, als er Susannahs Stimme als Reaktion auf das Klopfen des Kellners hörte. Erst als sie die Rechnung unterschrieb, entdeckte sie Luke. »Agent Papadopoulos«, sagte sie und klang dabei etwas ratlos.

Luke schob den Kellner beiseite. »Ich mache das schon«, sagte er, fuhr den Servierwagen ins Zimmer und schloss die Tür.

Susannah sah ihm schweigend zu. »Was machen Sie hier?«, fragte sie schließlich.

»Ich muss Sie etwas fragen.« Aber dann sah er, was sie trug, und ihm wurde plötzlich sehr, sehr warm. Der enge Rock reichte nur bis zur Mitte ihres Oberschenkels, und der auf Figur geschnittene Pullover hatte einen tiefen Ausschnitt. Sie sah jung und schön und beinahe sorglos aus. *Und ich will sie. Am besten sofort.*

»Mir scheint, meine Nichte hat Ihnen die Sachen besorgt, die sie selbst gern genommen hätte.« Er tat, als sei er amüsiert. »Aber meine Schwester Demi erlaubt ihr nicht, sich so zu kleiden.«

Ihr Lächeln war ein wenig verlegen. »Das dachte ich mir schon, aber ich war heilfroh, dass ich den Krankenhauskittel loswerden konnte.« Sie deutete auf den Servierwagen. »Möchten Sie mit mir essen?«

»Tatsächlich komme ich um vor Hunger«, gab er zurück. »Aber ich will Ihnen nichts wegessen.«

»Ich schaffe das alles nicht allein«, sagte sie und deutete auf ein Tischchen in der Ecke. »Setzen Sie sich.«

Er schob sich um den Wagen herum und stieß mit der Hüfte gegen den kleinen Schreibtisch, auf dem ihr Laptop stand. Der Bildschirmschoner verschwand, und er sah das Dokument. »Ihre Aussage.«

Sie stellte das Tablett auf den Tisch. »Ich treffe ASA Hathaway morgen früh.«

»Sie hat mir gesagt, dass Sie angerufen haben.« Mit verengten Augen betrachtete er die beiden Teller und das Besteck für zwei und dachte an den Mann, der gerade ihr Zimmer verlassen hatte. »Sie haben für zwei bestellt.«

»Das mache ich immer. Ich will nicht, dass jemand denkt, ich sei hier allein.«

Sie zuckte verlegen mit den Schultern. »Das sind die irrationalen Ängste, die einen um drei Uhr morgens heimsuchen. Essen Sie, bevor es kalt wird.«

Diese Ängste kannte er. Und um drei Uhr morgens schlief er selten. Sie aßen schweigend, bis Luke die Frage einfach stellen musste. »Wer war der Mann, der eben bei Ihnen war?«

Sie blinzelte. »Mein Chef, Al Landers, aus New York. Ich hatte ihn heute Nachmittag angerufen. Er kam her, um sich zu vergewissern, dass mit mir alles in Ordnung ist.« Plötzlich weiteten sich ihre Augen. »Sie dachten …? O nein. Al ist verheiratet.« Sie presste die Kiefer zusammen. »Er ist ein wunderbarer Mensch.«

Lukes Anspannung legte sich wieder. »Offensichtlich. Sehr nett von ihm, die weite Strecke zu fliegen.«

Auch sie schien sich ein wenig zu entspannen. »Und sehr nett von Ihrer Nichte, für mich einkaufen zu gehen.« Sie stand auf und holte ihre Tasche. »Hier ist ein Scheck. Würden Sie ihn ihr bitte geben?«

Er schob den Scheck in seine Hemdtasche. »Es ist nicht das, was Sie gekauft hätten.«

»Nein, aber deswegen ist es nicht weniger nett. Wenn ich wieder in New York bin, schenke ich ihr diese Sachen, wenn ihre Mom ihr erlaubt, sie anzunehmen. Ihr stehen sie bestimmt besser als mir. Ich bin zu alt, um mich so anzuziehen.« Sie setzte sich und begegnete seinem Blick. »Was wollten Sie mich fragen?«

Einen Augenblick lang konnte er sich nicht erinnern, doch dann setzte sein Verstand wieder ein. »Waren Sie einmal in den Bergen in einer Hütte?«

Sie zog die Brauen zusammen. »In einer Hütte? Nein. Was für eine Hütte?«

»Ich habe mit Garth Davis gesprochen, und er erzählte, dass sie für die … Übergriffe normalerweise in eines der Elternhäuser gingen, aber einmal zu einer Hütte in den Bergen fuhren. Granville hat es wohl arrangiert und sie in einem zugehängten Transporter hingefahren, so dass sie nichts sehen konnten.«

Sie schien zu zögern. »Weiß Davis denn, wem sie gehörte?«

»Ich denke schon, aber er will nichts sagen, bevor er nicht seine Kinder gesehen hat. Seine Frau ist gestern mit ihnen verschwunden, als sie herausfand, dass Mack O'Brien es auf ihre Familie abgesehen hat.«

»Garths Cousin ist ermordet worden, ja. Ich habe es in der Zeitung gelesen.« Sie lehnte sich nachdenklich zurück. »Mein Vater hatte keine Hütte, von der ich gewusst hätte. Er hat ein Châlet in Vale gekauft, aber soweit ich weiß nie benutzt.«

»Warum hat er es dann gekauft?«

»Ich glaube, um uns zu quälen, besonders meine Mutter. Sie wollte immer gerne raus, aber er nahm sich nie Urlaub. Er kaufte das Châlet, so dass sie es besaßen, ließ jedoch nicht zu, dass sie es nutzte.«

»Aber keine Hütte in den hiesigen Bergen?«

»Nein. Ich kann mich allerdings erinnern, dass er mit Randy Mansfields Vater angeln ging.«

»Waren die beiden befreundet?«

Sie zuckte mit den Schultern. »Nur solange es ihnen beiden nutzte. Mansfields Vater war der County-Staatsanwalt und kam vorbei, wenn er einen Fall hatte, der nicht so lief, wie er es wollte. Man unterhielt sich leise im Büro meines Vaters, und – o Wunder – plötzlich klappte es.«

»Mansfields Vater hat Ihren also vermutlich bestochen?«

»Sicher. Er und viele andere. Und mein Vater bestach andere. Oder erpresste sie.« Ihre Augen blitzten auf. »Ich hätte es gerne gesagt, aber niemand hätte mir geglaubt.«

»Wem hätten Sie es auch sagen sollen? Sie konnten ja nicht ahnen, wer nicht auf der Spendenliste Ihres Vaters stand.«

Ihr Zorn ebbte ein wenig ab. »Ja, das ist wahr. Sie steckten alle unter einer Decke.«

»Es tut mir leid. Ich will nicht, dass alles wieder hochkommt.«

»Schon gut. Aber Sie wollten etwas über diese Hütte wissen. Als mein Vater und Richard Mansfield angeln gingen, benutzten sie eine Hütte.« Sie senkte nachdenklich den Blick, dann hob sie ihn wieder. »Richter Borenson. Es war seine Hütte.«

»Den Namen kenne ich – ich habe ihn kürzlich noch gehört. Dürfte ich mal Ihren Laptop benutzen?«

»Bitte.«

Er setzte sich an den Tisch, und sie stellte sich hinter ihn und sah ihm beim Tippen zu.

»Ach, du lieber Himmel«, murmelte sie und zeigte über seine Schulter auf den Bildschirm, als die Wörter ihm auch schon ins Auge sprangen. »Borenson hatte den Vorsitz über Gary Fulmores Prozess.«

»Der Mann, dem man vor dreizehn Jahren den Mord an Alex Fallons Zwillingsschwester in die Schuhe geschoben hat«, sagte Luke und konzentrierte sich auf den Schirm und nicht auf das Gefühl einer Brust unter einem eng sitzenden Pullover, die gerade seine Schulter gestreift hatte, nicht auf ihren Duft, der ihn plötzlich einhüllte. »Zufall?«

»Nein«, flüsterte sie. »Das kann kein Zufall sein.« Sie wich zurück und ließ sich auf die Bettkante sinken. »Gary Fulmore hat dreizehn Jahre für einen Mord gebüßt, den er nicht begangen hat.«

»Mack O'Briens älterer Bruder Jared hat Alex' Schwester getötet«, erklärte Luke ihr. Er war sowohl erleichtert als auch enttäuscht über die Distanz, die sie eingenommen hatte. »Das wusste nur damals niemand. Die Jungs in der Clique verstanden die Welt nicht mehr, weil sie Alicia Tremaine zwar vergewaltigt, aber nicht umgebracht hatten. Jared kehrte an die Stelle zurück, an der sie sie abgelegt hatten, vergewaltigte sie noch einmal und tötete sie, als sie um Hilfe schrie.«

»Damals war Frank Loomis Sheriff. Er hat also Beweise gefälscht. Und Gary Fulmore wegen eines Mordes, den er nicht begangen hat, ins Gefängnis gehen lassen. Warum?«

»Ich weiß, dass Daniel es unbedingt herausfinden will.«

»Ja, weil Frank Daniel wie einen Sohn behandelt und ihm sogar seinen ersten Job auf der Polizeistation verschafft hat. Begreifen zu müssen, dass Frank einen solchen Verrat begangen hat, muss schlimm für Daniel gewesen sein.«

Luke warf ihr einen scharfen Blick über die Schulter zu. »Wenn Frank Daniel wie einen Sohn behandelt hat … hat er das dann vielleicht auch mit Granville gemacht?«

»Frank Loomis als Granvilles *thích?*«, fragte sie skeptisch.

»Na ja, möglich wäre es wohl.«

»Waren Loomis und Richter Borenson Freunde?«

»Das weiß ich nicht. Auch das ist möglich. Duttons Politik hat seltsame Spießgesellen hervorgebracht.«

Luke klickte sich durch die Treffer auf der Seite. »Er ist über siebzig, aber ich finde keine Meldung über seinen Tod, also ist er wahrscheinlich noch am Leben. Wir müssen mit ihm reden.«

»Falls Borensons Hütte Granville bekannt war, dann ist sie vielleicht auch seinem Partner bekannt gewesen. Wer immer das sein mag.« Sie sog bebend die Luft ein. »Und …«

»Die Mädchen könnten dort sein. Ja. Es ist eine sehr entfernte Möglichkeit, aber es ist eine, und mehr haben wir im Augenblick nicht.« Er warf ihr einen weiteren Blick zu. »Wissen Sie, wo diese Hütte lag?«

»Irgendwo in North-Georgia. Tut mir leid. Ich wünschte, ich könnte Ihnen mehr sagen.«

»Nein, Sie haben mir sehr geholfen. Wenn er die Hütte auf seinen Namen eingetragen hat, dann finde ich sie.« Er tippte erneut etwas ein und lehnte sich dann zurück. »Ein Stück hinter Ellijay. Am Trout Stream Drive.«

»Puh, die Gegend ist ziemlich einsam. Da etwas zu finden wird nicht leicht sein, vor allem im Dunkeln. Sie werden einen Führer brauchen.«

»Ich war dort oben schon öfter zum Angeln. Ich werde mich schon zurechtfinden.« Luke stand auf und ging zur Tür, blieb dann aber stehen und gab seinem Bedürfnis nach. Er wandte sich noch einmal zu ihr um. »Sie irren sich übrigens.«

»Womit?«

Sein Mund war plötzlich trocken. »Sie sind keinesfalls zu alt für diese Kleidung. Stacie hat sie sehr gut ausgesucht.«

Ein kleines Lächeln huschte über ihre Lippen. »Gute Nacht, Agent Papadopoulos. Und eine erfolgreiche Jagd.«


*Ridgefield, Georgia,*
*Samstag, 3. Februar, 0.30 Uhr*


Bobby bedachte Haynes mit einem Lächeln. »Es ist immer ein Vergnügen, Geschäfte mit Ihnen zu machen, Darryl.«

Haynes steckte seine Geldklammer zurück in die Hosentasche. »Gleichfalls. Allerdings bin ich wirklich enttäuscht, dass die Blonde krank geworden ist. Ich hatte mich durchaus auf sie gefreut.«

»Das nächste Mal. Versprochen.«

Haynes Lippen verzogen sich zu einem typischen Politikerlächeln. »Ich werde Sie daran erinnern.«

Bobby brachte den reichen Mann zur Tür und sah ihm nach, als er davonfuhr. Seine Neuerwerbung lag auf einer weichen Decke im Kofferraum seines Cadillac Seville.

Tanner trat näher. »Ich mag diesen Mann nicht.«

Bobby lächelte. »Du magst einfach keine Politiker, und mir geht es ähnlich. Haynes ist ein guter Kunde, und wenn er einmal gewählt worden ist, dann haben wir an der richtigen Stelle wichtiges ... Personal.«

Tanner seufzte. »So ist das wohl. Mr. Paul auf der Geschäftsleitung.«

»Danke, Tanner. Du kannst jetzt zu Bett gehen. Ich klingele, falls ich dich noch einmal brauche.«

Tanner nickte. »Ich sehe noch einmal nach den Gästen, bevor ich mich zurückziehe.«

»Danke, Tanner.« Bobby lächelte dem alten Mann hinterher, der nun die Treppe hinaufging. Tanner hatte trotz seiner bewegten Vergangenheit jede Menge Eigenschaften eines klassischen Südstaaten-Gentlemans. Tanner war Bobbys erste »personelle Errungenschaft« gewesen. Bobby war erst zwölf gewesen und Tanner schon damals alt, doch der Mann hatte noch genug Jahre vor sich gehabt, um diese nicht hinter Gittern verbringen zu wollen. Und so waren die beiden einen Bund eingegangen, der schon länger als Bobbys halbes Leben dauerte. Es gab niemanden, dem Bobby mehr vertraute. Nicht einmal Charles.

Oder besser: gerade Charles nicht. Charles war eine Kobra, die durchs Unterholz glitt und auf Bäumen lauerte, um im richtigen Moment zuschlagen zu können.

Bobby schauderte in dem instinktiven Versuch, das Unbehagen abzuschütteln, und griff nach dem Telefon. »Paul. Du bist spät dran.«

»Dafür habe ich, was du wissen wolltest, plus ein bisschen mehr. Schreib dir die Namen auf. Luke Papadopoulos leitet den Granville-Fall. Er untersteht Chase Wharton.«

»Das wusste ich schon. Wer gehört zur Mannschaft?« Bobby

zog die Stirn in Falten, als Paul die Namen durchgab. »Davon kenne ich niemanden.«

»Oh, ich schon«, gab Paul selbstzufrieden zurück. »Eine der Personen hat ein Geheimnis, das sie unbedingt verbergen will, so dass sie hervorragend für dich geeignet ist. Sie zu verhaften, bringt mir sicher einiges an Anerkennung, aber ich denke, ich lass mir damit noch ein wenig Zeit.«

»Gut. Denn diese Person nutzt uns mehr bei der Arbeit als im Gefängnis.« Bobby schrieb Namen und Geheimnis auf. »Wunderbar. Nun habe ich einen Maulwurf beim GBI.«

»Und wenn du die Karten richtig ausspielst, dann nicht nur bei diesem Fall, sondern noch viele Jahre lang.«

»Ja. Gut gemacht. Wie steht es mit der anderen Sache?«

»Das wird dich weniger freuen. Rocky hat die Krankenschwester auf dem Parkplatz des Krankenhauses getroffen und mit ihr geplaudert.«

»Und wo warst du?«

»Nur zwei Autoreihen weit entfernt. Sonst hätte das Mikro nicht gereicht. Wie auch immer – deine Krankenschwester hat die Tat nicht begangen. Und deine Assistentin damit ziemlich wütend gemacht.«

Bobby presste die Kiefer zusammen. »Das wundert mich nicht. Wo ist Rocky jetzt?«

»Sie fährt auf der I-85 in Richtung Norden. Ich bin etwa eine halbe Meile hinter ihr.«

»Was hat sie vor?«

»Das weiß ich nicht.«

»Hat Rocky wenigstens eine Beschreibung des Mädchens bekommen?«

»Nur, dass der Name mit M anfängt. Mehr wusste die Krankenschwester anscheinend nicht.«

*Verdammt. Monica.* »Aha. Ist das Mädchen wach?«

»Die Krankenschwester hat dem Mädchen etwas in den Tropf getan, so dass sie sich nicht bewegen, nicht sprechen, nicht die Augen öffnen kann.«

Bobby atmete etwas leichter. »Also ist die Krankenschwester wenigstens keine totale Pleite.«

»Rocky hat ihr gesagt, sie solle dem Mädchen noch eine Dosis geben, wodurch sie bis ungefähr zwei Uhr heute Nachmittag bewegungsunfähig bleiben wird. Dann hat sie die Frau aus dem Wagen gelassen und gesagt, sie würde mit neuen Anweisungen wiederkommen. Rocky hat noch eine Weile gewartet und ist schließlich einem Wagen zu einem Hotel gefolgt. Aus dem Wagen stieg eine Frau, das Auto fuhr weiter. Und Rocky hat sich in Richtung Norden in Bewegung gesetzt.«

»Wie sah die Frau aus?«

»Keine Ahnung, ich war zu weit weg. Aber sie trug einen Ärztekittel und eine Einkaufstüte in der einen und eine Laptoptasche in der anderen Hand. Ich kann Rocky noch weiter verfolgen. Das musst du wissen.«

»Ihr Wagen ist verdrahtet. Bleib über GPS dran.«

»Geht nicht. Ich fange kein Signal auf. Rocky muss den Transmitter entsorgt haben.«

Bobby seufzte. »Dass sie clever ist, habe ich ja schon immer gewusst. Na gut, dann fahr ihr weiter hinterher. Ich will ganz genau wissen, was sie tut.«

»Wie du willst. Oh, und noch was. Rocky klang sehr interessiert, als die Schwester ihr sagte, Susannah Vartanian habe das Mädchen neben der Straße gefunden. Offenbar hat sie ihr das Leben gerettet.«

*Susannah.* Bobby versteifte sich. »Wie nett. Ruf mich an, wenn Rocky an ihrem Ziel angekommen ist.«

Bobby legte auf und starrte auf das Foto von Susannah, das Charles hiergelassen hatte. Hatte Charles gewusst, dass Susannah das Mädchen gefunden hatte? Aber ... nein, Unsinn. Charles war hier gewesen und hatte Schach gespielt, als es passiert war. Charles wusste viel, aber auch nicht alles. *Verflucht sei er, der alte Mann. Er spielt noch immer mit mir.* Susannah Vartanian. Seit Jahren war sie Bobby ein Dorn im Auge, nur weil sie lebte und atmete. Heute hatte sie jedoch eine Menge mehr getan als nur zu atmen. Durch Susannah hatte das Mädchen überlebt. Und das Mädchen konnte sie alle zur Strecke bringen.

Im Moment war die Gefahr neutralisiert, und die Krankenschwester musste wieder auf die Spur gebracht werden, das stand fest. Aber Susannah hatte eine Grenze überschritten. Es war höchste Zeit, den Dorn zu entfernen. Höchste Zeit, dass Susannah zu atmen aufhörte.

Aber zuerst musste sich Bobby mit Rocky auseinandersetzen. Das würde nicht schön werden. *Vater hat es ja immer gesagt: Familie und Geschäft gehen nicht zusammen. Ich hätte auf ihn hören sollen.*

# 8. Kapitel

Luke, wach auf. Wir sind da.«
Luke zwinkerte, bis seine Augen geöffnet waren. Special Agent Talia Scott drosselte das Tempo, bis der Wagen am Ende einer Sandpiste anhielt, die laut ihrer Karte zu Richter Walter Borensons Hütte führen sollte. »Ich habe nicht geschlafen«, sagte Luke. »Nur meine Augen ausgeruht.«

»Kannst du deine Augen dann nicht leiser ausruhen? Dein Schnarchen weckt ja Tote auf. Kein Wunder, dass es keine Frau bei dir aushält.«

»Na gut, vielleicht habe ich tatsächlich ein klein wenig geschlafen.« Und dass er das hatte, bezeugte, wie sehr er Talia vertraute. Sie waren schon sehr lange befreundet. Er warf einen Blick in den Rückspiegel. Chase fuhr direkt hinter ihnen, und zwei Vans bildeten die Nachhut.

In einem Transporter befand sich das SWAT-Team, das Chase auf die Schnelle zusammengestellt hatte, im anderen die Spurensicherung aus dem örtlichen GBI-Büro. »Haben wir einen unterzeichneten Durchsuchungsbefehl?«

»Ja«, sagte Talia. »Chloe hat zwar geschimpft, sie hätte morgen früh einen Termin und bräuchte ihren Schönheitsschlaf, hat aber letztendlich doch alle Hebel in Bewegung gesetzt.«

Chloes Termin war bei Susannah, das wusste Luke. Bevor er eben eingeschlafen war, hätte er Talia fast von Susannahs Zeugenaussage erzählt. Talia hatte in den vergangenen zwei Tagen die überlebenden Opfer von Simons und Granvilles Vergewaltigungsclub befragt, und irgendwann würde sie ohnehin erfahren, dass auch Susannah ein Opfer war. Aber dann hatte er doch den Mund gehalten. Susannah verdiente eine gewisse Privatsphäre, bis sie ihre Aussage offiziell unterschrieben hatte.

»Chloe setzt immer alle Hebel in Bewegung«, sagte er und stieg aus. »Falls Granvilles Partner hier ist, dann sitzt er in der Falle. Es gibt nur diesen einen Weg, auf dem wir gekommen sind.«

Talia leuchtete mit der Taschenlampe über den Pfad. »Der Boden ist zu hart, um Reifenspuren zu erkennen.« Sie sog schnuppernd die Luft ein. »Und kein Holzfeuer.«

Chase gesellte sich zu ihnen, während er die Riemen seiner Kevlarweste strammzog. In der Hand hielt er zwei Nachtsichtgeräte und zwei Ohrhörer. »Für Sie beide. Wir nähern uns durch die Bäume. Ich gehe links herum, Talia rechts. Luke, Sie gehen von hinten ran. Falls jemand drin ist, soll er uns nicht kommen sehen.«

Luke dachte an den Bunker, an die toten Augen, die kreisrunden Einschusslöcher in der Stirn der Mädchen. Nein, auch er wollte diese Dreckschweine nicht warnen. »Dann los.«

Sie teilten das SWAT-Team in drei Gruppen auf und machten sich auf den Weg. Aber je näher sie der Hütte kamen, umso deutlicher wurde es, dass niemand dort war. Alles war dunkel, und die Umgebung wirkte verlassen. Hier war seit mehreren Tagen niemand mehr gewesen.

Luke trat gleichzeitig mit Chase auf der anderen Seite der Straße aus der Baumreihe hervor. Stumm deutete Chase auf die Rückseite des Hauses, und Luke kam der Anweisung nach. Alles war still, bis er auf ungefähr zwei Meter herangekommen war. Plötzlich hörte er ein tiefes Grollen.

Oder vielmehr das Knurren eines Hundes. Auf der Veranda lag eine Bulldogge, die sich nun auf die Füße mühte, zur Kante der Veranda hinkte und die Zähne fletschte.

»Wir sind in Stellung«, murmelte Chases Stimme in seinem Ohr.

Luke näherte sich vorsichtig. »Ganz ruhig, mein Junge«, sagte er freundlich. Der Hund wich Schritt für Schritt zurück, und obwohl er noch immer die Zähne gebleckt hatte, machte er keine Anstalten, sich auf den Fremden zu stürzen. »Wir sind so weit, Chase.«

»Dann *los!*«

Luke trat die Hintertür ein und würgte bei dem Gestank, der ihm entgegenschlug. »O mein Gott.«

»GBI, keine Bewegung!«, befahl Chase, der durch die Vordertür brach, aber die Hütte war leer.

Luke legte den Lichtschalter um und erkannte sofort, woher der furchtbare Geruch stammte. Auf der Theke lagen drei verwesende Fische. Ein langes dünnes Filetiermesser, dessen Klinge mit getrocknetem Blut verklebt war, lag am Boden.

»Im Schlafzimmer ist niemand«, rief Talia.

Chase musterte die Fische angewidert. »Wenigstens ist es nicht Borenson.«

»Tja, sieht aus, als sei er unterbrochen worden«, sagte Luke. »Jemand hat anscheinend nach etwas gesucht.«

Alle Schubladen im Wohnraum waren herausgerissen und ausgeleert worden. Das Sofa war aufgeschlitzt, die Füllung herausgezerrt. Jemand hatte die Bücher aus den Regalen gerissen und die Bilder von den Wänden genommen, um das Glas zu zertrümmern und zu sehen, ob sich dahinter etwas verbarg.

»He, Papa«, rief Talia aus dem Schlafzimmer. »Komm mal her.«

Luke zuckte zusammen, als er das blutige Bett entdeckte. »Das muss weh getan haben.«

Auch hier waren Schubladen ausgeleert und Sachen durchwühlt worden. Ein gerahmtes Foto mit gebrochenem Glas lag neben dem Bett. Auf dem Bild war ein alter Mann zu sehen, der eine Angel in der Hand hielt. Neben ihm saß ein Hund.

»Sieht aus wie der Hund von draußen«, sagte Luke. »Und der alte Mann ist bestimmt Borenson.«

»Talia, Sie bleiben mit der Spurensicherung hier«, sagte Chase. »Wir schwärmen aus und sehen nach, ob wir Borensons Leiche in der Nähe der Hütte finden. Anschließend reden wir mit den Leuten im Ort. Vielleicht hat ja jemand etwas gesehen. Die Mädchen sind nicht hier, noch sind sie je hier gewesen, wie es scheint. Aber wir wissen nun mehr: Wir können davon ausgehen, dass Borenson etwas wusste, das er nicht ausplaudern sollte.«

Ein Winseln ließ sie alle zu Boden blicken. Der Hund hatte sich zu Lukes Füßen niedergelegt.

»Und was ist mit dem da?«, fragte Talia mit einem halben Grinsen.

»Such ihm was zu fressen«, sagte Luke. »Wir nehmen ihn mit nach Atlanta. Vielleicht hat er ja einen Verdächtigen gebissen und noch Reste in den Fängen.« Luke zögerte, dann hockte er sich nieder und streichelte den Hund zwischen den Ohren.

»Guter Junge«, murmelte er. »So treu auf dein Herrchen zu warten. Oh – gutes *Mädchen*«, korrigierte er und fuhr zusammen, als sein Handy in seiner Tasche vibrierte.

Sein Herzschlag legte an Tempo zu, als er die Nummer auf dem Display erkannte. »Alex, was ist los?«

»Alles in Ordnung mit Daniel«, sagte Alex. »Aber vor drei Minuten musste Beardsley auf die Intensiv.«

»Beardsley ist auf der Intensiv«, sagte er den anderen. »Was ist denn passiert? Es ging ihm doch gut.«

»Das Personal des Krankenhauses will sich nicht äußern, aber ich stehe hier neben Ryans Vater, der mir erzählt hat, dass der Tropf ausgetauscht wurde. Einen Moment später bekam der Mann Krämpfe.«

»O verdammt«, sagte Luke leise. »Du meinst, er wurde vergiftet?«

»Keine Ahnung«, sagte Alex. »Aber sein Vater sagte, ihm sei noch das eine oder andere eingefallen, das er dir erzählen wollte. Er hat wohl versucht, dich auf dem Handy zu erreichen, aber es ging nur die Mailbox dran.«

Luke presste die Kiefer zusammen. Das musste passiert sein, als er im Auto geschlafen hatte. *Verdammt!* »Ich bin neunzig Minuten Autofahrt entfernt. Ich sage Pete Haywood Bescheid, dass er kommen soll.«

»Okay. Ich bleibe bei Daniel. Sag Agent Haywood, dass er unbedingt die Infusionen ins Labor bringen soll. Und du solltest dich beeilen, Luke. Beardsley hatte einen Herzstillstand. Die haben ihn mit dem Defibrillator zurückgeholt.«

»Ich komme.« Er legte auf. »Offenbar hat jemand versucht, Ryan Beardsley umzubringen.«

»Im Krankenhaus?«, fragte Chase ungläubig.

Luke nickte grimmig. »Im Krankenhaus. Ich muss zurück.«

»Fahrt beide zurück«, sagte Talia. »Ich kriege das hier schon hin. Bei Tagesanbruch befragen wir die Nachbarn. Keine Angst, wir schaffen das schon.«

»Danke.« Er setzte sich in Bewegung, und der Hund tat es ihm nach. »Bleib da, Herzchen«, sagte er fest. Der Hund, anscheinend sehr gut erzogen, gehorchte, wenn auch mit zitternden Flanken.

172

»Ja, natürlich.« Talia seufzte und verdrehte die Augen. »Ich kümmere mich selbstverständlich auch um den Hund.«

Luke ließ sich auf den Beifahrersitz von Chases Wagen plumpsen. »Es wird immer besser«, murrte er. »Und ich stinke.«

»Betörend. Schweiß, Rauch und verwesender Fisch. Die Frauen stehen drauf, wie man munkelt.«

Luke schnaubte müde. »Keine Frau wird sich momentan in meine Nähe wagen.« Bis auf Susannah vielleicht. Sie war ihm jedenfalls sehr nah gekommen. Wenn er sich darauf konzentrierte, konnte er noch immer ihren Duft wahrnehmen. Frisch. Angenehm süß. *Lass es gut sein.* »Ich rufe Pete an. Wir haben ja noch eine Wache auf der Intensivstation, wir können eine zweite vor Baileys Raum postieren. Ach, verdammt, ich hatte mir von dieser Hütte mehr erhofft. Nun sind schon zehn Stunden vergangen, und wir haben noch immer keine Ahnung, wo die Mädchen sind.«

»Zumindest können wir davon ausgehen, dass Granvilles Partner noch immer die Fäden zieht«, bemerkte Chase ruhig.

Luke musterte die vorbeiziehende Baumreihe. »Ich hab's verdammt noch mal satt, wie eine Marionette behandelt zu werden.«

*Dutton,*
*Samstag, 3. Februar, 3.00 Uhr*

»Sag schon«, sagte Charles, die Stimme sanft, obwohl der Zorn in seinem Inneren direkt unter der Oberfläche kochte und zu explodieren drohte. Dennoch waren seine Hände, die das nagelneue Skalpell hielten, ruhig. Das Skalpell war ein Geschenk von Toby Granville zu Weihnachten gewesen.

Charles wusste gutes Werkzeug zu schätzen. »Sag mir schon, wozu er passt.«

Richter Borenson schüttelte den Kopf. »Nein.«

»Sturer alter Mann. Dabei muss ich nur ein wenig tiefer schneiden oder vielleicht Dinge abtrennen, die du lieber behalten würdest. Ich weiß, dass der Schlüssel zu einem Banksafe gehört. Und ich weiß, dass du nicht reden wolltest, obwohl Toby dir oben in der Hütte böse weh getan hat. Aber weißt du, ich kann's noch schlimmer.« Charles schnitt tief in Borensons Unterbauch, und der Richter schrie auf. »Nur der Name der Bank und der Name der Stadt. Die Schließfachnummer wäre natürlich auch nett.«

Borenson schloss die Augen. »Bank der Hölle. Die findest du nie.«

»Das ist die falsche Einstellung, Richter. Ich brauche diese verdammte Aussage, die du vorbereitet hast. Du weißt schon: die, die uns beide ruinieren wird, wenn sie in die falschen Hände gerät, nicht wahr?«

»Als könnte mich das noch kümmern.«

Charles presste die Lippen zusammen. »Du magst Schmerzen, Richter?«

Borenson stöhnte, als das Skalpell tiefer eindrang, sagte aber nichts.

Charles seufzte. »Nun, wenigstens liebe ich diesen Teil des Jobs. Mal sehen, wie lange du durchhältst.«

»Dann frag mal deine Kristallkugel«, presste der Richter hervor. »Ich sag dir nichts.«

Charles lachte. »Die Vorhersage lautet, du stirbst bis Sonntagmittag, und natürlich sorge ich wie immer dafür, dass die Vorhersage eintrifft. Manch einer hält das für Betrug, ich dagegen denke, dass ich nur meine Position stärke. Schließlich muss ich

174

glaubhaft bleiben. Du kannst schnell und schmerzlos oder langsam sterben, das ist deine eigene Entscheidung, aber abtreten wirst du. Und das wusstest du, nicht wahr? Du wusstest, dass es geschehen würde, sobald entweder Arthur Vartanian oder ich sterben würde. Du hast einen Pakt mit dem Teufel geschlossen, Richter, und der Teufel gewinnt immer.«

*Atlanta,*
*Samstag, 3. Februar, 3.00 Uhr*

Susannah stieg aus dem Bett und knipste das Licht an. Der Schlaf wollte sich nicht einstellen, und sie hatte längst gelernt, nichts zu erzwingen. Sie setzte sich an den Tisch und startete den Laptop.

Sie hatte Berichte zu schreiben. Arbeit aufzuholen. Aber irgendwie schien in dieser Nacht nichts real zu sein. Sie dachte an Luke Papadopoulos und hätte gerne gewusst, was er in der Hütte in den Bergen gefunden hatte. Falls es sich um die vermissten Mädchen handelte, würde er sie anrufen, dessen war sie sich sicher.

Sie dachte an die Art, wie er sie beim Abschied angesehen hatte, und schauderte. Er strahlte Kraft und Männlichkeit aus und war kompetent. Er gefiel ihr, auch dessen war sie sich sicher. Aber wie sie damit umgehen sollte, wusste sie nicht.

Andererseits musste sie das auch nicht ausgerechnet jetzt klären. Luke war in dieser Nacht unterwegs und tat etwas, während sie hier saß und nichts tat. Sie holte ihr Handy aus der Aktentasche und betrachtete das Foto, das sie von dem unbekannten Mädchen gemacht hatte.

*Wie heißt du bloß?* Mary, Maxine, Mona? *Wenn ich doch nur einen zweiten oder dritten Buchstaben hätte.* War das Mädchen von zu Hause weggelaufen? War sie entführt worden? Man hatte ihr die Fingerabdrücke abgenommen, als sie ins Krankenhaus eingeliefert worden war, das wusste sie. Noch hatte es jedoch keine Ergebnisse gegeben. Das Mädchen war eine Unbekannte.

*Wer wartet auf dich, M?* Kurz bevor sie in den Helikopter geladen worden war, hatte sie nach ihrer Mutter gefragt, also besaß sie zumindest noch einen Elternteil, der sie – hoffentlich – liebte.

Susannah rief die Website für vermisste Kinder auf und durchsuchte die Datenbank für Mädchen. Es waren Hunderte, viele Hunderte. Sie engte die Suche auf Mädchen mit einem Vornamen mit M ein und erhielt etwas weniger als fünfzig. Traurig betrachtete sie ein Gesicht nach dem anderen. Jedes Mädchen von dieser Seite war verschwunden.

So schlimm ihre Kindheit auch gewesen war, sie war zumindest nicht entführt worden. Zumindest nicht länger als eine Nacht. Damals als Simon und die anderen ... *mich vergewaltigt haben.* Noch immer fiel es ihr schwer, es auszusprechen. Sogar im Geiste. Würde es je einfacher werden?

Sie hatte alle Bilder durchgesehen und seufzte. Ihre unbekannte M war nicht darunter. Die meisten Mädchen, die in der Datenbank erfasst waren, wurden als »gefährdete Ausreißerinnen« eingestuft, und die Suche nach ihnen wurde mit weit weniger Aufwand betrieben, als es bei Entführten geschehen mochte. Das war traurig, aber in einer Welt von knappen Budgets und Personalmangel die harte Realität.

Sie fragte sich, ob das Mädchen im Krankenhaus ursprünglich ausgerissen war. Es gab Online-Vermittlungsstellen für jugendliche Ausreißer. Sie rief eine der Seiten auf und seufzte

wieder. Viele Fotos. Alle individuell gelistet. Keine Suchmasken, mit denen man die Menge der Personen einengen konnte.
Sie setzte sich zurück und begann, jede Datei zu öffnen.
Es würde wohl eine lange Nacht werden.

Rocky bremste ab, fuhr auf den Parkplatz und war einmal mehr froh über ihr fast fotografisches Gedächtnis. Sie hatte nicht ins Ridgefield House zurückkehren wollen, um in ihren Aufzeichnungen nachzusehen. Hatte nicht Bobby gegenübertreten wollen. *Zumindest nicht, bis ich das hier in Ordnung gebracht habe.* Zum Glück kannte sie so gut wie alle Einzelheiten über die Mädchen, die sie in den vergangenen anderthalb Jahren von zu Hause fortgelockt hatte, auswendig.

Das heutige Opfer diente einem doppelten Zweck: Zum einen würde Bobby eine neue Blondine bekommen, zum anderen konnte sie sich damit Monica Cassidys Schweigen erkaufen, bis das Mädchen aus der schwerbewachten Intensivstation entlassen wurde. Anschließend würde Rocky die Krankenschwester dazu bringen, das Mädchen zu töten.

Wie genau sie das bewerkstelligen wollte, wusste sie nicht, aber darum konnte sie sich Gedanken machen, wenn es so weit war.

Sie lag gut in der Zeit, aber obwohl sie sich den Kopf zermartert hatte, war ihr auch während der vierstündigen Fahrt nicht eingefallen, wie sie das, was vor ihr lag, allein schaffen sollte. Sie ließ das Lenkrad los und befühlte ihre Tasche. Die Waffe war noch da, und es beruhigte sie, sie zu fühlen.

*Sei nicht albern. Du machst das nicht zum ersten Mal.* Aber zum ersten Mal allein. Zweimal hatte sie Mansfield begleitet, aber sie war eigentlich nur die Fahrerin gewesen. Mansfield hatte den Rest des Jobs erledigt.

Heute Nacht war sie solo. *O Gott, da ist sie.* Ein junges Mädchen war ein Stück aus den Schatten herausgetreten und wartete offensichtlich. *Also gut. Und verdirb es bloß nicht.*

Das Klingeln des Telefons riss Bobby aus dem Schlaf. Die Nummer auf dem Display gehörte zu Paul. »Ja? Wo zum Teufel bist du?«

»Auf dem Parkplatz eines Nachtcafés in Charlotte, North Carolina.«

»Warum?«

»Weil Rocky hier haltgemacht hat. Sie sitzt im Wagen, die Lichter sind aus. Sie scheint zu warten. Ah, Moment. Da kommt jemand.«

»Kann man dich sehen?«

Er schnaubte. »Unfug. Wenn ich nicht gesehen werden will, sieht mich auch keiner, das weißt du. Ein Mädchen, fünfzehn vielleicht. Sie geht auf Rockys Wagen zu.«

»Ist sie blond?«

»Was?«

»Ist sie blond?« Bobby wiederholte jedes Wort überdeutlich.

»Ja, sieht so aus.«

Bobby gähnte. »Dann geht's ums Geschäft. Rocky sagte, sie hätte ein paar Blondinen in der Pipeline. Ich hatte ihr zwar gesagt, dass ich mich ums Abholen kümmern würde, aber wahrscheinlich will sie etwas gutmachen. Nun, mir wäre lieber gewesen, wenn sie das mit der Krankenschwester getan hätte, aber darum kümmere ich mich, wenn Rocky wieder hier ist.«

»Das heißt, ich drehe um und fahre nach Hause?«

»Ja, dreh um, aber fahr noch nicht nach Hause. Ich habe noch eine Sache zu erledigen.«

Paul seufzte. »Bobby, ich bin müde.«

»Jammer nicht. Morgen früh muss eine Leiche gefunden werden.«

»Jemand, den ich kenne?«, fragte Paul trocken.

»Die Schwester der Krankenschwester. Es soll nach Raubüberfall aussehen, aber sie muss gefunden werden. Ich habe dir die Adresse und das Foto schon auf deinen Hotmail-Account geschickt. Sie müsste so gegen acht ihr Haus verlassen, aber sei besser schon früher da. Und es darf schmerzhaft sein.«

»Oho, Bobby zieht die Samthandschuhe aus.«

»Aber ja. Ich halte meine Versprechen schließlich immer. Die Krankenschwester wird morgen sehr viel williger gehorchen. Und – wie macht sich Rocky mit der Blondine?«

»Nicht schlecht. Das Mädel hat sich ein bisschen gewehrt, aber unser weiblicher Wunderknabe war darauf vorbereitet. Scheint sie niedergeschlagen zu haben. Sie hat einen klasse rechten Haken, das muss man ihr lassen. Den Spitznamen Rocky trägt sie zu Recht.«

Bobby lachte. »Wenn auch nicht aus diesem Grund. Danke, Paul. Ich sorge dafür, dass du für heute Abend anständig bezahlt wirst.«

»Ist mir ein Vergnügen, Bobby.«

»Schick mir eine SMS, wenn die Schwester tot ist. Ich will der Krankenpflegerin eine Sondersendung zukommen lassen.«

Lukes Bruder Leo hielt vor dem eingezäunten GBI-Parkplatz. »Wir sind da.«

Luke öffnete die Augen und fühlte sich durch die kurze Ruhezeit angenehm erfrischt. Er reichte Leo seine Karte, der sie durchs geöffnete Fenster in den Leseapparat steckte. Leise glitt das Tor aufwärts. »Danke, dass du mich zu meinem Wagen gefahren hast.«

Leo zuckte mit den Schultern. »Ich hatte gerade nichts vor.«

Luke grunzte, als er sich aufrichtete und die Nackenmuskeln dehnte. »Das ist traurig.«

»Findest du?« Leo musterte ihn besorgt. »Alles okay mit dir?«

»So weit wenigstens.« Er würde seinen Bruder nicht anlügen. Er hätte es gar nicht gekonnt.

»Na ja, wenigstens stinkst du nicht mehr wie ein Hund, der sich in verwestem Fisch gewälzt hat.«

»Genau, und das weiß ich zu schätzen. Das Frühstück auch.«

Luke war nicht überrascht gewesen, als Leo sich förmlich aus den Schatten materialisiert hatte, sobald Luke seine Wohnung betreten hatte. Leo hatte Chases Pressekonferenz gesehen und gewusst, dass Luke irgendwann müde und ausgehungert nach Hause kommen würde. Leo schien immer zu wissen, was andere brauchten. Dumm nur, dass sein Bruder sich nicht genauso gut um sich selbst kümmern wollte.

»Du hast noch Glück gehabt. Diese zwei Eier waren das Einzige in deinem Kühlschrank, das noch genießbar war.«

»Ich war eben schon länger nicht mehr einkaufen.« Nicht mehr, seit seine Abteilung für Internetverbrechen die Spur der drei Kinder aufgenommen hatte, die sie dann doch nicht mehr hatten retten können. Das war am Dienstag gewesen. »Die Milch ist wahrscheinlich auch nicht mehr gut.«

»Stimmt, sie war fest. Ich komme nachher vorbei und bringe dir Brot und Milch mit, wenn ich deinen Anzug zu Johnny bringe. Er wird deine Kleidung auch diesmal retten.«

Dass ihr Vetter Johnny eine eigene Reinigung hatte, war sowohl Segen als auch Fluch. »Sag ihm, er soll mit meinem Hemd freundlich umgehen, okay? Das letzte war derart gestärkt, dass es meine Haut wund gescheuert hat.«

Leo grinste. »Das hat er mit Absicht gemacht.«

»Ja, weiß ich.« Er musste aussteigen, aber sein Körper wollte nicht gehorchen. »Ich bin so müde, Leo.«

»Ich kann's mir denken«, erwiderte Leo ruhig, und Luke wusste, dass sein Bruder wirklich verstand, was er meinte. Es handelte sich nicht nur um rein körperliche Müdigkeit.

»Diese Mädchen können überall sein. Und Gott allein weiß, was man mit ihnen gemacht hat.«

»Hör schon auf«, sagte Leo barsch. »Du kannst dir nicht erlauben, jedes Mal an Stacie und Min zu denken, also lass es.«

In der Tat hatte Luke gerade die Bilder seiner hübschen, lächelnden Nichten vor Augen gehabt. Resolut verdrängte er sie aus seinem Bewusstsein. »Ich weiß, ich weiß. Das zieht mich nur weiter runter. Es ist ja nur so, dass …«

»Du ein Mensch bist«, beendete Leo den Satz für ihn. »Du siehst ihre Gesichter. Und es frisst dich auf.«

*Und jeden Tag stirbt ein klein wenig mehr von ihnen.* Wie recht Susannah Vartanian gehabt hatte. »Es ist ein Meer von Gesichtern. Und sie sind immer da. Manchmal denke ich, ich verliere den Verstand.«

»Du verlierst nicht den Verstand. Nur kannst du im Moment gerade kein Mensch sein. Wenn du jetzt daran denkst, dass sie leiden, dann drehst du tatsächlich durch, und damit wäre niemandem geholfen.«

»Wie macht man denn das? Nicht daran denken?«

Leos leises Lachen war bar jeglichen Humors. »Keine Ahnung. So hat man es uns immer gesagt, bevor wir von Haus zu Haus gehen mussten, aber ich hab's leider auch nie gelernt.«

Vor seinem inneren Auge sah Luke seinen Bruder in voller Kampfausrüstung auf der Suche nach Aufständischen in Bagdad.

Die Zeit war schlimm für ihre Familie gewesen, für ihre Mutter besonders. Jeden Tag hatten sie aufs Neue gebetet, dass Leo zu den Glücklichen gehören würde, die überlebten, und als er endlich wieder nach Hause gekommen war, hatten sie überglücklich gefeiert. Aber man musste nur in Leos Augen sehen, um zu erkennen, dass er keinesfalls zu den Glücklichen gehörte. Etwas in seinem Bruder war dort drüben gestorben, aber Leo dachte nicht daran, darüber zu sprechen. *Nicht einmal mit mir.* »Und deswegen bist du ausgestiegen?«

Leos Miene verschloss sich. »Du überlegst, ob du aussteigen sollst?«

»Jeden einzelnen Tag. Aber ich tu's nicht.«

Leo klopfte leicht auf das Lenkrad. »Und deshalb bist du der bessere Mensch.«

»Leo.«

Aber sein Bruder schüttelte den Kopf. »Nein. Und nicht jetzt.

182

Du hast genug, worüber du nachdenken musst.« Er verlagerte seine Position, und Luke wusste, dass das Thema damit beendet war. »Und? Wie geht's ihr?«

»Wem?«

»Susannah Vartanian.« Leo bedachte ihn mit einem knappen Blick. »Komm schon, du sprichst mit deinem Bruder, okay? Ich kenne dich. Und ich habe gesehen, wie du sie auf dem Begräbnis ihrer Eltern angestarrt hast. Du hast doch nicht wirklich geglaubt, dass es niemand merkt, oder?«

Doch, hatte er, aber er hätte seinen Bruder besser kennen müssen. »Es geht ihr ganz gut.« Körperlich zumindest. Susannah Vartanian sah fit und gesund aus. Und hübsch. Zu hübsch. Verführerisch. Aber emotional betrachtet war sie momentan ein Wrack. »Sie hält sich tapfer.«

»Warum ist sie heute zurückgekommen?«

»Das darf ich dir nicht sagen. Tut mir leid.«

Leos Miene wurde plötzlich nachdenklich. Dann schüttelte er den Kopf. »Nein. Das kann doch nicht sein.«

Luke seufzte. »Was denn?«

»In der Pressekonferenz hat dein Chef gesagt, dass ihr heute den Fall mit den dreizehn Jahre alten Vergewaltigungen aufgeklärt habt. Sie haben in Dutton stattgefunden. Sie war eines der Opfer.«

»Das darf ich dir nicht sagen.« Aber indem er es leugnete, hatte er es schon bestätigt. Er wusste, dass Leo es wusste. »Tut mir leid.«

»Schon gut. Geht's *dir* gut?«

Luke sah ihn erstaunt an. »Mir?«

»Na ja, du interessierst dich für eine Frau, die einen ziemlichen Ballast aus der Vergangenheit mit sich herumschleppt. Kannst du damit umgehen?«

183

»Bevor oder nachdem ich mit dem Dreckschwein fertig bin, das noch lebt?«

»Ich mache den Schießstand auch gerne nachts auf, wenn du dich an einem Pappkameraden austoben musst.«

»Dank dir.« Luke hatte schon viele, viele Papierziele in Leos Schießstand zerfleddert. Manchmal war es die einzige Chance, das eigene Temperament unter Kontrolle zu bringen. »Im Augenblick geht's. Ich habe einiges zu tun, was ich längst hätte tun sollen.« Zum Beispiel musste er zu Ryan Beardsley, der zum Glück wieder stabil war. Außerdem musste er ins Leichenschauhaus und die Autopsieergebnisse abholen, bevor er sich um acht mit den anderen traf.

»Zwei Dinge arbeiten absolut für dich«, sagte Leo, als Luke aus dem Wagen ausstieg.

Luke nahm die Sporttasche mit sauberen Kleidern von Leos Rücksitz. »Aha? Und was?«

Leo grinste. »Mama mag sie. Und sie ist katholisch. Alles andere sind Nebensächlichkeiten.«

Luke warf die Tasche in den Kofferraum seines eigenen Wagens. Auch er musste grinsen. »Danke. Mir geht's jetzt viel besser.«


*Atlanta,*
*Samstag, 3. Februar, 4.40 Uhr*


Monica erwachte. Es war dunkel. Und still. Und sie konnte sich nicht bewegen. *Ich kann mich nicht bewegen.* O mein Gott. Sie versuchte, die Augen zu öffnen, aber … es ging nicht. *Hilfe! Hilfe! Was geschieht mit mir?*
*Ich bin tot. O Gott, ich bin tot. Mom. Susannah!*

»Doktor.« Eine Frauenstimme. Dringlich.

Sie wollte Atem holen, aber auch das ging nicht. Der Schlauch steckte noch in ihrer Kehle. *Nein, ich bin nicht tot. Ich bin im Krankenhaus. Eine Krankenschwester ist bei mir. Sie wird mir helfen. Bestimmt.*

»Was ist los?« Eine tiefere Stimme. Ein Arzt. *Ein Arzt. Stopp. Ganz ruhig. Er ist echt. Er tut dir nichts.*

Dennoch raste ihr Herzschlag wie ein fliehendes Pferd davon.

»Ihr Blutdruck ist gestiegen. Und ihr Puls ebenfalls.«

»Machen Sie es ihr bequem. Und rufen Sie mich, wenn der Blutdruck nicht runtergeht.«

*Ich kann mich nicht bewegen. Nichts sehen. Bitte, helfen Sie mir.* Sie hörte das Klappern von Instrumenten. Spürte das Pieksen einer Nadel. *Hört mir doch zu.* Aber der Schrei erklang nur in ihrem Kopf. *Susannah. Wo sind Sie?*

Sie begann abzudriften, sich zu beruhigen. Dann hörte sie eine Stimme, rauh und tief, direkt neben ihrem Ohr. Männlich? Weiblich? Sie hätte es nicht sagen können.

»Du stirbst nicht. Du hast etwas bekommen, das dich lähmt.« *Gelähmt. O Gott.* Sie versuchte, die Augen zu öffnen, um zu sehen, wer mit ihr sprach, aber es gelang ihr nicht. *Nichts tun, nichts sagen. O Gott. Wie damals, als der Deputy mich geholt hat ...*

»Schsch«, sagte die Stimme. »Kämpf nicht dagegen an. Dann stellt man dich nur zusätzlich ruhig. Und jetzt hör mir zu. In ein paar Stunden lässt die Wirkung nach. Dann kannst du dich wieder bewegen, wieder sehen. Wenn die Polizei kommt, sagst du ihnen, dass du dich an nichts erinnern kannst, nicht einmal an deinen Namen. Du wirst ihnen nichts über den Bunker sagen. Sie haben jetzt deine Schwester, und sie machen mit ihr, was sie mit dir gemacht haben, wenn du den Mund nicht hältst.«

Sie spürte warmen Atem an ihrem Ohr. »Sag nichts, und deine Schwester wird wieder freikommen. Ein einziges Wort, und sie wird ihre Hure, genau wie du es warst. Es liegt an dir.«

Die Wärme verschwand, und Monica hörte das Schlurfen von Schuhen, als die Person davonging. Dann spürte sie Nässe an ihren Schläfen und begriff, dass sie weinte.

*Genie.* Sie hatten Genie. *Sie ist doch erst vierzehn. O Gott, was soll ich bloß tun?*


*Atlanta,*
*Samstag, 3. Februar, 4.50 Uhr*


Pete Haywood wartete im Eingangsbereich des Krankenhauses, als Luke eintrat.

»Status?«, fragte Luke.

»Beardsley ist wach und bei klarem Verstand und fragt nach ›Papa‹. Am Anfang dachten wir, er wolle seinen Vater sehen, haben dann aber irgendwann begriffen, dass er dich meint. Mit mir will er nicht reden.«

»Und was ist mit der Infusion?«

»Wurde vor ungefähr zwei Stunden ins Labor geschickt. Bisher haben wir allerdings noch nichts gehört. Die Ärzte haben ein CT und einen Drogentest gemacht. Der Scan war negativ, der Tox Screen ist noch nicht zurück. Ich habe die Krankenschwester verhört, die den Infusionsbeutel ausgetauscht hat. Sie ist am Boden zerstört. Jeder Arzt und jeder Mitarbeiter hier auf der Station würde die Hand für sie ins Feuer legen, aber ich habe vorsichtshalber ihre Konten überprüfen lassen.

Dennoch glaube ich nicht, dass sie es war. Die Schwestern legen die Infusionen bis zu zwei Stunden vor dem Einsatz bereit, so dass sie im Grunde genommen jeder hätte austauschen können.«

»Toll.«

»Gar nicht mal so schlecht eigentlich. Das Krankenhaus hat ein effektives Überwachungssystem. Siehst du die Antennen dort oben?« Pete zeigte auf ein Gebilde an der Decke vor dem Kiosk, das wie zwei blaue Stalaktiten aussah. »Die sind überall. Die Angestellten hier tragen eine Plakette, die ihren Aufenthaltsort rund um die Uhr aufzeichnet.«

»Der Große Bruder sei gelobt«, murmelte Luke, und Pete grinste.

»Die Wachmannschaft ist gerade dabei, eine Liste mit allen Personen zusammenzustellen, die sich in diesem Bereich aufgehalten haben. Sie sollten gleich fertig sein. Meiner Meinung nach vermutet der Arzt, der sich um Beardsley gekümmert hat, ebenfalls, dass da etwas nicht stimmen könnte, und hat ihn nur deswegen auf die Intensiv bringen lassen, weil dort ein Polizist steht. Aber das will mir keiner bestätigen. Wahrscheinlich fürchtet die Verwaltung eventuelle Regressansprüche.«

»Wir wissen mehr, wenn der Inhalt des Infusionsbeutels analysiert ist. Wo willst du jetzt hin?«

»Ich habe gerade einen Anruf vom Brandursachenermittler in Granvilles Haus bekommen. Er hat den Zünder gefunden. Und da du jetzt hier bist, fahre ich nach Dutton. Für das Acht-Uhr-Meeting bin ich wieder zurück.«

Pete verließ das Krankenhaus, und Luke ließ sich mit dem Fahrstuhl nach oben bringen. Als er auf der Intensivstation ausstieg, entdeckte er einen neuen Polizisten als Wache. »Ich bin Papadopoulos«, sagte er und zeigte seine Marke.

187

»Marlow. Ich habe gerade Haywood angerufen. Aber er meinte, Sie seien unterwegs.«

»Was ist passiert?«

»Das Mädchen hat irgendeine Art von Anfall oder so etwas
Ähnliches bekommen. Ihr Blutdruck ist in die Höhe geschossen, und man hat sie sediert. Der Arzt meinte, das sei nichts
Ungewöhnliches und käme nach Operationen öfter vor, aber
in Anbetracht dessen, was mit Beardsley passiert ist, wollte ich
lieber Bescheid geben.«

»Gut gemacht, danke.«

Alex trat ihm an der Tür entgegen. »Ryan Beardsley hat nach
dir gefragt.«

»Ja, ich hab's gehört. Hat er dir etwas gesagt?«

»Nein. Er wartet auf dich.«

»Was war mit dem Mädchen?«

»Sie muss nach dem Aufwachen wohl sehr aufgewühlt gewesen sein, was eben manchmal passiert, wenn ein Patient aus
einer Narkose an einem fremden Ort erwacht. Vielleicht hat
sie einen Alptraum gehabt und befand sich in Gedanken noch
immer im Bunker. Wie auch immer – jetzt schläft sie wohl.
Ihre Krankenschwester ist die Frau dort drüben mit den grau-
en Strähnen im Haar. Sie heißt Ella. Sie kann dir auch mehr zu
Beardsley sagen.«

»Danke. Und Daniel?«

»Schläft noch, aber er wird ganz sicher wieder. Ich sag Bescheid, sobald er wach ist.«

Luke sah seinen Freund durch die Glasscheibe an. Wie viel
mochte Daniel über Richter Borenson wissen – falls überhaupt? Und würde er, Luke, den alten Richter lebend finden?

Aber Beardsley war zum Glück noch am Leben. Luke näherte

188

sich der hochgewachsenen Krankenschwester namens Ella. Er erinnerte sich an sie. Sie hatte vorhin ebenfalls Dienst gehabt, als er und Susannah mit dem unbekannten Mädchen gesprochen hatten. »Entschuldigen Sie. Ich bin Special Agent Luke Papadopoulos. Ich möchte zu Ryan Beardsley. Wie geht's ihm?«

»Gut soweit. Das Team, das sich unten um ihn gekümmert hat, war schnell bei ihm, was sein Glück war. Außerdem ist er körperlich fit. Wir haben ihn hier oben nur zur Beobachtung behalten.«

Und zur Bewachung. »Heißt das, er wird wieder in ein normales Zimmer verlegt?«

Ella nickte. »Ja. Aber wir werden Ihnen auf jeden Fall vorher Bescheid geben.«

»Danke. Bitte sagen Sie mir auch in jedem Fall Bescheid, falls sich der Zustand eines unserer Patienten verändert.« Luke trat an Beardsleys Bett heran. »Ryan. Ich bin's. Luke Papadopoulos. Können Sie mich hören?« Beardsley schlug die Augen auf, und Luke sah erleichtert, dass der Mann sehr klar wirkte.

»Agent Haywood sagte mir, Sie wollten mit mir sprechen. Sie hätten allerdings auch mit ihm reden können. Ich vertraue ihm.«

»Aber ich kenne ihn nicht«, sagte Beardsley so leise, dass Luke ihn kaum verstehen konnte. »Jemand hat versucht, mich umzubringen, und unter diesen Umständen fand ich es klüger, auf Sie zu warten.«

Luke beugte sich zu ihm herab. »Ja, das kann ich verstehen. Also – an was erinnern Sie sich?«

»An einen Anruf, den Granville am dritten Tag bekam. Von jemandem namens Rocky.«

»Rocky?«, murmelte Luke. »Wie der Filmboxer?«

»Ja. Rocky stand offenbar über Granville, hat ihm Anweisungen gegeben. Was den Doc sehr unzufrieden machte.«

Lukes Puls beschleunigte sich. Endlich. »Granville gefiel es nicht, von diesem Rocky Anweisungen zu bekommen?«

»Nein, ganz und gar nicht. Ich habe es ausbaden müssen.«

»Wissen Sie, um was für einen Befehl es sich handelte?«

»Nein, leider nicht. Aber als er aufgelegt hatte, sagte er, er würde sich nicht von einem ›kleinen Stück Scheiße‹ herumkommandieren lassen.«

»Okay. Das hilft uns schon weiter. Haben Sie sonst noch etwas gehört?«

Beardsleys Miene war grimmig. »Ja. Am ersten Tag, den ich da war, erwachte ich, weil ich Geräusche hörte. Von draußen, nicht innerhalb der Mauern. Es klang, als würde gegraben.«

Luke wurde plötzlich übel.

»Gegraben oder *be*graben?«

»Begraben.« Beardsley schloss müde die Augen. »Einer der Leute nannte einen Namen – Becky.«

»Verdammt.« Luke seufzte. »Sonst noch etwas?«

»Nein. An mehr erinnere ich mich nicht.«

»Kann ich Ihnen etwas besorgen? Etwas für Sie tun?«

Zuerst sagte Beardsley nichts. Als Luke schon glaubte, der Kaplan sei eingeschlafen, murmelte dieser: »Ein Steaksandwich. Ich habe solch einen Hunger, ich könnte ein ganzes Schwein vertilgen.«

»Sobald Sie wieder auf die normale Station verlegt worden sind, bringe ich Ihnen so viel, wie Sie essen können.« Er stand auf, aber Beardsley packte seinen Arm.

»Geht's Bailey gut?«

»Ja. Ich habe eine Wache vor ihrer Tür postiert. Machen Sie sich keine Sorgen.« Er drückte Beardsleys Hand und kehrte zur Theke der Schwestern zurück. »Er will ein Steaksandwich.«

Ella nickte. »Ein gutes Zeichen, wenn der Patient wieder Appetit entwickelt.«

»Wissen Sie, wo ich den Chef der Sicherheitsabteilung finden kann?«

Luke war bereits auf dem Weg zum Fahrstuhl, als sein Handy surrte.

»Chase hier. Wir haben einen Treffer bei den Ermordeten. Kasey Knight. Sechzehn, eins zweiundsiebzig, rotes Haar.« Er zögerte. »Das ist die, die so extrem abgemagert war.«

Das Mädchen, über das sogar Malcolm Zuckerman, der bereits viel Schlimmes gesehen hatte, Tränen vergossen hatte. Das Mädchen, dessen rotes Haar in Büscheln ausgegangen war. »Sind ihre Eltern schon benachrichtigt worden?«

»Ja. Ich habe gerade mit dem Vater gesprochen.« Luke hörte, wie Chase die Luft einsog. »Ich musste ihn bitten, ihre Bürste oder eine andere Quelle für eine DNA-Probe mitzubringen. Sie, ähm, wollen sie sehen.«

»O Gott, Chase. Das wollen sie nicht. Wirklich nicht.«

»Doch, müssen sie«, sagte Chase leise. »Sie müssen einen Abschluss finden. Das wissen Sie so gut wie ich. Sie werden nicht glauben, dass ihre Tochter tot ist, bis sie sie mit eigenen Augen gesehen haben. Sie war zwei Jahre verschwunden, Luke.«

Zwei Jahre zermürbende Warterei, zwei Jahre Furcht. Immer hoffend und doch ahnend, dass das Schlimmste eingetroffen war. »Ich bin unterwegs zum Leichenschauhaus. Ich werde Felicity Berg fragen, ob sie sie ein bisschen herrichten kann. Übrigens habe ich auch Neuigkeiten. Wir haben möglicherweise eine sechste Tote.«

»Ach, verdammt«, murmelte Chase müde. »Wer?«

»Wir haben nur einen Vornamen. Becky. Bitten Sie Ed, in der Nähe der Mauer zu graben, hinter der Beardsleys Zelle gelegen hat.«

Chases Seufzen war zentnerschwer. »Sind wir sicher, dass es nur eine ist?«

»Die Frage habe ich mir auch schon gestellt. Vielleicht sollte Ed veranlassen, vor dem Graben einen Scan zu machen.«

»Tja, es wird Stunde um Stunde besser.«

In Chases Stimme lag noch etwas. Trauer. »Was ist los?«

»Zach Granger ist tot.«

Luke stieß zischend die Luft aus. »Aber es war doch nur eine Augenverletzung.«

»Er hat vor einer Stunde eine Gehirnblutung gehabt. Seine Frau war bei ihm.«

»Ich … ich war gerade noch im Krankenhaus. Mir hat niemand etwas gesagt.«

»Wie halten es unter Verschluss.«

»Weiß Pete es schon?«

»Nein. Und sagen Sie ihm bitte auch noch nichts. Das mache ich schon.«

»Er ist unterwegs und will den Brandermittler in Dutton treffen.«

Chase fluchte. »Ich wünschte, ich hätte nie etwas von dieser verdammten Stadt gehört.«

»Tja, da sind Sie wahrhaftig nicht der Einzige. Aber wir haben einen Hinweis auf den möglichen Partner Granvilles. Beardsley bekam ein Telefongespräch mit jemandem namens Rocky mit.«

»Das sind ja sehr präzise Angaben«, erwiderte Chase gallig.

»Aber es ist eine neue Information, die uns weiterbringen kann. Ich sehe Sie um acht. Und jetzt fahre ich zum Leichenschauhaus.«

# 9. Kapitel

*Atlanta,
Samstag, 3. Februar, 6.00 Uhr*

Ma'am? Wir sind da. Ma'am? Der Flughafen. *Ma'am?*«
Susannah schreckte hoch und war einen Moment lang
desorientiert. Sie war endlich eingeschlafen. Dummerweise
nicht in ihrem Hotelbett, sondern im Taxi. »Entschuldigung.
Ich hatte eine lange Nacht.« Sie bezahlte und rutschte zur Tür.
»Danke.«
»Kein Gepäck?«
»Nein. Ich wollte mir einen Wagen mieten.«
»Dann müssen Sie von hier aus einen Shuttlebus zu den Miet-
wagenfirmen nehmen.«
*Mist.* »Ich habe nicht nachgedacht.« Als sie ihr Zimmer verlassen hatte, hatte sie nur eines im Sinn gehabt: Flucht. Flucht vor
den Gesichtern der zahllosen Ausreißerinnen, die sie sich fast
drei Stunden hintereinander angesehen hatte. Aber es gab kein
Entkommen. Sie sah die Gesichter immer noch. Einige waren
fröhlich, andere unglücklich.
Und alle waren fort. Was für eine Verschwendung. Von Potenzial. Hoffnung. Leben.
Sie hatte begonnen, jedes Gesicht mit der unbekannten M zu
vergleichen, aber an irgendeinem Punkt hatte ihr Verstand
nicht mehr mitgemacht, und sie hatte begriffen, dass es Darcy
Williams war, die sie auf jedem Foto zu sehen versuchte.
Frustriert und aufgewühlt hatte sie den Computer ausgeschaltet. Sie brauchte eine Pause und einen Wagen, wenn sie zu

193

Sheila Cunninghams Begräbnis fahren wollte. Und daher hatte sie sich ein Taxi zum Flughafen genommen.

»Ich kann Sie hinfahren«, sagte der Taxifahrer. »Steigen Sie wieder ein.«

Fröstelnd gehorchte sie. »Danke.«

»Schon okay.« Der Fahrer schwieg während der kurzen Fahrt zu den Mietwagenfirmen. Aber als er anhielt, stieß er einen lauten Seufzer aus. »Lady, es geht mich ja nichts an, aber ich denke, Sie haben ein Recht darauf, Bescheid zu wissen. Wir werden verfolgt, seit wir das Hotel verlassen haben.«

Ärger stieg in ihr auf. Schon wieder ein Reporter? »Was für ein Wagen?«

»Schwarze Limousine. Getönte Scheiben.«

»Na toll«, sagte sie gepresst, und er sah sie im Rückspiegel an.

»Ich dachte nur ... dass Sie vielleicht vor jemandem weglaufen.«

*Ja. Vor mir.* »Wer immer da drinsitzt, ist bestimmt nicht gefährlich. Wahrscheinlich ein Reporter.«

Er musterte sie mit verengten Augen, als er das Geld nahm. »Sind Sie eine Berühmtheit?«

»Nein. Danke, dass Sie es mir gesagt haben. Das war sehr nett.«

»Ich habe eine Tochter in Ihrem Alter. Sie ist beruflich ständig unterwegs, und oft mache ich mir Sorgen.«

Susannah schenkte ihm ein Lächeln. »Dann kann sie sich glücklich schätzen. Passen Sie auf sie auf.«

Als er davonfuhr, drehte sie sich um. Sie sah den schwarzen Wagen, dessen Fahrer zwar Abstand hielt, sich aber keine Mühe machte, unauffällig zu sein. Sie wandte sich dem Eingang der Mietwagenfirma zu, als sich der Wagen langsam in

Bewegung setzte. Sie blieb wieder stehen, der Wagen diesmal nicht. Langsam, fast lautlos, rollte er an ihr vorbei, und Susannah konnte den kalten Schauder nicht unterdrücken.

Das Nummerschild lautete *Georgia, DRC-119.* Sie speicherte es ab und wandte sich erneut um, als es plötzlich Klick in ihrem Verstand machte. Mit wild pochendem Herzen wirbelte sie herum. Doch die Limousine war verschwunden.

DRC. Darcy. Es mochte ein simpler Zufall sein. Nur die Zahl war ein Zufall zu viel. Eins-neunzehn. Vor sechs Jahren hatte sie Darcy am 19. Januar gefunden. Zusammengeschlagen, blutig und sehr, sehr tot. Und vor dreizehn Jahren war sie am neunzehnten Januar in ihrem Geheimversteck erwacht. Nach Whiskey stinkend, vergewaltigt und zu Tode verängstigt.

Charles lächelte. Jetzt hatte er endlich ihre Aufmerksamkeit gewonnen. Susannah war schon immer eine kleine Hochnäsige gewesen, abgeklärt und souverän. Zumindest dachte das jeder. Nur er hatte es besser gewusst.

Dass es in Susannah Vartanian eine dunkle Seite gab, hatte er ebenfalls immer gewusst. Er konnte es spüren. Es war ein Blick. Ein Duft. Eine Aura. Er hatte versucht, sie zu verlocken, aber sie hatte sich widersetzt. Zumindest glaubte sie das. Aber er wusste es besser.

Er wusste alles über die kleine Susannah Vartanian. *Alles.*

Und käme heraus, was er wusste, wäre die Welt schockiert. Ja, ja, das böse, böse Mädchen. Bald würde er sie haben. Aber zuerst wollte er ein wenig mit ihr spielen.

Er wartete, bis sie mit ihrem Mietwagen aus der Garage kam. Ein gediegenes, vernünftiges Auto. Das brave Vartanian-Mädchen fuhr nichts Schickes. Er scherte hinter ihr ein und folgte ihr bis Wal-Mart. Nun, sie hatte am vergangenen Morgen impulsiv New York verlassen und war ohne Gepäck gekommen. Es war sicher klug, ein wenig einzukaufen.

Er ließ sie aussteigen und ein Stück gehen, bevor er zum zweiten Mal an ihr vorbeifuhr. Laut lachte er auf. Ihre Miene war köstlich.

Charles hatte vorgehabt, noch ein weiteres Jahr zu warten, bevor er sie mit dem Nummernschild quälte, denn dann wäre Darcys Dahinscheiden sieben Jahre her gewesen. Aber nun war Susannah hier und besonders verletzlich, und es wäre eine Schande gewesen, sich diesen Moment entgehen zu lassen. Sobald sie das Geschäft betreten hatte, parkte er. Er hatte keine Sorge, dass sie die Polizei rufen würde. Sie würde niemals erzählen, was am 19. Januar geschehen war, weder das eine noch das andere Mal. Er öffnete sein Elfenbeinkästchen und zog einen seiner größten Schätze hervor. Es war nur ein Foto, aber dennoch so viel mehr. Es war ein Augenblick in der Zeit, für immer festgehalten.

Eine jüngere Ausgabe seiner selbst lächelte ihm in Schwarzweiß entgegen. Er stand neben Pham. Pham war damals schon alt gewesen und hatte gewusst, dass der Tod sich näherte. *Doch ich wusste zum Glück nicht, dass er so krank war. Ich habe einfach nur in den Tag gelebt.* Pham hatte immer dafür plädiert, zu genießen, was man hatte, aber er hatte auch Geduld gepredigt. *Der geduldige Vogel frühstückt den saftigsten Wurm.*

Charles dagegen war Verfechter der amerikanischen Ansicht, dass man das Eisen schmieden sollte, solange es noch heiß war, und mit der Zeit hatte auch Pham eingesehen, dass diese Einstellung Gewinn erbrachte. Der verehrte buddhistische Mönch und sein Bodyguard aus dem Westen – was für ein Gespann. Man ließ sie überall ein. Ob Pham nun das Schicksal vorhersagte, seine Heilkräfte anwandte oder einfach nur die hohe Kunst der Erpressung betrieb – die Häuser, die sie verließen, waren stets sehr viel ärmer als zuvor.

*Ich vermisse dich noch immer, mein Freund. Mein Mentor.* Er fragte sich, was Pham getan hätte, wenn Charles zuerst gestorben wäre, wie Toby nun. Doch dann musste Charles lachen. Pham hätte getan, was immer ihm am meisten Geld eingebracht hätte, als sei der Tag nicht anders als alle zuvor. Pham hatte das Geld geliebt.

Charles brauchte das Geld inzwischen nicht mehr, und diese Inszenierung für Susannah Vartanian war reines Vergnügen. Pham hätte es gefallen.

*Atlanta,*
*Samstag, 3. Februar, 6.15 Uhr*

Dr. Felicity Berg blickte kurz auf, als Luke eintrat, konzentrierte sich dann aber wieder auf die Leiche vor ihr auf dem Tisch. »Ich habe mich schon gefragt, wann Sie wohl kommen würden. In ein, zwei Stunden hätte ich Sie angerufen.«

»Ich hatte einiges zu tun«, erwiderte Luke. Ihr barscher Tonfall beleidigte ihn nicht. Er mochte Felicity, auch wenn die meisten sie für unterkühlt hielten. Wahrscheinlich hielten auch viele Leute Susannah für kalt, aber Luke war sich sicher, dass kaum jemand sie wirklich kannte. Vielleicht niemand außer Daniel. »Was haben Sie bisher gefunden?«

»Jede Menge Widerliches«, schnappte sie, doch dann stieß sie einen Seufzer aus. »Tut mir leid. Ich bin müde. Und Ihnen geht es nicht anders, ich weiß.«

»Ja, aber ich musste mich nicht die ganze Nacht mit diesen

Mädchen hier beschäftigen«, sagte er sanft. »Geht's Ihnen gut, Felicity?«

Sie schluckte hörbar. »Nein.« Dann fuhr sie in knappem Tonfall fort. »Wir haben fünf Frauen, alle zwischen fünfzehn und zwanzig Jahren. Zwei litten unter extremer Unterernährung, Opfer Nummer zwei und Opfer Nummer fünf. Das ist sie hier.«

»Ich denke, dieses Mädchen haben wir identifiziert«, sagte Luke. »Kasey Knight. Ihre Eltern kommen her. Sie werden gegen zwei Uhr eintreffen.«

Felicitys Kopf schoss hoch. »Sie wollen sie sehen? Luke, *nein.*«

»Doch.« Luke kam näher, stählte sich, musste aber dennoch würgen, als er das Mädchen sah. »Können Sie ... können Sie etwas an ihrem Aussehen machen?«

»Können Sie die Eltern überzeugen, sie sich nicht anzusehen? Wir können die Identifizierung über DNA in vierundzwanzig Stunden bestätigen.«

»Sie haben zwei Jahre gewartet. Sie müssen sie sehen.«

Sie starrte ihn eine Weile stumm an, dann durchbrach ein Schluchzer die Stille. »Herrgott noch mal, Luke.« Sie wich weinend zurück und hielt die Hände in den blutigen Handschuhen von sich gestreckt. »Herrgott.«

Luke streifte sich Handschuhe über, schob ihre Schutzbrille hoch und betupfte ihr die Augen mit einem Papiertuch. »Sie hatten eine lange Nacht«, sagte er ruhig. »Warum gehen Sie nicht nach Hause und schlafen, bis die Eltern hier sind? Sie ist doch die Letzte, nicht wahr?«

»Ja, und ich bin fast fertig. Setzen Sie mir die Brille wieder auf, ja?«

Luke tat es und wich dann zurück. »Ich sag's auch nieman-

198

dem«, sagte er gespielt verschwörerisch, und ihr Lachen war verlegen.

»Normalerweise gelingt es mir, die Distanz zu wahren, damit es mir nicht so nahegehen kann, aber ...«

»Aber manchmal ist es doch so, ich weiß. Mir geht's genauso. Was haben Sie noch herausgefunden?«

Sie straffte die Schultern, und als sie sprach, war sie wieder ganz die Forensikerin. »Opfer Nummer fünf, Kasey Knight, hatte Gonorrhö und Syphilis.«

»Aber die anderen nicht?«

»Richtig. Opfer Nummer eins hatte eine Sichelzellenanämie, das könnte die Suche etwas einengen. Opfer Nummer zwei hatte in den vergangenen sechs Monaten einen Armbruch. Und er war nicht besonders gut gerichtet. Auch am anderen Arm waren strahlenförmige Frakturen zu erkennen, und es sieht so aus, als seien sie zeitgleich entstanden. Wahrscheinlich im Zuge des Missbrauchs.« Sie sah stirnrunzelnd auf. »Es ist seltsam. Die zwei abgemagerten Mädchen hatten eine hohe Konzentration an Elektrolyten im Blut. Und ich habe Einstiche in den Armen gesehen. Als habe man ihnen via Tropf Infusionen gegeben.«

»Wir haben Infusionsbeutel und Spritzen im Bunker gefunden.«

»Soll das heißen, dass dieser Arzt, der getötet wurde, sie *behandelt* hat?«

»Ich könnte mir vorstellen, dass er sie zum Wiederverkauf aufgepeppt hat. Noch was?«

»Ja. Das Beste habe ich mir bis zum Schluss aufgespart. Kommen Sie her.«

Er kam näher, als sie den Körper des Mädchens behutsam zur Seite rollte. Er beugte sich herab und blinzelte, um zu erken-

nen, was sich auf der rechten Hüfte befand. »Eine Swastika.«
Er sah auf. »Ist das ein Brandzeichen?«

»Allerdings. Alle Mädchen haben eins, an derselben Stelle, alle die Größe eines Zehn-Cent-Stücks.«

Luke richtete sich wieder auf. »Neonazis?«

»Da drüben liegt eine Tüte, die vielleicht hilfreich ist.«

Luke ging zur Theke und hielt das Tütchen ins Licht. Darin war ein Siegelring mit der Schlange der AMA, der American Medical Association, zu erkennen. »Und?«

»Der stammt von Granvilles Finger.«

»Okay, er war Arzt, das ist ein Symbol der Ärztevereinigung. Ich möchte nicht respektlos erscheinen, aber – na und?«

Sie sah ihn belustigt an. »Der vordere Teil ist nur Fassade. Trey hat es zufällig herausgefunden, als er dem guten Doc den Ring vom Finger ziehen wollte. An der Seite befindet sich ein kleiner Stift.«

Luke drückte ihn herunter, und in der Tüte klappte die Front des Rings nach vorn, um das Hakenkreuz zu enthüllen. »Na, so was. Hat man die Brandzeichen damit gemacht?«

»Ich denke nicht. Das Muster ist zu stark eingeprägt, und wir haben keine Zellreste auf der Oberfläche entdeckt, aber das Labor wird es mit Sicherheit sagen können.«

»Ich werde mal nachsehen, ob ich das Design irgendwo finden kann. Felicity – Sie müssen die Identifizierung mit den Eltern nicht machen.«

»Ich tu's aber.« Vorsichtig zog sie das Tuch über Kasey Knight. »Wir sehen uns um zwei.«

Susannah stand an der Tür zu Lukes Büro und befahl ihren Händen, nicht zu zittern. Nachdem der schwarze Wagen verschwunden war, hatte sie sich ein Auto gemietet und war zum nächsten Wal-Mart gefahren, um sich Toilettenartikel zu besorgen. Anschließend war sie zum Hotel zurückgefahren und mit jeder Meile panischer geworden, weil sich der DRC-119 nicht die Mühe einer unauffälligen Verfolgung machte. Der Wagen war auf dem Parkplatz des Supermarkts, auf dem Highway und am Hotel aufgetaucht, als sie dem Portier die Schlüssel übergeben hatte.

Einen Moment lang hatte sie sich gefragt, ob Al Landers weitererzählt hatte, was er wusste, hatte den Gedanken jedoch rasch wieder verworfen. Al würde so etwas nicht tun. Aber wenn er wusste, dass sie jedes Jahr Darcys Grab besuchte, dann konnte es auch jemand anderes herausgefunden haben. Sie musste in Erfahrung bringen, wer auf dieses Nummernschild gemeldet war.

Luke. Sie vertraute ihm. Also hatte sie den Portier um den Schlüssel gebeten und war hierhergefahren.

Sie klopfte, und er blickte von seinem Computer auf. In seiner Miene war zunächst Überraschung, dann Interesse zu lesen. Ein paar Sekunden lang sahen sie sich in die Augen, und ihr Mund wurde trocken. Dann verschloss sich sein Blick, und der Moment war vorbei. »Susannah.«

Es war nicht wichtig, was sie von seinem spürbaren Interesse für sie hielt, denn sobald er die Wahrheit wüsste, würde es verschwinden. *Er wird mich nicht mehr wollen.* Kein anständiger Mann würde das.

»Ich habe Leigh getroffen, die gerade von der Pause kam, und sie hat mich hinaufbegleitet.«

»Kommen Sie herein.« Er hob einen Stapel Akten vom Stuhl und legte ihn auf der anderen Seite seines Schreibtischs ab. »Ich habe noch ein bisschen Zeit bis zum Meeting um acht, deshalb erledige ich den Papierkram. Setzen Sie sich. Ich wollte Sie gestern noch anrufen, aber dann ist so viel passiert. Wir haben gestern Nacht Borensons Hütte gefunden, ihn selbst allerdings nicht. Aber es sieht aus, als habe es einen Kampf gegeben.«

Sie sah überrascht hoch, als sie sich setzte. »Glauben Sie, dass er tot ist?«

Er ließ sich ebenfalls auf seinen Stuhl sinken. »Dieser Kampf muss schon ein paar Tage her sein. Wenn er dabei verwundet wurde, dann sieht's nicht gut für ihn aus. Er muss inzwischen ziemlich viel Blut verloren haben.«

»Sie sagen, der Kampf muss ein paar Tage her sein. Vor ein paar Tagen aber war Granvilles Welt vermutlich noch in Ordnung. Sie waren Mack O'Brien auf der Spur.«

»Ich weiß, aber ich kann es trotzdem nicht ignorieren. Wir wissen, dass er vor dreizehn Jahren irgendwie beteiligt war. Das kann er auch jetzt noch sein.« Er zog die Stirn in Falten. »Apropos. Ist Ihnen an dem verletzten Mädchen irgendetwas aufgefallen? Eine Tätowierung oder eine Narbe?«

»Was denn für eine Tätowierung?«

Er zögerte. »Eine Swastika zum Beispiel.«

Zum zweiten Mal in zwei Stunden erstarrte Susannahs Blut zu Eis. »Nein. Sie trug ein Nachthemd und lag unter einer Decke, als ich sie auf der Intensivstation besuchte.« *Großartig. Du bleibst ruhig.* »Aber das Krankenhaus hätte doch sicher darauf hingewiesen, oder?«

»Das denke ich eigentlich auch, aber gestern waren sie vor allem damit beschäftigt, ihr Leben zu retten.«

»Ja, da haben Sie recht. Warum fragen Sie nicht nach?«

»Weil …« Er zögerte wieder. »Weil gestern Nacht jemand versucht hat, Beardsley umzubringen.«

»O Gott. Sind Sie sicher?«

»Ich habe die Analyse des Labors hier. Jemand hat sich an seiner Infusion zu schaffen gemacht.«

»Wie geht's ihm?«

»Gut soweit. Es war zeitweise ziemlich dramatisch, aber jetzt geht's ihm wieder gut.«

»Und das Mädchen? Und Bailey?«

*Und Daniel?*

»Und Daniel?«, fragte er leise. In seiner Stimme lag nur ein Hauch Vorwurf.

*Und den habe ich verdient.* »Und Daniel. Ist alles mit Ihnen in Ordnung?«

»Ja. Aber ich weiß nicht mehr, wem ich vertrauen kann. Daher habe ich gehofft, Sie hätten das Zeichen vielleicht gesehen.«

Ihr Herz hämmerte wild, aber ihre Stimme blieb ruhig. »Und warum ist das so wichtig?«

»Weil jedes Mädchen im Leichenschauhaus ein solches Brandmal an der Hüfte hat.«

Sie schluckte hart und konzentrierte sich darauf, das Hämmern ihres Herzens einzudämmen. *Das kann nicht sein. Das kann einfach nicht passieren.* Aber es konnte sein. Und es passierte. *Sag's ihm. Jetzt.*

*Moment noch. Erst DRC-119.* »Es war also Granvilles Zeichen.«

»Es sieht so aus. Aber Sie sind sicher nicht deswegen hergekommen. Was kann ich für Sie tun?«

*Ruhig, Susannah.* »Ich mag Sie nur ungern damit belästigen, aber mir ist heute Morgen ein Wagen gefolgt.«

Seine dunklen Brauen zogen sich zusammen. »Was soll das heißen?«

»Ich bin schon früh zum Flughafen gefahren, um mir einen Wagen zu mieten. Ich wollte heute nach Dutton. Sheila Cunningham wird beerdigt.«

»Sheila Cunningham. Stimmt. Das hätte ich fast vergessen«, murmelte er, dann sah er wieder zu ihr auf. »Und weiter?«

»Hinter meinem Taxi fuhr eine schwarze Limousine her. Sie folgte mir auch zu einem Supermarkt und wieder zurück zum Hotel. Es … es hat mich ein wenig aus der Bahn geworfen.«

Vollkommen sogar. »Könnten Sie das Nummernschild überprüfen lassen?«

»Wie lautet das Kennzeichen?«

»DRC-119. Es war keines der Standardnummernschilder – Sie wissen schon, mit dem Pfirsich in der Mitte. Die Buchstaben hingen zusammen.«

»Ein Wunschkennzeichen, meinen Sie. Personalisiert.«

»Ja, das denke ich.« Sie hielt den Atem an und wartete, während er die erforderlichen Angaben in die Datenbank eingab. Und wartete weiter, als er mit unbewegter Miene auf den Bildschirm starrte. Doch endlich hielt sie es nicht mehr aus. »Luke?«

Er sah auf, aber sie konnte noch immer nichts in seinen Augen lesen. »Susannah, kennen Sie eine Darcy Williams?«

*Wag es ja nicht wegzulaufen. Dieses Mal nicht.* »Sie war meine Freundin. Sie ist tot.«

»Susannah, das Fahrzeug ist auf eine Darcy Williams zugelassen, aber das Bild in der Datenbank hier … ist Ihres.«

Ihre Kehle verschloss sich. Keine Luft ging hinein. Kein Wort hinaus.

»Susannah?« Er sprang auf die Füße, ging rasch um seinen Tisch herum und packte sie an den Schultern. »Atmen.«

Sie holte mühsam Luft und versuchte, die Übelkeit niederzukämpfen. »Es gibt etwas, das Sie wissen müssen.« Jetzt war ihre Stimme nicht mehr ruhig. »Die Swastika. Ich auch. Ich habe eine an der Hüfte. Ein Brandzeichen.«

Er stieß langsam und kontrolliert die Luft aus. Seine Hände blieben auf ihren Schultern liegen und drückten sie leicht. »Von dem Missbrauch damals.« Es war keine Frage. Aber es hätte eine sein sollen.

Sie machte sich los und trat ans Fenster. »Nein. Es geschah sieben Jahre später. Am 19. Januar.«

»Eins-neunzehn«, murmelte er. »Wie auf dem Nummernschild.«

»Am 19. Januar geschah auch die Vergewaltigung durch Simons Truppe.«

Im Glas der Scheibe sah sie, wie er reglos verharrte. »Susannah, wer war Darcy Williams?«

»Wie ich schon sagte. Meine Freundin. Sie ist tot.«

»Wie ist sie gestorben?«, fragte er leise.

Sie starrte hinab auf den Parkplatz unter ihr. »Ich habe es noch nie jemandem erzählt. Noch nie.«

»Aber jemand weiß es.«

»Mindestens drei Leute. Und nun Sie.« Sie wandte sich um und begegnete seinem Blick. »Die Person, die mir gefolgt ist, weiß es. Gestern Nacht habe ich herausgefunden, dass mein Chef es schon lange weiß. Zumindest einen Teil der Geschichte. Die dritte Person ist der Detective, der damals die Ermittlung leitete.«

»Ermittlung in was?«

»Darcy wurde in einem billigen Hotel in Hell's Kitchen er-

205

mordet. Ich war im Nebenzimmer.« Ihr Blick fixierte ihn, schien sich an ihn zu klammern. »Ich studierte zu der Zeit Jura an der NYU. Darcy war ungefähr ein Jahr jünger als ich. Sie arbeitete als Kellnerin im West Village. Wir lernten uns in einer Bar kennen. An dem Abend trafen wir ein paar Jungs.«

»In Hell's Kitchen? Haben Sie das öfter gemacht?«

Sie zögerte nur einen Sekundenbruchteil. »Es war eine One-Night-Geschichte.«

*Lügnerin.*

*Sei still. Ich muss wenigstens etwas für mich behalten dürfen.*

»Aber etwas passierte«, sagte er.

»Ich war bewusstlos. Ich glaube, der Kerl hat mir etwas in den Drink getan. Als ich aufwachte, war ich allein und …« Hatte klebrige Oberschenkel. Er hatte kein Kondom benutzt. »Und meine Hüfte brannte höllisch.«

»Das Zeichen.«

»Ja. Ich zog mich hastig an und klopfte an die Tür nebenan, wo Darcy sein sollte. Die Tür war nicht geschlossen und schwang … einfach auf.« Und plötzlich stand sie wieder da, auf der Schwelle, und sah es. Blut. Überall. Auf dem Spiegel, auf dem Bett, an den Wänden. »Darcy lag auf dem Boden. Nackt. Sie war tot. Sie war zu Tode geprügelt worden.«

»Was haben Sie getan?«

»Ich bin weggelaufen. Ich lief zu einer Telefonzelle zwei Blocks weiter und rief die 911 an. Anonym.«

»Warum anonym?«

»Ich studierte Jura. Ich arbeitete bereits im Büro des Bezirksstaatsanwalts. Wenn ich in einen solchen Skandal verwickelt worden wäre …« Sie blickte zur Seite. »Jetzt klinge ich schon wie meine Mutter. So hat sie immer mit meinem Vater geredet, wenn Simon mal wieder etwas Übles getan hat. ›Arthur, es wird einen Skandal geben. Das kannst du nicht zulassen.‹ Und mein Vater marschierte los und bog es wieder gerade.«

»Sie sind nicht wie Ihre Eltern, Susannah.«

»Sie haben doch gar keine Ahnung, was ich bin«, fuhr sie ihn an, dann hielt sie plötzlich verblüfft inne. Sie hatte dasselbe zu Daniel gesagt. Wortwörtlich.

*Was hat dich dazu veranlasst herzukommen?*, hatte er gefragt.

*Die anderen werden aussagen,* war ihre Antwort gewesen. *Soll ich so feige sein und mich drücken?*

Natürlich hatte er sofort abgestritten, dass sie feige war, und sie hatte ihm beinahe ins Gesicht gelacht. *Du hast gar keine Ahnung, was ich bin, Daniel.* Und das entsprach der Wahrheit. Sie hätte es lieber weiterhin so gehalten, aber ihre Geheimnisse schienen eins nach dem anderen ans Tageslicht zu kommen.

»Was sind Sie dann?«, fragte Luke ruhig.

*Wenn du wüsstest.* Sie wandte sich gedanklich wieder der Vergangenheit zu. »Ich war ein Feigling.«

Er blinzelte. Ihr geschicktes Ablenkungsmanöver war ihm nicht entgangen. »Sie haben den Notruf gewählt. Das ist immerhin etwas.«

»Na klar. Ich habe sogar noch einmal angerufen, und zwar den Detective, der den Fall bekommen hatte. Ich beschrieb ihm den Kerl, der Darcy in der Bar aufgelesen hatte, und gab ihm die Adresse der Bar. Er meinte, er müsse ein paar Dinge überprüfen, und ich solle in vier Stunden noch einmal anrufen. Das tat ich, und er beobachtete mich dabei.«

»Sie haben von derselben Telefonzelle aus angerufen.«

»Alle drei Male.« Sie lächelte gepresst. »Deswegen erwischen wir so viele Schurken, Agent Papadopoulos. Sie machen so dumme Dinge.«

»Luke«, sagte er freundlich. »Ich heiße Luke.«

Ihr gepresstes Lächeln verblasste. »Luke.«

»Und was geschah dann?«, fragte er in demselben Tonfall.

»Detective Reiser schnappte den Täter aufgrund meiner Hinweise. Sobald er wusste, wo er ansetzen musste, konnte er den Rest unabhängig von mir erledigen. Er musste mich nicht in die Sache hineinziehen, obwohl er es meinem Chef erzählte, aber wahrscheinlich tat er das eher, um sich selbst abzusichern. Und so waren mein Ruf und meine Karriere gerettet.«

»Und es ist eine gute Karriere und ein guter Ruf. Warum kasteien Sie sich deshalb ständig?«

»Weil ich ein solcher Feigling war. Ich hätte mich dem Typen, der Darcy getötet hat, damals stellen müssen.«

»Und deswegen wollen Sie sich jetzt Garth Davis stellen? Als eine Art Wiedergutmachung?«

Ihre Lippen bildeten eine dünne Linie. »Das scheint eine beliebte Schlussfolgerung zu sein.«

Er legte ihr einen Finger unter das Kinn und hob ihren Kopf an, bis ihre Blicke sich trafen. »Und was ist mit dem anderen Kerl gewesen?«, fragte er. »Der, der Ihnen etwas in den Drink getan hat?«

Sie hob eine Schulter. »Er ist verschwunden. Ich habe ihn nie wieder gesehen. Ich bin drüber weg.«

»Hat er Sie vergewaltigt?«, fragte er mit sorgsam kontrollierter Stimme.

Sie dachte an das Blut und das klebrige Sperma auf ihren Schenkeln. »Ja. Aber ich bin aus freien Stücken in das Hotelzimmer gegangen.«

»Haben Sie sich eigentlich gerade *gehört*?« Nun war seine Stimme nicht mehr kontrolliert. Sie klang wie ein Knurren.

»Ja«, zischte sie. »Ich höre es jedes Mal, wenn ich es denke.

Und jedem Opfer erzähle ich, dass es nicht verdient hat, vergewaltigt worden zu sein. Aber mein Fall war etwas anderes, verdammt noch mal. Etwas völlig anderes.«

»Und warum?«

»Weil es *mir* geschehen ist«, schrie sie. »Wieder. Ich habe zugelassen, dass es mir wieder geschieht, und dabei ist meine Freundin gestorben! Meine Freundin wurde umgebracht, und ich war so feige und bin weggelaufen!«

»Sie hatten es also verdient, vergewaltigt zu werden?«

Sie schüttelte müde den Kopf. »Nein. Aber Gerechtigkeit auch nicht.«

»Herrgott noch mal, ihr Vartanians seid echt gestört«, fauchte er. »Wenn Ihr Vater nicht schon tot wäre, würde ich ihn gern selbst erledigen.«

Sie hob sich auf die Zehenspitzen und sah ihm direkt in die Augen. »Stellen Sie sich hinten an.« Dann wich sie einen Schritt zurück und atmete ein paarmal tief durch, um sich wieder zu fangen. »Also – wie soll ich das jetzt deuten? In der Nacht, in der meine Freundin in New York umgebracht wird, werde ich vergewaltigt und gebrandmarkt. Sechs Jahre später werden im wunderschönen idyllischen Dutton vier weibliche Leichen mit demselben Brandzeichen gefunden. Hängen diese Ereignisse zusammen? Hm, ich stimme für ja.«

Sie beobachtete, wie er seinen Zorn eindämmte und ihn beiseiteschob. »Zeigen Sie's mir«, sagte er.

Sie riss die Augen auf. »Wie beliebt?«

»Zeigen Sie's mir. Woher soll ich sonst wissen, dass es sich um dasselbe Symbol handelt?«

»Na, dann zeigen Sie doch Ihre. Ich sollte es wissen.«

»Meine sind im Leichenschauhaus«, fuhr er sie an. »Herrgott, Susannah. Ich habe Sie gestern im BH gesehen. Mein Meeting

209

hat vor ein paar Minuten begonnen, also machen Sie schon. Bitte.«

Er hatte ja recht. Nun war nicht der richtige Zeitpunkt, die Schüchterne zu mimen. Und welchen Sinn hatte es schon in Anbetracht dessen, was sie ihm eben enthüllt hatte? »Machen Sie die Augen zu.« Sie zog den Reißverschluss ihres Rocks auf und schob die Strumpfhose gerade so weit herunter, dass er es sehen konnte. »Okay.«

Er ging in die Hocke, starrte auf das Zeichen und schloss die Augen wieder. »Ziehen Sie sich wieder an. Es ist dasselbe, wenn auch etwas größer.« Er richtete sich auf, die Augen noch immer geschlossen. »Wieder salonfähig?«

»Ja. Und was jetzt? Jemand hier in Atlanta weiß über Darcy Bescheid. Jemand in Dutton hat offenbar ein Brandeisen im Swastika-Design. Hat derselbe Jemand mich gebrandmarkt und meine Freundin getötet? Und wenn ja, warum?«

»Keine Ahnung. Aber ich denke, wir müssen anfangen, uns die Gruppen anzusehen, die an die weiße Vorherrschaft glauben.«

»Wegen des Hakenkreuzes? Vielleicht, vielleicht aber auch nicht.«

Er hatte die Hand schon am Türknauf, hielt aber inne. »Wieso?«

Es war besser, sich auf Einzelheiten zu konzentrieren, statt über etwas zu brüten, das sie nicht mehr ändern konnte. »Mein Brandzeichen ist kein deutsches Hakenkreuz. Es ist an den Spitzen gebogen. Als Symbol wird es von vielen Religionen verwendet.« Sie zog die Brauen hoch. »Unter anderem im Buddhismus.«

»Womit wir wieder bei Granvilles *thích* wären.«

»Vielleicht. Vielleicht auch nicht. Ich kann es für Sie recherchieren, wenn Sie mögen.«

»Ja. Bleiben Sie bitte hier, während ich beim Meeting bin. Ich komme anschließend wieder her.«

»Ich kann nicht bleiben. Ich habe um neun einen Termin mit Chloe Hathaway.«

»Sie ist ebenfalls bei meinem Meeting jetzt. Wenn wir fertig sind, können Sie hier mit ihr reden. Dann spart sie sich die Fahrt zum Hotel.«

»Aber meine Aussage befindet sich auf dem Laptop. Und der ist im Hotel.«

»Wir haben eine ganze Armee von Stenographen, die Hinweise aus der Bevölkerung aufnehmen«, sagte er ungeduldig. »Wir ziehen jemanden ab, der Ihre Aussage mitschreibt. Ich muss jetzt los.«

»Luke, Moment noch. Mein Chef, Al … er wollte dabei sein.« Sie verzog die Lippen zu einem leicht selbstironischen Lächeln. »Als moralischer Beistand.«

Sein Blick wurde freundlicher. »Dann rufen Sie ihn an und bitten Sie ihn, herzukommen. Ich will nicht, dass Sie allein durch die Gegend fahren, bis wir wissen, wer sich einen Spaß daraus macht, Sie zu verfolgen. Alles passt zusammen. Wir müssen nur herausfinden, wie.« Er zögerte. »Ich habe versucht, Ihren Namen aus der Ermittlung herauszuhalten, bis Sie Ihre Aussage gemacht haben.«

»Warum?«, brachte sie hervor. Sie wusste, was nun kommen würde. *Er wird es sagen müssen. Und jeder wird wissen, was ich getan habe. Und was nicht.* Und genau das hatte sie verdient.

»Sie haben ein Recht auf Privatsphäre. Genauso wie Sie ein Recht auf Gerechtigkeit haben.«

Sie schluckte, denn seine Wortwahl traf sie hart. »Erzählen Sie, was nötig ist. Erzählen Sie, was vor dreizehn Jahren geschah.

Erzählen Sie von Hell's Kitchen, von Darcy, vom Brandzeichen. Ich habe meine Privatsphäre so verdammt satt. Seit dreizehn Jahren erstickt sie mich, meine Privatsphäre.« Sie hob rigoros das Kinn. »Also erzählen Sie ihnen ruhig alles. Mir ist es inzwischen egal.«

*Ridgefield House,*<br>*Samstag. 3. Februar, 8.05 Uhr*

Bobby hob beim ersten Klingeln ab. »Erledigt?«
Paul seufzte. »Erledigt.«
»Gut. Dann geh schlafen, Paul. Du klingst müde.«
»Nein, ernsthaft?« Paul seufzte wieder. »Ich habe heute Abend Dienst, also ruf mich nicht an.«
»Gut. Träum süß. Und danke.«
Bobby klappte das Handy auf, betrachtete einen Moment das Foto des Achtjährigen, dessen Mutter nun herausfinden würde, dass man sich Bobbys Befehlen nicht ungestraft widersetzte, und gab eine Nachricht ein. *Tu, was du tun sollst, oder auch er stirbt.* Ein Tastendruck, und die Nachricht wurde gesendet.
»Tanner, ich würde gerne frühstücken.«
Tanner tauchte aus dem Nichts auf. »Wie du wünschst.«

# 10. Kapitel

L uke blieb an der Tür zum Konferenzraum stehen. Er war so wütend, dass er zitterte.

*Aber Gerechtigkeit habe ich auch nicht verdient.* Er hätte sie gerne angeschrien und etwas Verstand in sie geschüttelt, aber er hatte es nicht getan. Er konnte nur das tun, was getan werden musste. Also stand er hier.

Gestern war er schockiert gewesen, als er herausgefunden hatte, dass auch sie ein Opfer von Simon und seiner Gang gewesen war. Heute musste er erfahren, dass man sie sogar ein zweites Mal vergewaltigt hatte. Und das auch noch am selben Datum.

Wieso hatte sie die beiden Ereignisse nicht miteinander in Verbindung gebracht? Und warum zum Teufel hatte sie sich damals einen One-Night-Stand gesucht, um sich damit in billigen Hotels zu vergnügen?

»Was ist los?« Ed kam mit einer Schachtel unterm Arm um die Ecke. »Du siehst aus, als stündest du neben dir.«

»Tu ich auch. Was ist da drin?«

»Jede Menge Kram, unter anderem Schlüssel, die wir gestern aus Granvilles Taschen geholt haben.«

Luke straffte sich. »Wieso? Ich meine, was ist damit?«

Ed wackelte mit den Augenbrauen. »Öffne die Tür, und wir werden es alle erfahren.«

Der Tisch im Raum war bereits voll besetzt. Nate Dyer vom

ICAC war da, ebenso Chloe, Nancy Dykstra und Pete Haywood. Neben Nate saß Mary McCrady, eine der Psychologinnen der Abteilung. Hank Germanio hatte neben Chloe Platz genommen und riss den Kopf hoch, als Luke und Ed eintraten – wahrscheinlich hatte er Chloe auf die Beine gestarrt. Chloe dagegen trug eine Miene allgemeiner Verachtung zur Schau: Die beiden konnten sich eindeutig nicht ausstehen.

Chase wirkte ein wenig verärgert. »Sie kommen spät, alle beide.«

»Aus einem bestimmten Grund. Und der ist es wert«, versprach Ed.

Chase klopfte leicht auf den Tisch. »Gut, fangen wir an. Ich habe Mary McCrady gebeten, dabei zu sein. Sie will versuchen, ein psychologisches Profil von Granvilles Partner zu erstellen. Okay. Aber zuerst ich.« Er hielt ein ledergebundenes Buch hoch. »Jared O'Briens Tagebuch.«

Luke starrte fassungslos drauf. »Wo haben Sie das gefunden?«

»Macks letztes Opfer«, begann Ed, »hatte ein GPS im Wagen, und wir haben das Signal verfolgt. Wir entdeckten, wo Mack sich versteckt gehalten hat, und fanden dort unter anderem dies.«

»Sehr faszinierend zu lesen«, sagte Chase. »Und tatsächlich wird auch Borensons Hütte erwähnt, Luke. Es liest sich, als wüssten alle Jungen, wo sie sich befanden, sobald sie dort eingetroffen waren. Toby Granville hatte sich nicht die Mühe gemacht, Borensons Bilder oder Auszeichnungen von den Wänden zu nehmen. Ich gehe das Buch nachher genauer durch, um zu sehen, ob irgendetwas auf Granvilles Mentor schließen lässt. Sonst noch etwas Neues? Luke?«

Luke musste von Susannahs Brandzeichen erzählen, aber irgendwie brachte er die Worte nicht über die Lippen. Er brauchte noch einen Moment Zeit. »Ich habe den Laborbericht für die Flüssigkeit, die sich in Ryan Beardsleys Tropf befand. Ein Stimulans, und die Konzentration war hoch genug, um ihn umzubringen. Die Sicherheitsmannschaft des Krankenhauses hat eine Person namens Isaac Gamble zu Beardsleys Zimmer zurückverfolgt.«

»Vier Agents haben sich schon auf die Suche nach ihm gemacht«, fügte Chase hinzu.

»Schön. Wenn wir ihn finden, legen wir ihm versuchten Mord zur Last, denn wenn man nicht so schnell mit den Paddles bei Beardsley gewesen wäre, dann hätte er nicht überlebt. Zum Glück geht's ihm wieder gut. Er konnte sich an einen Namen – Rocky – erinnern. Wir denken, dass es sich um Granvilles Boss handeln könnte.«

»Rocky ist nicht besonders spezifisch«, murrte Nancy.

»Da es sich um einen Spitznamen handelt, könnte er auf eine Körpergröße verweisen – oder den Mangel daran«, sagte Mary.

»Er könnte auch wie Rocky Balboa klingen. Es gehört jedenfalls zum Profil.«

»Und es ist mehr, als wir vorher hatten«, sagte Chase.

»Beardsley erinnerte sich außerdem an Geräusche an der Außenwand, die klangen, als würde gegraben. Die Männer nannten den Namen ›Becky‹.«

»O Gott«, murmelte Chloe. »Haben wir jetzt auch draußen Leichen?«

»Ich habe jemanden von der Universität gebeten, nach Dutton zu fahren und den Boden mit einem Radar zu scannen, damit wir das Grab finden«, sagte Ed.

Chase nickte. »Aber wir sollten den Ort mit einer Plane abhängen. Fehlt mir noch, dass die Medien etwas entdecken.

Außerdem haben wir eines der Mordopfer identifiziert. Kasey Knight.«

»Ihre Eltern werden um zwei hier sein«, sagte Luke. »Felicity sorgt dafür, dass sie ein wenig besser aussieht.«

»Ist sie mit der Autopsie fertig?«

»Ja. Aber bis auf die Tatsache, dass eines der Mädchen eine Sichelzellenanämie hatte, haben wir nichts gefunden, das bei der Identifizierung hilfreich gewesen wäre. Die besonders dünnen Mädchen hatten eine hohe Elektrolytkonzentration im Blut, und die Bestandteile passen zu den Infusionsbeuteln, die wir im Bunker gefunden haben. Ein Mädchen hatte Geschlechtskrankheiten. Darüber hinaus hat die Autopsie wenig ergeben.«

»Aber eines der Opfer hatten wir schon gesehen – Angel«, sagte Chase. »Nate? Was gefunden?«

»Ich habe die ganze Nacht meine Unterlagen durchgesehen. Ich kann nichts Neues finden – weder über Angel noch zu den anderen Mädchen, die wir auf der inzwischen geschlossenen Website gefunden haben. Ich habe ihr Foto und ihre Beschreibung an unsere Kooperationspartner geschickt. Ich bleibe dran.«

Nate sah erschöpft aus, und Luke konnte ihn gut verstehen. Das stundenlange Durchsehen von Vergewaltigungsszenen war emotional extrem kräftezehrend. Und wenn es sich dabei um Kinder handelte, war es noch tausendmal schlimmer.

»Ich konnte bisher nicht helfen«, sagte Luke entschuldigend. »Heute müsste ich es schaffen.«

»Ich könnte eine Pause gebrauchen«, gab Nate müde zu. »Aber ich suche weiter, wenn du andere Dinge zu tun hast. Es ist ja nicht so, als wärst du tatenlos gewesen.«

»Das waren wir alle nicht«, sagte Chase. »Pete, was hat der Brandursachenermittler gesagt?«

»Er hat einen Zeitzünder in Granvilles Haus gefunden«, sagte Pete ruhig, aber in seiner Stimme lag etwas Drohendes. Ein Mitglied seines Teams war tot, und Pete war stocksauer.

Luke sah verwirrt auf. »Ich denke, der Zünder war mit einem Draht an der Tür verbunden.«

»Richtig«, gab Pete zurück. »Aber der Typ wollte auf Nummer sicher gehen, und diese Vorsichtsmaßnahme hat ihn verraten. Der Ermittler meint, Brandstifter täten das häufig. Sie basteln für alle Fälle einen zweiten Zünder, aber wenn der nicht hochgeht, hat die Polizei etwas, dem sie nachgehen kann.«

»Und haben wir dieses Glück?«, fragte Chase.

»Haben wir. Der Brandstifter hat also zwei Zünder installiert. Einer mit einem Timer, den anderen hat er an der Tür befestigt. Der mit dem Timer sollte erst zwei Stunden später hochgehen.«

»Und? Konnte der Ermittler etwas Charakteristisches erkennen?«

Pete nickte. »Er glaubt, der Täter sei ein gewisser Clive Pepper. Er hat zwei Vorstrafen für Brandstiftung auf Bestellung. Wird auch Chili genannt.«

Nancy verdrehte die Augen. »Chili Pepper? Oh, bitte.«

Petes Augen blitzten auf. »Das Dreckschwein soll froh sein, wenn ich ihn nicht zuerst finde.«

»Pete«, mahnte Chase. »Schalten Sie einen Gang runter.« Er warf Chloe einen Blick zu. »Können wir ihn wegen Mordes belangen?«

Sie nickte knapp. »Aber sicher.«

»Mord?«, fragte Germanio. »Wieso das denn?«

Alle außer Pete und Chloe sahen verwirrt aus. Chase seufzte. »Zach Granger ist vergangene Nacht gestorben.« Ein Raunen ging durch den Besprechungsraum. Selbst Germanio war betreten. »Er hat sich bei der Explosion den Kopf angeschlagen. Dabei muss sich ein Blutgerinnsel gebildet haben, das … ihn getötet hat.«

Nancy erbleichte. »Oh, Pete, das tut mir so leid.« Sie streckte den Arm über den Tisch aus und legte ihre Hand über seine geballte Faust. »Nicht deine Schuld, Partner«, wisperte sie.

Pete sagte nichts. Luke nahm an, dass der Hüne Angst hatte, die Beherrschung zu verlieren.

Chase räusperte sich. »Nancy. Was gab es in Mansfields Haus?«

»Vor allem Pornos«, sagte sie angewidert. »Peitschen und Ketten. Vergewaltigung. Und Kinderpornos.«

Luke wappnete sich innerlich. »Ich gehe es durch.«

»Das machen wir zusammen«, sagte Nate. »Wo ist das Zeug, Nancy?«

»Hauptsächlich auf seinem PC. Die Computerforensik sitzt schon dran. Außerdem haben wir ein stattliches Waffenarsenal in einem Betonbunker in seinem Keller gefunden. Waffen und Munition und Nahrungsmittel, mit denen man eine ganze Stadt einen Monat lang ernähren könnte. Ich gehe gerade seine Rechnungen und andere Unterlagen durch, aber bisher ist nichts Interessantes aufgetaucht. Höchstens das hier.« Sie griff neben ihren Stuhl und zog eine große Tüte hervor. »Das hier habe ich gefunden, kurz bevor ich kam.«

»Ein Straßenatlas?«, fragte Luke.

»Richtig.« Und zwar eine große Ausgabe mit vielen Eselsohren, eindeutig häufig benutzt.

»Er hat Straßen auf den Seiten von Georgia, den beiden Carolinas, Florida und Mississippi markiert. Einhundertsechsunddreißig Strecken sind eingezeichnet«, fuhr Nancy fort. »Ich habe alle Routen aufgelistet. Keine Ahnung, wozu sie dienen, aber ich befürchte, es wird uns nicht gefallen.«

»Wir werden es herausfinden«, sagte Chase. »Gute Arbeit, Nancy. Hank?«

»Ich habe vielleicht Granvilles Frau gefunden«, sagte Germanio. »Helen Granville hat sich ein Zugticket nach Savannah gekauft.«

»Hat sie Familie dort?«, wollte Luke wissen, und Germanio schüttelte den Kopf.

»Ich habe die Nachbarn befragt, aber niemand wusste, woher ihre Familie stammt. Es heißt, sie sei eine stille Frau gewesen, sie habe nicht viel gesagt. Fast alle Leute meinten, sie wären schockiert über das, was geschehen ist, mit Ausnahme einer Frau. Sie behauptet, sie habe immer schon vermutet, Granville würde seine Frau misshandeln.«

»Und wie ist sie auf die Idee gekommen?«, wollte Mary wissen.

»Bevor sie in den Ruhestand ging, war sie Anwältin und hatte oft in einer Klinik, die Rechtshilfe leistete, mit misshandelten Frauen zu tun. Sie sagt, Mrs. Granville habe zwar keine sichtbaren blauen Flecken gehabt, aber gewirkt, als müsse sie ständig welche verbergen. Sie hat sie gefragt, ob sie Hilfe bräuchte, woraufhin Granvilles Frau nie wieder mit ihr gesprochen hat. Hier ist ihre Karte, wenn Sie mit ihr reden wollen.«

Mary schrieb Name und Telefonnummer auf. »Mach ich. Danke, Hank.«

Germanio warf Chloe einen vielsagenden Blick zu. »Ich habe eine *Verfügung* für Helen Granvilles Handyverbindungen angefordert, da der Festnetzanschluss nichts Interessantes erbracht hat. Nun, da ich eine *Verfügung* für Davis' Nummern habe, gehe ich der Spur von Kira Laneer nach, Davis' Geliebte.

Und wenn ich eine weitere *Verfügung* habe, überprüfe ich die Verbindungen von Mrs. Davis' Telefon, so dass ich vielleicht herausfinden kann, wohin sie gefahren ist. Es dürfte nicht so leicht sein, mit zwei Kindern unterzutauchen. Ich bin bei Davis' Schwester Kate gewesen, aber sie hat nicht aufgemacht. Ich versuche es morgen noch einmal.«

»Fahren Sie erst nach Savannah«, sagte Chase. »Ich will Mrs. Granville hier sehen. Ed, jetzt Sie.«

Ed öffnete die Kiste und holte ein rostiges Stück Metall hervor. »Das ist ein Teil der Pritsche aus einer der Zellen im Bunker. Wir haben es gereinigt und unter dem Mikroskop betrachtet. Das O ist nicht ganz geschlossen.«

»Das heißt, es ist vielleicht nicht Ashley O-s, sondern Ashley C-s«, sagte Luke aufgeregt, und Ed nickte.

»Leigh sucht schon in den Datenbanken.«

»Gut gemacht«, sagte Chase und blickte in die Schachtel. »Was noch?«

Ed warf Pete einen Blick zu. »Granvilles Schlüssel.«

Pete schob einen Karton auf den Tisch. »Die hoffentlich zu Granvilles Feuersafe passen.«

Pete hob den Safe aus dem Karton. Das Äußere war rußig, aber das Schloss war intakt. »Der Brandermittler fand ihn, als er in dem herumstocherte, was wohl einmal Granvilles Arbeitszimmer gewesen war.«

Er probierte den kleinsten Schlüssel, und jeder im Raum beugte sich erwartungsvoll vor.

»Da fühlt man sich doch wieder wie ein Kind am Weihnachtsmorgen«, murmelte Nancy. »Und immer darfst du auspacken, Pete.«

Pete schenkte ihr ein unfrohes Lächeln und hob den Deckel an. »Ein Pass.« Er zog die Brauen hoch. »Und noch ein Pass.«

Er klappte beide auf. »Beide mit Granvilles Gesicht, aber anderen Namen. Michael Tewes. Toby Ellis.«

»Unser Bursche war mobil«, bemerkte Ed.

»So sieht's aus. Aktienzertifikate und ein Schlüssel.« Pete hielt ihn hoch. Er war klein und silbern. »Vielleicht zu einem Banksafe.«

»Simon Vartanian hatte ein Schließfach in der Bank von Dutton«, sagte Luke. »Granville vielleicht auch. Drücken wir die Daumen, dass es nicht leer ist wie Simons Fach.« Sie hatten gehofft, in Simons Bankfach belastende Fotos der Gangmitglieder bei den Vergewaltigungen zu finden, waren jedoch enttäuscht worden. Die Fotos hatte Susannah schließlich in Simons Versteck im Elternhaus gefunden. »Ich fahre nachher nach Dutton zu Sheila Cunninghams Beerdigung. Dann kann ich das überprüfen. Deckt der Durchsuchungsbefehl ein mögliches Bankfach mit ab, Chloe?«

»Nein, aber ich werde nicht lange brauchen, dafür einen zu bekommen, da der Schlüssel zu dem ursprünglichen gehört. Was sonst noch, Pete?«

»Eine Heiratsurkunde. Helen heißt übrigens Eastman mit Mädchennamen, falls ihr die Familie ausfindig machen wollt. Geburtsurkunden. Und dann – dies.« Er holte ein flaches Amulett an einer Silberkette hervor, und Luke verengte die Augen. Auf dem Amulett war die Swastika eingraviert. Susannah hatte recht gehabt. Die Enden waren gebogen, und über jedem prangte ein Punkt – das war kein Nazi-Symbol.

»O nein«, murmelte Chase. »Neonazis.«

»Das glaube ich nicht«, sagte Luke. »Dieses Symbol passt zu einem Brandzeichen, das die toten Mädchen an der Hüfte haben.«

Alle am Tisch horchten auf.

»Das Amulett ist aber zu abgeflacht, um als Brandeisen zu dienen«, sagte Pete und betrachtete die Gravierung genauer.

»Felicity hat einen Ring an Granvilles Finger gefunden. Es ist das gleiche Symbol, wahrscheinlich aber ebenfalls nicht das Instrument.« Luke holte tief Luft. »Und das Symbol ist noch einmal aufgetaucht. Auf Susannah Vartanian.«

Überraschtes Schweigen.

»Ich denke, das sollten Sie uns genauer erklären«, sagte Chase.

*Ridgefield House,*
*Samstag, 3. Februar, 8.20 Uhr*

Rocky fuhr ihren Wagen in die Garage. Sie war so müde. Ein Unfall vor Atlanta hatte den Verkehr zum Stillstand gebracht, und über eine Stunde lang hatte sie im Stau wie auf heißen Kohlen gesessen, weil sie nur darauf gewartet hatte, dass jemand das Randalieren in ihrem Kofferraum hören würde. Zum Glück war es kalt gewesen, so dass die Leute in ihren Fahrzeugen geblieben waren und die Fenster geschlossen hielten.

Zweifellos wäre es nicht leicht gewesen, die Existenz eines gefesselten und geknebelten Teenagers in ihrem Kofferraum zu erklären. Und Bobby würde natürlich leugnen, etwas mit ihr zu tun zu haben, sollte man sie festnehmen. *Aber man hat mich nicht festgenommen.* Vielleicht würde Bobby nun wieder an sie glauben.

Aber bevor sie Bobby alles erklärte, musste sie sich selbst auf den neusten Stand bringen. Sie hoffte, dass die Krankenschwester Monica Cassidy noch keine zweite Dosis des läh-

222

menden Medikaments gegeben hatte. Je eher das Mädchen die Intensivstation verlassen konnte, wo sie ständig unter Beobachtung stand, umso eher konnte man sie töten. Dann würde das Juwel in ihrem Kofferraum nur ein weiteres Produkt in ihrer Angebotspalette sein.

Sie wählte die Nummer der Krankenschwester, während sie sich den anerkennenden Blick Bobbys ausmalte.

Sie hatte im Laufe der Jahre ziemlich viel dafür getan, Bobbys Anerkennung zu bekommen. Zum Glück hatte sie Mord bisher vermeiden können. Der Gedanke, jemanden umzubringen, verursachte ihr augenblicklich eine starke Übelkeit.

»Du Miststück!«, kreischte die Krankenschwester, bevor Rocky noch etwas sagen konnte. »Wir hatten eine Abmachung. Du miese Schlampe!«

Rocky drehte sich der Magen um. »Was ist los?«

»Meine Schwester. Als wüsstest du das nicht. Sie ist tot.« Sie brach in Schluchzen aus. »Bobby hat sie zusammengeschlagen – totgeschlagen. O Gott.«

»Woher weißt du, dass es Bobby war?«, fragte Rocky und versuchte, ruhig zu bleiben.

»Weil ich das Foto bekommen habe, du blöde Kuh. Auf mein Handy. Das Bild meines Sohnes. Und er ist erst acht!«

»Bobby hat dir ein Bild deines Sohnes aufs Handy geschickt?«, wiederholte Rocky.

»Ja, mit einer Nachricht. ›Tu, was du tun sollst, oder auch er stirbt‹«, fauchte sie. »Ich bin sofort nach Hause gefahren und habe sie gefunden. Hinten in der Gasse beim Müll. Sie haben sie einfach weggeworfen.«

»Und jetzt? Was willst du tun?«

Die Frau stieß ein hysterisches Lachen aus. »Was wohl? Bobby gehorchen natürlich.«

»Hast du dem Mädchen das Mittel noch einmal gegeben?«

»Nein.« Rocky hörte, wie die Frau am anderen Ende der Leitung tief Atem holte, um sich zu beruhigen. »Gestern war zu viel Wachpersonal auf der Intensiv, nachdem sie den Kaplan reingebracht haben.«

»Was sagst du da?«

»Den Kaplan. Den von der Army. Jemand hat gestern Nacht versucht, ihn umzubringen, aber es hat nicht geklappt.« Sie kicherte hässlich. »Das wusstest du auch nicht? Wow, dein Boss scheint dir ja wirklich zu vertrauen, Rocky.«

Der Sarkasmus war an sie verschenkt, denn Rocky war klug genug, zu wissen, wo sie stand. Sogar dieser Cop, Paul, stand höher in der Rangordnung als sie – sehr viel höher sogar. Und Bobby hatte aus dieser Tatsache nie einen Hehl gemacht. In ihr kochte Wut hoch. »Hast du mit ihr gesprochen? Mit Monica?«

»Ich habe ihr gesagt, was ich ihr sagen sollte.«

Rocky öffnete den Kofferraum und fotografierte Genie Cassidy. »Ich schicke dir ein Bild auf dein Handy. Zeig es Monica. Dann wird sie die Klappe halten, bis du sie beseitigen kannst.«

»Wenn man mich erwischt, reiß ich dich mit rein.«

»Ja, tu das. Aber du kannst nichts beweisen, und die Bullen werden dich nur für verrückt halten.«

»Ich hasse dich. Und Bobby auch.« Ein Klicken, und das Gespräch war weg.

Rocky seufzte. *Das war unnötig. Die Schwester hätte nicht sterben müssen.* Es würde nur noch mehr Aufmerksamkeit auf sie ziehen, und das konnten sie nicht gebrauchen. Sie entdeckte Tanner in der Küche, wo er den Tee für Bobby zubereitete. »Ich habe einen neuen Gast im Kofferraum meines Wagens«, sagte sie. »Können Sie sie herausholen und dafür sorgen, dass sie es warm hat? Und wo ist Bobby?«

»Im Arbeitszimmer.« Tanner zog eine buschige Braue hoch. »Und nicht allzu glücklich mit Ihnen.«

»Tja, das Gefühl beruht auf Gegenseitigkeit«, murmelte Rocky. Sie klopfte an Bobbys Tür und trat ein, bevor die Aufforderung kam.

Bobby sah auf, die Augen eisblau. »Du bist spät dran. Ich habe dich gestern Abend losgeschickt, etwas Einfaches zu erledigen, aber du kommst erst acht Stunden später wieder zurück.«

»Du hast die Schwester der Krankenschwester umbringen lassen.«

»Sicher. Das Mädchen lebt schließlich noch.«

»Ja, stimmt. Und Beardsley auch.«

Bobby schoss vom Stuhl hoch. »Was?«

Rocky lachte. »Unser Guru weiß also doch nicht alles.« Dann flog ihr Kopf zur Seite, als Bobby ihr eine kräftige Ohrfeige verpasste.

»Vorsicht, du kleine Schlampe. Wie kannst du es wagen?«

Rockys Wange brannte. »Wie? Indem ich vielleicht endlich wütend genug geworden bin.«

»Du weißt doch gar nicht, was dieses Wort bedeutet, meine Liebe. Ich habe dir einen Auftrag gegeben. Und du hast versagt.«

»Ich habe umdisponiert. Die Krankenschwester hätte keine Chance gehabt, Monica auf der Intensivstation umzubringen.«

»Das hat *sie* dir erzählt, und du hast es ihr geglaubt«, sagte Bobby verächtlich.

»Und ich habe eine andere Möglichkeit gefunden, mein Ziel

zu erreichen, was mehr ist, als man von diesem Versager behaupten kann, der versucht hat, den Armeekaplan auszuschalten.«

Bobby setzte sich langsam wieder. »Beardsleys Herz hat stillgestanden.«

»Aber man hat ihn offensichtlich reanimiert«, sagte Rocky kalt. »Und nun wird die Intensivstation besser bewacht als Fort Knox.«

»Erzähl mir, was du erreicht hast.«

»Ich bin nach Charlotte gefahren und habe mir Monicas Schwester geschnappt. Sie befindet sich im Kofferraum meines Wagens.«

Bobby erbleichte, und Rockys Puls begann zu jagen. Das hatte sie noch nie erlebt.

»Du hast *was*?«

»Ich habe ihre Schwester mitgebracht. Ich chatte seit zwei, drei Monaten mit ihr. Monica hat sich so gut verkauft, dass ich dachte, ihre Schwester wird's sicher auch tun.«

»Sag mal, hast du dir eigentlich ein einziges Mal über die Folgen Gedanken gemacht? Wenn *ein* Kind mit einem Typen durchbrennt, den sie im Netz kennengelernt hat, dann ist das noch glaubhaft. Aber zwei? Jetzt werden sich die Cops richtig ins Zeug legen. Wir werden eine trauernde Mutter im Fernsehen heulen sehen. Wir können das Mädchen ebenso gut sofort umbringen. Da sein Gesicht bald auf jedem Milchkarton zu sehen ist, wird es garantiert keiner haben wollen.«

Rocky sank auf einen Stuhl. »Daran habe ich nicht gedacht. Aber mach dir keine Gedanken. Ich habe mir ihren Kapuzenpulli angezogen und an der Busstation ein Ticket nach Raleigh gekauft. Dort wohnt ihr Vater. Wenn die Cops ermitteln, wird es so aussehen, als habe sie zu ihm gewollt.«

»Aha«, sagte Bobby kalt. »Ich habe dir einen simplen Auftrag erteilt – dafür zu sorgen, dass die Krankenschwester tut, was wir von ihr wollen. Du hast versagt. Und nun verschlimmerst du dein Versagen, indem du eigenmächtig Entscheidungen triffst, die sich als extrem dumm herausstellen. Ich werde mich selbst um die Krankenschwester und das Mädchen kümmern. Du kannst jetzt gehen.«

Rocky stand auf, obwohl ihre Knie zitterten. »Da das neue Mädchen schon hier ist, kannst du es auch verwenden. Es ist sogar noch hübscher als seine Schwester. Du kannst es außer Landes bringen lassen, wo es keine amerikanischen Milchkartons gibt. Es wird dir einen guten Preis bringen.«

Bobby klopfte nachdenklich mit den Fingern auf die Tischplatte. »Vielleicht. Geh jetzt.«

Rocky blieb stehen. »Was willst du mit der Krankenschwester tun?«

»Was ich angekündigt habe.«

»*Nein.* Du hast angekündigt, ihren Sohn zu töten. Er ist erst acht. Genau wie –«

»Das reicht!« Bobby erhob sich, in den Augen eiskalter Zorn, und Rocky konnte ihr Zittern nicht mehr beherrschen. »Ich erwarte Gehorsam, von der Krankenschwester wie von dir. Und jetzt verschwinde endlich.«


Bobby wartete, bis Rocky das Zimmer verlassen hatte, und wählte Pauls Nummer.

»Ich dachte, ich hätte gesagt, ich will heute nicht mehr angerufen werden«, fauchte Paul.

*Unverschämter Mistkerl. Wenn ich dich nicht brauchen würde, wärst du längst tot.* »Du musst für mich nach Raleigh fahren.«

»Ich habe heute Abend Dienst.«

»Melde dich krank. Ich zahle dir ohnehin das Dreifache, was sich die Polizei von Atlanta leisten kann.«

»Verdammt noch mal.« Paul seufzte frustriert. »Was soll ich tun?«

»Du musst hinter Rocky aufwischen.«

»Rocky hinterlässt in letzter Zeit ziemlich viel zum Aufwischen.«

»Ja, ich weiß. Wenn du die Sache hier erledigt hast, reden wir über Rocky.«

*Atlanta,*
*Samstag, 3. Februar, 8.40 Uhr*

Luke erzählte dem Team von der schwarzen Limousine, die Susannah verfolgt hatte, von Darcy Williams und von jenem Abend vor sechs Jahren in Hell's Kitchen. Als er geendet hatte, war es einen Moment lang totenstill am Tisch.

Chase setzte sich zurück. Er sah aus wie vom Donner gerührt.

»Sie wollen uns sagen, dass Susannah Vartanian zweimal im Abstand von sieben Jahren am gleichen Tag vergewaltigt wurde? Und das hat niemand für seltsam gehalten?«

Luke zögerte. »Sie hat keinen der Vorfälle angezeigt.«

»Und warum nicht, Herrgott noch mal?«, fauchte Chase.

»Sie war ein Opfer, Chase«, sagte Mary McCrady im Psychologentonfall.

»Dass das hier nicht leicht für sie ist, dürfte klar sein«, fügte Luke hinzu. »Und jetzt wird sie auch noch von irgendeinem Spinner in einem Wagen mit getönten Scheiben verfolgt. Sie will heute zu Sheila Cunninghams Beerdigung, und ich mache mir Sorgen um ihre Sicherheit, solange wir nicht wissen, wer ihr folgt.«

»Also fährst du mit, um zu sehen, ob der Wagen auftaucht«, stellte Ed fest. »Du brauchst eine Videoüberwachung. Ich kümmere mich darum.«

»Danke«, sagte Luke. Das war nicht der einzige Grund, warum er zu der Beerdigung wollte, aber der wichtigste. »Susannah meint übrigens, dass die Swastika mit den gebogenen Enden ein bekanntes Symbol in östlichen Religionen ist. Im Buddhismus zum Beispiel.«

»Der *thich*, nach dem wir suchen«, murmelte Pete. »Die Teile setzen sich zusammen.«

»Tja, noch ergeben sie aber leider kein Bild«, sagte Chase. »Hank, Sie fahren runter nach Savannah und versuchen, Helen Granville zu finden. Wir müssen mehr über ihren Mann in Erfahrung bringen. Pete, Sie übernehmen die Suche in Granvilles Haus, und Nancy, Sie spüren diesen Chili Pepper auf. Ich will wissen, wer ihn engagiert hat.« Pete öffnete den Mund, aber Chase warf ihm einen warnenden Blick zu. »Lassen Sie's gut sein, Pete. Ich werde Sie nicht einmal in die Nähe von diesem Kerl lassen.«

»Ich kann damit umgehen«, sagte Pete gepresst.

»Ja, sicher«, erwiderte Chase. »Aber ich will Sie der Situation trotzdem nicht aussetzen.«

»Ich suche bisher noch nach der Quelle der medizinischen Artikel, die wir im Bunker gefunden haben«, sagte Ed. »Wir machen außerdem DNA-Analysen von den Haarproben, die wir aus dem Büro im Bunker gesammelt haben. Vielleicht passt die DNA ja zu jemandem, den wir bereits in einer Datenbank haben. Wir werden draußen nach weiteren Opfern suchen. Und den Straßenatlas auf Fingerabdrücke untersuchen.«

»Gut«, sagte Chase. »Was noch?«

»Ich möchte mit Susannah Vartanian sprechen«, sagte Mary.

»Ich treffe sie gleich in ihrem Hotel«, sagte Chloe. »Ich sage ihr, dass sie Sie anrufen soll.«

»Sie ist nicht im Hotel«, warf Luke ein, »sondern in meinem Büro. Sie ist hergekommen, weil der schwarze Wagen ihr folgte. Sie recherchiert derweil das Symbol der Swastika.«

Chase deutete mit einer Geste zur Tür. »Dann gehen Sie jetzt, und viel Glück. Wir treffen uns um fünf wieder. Luke, bitte bleiben Sie noch einen Moment.« Als sie allein waren, wandte sich Chase ihm mit besorgtem Blick zu. »Wieso hat Susannah keine der Vergewaltigungen gemeldet?«

»Das erste Mal hatte sie Angst vor Simon, der ihr gedroht hatte.«

Chase presste die Kiefer zusammen. »So ein Mistkerl. Und das zweite Mal?«

*Ich habe keine Gerechtigkeit verdient.* »Sie hatte auch damals furchtbare Angst, und da sie Daniels Schwester ist, hatte sie wahrscheinlich Schuldgefühle, da sie überlebt hatte, ihre Freundin Darcy aber nicht.«

»Sie sind sich ähnlich, Daniel und Susannah, nicht wahr?«

»Das kann man wohl sagen.«

»Lässt sich ihre Geschichte belegen?«

»Ich schätze schon. Ihr Chef weiß es schon seit Jahren, und er ist Staatsanwalt.«

»Warum wollen Sie wirklich auf die Beerdigung gehen?«

Luke blickte finster auf. »Was meinen Sie damit?«

»Ich meine damit, dass ich nicht genügend Personal habe, um einen Babysitter für Susannah Vartanian abzustellen. Und sie scheint mir die letzte Person zu sein, die das von mir erwarten würde.«

230

»Sie glauben, dass ich das tue?« Luke spürte den Zorn in sich aufkochen. »Ressourcen verschwenden?«

»Sie sehen es vermutlich nicht so, das ist mir klar. Hören Sie, Luke, Susannah Vartanian hat mein Mitgefühl, aber ...«

Luke musste mit seiner Beherrschung kämpfen. Er war müde und gereizt. Chase musste das auch sein, und keiner von beiden kam mit einem solchen Zustand gut zurecht. »Ich habe keinesfalls die Absicht, als Babysitter für sie zu fungieren. Aber hier geht es um mehr. Denken Sie doch mal darüber nach. Im Alter von sechzehn wird sie vergewaltigt. Der Einzige, der davon weiß und noch lebt, ist Garth Davis. Damals verlässt sie ihre Heimatstadt und geht aufs College. Mit dreiundzwanzig wird sie erneut vergewaltigt, und zwar am gleichen Tag wie sieben Jahre zuvor. Sie wird gebrandmarkt, ihre Freundin stirbt eines sehr gewaltsamen Todes. Sie schämt sich und hat tödliche Angst, verschweigt alles. Wieder sechs Jahre später sehen wir das Brandzeichen auf Granvilles Amulett und auf den Hüften von fünf ermordeten Mädchen.«

Chase Blick wurde scharf. »Na und?«

Luke ballte die Fäuste unter dem Tisch. »Und da muss es eine Verbindung geben, verdammt! Der Mann, der ihre Freundin getötet hat, wurde verurteilt. Der Mann, der sie vergewaltigt hat, läuft frei herum. Was, wenn der Kerl dieser Rocky gewesen ist? Wenn Rocky oder Granville die Fäden gezogen haben? Was, wenn der Kerl, der für den Mord an ihrer Freundin im Gefängnis sitzt, Rocky kennt? Was, wenn der Fahrer der schwarzen Limousine ebendieser Rocky ist? Herrgott, Chase, muss ich Ihnen wirklich erst das gottverdammte Einmaleins beibringen?«

Chase lehnte sich zurück. »Nein, ich kann es schon. Ich wollte mich nur vergewissern, dass Sie aus den richtigen Gründen dabei sind. Fahren Sie zu der Beerdigung. Aber bei allem, was gestern passiert ist, werden Sie mit einem gewaltigen Medienrummel rechnen müssen.«

Luke stand auf, noch immer wütend und nun zusätzlich verärgert, dass Chase ihn behandelte, als sei er noch grün hinter den Ohren. »Ich sehe zu, dass wir Eintritt verlangen.«

Er wollte gerade im Hinausgehen die Tür hinter sich zuwerfen, als Chase ihn aufhielt. »Gute Arbeit, Luke.«

Luke stieß die Luft aus. »Danke.«

<br>

*Ridgefield House,*
*Samstag, 3. Februar, 9.00 Uhr*

<br>

Ashley Csorka hob den Kopf und lauschte ins Dunkel des »Lochs«. Es war ein Kartoffelkeller unter dem Haus, nicht hoch genug, um sich aufzurichten, feucht und kalt. *Mir ist so kalt.*

Ihr Magen knurrte. Es war Zeit zum Frühstücken. Sie konnte die Kochdüfte von oben riechen. *Ich habe solchen Hunger.* Sie zwang sich, im Kopf die Zeit zu überschlagen. Sie musste schon gute zwölf Stunden in dieser Kammer hocken.

Die Frau hatte gesagt, sie würde ein paar Tage hier unten bleiben. *Das halte ich nicht durch. Ich werde hier wahnsinnig.* Und hier gab es Ratten. Ashley hatte sie in der Nacht hinter den Wänden huschen gehört.

Ashley konnte Ratten nicht ausstehen. Immer wieder stieg Panik in ihr auf, jedes Mal stärker, jedes Mal erstickender. *Ich muss hier raus.*

»Aber klar doch«, murmelte sie laut, und ihre Stimme dämpfte die Furcht ein wenig. »Nur wie?«

Sie waren in der Nähe eines Flusses. Wenn sie diesen Fluss erreichen konnte, dann, da war sie sich sicher, konnte sie auch ans andere Ufer schwimmen. Ihr Team trainierte manchmal im Meer, und dort war die Strömung an vielen Stellen stärker als im Fluss. Und selbst wenn sie ertrank, war das noch immer dem vorzuziehen, was sie erwartete, falls man sie jemals wieder aus diesem Loch herausließ.

*Wie komme ich hier raus?* Hier gab es nur eine Tür oben an der kurzen Treppe, und die war verschlossen. Sie hatte sie bereits ausprobiert. Und selbst wenn sie es schaffte, sie aufzubrechen, war da immer noch der dürre, unheimliche Butler namens Tanner, der eine Pistole hatte.

Draußen stand außerdem ein Wachmann. Sie hatte ihn gestern gesehen, als man sie alle hergebracht hatte. Auch er trug eine Waffe. Es hatte keinen Sinn. *Ich kann hier nicht weg. Ich werde hier sterben.*

*Stopp. Du wirst nicht sterben.* Sie hievte sich auf Hände und Knie und begann, ihre Umgebung abzutasten. Sie biss die Zähne gegen den Schmerz in ihrer Hand zusammen, die sie sich an einem Nagel aufgerissen hatte, als sie die Treppe hinuntergestoßen worden war. *Ignoriere es und mach weiter.*

Die erste Wand bestand aus Beton, die zweite und die dritte auch.

Aber die vierte … Ashleys Finger strichen über etwas Rauhes. Ziegel. In diese Wand hatte man ein Stück gemauert. Das musste doch bedeuten, dass hier einmal eine Öffnung gewesen war. Ein Fenster? Eine Tür?

*Und was weiter? Es sind Ziegel. Harte Ziegel.* Entmutigt ließ sich Ashley mit dem Rücken an die Wand sinken und schlang die Arme um ihre Knie. Sie konnte sich wohl kaum mit Fingernägeln durch Ziegel und Mörtel arbeiten.

Sie hätte einen Hammer gebraucht, eine Feile vielleicht, irgendetwas Spitzes. Langsam hob sie ihre verletzte Hand. Da war doch der Nagel in der Treppe gewesen.

*Und wenn sie dich hören, während du am Mörtel kratzt?*

*Na und? Wenn sie dich hören, zerren sie dich höchstens früher hier raus, also kannst du es auch versuchen.*

*Nein, nicht versuchen.* Sie beschwor die Stimme ihres Trainers herauf. *Setzt euch ein Ziel. Und dann erreicht es.*

»Also tu es, Ashley«, flüsterte sie. »Tu es.«

# 11. Kapitel

Ist es vollständig?«, fragte Chloe, sobald Susannah die Mitschrift ihrer Aussage gelesen hatte. Al Landers saß schweigend neben ihr. Seine Hand hielt ihre tröstend umklammert.

»Ja«, erwiderte Susannah. »Geben Sie mir einen Stift, bevor ich meine Meinung ändere.«

»Es ist noch nicht zu spät, Susannah«, murmelte Al, und sie schenkte ihm ein Lächeln.

»Ich weiß, aber hier geht es nicht einfach nur um mich, Al. Und auch nicht nur um die Sache von damals. Alles hängt mit dem zusammen, was sich im Bunker abgespielt hat. Und fünf Mädchen werden vermisst. Ich muss es tun.«

»Ich danke Ihnen dafür«, sagte Chloe. »Ich kann mir kaum vorstellen, wie schwierig das gewesen sein muss.«

Susannah stieß ein leises Lachen aus, das eher wie ein Schnauben klang. »Schwierig, ja. Das trifft es recht gut.«

»Wann kann ungefähr mit einer Reaktion der Presse gerechnet werden?«, fragte Al.

»Wir werden natürlich keine Namen preisgeben«, sagte Chloe. »Ich nehme an, was Opfer von sexuellen Straftaten angeht, handhaben Sie es in New York ähnlich. Aber ein anderes Opfer, Gretchen French, hat eine Pressekonferenz angekündigt. Sie braucht wohl vor allem das Gefühl, die Initiative zu ergreifen.«

»Von ihr habe ich noch nie gehört«, sagte Susannah. »Nun, das wird sich jetzt ändern.« Sie stand auf und zupfte an ihrem engen kurzen Rock in der Hoffnung, ein paar Zentimeter mehr von ihren Schenkeln zu bedecken. »Wir sollten Agent Papadopoulos sein Büro zurückgeben. Und ich muss jetzt zu der Beerdigung aufbrechen. Ich wünschte, dass sie erst um zwölf stattfände, dann hätte ich noch Zeit gehabt, mir passende Sachen zu kaufen.«

Chloe musterte sie prüfend. »Aber Sie sehen doch gut aus.«

»Ich sehe aus wie ein Teenager, aber ich habe nichts anderes, denn meine Sachen von gestern sind vollkommen ruiniert. Ich hätte gerne etwas Seriöseres. Ich meine, es *ist* immerhin eine Beerdigung, da fühle ich mich in diesem Outfit despektierlich.«

Chloe dachte nach. »Ich bin natürlich viel zu groß, daher kann ich Ihnen kein Kostüm von mir anbieten, aber ich habe ein kurzes, schwarzes Cocktailkleid, das Ihnen übers Knie reichen dürfte. Mit einem Gürtel sollte es gehen. Ich wohne nicht weit von hier. Wenn Sie wollen, laufe ich los und hole es Ihnen.«

Susannah setzte zu einer höflichen Ablehnung an, überlegte es sich dann aber anders. »Danke. Das wäre toll.« Als sie fort war, wandte sich Susannah an Al. »Vielen Dank, dass Sie da waren.«

»Ich wünschte, ich hätte wirklich alles gewusst. Dann wäre ich schon Jahre zuvor für Sie da gewesen.«

»Entschuldigung.« Luke steckte den Kopf durch die Tür. »Ich sah Chloe gehen. Sind Sie fertig?«

»Ja.« Sie erhob sich. »Luke, das ist mein Chef, Al Landers. Al, Special Agent Luke Papadopoulos. Er ist ein Freund meines Bruders Daniel.«

»Sie habe ich doch gestern im Hotelflur gesehen«, sagte Al, als sie sich die Hände gaben. »Was unternehmen Sie, um den Kerl in der schwarzen Limousine zu fassen?«

»Wir werden die Beerdigung videoüberwachen. Und wir werden uns mit dem Kerl unterhalten, der für den Mord an Darcy Williams verurteilt wurde.«

»Ich kann ein Verhör arrangieren. Was ist mit dem anderen Kerl, Susannah?« Als Miene war grimmig. »Derjenige, der Ihnen das angetan hat? Kannte er Darcys Mörder?«

Susannahs Wangen wurden rot. »Nein. Sie waren sich fremd.«

»Können Sie sich da sicher sein?«, fragte Luke, und die unausgesprochene Andeutung traf sie wie ein Schlag in die Magengrube.

»Das kann ich wohl nicht«, sagte sie. »Wie dumm sind wir nur gewesen?«

»Verdammt dumm«, sagte Al traurig. »Was haben Sie sich nur dabei gedacht?«

»Ich habe gar nichts gedacht.« Sie sah zur Seite und verschränkte die Arme vor der Brust. »Darcy arbeitete als Kellnerin im West Village, und ich war an der Uni. Einmal wollte ich in ihrem Laden etwas zum Mitnehmen holen, und wir kamen ins Gespräch. Bald merkten wir, dass wir eine ganze Menge gemein hatten. Beide hatten wir sehr negative Beziehungen zu unseren Vätern, beide hatten wir Mütter, die uns nicht beschützten. Darcy war mit vierzehn von zu Hause fortgelaufen, auf die schiefe Bahn geraten, hatte Drogen genommen – das ganze Programm.«

»Und wessen Idee war es, sich mit den Männern zu treffen?«, fragte Al, und wieder wurden ihre Wangen heiß.

»Darcys. Sie hasste Männer, und das tat ich schließlich auch. Darcy sah es als eine Art Rache. Sie wolle auch einmal die komplette Kontrolle haben, sagte sie. Sie wolle einmal diejenige sein, die mitten in der Nacht ohne ein freundliches Wort verschwand. Zuerst war ich von der Idee abgestoßen. Aber

237

dann … machte ich doch mit.« Das zweite Mal war es leichter gewesen. Das dritte Mal hatte ihr ein finsteres Vergnügen bereitet. Und ab dem vierten Mal … allein der Gedanke daran beschämte sie.

Al und Luke blickten sich an. »Was?«, fragte sie gereizt.

»Vielleicht wurde Darcy auf Sie angesetzt«, sagte Luke, noch immer sanft. »Vielleicht sollte sie Sie kennenlernen.«

Susannah fiel die Kinnlade herab. »O mein Gott. Ich habe nie …« Sie ließ die Arme an die Seiten sinken. »Das ist doch verrückt.«

»Fanden Sie es denn nie seltsam, dass beide Straftaten am gleichen Tag begangen wurden?«, fragte Al.

Susannah stieß geräuschvoll den Atem aus. »Natürlich. Aber ich bin ja aus freien Stücken in das Hotel gegangen.« Zu dem Zeitpunkt war sie wie besessen gewesen. »Und ich habe das Datum absichtlich gewählt. Es sollte so etwas wie ein Befreiungsschlag werden. Danach sah ich es als … als ein Omen, vielleicht als die Strafe Gottes, was auch immer. Ich hatte einen schlimmen Fehler begangen und musste dafür zahlen. Das Datum war die Botschaft. Mach endlich reinen Tisch oder so etwas. Ich weiß, es klingt dumm, wenn ich es ausspreche.«

»Sie waren ein Opfer«, sagte Luke. »Zweimal. Sie haben nicht wie eine Staatsanwältin gedacht, sondern wie ein menschliches Wesen, das einem schrecklichen Erlebnis einen Sinn geben musste. Leider hat nicht alles einen Sinn. Manchmal passieren guten Menschen schlimme Dinge, Punkt.«

*Nur war ich kein guter Mensch.* Aber sie nickte ernst. »Ich weiß.«

Lukes Blick flackerte, und sie erkannte, dass er ihr die rasche Akzeptanz nicht abnahm. »Und der Mann, der Sie vergewaltigt hat? Können Sie den beschreiben?«

»Natürlich. Sein Gesicht werde ich nie vergessen. Aber wie kann uns das noch helfen? Es ist ja schon sechs Jahre her. Die Spur ist längst kalt.«

»Dennoch sollten Sie sich mit einem Zeichner unterhalten. Wer weiß, ob dieser Kerl nicht doch noch irgendwo in Ihrer Nähe ist.« Er wandte sich Al zu. »Sie ebnen mir den Weg zu Darcys Mörder?«

»Michael Ellis«, murmelte Susannah.

Luke zog die Stirn in Falten. »Was haben Sie gesagt?«

»Michael Ellis«, wiederholte Al an ihrer Stelle. »Darcys Mörder. Wieso?«

Luke rieb sich mit den Handflächen über die stoppeligen Wangen. »Bei Granville haben wir zwei Pässe gefunden. Beide mit seinem Foto, aber nicht mit seinem richtigen Namen. Der eine Ausweis war auf Michael Tewes ausgestellt, der andere auf Toby Ellis.«

»Heiliger Strohsack«, murmelte Al. »*Granville* hat das Ganze inszeniert?«

»Entweder mit dem Mann aus der schwarzen Limousine, oder er hat es ihm später erzählt«, bestätigte Luke.

Susannah setzte sich. Sie konnte kaum noch atmen. »Also war … alles geplant«, sagte sie tonlos und senkte den Blick. »Ich … ich bin blauäugig in die Falle getappt. Die müssen sich totgelacht haben.«

Luke ging vor ihr in die Hocke und nahm ihre kalten Hände in seine warmen. »Granville hat dafür bezahlt. Der andere Kerl wird auch büßen. Sagt Ihnen der Name Rocky irgendetwas?«

Sie schüttelte den Kopf. »Nein. Sollte er?«

»Wir denken, dass Granvilles Partner so heißt oder sich so nennt.« Er drückte ihre Hände.

Sie sah auf und begegnete seinem Blick, als ihr plötzlich ein weiterer Gedanke kam, ebenso verrückt, ebenso abwegig wie alles, was sie in den vergangenen Minuten gehört hatte. Nur leider schien abwegig nicht unmöglich zu bedeuten. »Simon hat mich beschattet. In New York.«

»Was meinen Sie damit?«, fragte Luke.

»Hat Daniel es Ihnen nicht erzählt?«, fragte sie, und er schüttelte den Kopf. »Als wir in Philadelphia waren, hatte die Polizei unterschiedliche Zeichnungen von Simon angefertigt. Er war inzwischen ein wahrer Meister der Verkleidung geworden, und er trat unter anderem in der Maske eines alten Mannes auf. Und als solchen habe ich ihn wiedererkannt. Denn diesen alten Mann hatte ich manchmal gesehen, wenn ich mit meinem Hund im Park spazieren ging. Es war also Simon gewesen. Er hat sich neben mir auf eine Bank gesetzt und mit mir geplaudert, und ich hatte keine Ahnung, dass es mein Bruder war.«

»Aber Simon kann nicht Granvilles Partner sein«, sagte Luke. »Denn Simon ist tot.«

»Ich weiß. Aber …« Sie seufzte. »Ach, ich weiß nicht, was ich sagen wollte.«

Luke drückte erneut ihre Hände. »Versuchen Sie, sich ein wenig zu entspannen, und halten Sie auf der Beerdigung die Augen offen. Ich komme mit.« Er warf Al einen Blick über die Schulter zu. »Und Sie?«

»Verlassen Sie sich drauf«, sagte Al grimmig.

»Gut. Wir können jedes Augenpaar gebrauchen.«

Bobby legte den Hörer auf und empfand zu gleichen Teilen Freude und Furcht. Pauls Analyse war wie üblich absolut zutreffend gewesen, und nun besaß Bobby mit nur sehr wenig Überzeugungsaufwand eine neue Informationsquelle im GBI-Team. Nur waren die Informationen recht beunruhigend. Beardsley hatte es nicht nur überlebt, sondern er hatte auch geredet, und nun wusste die Polizei von Rocky. Rocky, immer wieder Rocky. Nach allem, was sie sich gestern und heute geleistet hatte, war dies der Tropfen, der das Fass zum Überlaufen brachte.

»Mr. Charles ist hier«, sagte Tanner, der in der Tür erschienen war.

*Neugieriger alter Mann.* »Führ ihn herein. Danke, Tanner.«

Charles trat ein. Er trug einen schwarzen Anzug. »Ich wollte nur kurz vorbeischauen.« Er klopfte auf das Elfenbeinkästchen, das er wie immer bei sich trug. »Und vielleicht eine Partie spielen.«

»Ich bin nicht in der Stimmung.« Bobby deutete auf einen Stuhl. »Setz dich. Bitte.«

Charles' Lippen verzogen sich herablassend. »Was ist dir denn über die Leber gelaufen?«

»DRC-119«, sagte Bobby und wurde mit einem fast unmerklichen Blinzeln von Charles belohnt. Dass man Charles Überraschung ansehen konnte, war eine Seltenheit.

Doch der Mann hatte sich rasch wieder im Griff, und das Lächeln kehrte zurück. »Schau an. Woher weißt du das?«

»Ich habe eine Quelle in dem GBI-Team, das im Bunker und zu den damit zusammenhängenden Vorfällen ermittelt.«

Bobby nahm an, dass der Maulwurf ihm nur Informations-
brocken hinwarf, aber sie reichten aus, um sich einen Aktions-
plan zurechtzulegen.

»Nicht schlecht. Ich wusste immer schon, dass du das Zeug zu
Großem hast«, bemerkte Charles.

»Lenk nicht ab. Bist du die schwarze Limousine gefahren?«

»Aber ja. Ich wollte mir ihren Gesichtsausdruck nicht entgehen lassen.«

»Und wenn man dich angehalten hätte?«

»Warum hätte man das tun sollen? Ich habe die erlaubte Ge-
schwindigkeit kein einziges Mal überschritten.«

Bobby runzelte die Stirn. »Du bist ein inakzeptables Risiko
eingegangen.«

Charles' Miene wechselte von freundlich zu eisig. »Und du
benimmst dich wie eine alte Frau.« Er beugte sich vor, bis ihre
Blicke sich ineinander verschränkten. »So habe ich dich nicht
ausgebildet.«

Getadelt und gedemütigt senkte Bobby den Blick. *Verdammt,
ich bin doch keine fünf mehr.*

Mit einem zufriedenen Gesichtsausdruck lehnte sich Charles
wieder zurück. »Was hat dir dein GBI-Maulwurf noch gesagt?«

»Beardsley hat gehört, dass Granville Rockys Namen genannt
hat«, sagte Bobby beinahe kleinlaut. *Ich hasse dich, alter Mann.*

»Rocky oder den echten Namen?«

»Nun, Rocky, aber das ist mir dennoch zu viel.«

»Damit hast du recht. Was wirst du tun?«

*Genau das, was auch du tätest. Sie töten.* »Ich bin mir noch
nicht sicher.«

Charles nickte. »Ich bin eben bei Randy Mansfields Haus vor-
beigefahren. Es steht noch.«

*Mistkerl. Leg den Finger ruhig in die Wunde.* »Ja, ich weiß.«

»Und warum steht es noch?« Er hob die Brauen, der Blick ein einziger Vorwurf. »Es sieht dir nicht ähnlich, etwas derart Wichtiges zu übersehen.«

Bobby wand sich innerlich. »Ich habe es nicht übersehen. Derjenige, den ich beauftragt habe, hat seinen Job nicht anständig gemacht.« Und dafür würde Chili Pepper sterben, sobald er ausfindig gemacht worden war. Das GBI suchte ihn bereits. *Ich muss ihn zuerst finden.* Gott allein wusste, was der Kerl den Bullen erzählen würde.

»Dann hast du versagt.«

Bobby setzte zum Protest an, schloss den Mund jedoch wieder. »Ja. Das habe ich.«

»Was ist denn passiert?« Charles klang nun freundlicher, ganz wie der Herr seinen Hund mit Zuneigung tröstete, nachdem er ihn für seinen Ungehorsam bestraft hatte.

*Ich hasse dich.* »Mr. Pepper wollte zu gründlich sein. Er installierte in beiden Häusern eine Brandbombe mit Zeitzünder, verdrahtete dann jedoch noch die Tür, um auf Nummer sicher zu gehen, falls die Polizei eindringen würde, bevor die Brandbombe hochging. Die Cops lösten den Brand bei Granville aus, wodurch sie bei Mansfields Haus vorgewarnt waren. Beide Zünder konnten entschärft werden, bevor sie ausgelöst wurden.«

»Und jetzt wimmelt es bei Mansfield von Polizisten.«

»Ja, aber sie haben nur seine Waffensammlung und die Pornos gefunden.«

»Randys Vater war ein cleverer Mann.« Charles schüttelte bedauernd den Kopf. »Wie kommt es bloß, dass sein Sohn eine solche Enttäuschung war?«

»Granvilles Haus ist vollkommen abgebrannt. Das Einzige,

243

was sie im Feuersafe gefunden haben, waren die falschen Pässe.«

»Und warum hat dein Feuerteufel nicht einfach Gas und Streichhölzer benutzt?«

»Keine Ahnung. Ich werde ihn fragen, wenn ich ihn treffe.«

»Aber du weißt, wo Mr. Pepper sich aufhält«, sagte Charles. Es war eine Feststellung, keine Frage.

*Nein, aber das musst du nicht wissen.* »Sicher. Genau wie ich weiß, wo Garths und Tobys Ehefrauen sind.« Was zum Glück stimmte. »Die Polizei glaubt, die Frauen würden sie auf die Spur des berüchtigten Rocky bringen, den sie für Granvilles Partner und den Kopf der ganzen Operation halten.«

»Und was noch?«

Bobby zögerte. »Wusstest du, dass Susannah Vartanian vor dreizehn Jahren von Granvilles Club vergewaltigt worden ist?«

Charles hob eine Schulter. »Sagen wir einfach, es war eine … Privatvorstellung.«

»Susannah Vartanian hat eine Aussage unterschrieben, in der sie Garth Davis der Vergewaltigung beschuldigt.«

»Interessant« war alles, was Charles dazu erwiderte. »Noch was?«

»Du wusstest offensichtlich von der Sache mit Darcy Williams.«

»Offensichtlich. Noch etwas?«

»Nein.« Nur, dass Susannah zu Sheila Cunninghams Beerdigung kommen würde. Und dass der Maulwurf beim GBI wahrscheinlich vieles unerwähnt ließ.

*Ich habe Angst.* Es gab zu viele unerwartete und unangenehme Entwicklungen, und Bobby hatte die dumpfe Vorahnung, dass es sich um den sprichwörtlichen Eisberg handelte, von dem nur die Spitze zu sehen war und dem man nicht mehr ausweichen konnte. Bobby hasste es, Angst zu haben. Charles konnte die Angst des anderen spüren.

Nun stand Charles auf. Seine Lippen verzogen sich verächtlich. »Ich muss jetzt gehen.«

»Wohin?«

»Die kleine Cunningham wird heute beerdigt«, sagte er. »Nicht zu erscheinen wäre nachlässig.« Er trat näher heran, und sein Schatten fiel über Bobbys Sessel. Er wartete. Und wartete, bis Bobby schließlich doch den Blick hob. Und ihn nicht mehr abwenden konnte. *Ich hasse dich, alter Mann.*

»Du enttäuschst mich, Bobby. Du hast Angst. Und das macht dich, mehr als alles andere, zum Versager.«

Bobby setzte zum Sprechen an, aber die Worte wollten nicht heraus, und Charles lachte verbittert.

»Es war nicht dein Brandstifter, der versagt hat, Bobby. Nicht dein ›Krankenhauspersonal‹ und auch nicht deine Assistentin. Du bist es gewesen. Du sitzt in diesem alten Kasten von Haus und glaubst, du ziehst die Fäden.« Verachtung troff aus seinen Worten. »Du denkst, du hast alles im Griff und lenkst die Geschicke der Welt. Doch das tust du nicht. Du sitzt hier und versteckst dich. Vor der Welt. Und deinem Geburtsrecht.«

Charles beugte sich vor. »Du bist doch nur ein Schatten dessen, was du hättest sein können. Du herrschst lediglich über eine Kette von mobilen Bordellen, die Fernfahrer auf der Interstate bedienen. Du möchtest dich gern als ›Lieferant edler Güter‹ betrachten und bist doch nichts als ein besserer Zuhälter. Du warst interessanter, als du selbst noch eine hochbezahlte Hure warst.«

Bobbys Herz hämmerte. *Sag was. Verteidige dich.* Aber noch

immer wollte kein Wort herauskommen, und Charles grinste höhnisch. »Weißt du eigentlich, warum Susannah zurückgekehrt ist? Nein, du weißt es natürlich nicht. Du hast sie ja einfach entwischen lassen, hast sie wieder nach New York fliegen lassen, so weit weg.« Die letzten Worte hatte er mit weinerlichem Ton mokierend hervorgebracht. »Du hättest jederzeit nach New York gehen und dich rächen können, aber offensichtlich war es nicht dringend genug.«

Charles wich zurück, und Bobbys Blick folgte ihm. *Ich hasse dich, alter Mann.* Charles schob das Elfenbeinkästchen wieder unter den Arm. »Ich werde erst wiederkommen, wenn du mir beweist, dass du meinen Respekt verdienst.«

Charles ging, und eine Weile saß Bobby einfach nur da und brütete vor sich hin. Aber Charles hatte recht. *Ich habe mich tatsächlich versteckt. Nur noch Fäden gezogen. So geht es nicht weiter.* Die Entscheidung stand fest. »Tanner! Ich brauche dich. Ich gehe aus. Du musst mir beim Ankleiden helfen.«

Tanner legte die Stirn in Falten. »Hältst du das für eine gute Idee?«

»Ja. Charles hat recht. Ich verstecke mich hier seit zwei Tagen und ziehe an maroden Fäden, die einer nach dem anderen reißen. So viel Zeit bleibt mir nicht. Wo ist der Koffer mit den alten Kleidern?«

»Du willst die Sachen deiner Mutter anziehen? Bobby, das geht doch nicht.«

»Natürlich will ich nicht die Sachen meiner Mutter anziehen. Sie war viel zu klein.«

»Und sie hatte einen scheußlichen Geschmack.«

»Davon abgesehen. Großmutter war größer. Ihre Sachen sollten mir passen. Wo ist Rocky?«

»Leckt irgendwo ihre Wunden, würde ich sagen.«

»Such sie. Sie kommt mit. Aber zuerst muss sie mir zeigen, welche Mädchen sie noch in petto hat. *Besserer Zuhälter*, also wirklich. Das wird Charles noch bereuen. Aber ich habe Rocky viel zu viel Macht gegeben. Von nun an werde ich unsere potenziellen Kandidatinnen selbst betreuen.«

Tanners Augen begannen zu leuchten. »Ich kenne alle ihre Passwörter und Nicknames.«

Bobby blinzelte. »Wie bitte?«

Tanner zuckte mit den Schultern. »Einmal Dieb, immer Dieb, und ich lerne stets hinzu und halte mich über die neusten technischen Errungenschaften auf dem Laufenden. Ich habe Rocky einen Trojaner geschickt, der ihre Tastenanschläge aufzeichnet. Ich kenne jeden Kontakt, den sie pflegt.«

»Gerissener alter Mann. Ich habe dich schon immer unterschätzt.«

»Ja, das hast du.« Aber er lächelte.

Bobby setzte sich in Bewegung, blieb aber an der Treppe stehen und sah zu ihm zurück.

»War ich interessanter, als ich selbst noch eine hochbezahlte Hure war?«

»Unbedingt. Aber man kann so etwas nicht ewig machen, also passt man sich an und entwickelt sich weiter.«

»Du hast recht. Sorg dafür, dass die Mädchen an die Wände gekettet sind. Wer hat heute Dienst?«

»Eigentlich Jesse Hogan, aber ...« Tanner zuckte mit den Schultern.

»Aber Beardsley hat ihn umgebracht. Nun, wer so dumm ist und sich von einem geschwächten Gefangenen angreifen lässt ... Ruf Bill an. Wenn er über die zusätzliche Arbeit jammert, versprich ihm doppeltes Gehalt.« Bobby achtete darauf, dass die Wachen stets gut bezahlt waren. »Wir müssen jemanden einstellen.«

»Ich kümmere mich darum. Noch etwas?«

Bobby sah sich in der Eingangshalle um. »Charles hat das Haus einen alten Kasten genannt.«

»Und damit hat er recht. Hier ist es kalt und zugig, und keine der Gerätschaften funktioniert richtig. Es ist unmöglich, einen guten Tee zu kochen, wenn das Wasser nicht kochen *will*.«

»Nun, dann suchen wir uns eben ein anderes Haus. Ich habe genug Geld. Jagen wir den Kasten in die Luft.«

Tanner zog vergnügt die Brauen hoch. »Wie man hört, steht das Haus des Richters Vartanian leer.«

Bobby lachte. »Sieh an. Aber jetzt hilf mir, mich anzuziehen, Tanner. Und lade meine Pistole.«


Charles blickte in den Rückspiegel, als er anfuhr. Tanner hatte ihm böse Blicke zugeworfen, als er ihn hinausbegleitet hatte, aber Bobby war selbstgefällig geworden und hatte diesen Tritt in den Hintern gebraucht. Er dachte daran, wie sehr sie beide sich entwickelt hatten, seit sie sich kennengelernt hatten. Er hatte damals sofort gewusst, dass er wertvolles Rohmaterial vor sich gehabt hatte, etwas, das zu formen es wert gewesen war. Der Ballast, den Bobby mit sich herumschleppte, hatte die Aufgabe von Anfang an sehr viel einfacher gemacht. Bobby besaß den inneren Drang, das Bedürfnis und das Streben nach Dominanz.

Das war zum Teil dem Mann zu verdanken, der Bobby mit eiserner Faust erzogen hatte. Und weil diese eiserne Faust einmal zu oft erhoben worden war, hatte Bobby ihn und seine Frau schon vor langer Zeit getötet. Tanner war irgendwie daran beteiligt gewesen, aber in welchem Ausmaß, hatte Charles nie herausfinden können. Er wusste allerdings, dass Tanner polizeilich gesucht worden war und Bobby dem alten Mann geholfen hatte zu entkommen. Seitdem waren die beiden unzertrennlich.

Aber Tanner war alt wie das Haus. Bobby musste weiterziehen, um das Geburtsrecht einzufordern, denn der Löwenanteil an Bobbys Streben nach Macht war genetisch bedingt. Dass dem so war, musste für jeden ersichtlich sein, der genau hinsah, aber erstaunlicherweise hatte das nie jemand getan. *Niemand außer mir.* Charles fragte sich oft, wieso noch niemand gesehen hatte, was ihm bereits das erste Mal, als er in Bobbys blaue Augen geblickt hatte, so deutlich aufgefallen war.

Es war so unveränderlich wie ein Brandzeichen.

Apropos Brandzeichen. Charles musste zugeben, dass Susannah ihn überrascht hatte. Er hätte niemals gedacht, dass sie zur Polizei gehen und von Darcy Williams erzählen würde. Nein, das hatte er wirklich nicht vorausgesehen. Dennoch war er sicher, dass sie nicht mehr erzählt hatte, als nötig gewesen war. Vor sechs Jahren hatte er sie dazu gebracht, sich ihrer dunklen Seite zu stellen. Er hatte ihr gezeigt, zu welcher Tiefe der Perversion sie persönlich fähig war. Nicht einmal, nicht zweimal, sondern so lange, bis sie nicht mehr vorgeben konnte, es sei nicht ihre Idee gewesen, bis sie sich selbst verabscheute für die Obsession, die sie nicht abschütteln und gegen die sie sich nicht wehren konnte. Und in diesem Punkt waren Bobby und Susannah so unterschiedlich wie Tag und Nacht. Bobby sehnte sich nach dem Geburtsrecht, Susannah verschmähte es. Doch beide verfolgten ihr Ziel mit gleicher Gefühlstiefe.

Doch Gefühle öffneten die Türen für Verwundbarkeit. Das hatte er selbst auf die harte Tour gelernt.

Heute Morgen hatte er Susannah bedrängt, und sie hatte mit einer Beichte reagiert. Im Nachhinein hätte er es kommen sehen müssen. Nach der Episode mit Darcy hatte sie sich dem Glauben zugewandt. Dem Glauben und ihrer Karriere. Durch beides hatte sie sich davon überzeugen können, dass sie selbst wieder über ihr Leben bestimmte. Aber Charles wusste, dass sie sich täuschte. Hatte man das Verbotene einmal gekostet, blieb der Geschmack für immer auf der Zunge, wie sein Mentor Pham ihm beigebracht hatte.

Charles konnte Susannah in jede Richtung drängen, die er wollte. Er musste es nur geschickt anstellen.

Eben hatte er Bobby bedrängt. Nun würde er einen Schritt zurücktreten und beobachten, wie sein Schützling reagierte. Blieb zu hoffen, dass das Problem Rocky bald aus der Welt geschafft wurde. Bobby bewies bei der Wahl der Gehilfen sogar noch weniger Geschick, als Granville es getan hatte.

Als Granville Simon Vartanian rekrutiert hatte, waren beide noch sehr jung gewesen, aber schon damals hatte Charles sehen können, dass in Simon das Potenzial zu echtem Wahnsinn steckte. Dann wurde Simon für tot erklärt. Dass er noch höchst lebendig und nur von seinem Vater verbannt worden war, ahnte kaum jemand, aber es war so typisch Arthur Vartanian: Es war seine Methode gewesen, die Auswirkungen der Schandtaten seines Sohnes auf seine eigene richterliche Karriere zu neutralisieren. Arthur Vartanian erfand einen Autounfall und ließ sogar eine fremde Leiche ins Familiengrab legen. Charles war damals erleichtert gewesen: Simon hatte seinen Nutzen gehabt, aber über kurz oder lang hätte er Granville vernichtet.

Als Granville sich Mansfield herangezogen hatte, war Charles optimistisch gewesen. Doch bald stellte sich heraus, dass Randy Mansfield dem Mann, der sein Vater gewesen war, nicht einmal annähernd das Wasser reichen konnte.

Was Rocky betraf, so war sie weder wahnsinnig noch nutzlos. Aber sie besaß nicht die nötige Härte, was sie zu einem Risiko machte. Dummerweise kannte sie Geheimnisse. *Sie kennt mein Gesicht.*

*Wenn Bobby sie nicht eliminiert, dann muss ich es tun.*

Atlanta,
Samstag, 3. Februar, 10.15 Uhr

»Aufwachen.«

Monica hörte das Zischen und versuchte zu gehorchen. Ihre Lider hoben sich.

*Meine Augen gehorchen mir wieder.* Sie bewegte den Arm und war erleichtert, als sie das Zupfen der Infusionsnadel spürte. *Der Beatmungsschlauch ist noch drin. Ich kann nicht sprechen, aber ich bin nicht gelähmt.*

Sie blinzelte, und ein Gesicht schob sich in ihr Blickfeld. Eine Krankenschwester. Panik jagte ihren Puls hoch.

»Hör nur zu«, sagte die Frau heiser, und Monica sah, dass die Augen der anderen rot vom Weinen waren. »Die haben deine Schwester. Hier ist ein Foto.« Sie schob Monica das Handy vors Gesicht, und Monicas rasender Puls schien abrupt stehenzubleiben.

O Gott, es stimmte. Es war Genie, in einem Kofferraum zusammengerollt, einen Knebel im Mund, die Hände gefesselt. *Vielleicht ist sie tot. Oh, Genie.*

»Sie lebt«, sagte die Krankenschwester. »Noch jedenfalls. Ich sollte dich umbringen, aber ich konnte es nicht.« Tränen füllten ihre Augen, aber sie wischte sie wütend weg. »Und deswegen ist *meine* Schwester jetzt tot. Sie haben sie umgebracht. Weil ich *dich* nicht umbringen konnte.«

Entsetzt sah Monica zu, wie die Krankenschwester etwas in ihren Tropf injizierte und davonging.

# 12. Kapitel

Das kann ich nicht«, sagte Rocky. »Die werden mich sofort erwischen.«

»Du hast Angst«, höhnte Bobby.

»Ja«, sagte Rocky. »Allerdings. Du willst, dass ich auf den Friedhof marschiere und Susannah Vartanian abknalle? Vor allen Trauergästen?«

»In einer Menschenmenge wird man praktisch nicht gesehen«, sagte Bobby. »Du drückst ab, lässt die Waffe fallen und tauchst im anschließenden Chaos in aller Selenruhe unter.«

»Das ist doch krank.«

Bobby verharrte vollkommen reglos. »Ich dachte, du vertraust mir.«

»Das tue ich auch, aber …«

»Du zeigst bei jeder Gelegenheit Angst«, sagte Bobby barsch. »Gestern im Bunker. Bei der Krankenschwester. Wenn du dich dauernd duckst und versteckst, dann hast du keinen Wert für mich.« Bobby sah sie eindringlich an. »Und niemand gibt seinen Job bei mir einfach auf, Rocky.«

»Ich weiß«, sagte Rocky. Wenn sie sich weigerte, würde sie sterben. *Ich will aber nicht sterben.*

Bobby beobachtete sie. »Du hast Angst. Du bist ein Versager. Ich kann dich nicht mehr gebrauchen.«

Rocky starrte auf die Pistole, die Bobby auf sie richtete. »Du würdest mich erschießen? Einfach so?«

»Einfach so. Nach allem, was ich für dich getan habe, müsstest du mir dankbar sein. Und doch enttäuschst du mich wieder und wieder. Ich habe keine Geduld für Versager. Ich habe keine Verwendung für dich. Du hast zu oft schon versagt. Dies war deine Chance, mir zu beweisen, dass du es doch wert bist.«

Ruhig und selbstsicher saß Bobby da, und Rocky überkam Verzweiflung. Selbst wenn Bobby sie nur verstieß, wohin sollte sie gehen? »Kann ich wenigstens einen Schalldämpfer haben?«

»Nein. Ein Schalldämpfer ist nur eine Krücke. Du wirst mir beweisen, dass du es wert bist, mein Schützling zu sein. Wenn du es schaffst, wirst du nie wieder Angst haben. Und genau so eine Assistentin brauche ich. Du hast die Wahl. Tu, was ich will, und bleib am Leben, oder zieh den Kopf ein und stirb.«

Rocky starrte auf die Pistole in Bobbys Hand. Keine der Alternativen gefiel ihr. Sterben gefiel ihr am wenigsten. Und sie hatte es so satt, Angst zu haben.

»Dann gib mir die Waffe schon. Ich tu's.« *Aber wenn ich abdrücke, dann ziele ich nicht auf Susannah Vartanian. Sondern auf dich. Ich sage ihnen, wer du bist und was du getan hast. Und dann bin ich endlich frei.*

*Dutton,*
*Samstag, 3. Februar, 11.35 Uhr*

»Meine Güte, ist denn die ganze Stadt hier?«, murrte Luke.

»Es sieht so aus«, gab Susannah zurück. Sie stand zwischen Al und Luke auf dem Friedhof hinter Duttons First Baptist Church. Chase und zehn Polizisten in Zivil hatten sich unter die Menschenmenge gemischt und hielten die Augen offen.

»Sehen Sie jemanden, der Ihnen bekannt vorkommt?«

»All die Menschen, mit denen ich aufgewachsen bin. Falls Sie über irgendjemanden etwas wissen wollen, fragen Sie einfach.«

»Okay. Wer ist der Priester, der den Gottesdienst abgehalten hat?«

»Pastor Wertz«, sagte sie leise, und Luke beugte sich zu ihr, um sie besser verstehen zu können. Er duftete heute wieder nach Zeder, kein Hauch von Tod oder Feuer haftete mehr an ihm. Sie atmete seinen Geruch noch einmal tief ein und konzentrierte sich dann wieder auf den Friedhof, auf dem sie vor nicht einmal zwei Wochen neben Daniel gestanden hatte.

»Wertz war schon vor meiner Geburt Pastor, und mein Vater hielt ihn für einen Narren. Das kann entweder bedeuten, dass er sich nicht kaufen ließ, oder dass er nicht gerissen genug war, Vaters Spiele zu spielen. Mir kommt Wertz heute nicht anders vor als damals, obwohl seine Predigten früher viel länger waren. Heute hat er kaum zwanzig Minuten gesprochen.«

»Er hatte in letzter Zeit ja auch einige zu halten«, bemerkte Al.

»Vielleicht mag er nicht mehr.«

Sie dachte an die vielen Menschen, die durch Mack O'Brien gestorben waren. »Wahrscheinlich haben Sie recht.«

»Und wer ist der ältere Herr mit dem Gefolge?«, fragte Luke.

»Kongressmann Bob Bowie.«

»Seine Tochter war Mack O'Briens erstes Opfer«, murmelte Luke, und sie nickte.

»Neben ihm, das sind seine Frau Rose und sein Sohn Michael.«

»Und der dünne alte Mann neben dem Sohn?«

»Das ist Mr. Dinwiddie, Bowies Butler. Die Bowies hatten immer schon Dienstboten, die auch bei ihnen wohnten, und meine Mutter war richtiggehend neidisch darauf. Sie wollte auch einen Butler, aber mein Vater erlaubte es nicht. Er wickelte zu Hause zu viele halbseidene Geschäfte ab, um Dienstboten in seiner Nähe zu dulden.«

»Noch jemand, den ich kennen sollte?«

»Sehen Sie die ältere Lady mit den toupierten Haaren? Dort, drei Reihen weiter hinten. Das ist Angie Delacroix. Sie könnte einiges über die Granvilles wissen, denn ihr gehört der Schönheitssalon, und sie weiß eigentlich über alles, was in Dutton passiert, Bescheid. Und was sie nicht mitbekommt, weiß vielleicht das Barbershop-Trio da vorn.« Die drei älteren Herren hatten auf Klappstühlen neben dem Grab gesessen und sich gerade alle zugleich erhoben. Nun kamen sie über den Rasen auf Susannah und die beiden Männer zu.

»Trio? Kein Quartett?«, fragte Al in Anspielung auf die berühmte Barbershop Harmony Society.

»Nein. Die drei sitzen von Montag bis Freitag, von neun bis siebzehn Uhr auf der Bank vor dem Herrenfriseur und sehen zu, wie die Welt an ihnen vorbeizieht. Zwischendurch gehen sie eine Stunde im Diner gegenüber essen. Man kann wohl sagen, dass sie eine Institution in Dutton sind. Erst wenn einer von dem Trio stirbt, wird ein Platz für den nächsten Alten frei.«

»Okay«, murmelte Luke. »Und ich habe meinen Großonkel Yanni, der allen Statuen in seinem Garten die Augen blau angemalt hat, für seltsam gehalten. Welcher von den Burschen ist Daniels alter Englischlehrer? Er hat uns gestern beim Mack-O'Brien-Fall geholfen. Vielleicht ist er gewillt, uns noch mehr zu sagen.«

»Mr. Grant – der Mann rechts. Die anderen beiden sind Dr. Grim und Dr. Fink. Alle drei verursachen mir eine Gänsehaut.«

Luke verbiss sich das Grinsen. »Kein Wunder bei Namen wie Fink und Grim.«

»Sie heißen wirklich so. Dr. Fink war mein Zahnarzt. Noch heute gerate ich in Panik, wenn ich einen Bohrer höre. Mr. Grant hat ständig über tote Dichter gesprochen. Er wollte unbedingt, dass ich Theater spiele. Und Dr. Grim war mein Bio-Lehrer. Er war … anders.«

»Wie anders?«

»Neben ihm wirkt Ben Stein aus *Ferris macht blau*, als hätte er ADHS.«

»Oh. Doch so aufregend?«, fragte Luke mit einem Lächeln in der Stimme.

»Noch schlimmer.« Sie richtete sich ein wenig auf, als die drei Männer vor ihr stehen blieben. »Gentlemen, bitte erlauben Sie mir, Ihnen Special Agent Papadopoulos und Bezirksstaatsanwalt Al Landers vorzustellen. Dr. Fink, Dr. Grim und Mr. Grant.«

Die alten Herren nickten höflich. »Miss Susannah.« Dr. Fink nahm ihre Hand. »Ich hatte bei der Beerdigung Ihrer Eltern keine Gelegenheit, Ihnen mein Beileid auszudrücken.«

»Danke, Dr. Fink«, gab sie ernst zurück. »Das ist sehr freundlich.«

Der nächste Mann hauchte ihr einen Kuss auf die Wange. »Sie sehen wunderschön aus, meine Liebe.«

»Und Sie sehr gut, Mr. Grant.«

»Wir haben von Daniel gehört«, sagte Mr. Grant mit besorgter Miene. »Geht es ihm besser?«

»Er befindet sich zwar noch auf der Intensivstation, doch die Ärzte sind sehr zuversichtlich.«

Mr. Grant schüttelte den Kopf. »Ich kann es kaum glauben. Vor vierundzwanzig Stunden hat er mir noch den Gedichtband geschenkt, und jetzt … Aber er ist jung und kräftig. Er wird es schaffen.«

»Danke, Sir.«

Der dritte Mann musterte sie eingehend. »Sie wirken abgemagert, Miss Vartanian.«

Wieder richtete sie sich etwas auf. »Ich bin nur müde, Mr. Grim. Die letzten Wochen sind anstrengend gewesen.«

»Nehmen Sie B-zwölf? Sie denken doch noch daran, wie wichtig B-zwölf ist, nicht wahr?«

»Ich werde die Bedeutung der Vitamine niemals vergessen, Sir.«

Dr. Grims Gesicht wurde weicher. »Es tut mir schrecklich leid, was mit Ihrer Mama und mit Ihrem Daddy geschehen ist.«

»Vielen Dank, Sir.«

»Entschuldigen Sie«, warf Luke ein, »aber die Herren haben doch gewiss vom Tod Dr. Granvilles erfahren, nicht wahr?«

Alle drei verzogen unwillkürlich die Gesichter. »Ein furchtbarer Schock«, sagte Dr. Fink. »Bevor ich in Pension ging, lag meine Praxis direkt neben seiner. Ich habe jeden Tag mit ihm gesprochen. Manchmal haben wir gemeinsam zu Mittag gegessen. Meine Tochter hat meine Enkel bei ihm impfen lassen. Wir alle haben nichts geahnt.«

»Er war einer meiner Schüler«, fügte Mr. Grant hinzu. »Und er war brillant. Hat zwei Klassen übersprungen. Was für eine Verschwendung. Fink hat recht. Es war ein Schock für uns alle.«

Dr. Grim sah besonders zerknirscht aus. »Er war mein Musterschüler, mein Schützling. Niemand nahm den Stoff so auf wie er. Und niemand hätte geahnt, dass er zu so schlimmen Dingen fähig gewesen wäre. Unglaublich, wirklich.«

»Ich verstehe«, murmelte Luke. »Sie bekommen bestimmt viel von dem mit, was sich in Dutton tut.«

258

»Nun, sicher«, erwiderte Dr. Fink stolz. »Schließlich sitzt mindestens einer immer auf der Bank.«

Susannah hob erstaunt die Brauen. »Und ich hatte immer den Eindruck, Sie alle drei säßen ohne Unterbrechung dort.«

»Das tun wir auch, sofern wir keinen Grund zum Fernbleiben haben«, sagte Grant. »Wie zum Beispiel meine Krankengymnastik oder Finks Dialyse oder Grims ...«

»Das reicht«, schnitt Grim ihm das Wort ab. »Agent Papadopoulos hat nicht nach unserem Terminplan gefragt. Haben Sie noch eine spezielle Frage, Agent Papadopoulos?«

»Ja, Sir«, sagte Luke, »das habe ich. Hatte Dr. Granville irgendwelche ungewöhnlichen Kontakte?«

Die drei alten Männer sahen sich stirnrunzelnd an.

»Reden Sie von Frauen?«, fragte Fink. »Wollen Sie wissen, ob er eine Affäre hatte?«

»Nein«, erwiderte Luke. »Aber meinen Sie, er hatte eine?«

»Nein«, sagte Grim. »Zu sagen, er sei ein gottesfürchtiger Mann gewesen, ist nun natürlich lächerlich, aber ich habe ihn nie in einer unangemessenen Situation erlebt. Er war der Arzt dieser Stadt. Er war bekannt.«

»Es gab also niemanden, mit dem er besonders eng befreundet schien oder mit dem er Geschäfte machte?«

»Meines Wissens nicht«, sagte Mr. Grant. »Fink? Grim?«

Die anderen beiden schüttelten den Kopf, und Susannah fand es seltsam, dass sie so unwillig wirkten, über jemanden zu sprechen, der ein Vergewaltiger, Mörder und Kinderschänder gewesen war. Aber natürlich mochte ihr Widerwillen auch an ihrem üblichen Misstrauen Außenstehenden gegenüber liegen.

»Ich danke Ihnen«, sagte Luke. »Schade, dass wir uns nicht unter anderen Umständen kennengelernt haben.«

Die drei bedachten Susannah mit einem ernsten Blick, dann wandten sie sich um und kehrten zu ihren Klappstühlen zurück.

Susannah stieß den Atem aus. »Interessant. Ich hatte erwartet, dass sie sich Al gegenüber distanziert benehmen würden, da er ein Yankee ist, aber Ihnen gegenüber sicher nicht, Luke.«

»Na, dann bin ich aber froh, dass ich meinen Mund nicht aufgemacht habe«, gab Al ein wenig indigniert zurück.

Ein kleines Lächeln erschien auf Susannahs Lippen. »Nicht böse sein, Al, aber die älteren Generationen grollen noch immer.«

»Ich bin nicht davon ausgegangen, dass ihnen meine Fragen gefallen«, wandte Luke ein. »Granvilles Skandal ist nicht nur ein Schock für Duttons Einwohner, sondern wirft auch ein ganz schlechtes Licht auf die Stadt. Wer ist die Frau mit der Kamera?«

»Marianne Woolf. Ihrem Mann gehört die *Dutton Review*.«

Luke stieß einen Pfiff aus. »Daniel hat mir erzählt, dass sie auf der Highschool ziemlich begehrt war. Jetzt verstehe ich, wieso. Wow.«

Susannah versuchte, den Stich der Eifersucht zu ignorieren. Männer reagierten meistens so auf Marianne, und die Zeit war gut zu ihr gewesen. Einen Moment lang überlegte sie mit einem Anflug von Häme, ob vielleicht die Schönheitschirurgie besonders gut zu ihr gewesen war, verwarf den Gedanken dann aber rasch wieder. Das war jämmerlich.

»Wahrscheinlich ist Marianne im Auftrag der Zeitung hier«, sagte sie. »Jim Woolf und seine Brüder sind jedenfalls nicht zu sehen. Aber seine Schwester Lisa wurde gestern begraben.«

»Lisa Woolf war auch eines der O'Brien-Opfer«, fügte Luke erklärend für Al hinzu.

Susannah wollte nicht an Macks Opfer denken. Ihr Tod war zu eng mit Simons Machenschaften verbunden, und Simon war immer noch zu eng mit ihr verbunden. »Der Mann neben Pastor Wertz ist Corey Presto. Mr. Presto gehört die Pizzeria, in der Sheila gearbeitet hat und auch erschossen wurde.«

»Presto kenne ich. Ich war am Tatort, nachdem Sheila getötet worden war.« Luke hob den Kopf und ließ seinen Blick über die Menge schweifen. »Zwei Drittel der Leute hier sind Reporter. Ich hatte gedacht, dass die Beerdigung Ihrer Eltern ein Medienrummel gewesen ist, aber das hier schlägt wirklich alles.«

Sie zögerte. »Übrigens danke, dass Sie zu dem Begräbnis meiner Eltern gekommen sind. Ich weiß, dass es Daniel viel bedeutet hat, Sie und Ihre Familie hier zu sehen.«

Er drückte ihren Arm. »Daniel gehört zu meiner Familie. Wir hätten ihn in einer solchen Zeit niemals im Stich gelassen.«

Sie fröstelte, wusste aber nicht, ob es an seiner Berührung lag oder am Gefühl, das er heraufbeschworen hatte. Auch sie ließ ihren Blick über die Menge schweifen und zog plötzlich die Brauen zusammen, als sie eine Gestalt sah, die etwas abseits stand. »Das ist ja merkwürdig.«

Al Landers versteifte sich augenblicklich. »Was denn?«

»Na ja, da hinten ist Garth Davis' Schwester. Unter diesen Umständen hätte ich sie hier einfach nicht erwartet. Ich meine, Sheila war eines von Garths Vergewaltigungsopfern.«

»Vielleicht will sie einfach nur ihr Beileid bekunden«, bemerkte Al.

»Ja, mag sein«, sagte Susannah zweifelnd. »Aber sie muss doch damit rechnen, dass die Leute zu tuscheln anfangen.«

»Psst«, mahnte Luke. »Der Pastor fängt an.«

Es war eine kurze Gedenkfeier und eine traurige. Pizzeriabesitzer Corey Presto, der neben dem Priester stand, begann leise zu weinen, aber Susannah konnte keine Familienmitglieder von Sheila Cunningham sehen. Auch Freunde schienen nicht gekommen zu sein. Wie viele Menschen hier hatten Sheila wohl wirklich gekannt?

Nicht viele, schätzte sie. Aber Sheilas Name hatte einen hohen Nachrichtenwert, über sie würde in den kommenden Tagen sicher noch viel geklatscht werden.

*Und sobald bekannt wird, dass ich eine Aussage gemacht habe, auch über mich.*

Pastor Wertz begann, aus der Bibel zu lesen. Seine Miene war müde. Er hatte in den vergangenen zwei Tagen zwei Beerdigungen abhalten müssen, und es würden noch einige hinzukommen.

Sie musste an Daniel denken, als Corey Presto eine rote Rose auf Sheilas Sarg legte. Auch ihr Bruder wäre gestern beinahe gestorben. Hätte Alex nicht so rasch gehandelt, hätte Susannah in wenigen Tagen vielleicht wieder hier stehen und das letzte Mitglied ihrer Familie unter die Erde bringen müssen.

*Und dann wäre ich genauso einsam, wie Sheila Cunningham es gewesen ist.* Oder schlimmer noch, denn Sheila hatte wenigstens Corey Presto gehabt. *Ich habe niemanden.* Susannah schluckte hart und stellte verblüfft fest, dass ihre Wangen feucht geworden waren. Verlegen wischte sie die Tränen mit den Fingerspitzen ab und zuckte zusammen, als Lukes Hand behutsam über ihr Haar strich und sich warm und tröstend auf ihren Rücken legte. Einen kurzen Augenblick lang gab sie der Versuchung nach, sich an ihn zu lehnen.

Und einen kurzen Augenblick gestand sie sich zu, sich nach einem Mann wie Luke Papadopoulos, einem guten und freundlichen Mann, zu sehnen. Doch ein solcher Mann war für sie nicht vorgesehen. Nicht nach allem, was er nun wusste. Er war gut zu ihr, weil Daniel sein bester Freund war, und vielleicht fand er sie sogar anziehend, aber letztlich würde ein Mann, dessen Mutter Rosenkränze mit sich herumtrug, wohl kaum eine Frau wollen, die ... *die so ist wie ich.* Und wer wollte es ihm verübeln? *Ich will auch keine Frau wie mich.*

Pastor Wertz sprach das »Amen«, und Susannah nahm sowohl körperlich als auch emotional Abstand zu Luke ein. Al drückte ihr ein Taschentuch in die Hand. »Ihre Wimperntusche ist verwischt.«

Rasch tupfte sie ihr Gesicht ab. »Besser?«

Al hob mit dem Zeigefinger ihr Kinn an, um sie zu betrachten. »Ja. Alles okay mit Ihnen?«

*Nein.* »Ja.« Sie wandte sich zu Luke um. »Sie müssen nicht meinen Aufpasser spielen. Ich komme schon zurecht.«

Luke sah aus, als glaubte er ihr nicht, nickte aber dennoch. »Gut, ich muss leider wirklich zurück. Ich bin um zwei verabredet. Rufen Sie an, wenn Sie mich brauchen oder wenn Sie jemanden sehen, der Ihnen bekannt vorkommt.« Er sah sich um. »Allerdings würde ich schon noch gern mit Kate Davis sprechen. Wo ist sie jetzt?«

Susannah konnte sie nirgendwo mehr entdecken. »Vermutlich ist sie schon gegangen. Ich kann es ihr nicht verübeln. Hier zu erscheinen, muss sie einige Überwindung gekostet haben.«

Luke wandte sich Al zu. »Hier laufen überall Polizisten herum. Wenn es sein muss, schreien Sie einfach laut.«

Al sah ihm nach, dann warf er Susannah einen wissenden Blick zu. »Netter Kerl.«

*Und viel zu nett für mich.* »Fahren wir zurück. Ich bin heute noch nicht bei unserer Unbekannten im Krankenhaus gewesen.«

263

Sie waren erst ein paar Schritte gegangen, als eine Frau ihnen in den Weg trat. »Hi«, sagte sie nervös. »Sie sind Susannah Vartanian, nicht wahr?«

Als Hand legte sich schützend auf ihren Arm. »Ja«, sagte Susannah. »Kennen wir uns?«

»Ich glaube nicht. Ich bin Gretchen French.«

Das Opfer, das, wie Chloe Hathaway ihr erzählt hatte, eine Pressekonferenz organisieren wollte. Aber woher wusste diese Frau schon, dass auch Susannah zu den Opfern gehörte?

»Was kann ich für Sie tun, Miss French?«

»Ich habe Ihren Bruder vor ein paar Tagen kennengelernt. Und ich habe gehört, dass Randy Mansfield ihn angeschossen hat.«

Der Knoten in ihrer Brust lockerte sich. »Ja, das stimmt. Aber er ist inzwischen außer Gefahr.«

Gretchen lächelte, aber es wirkte angestrengt. »Ich wollte Sie bitten, ihm in meinem Namen zu danken. Er und Talia Scott haben mir eine schwierige Zeit erträglicher gemacht. Er ist ein guter Mensch.«

Susannah nickte. »Ich richte es ihm aus.«

»Es war sehr nett von Ihnen, heute hier zu erscheinen und Sheila an Daniel Vartanians Stelle Respekt zu erweisen.«

Susannah spürte, wie Als Hand leicht zudrückte. »Deswegen bin ich nicht hier.«

»Oh. Sie kannten Sheila?«

»Nein.« *Sag es. Sag es einfach. Sag es jetzt, und beim nächsten Mal ist es einfacher.*

Gretchen sah sie verwirrt an. »Warum sind Sie dann hier?«

Susannah stählte sich innerlich. »Aus demselben Grund wie Sie. Auch ich war ein Opfer.«

Gretchen blieb der Mund offenstehen. »Aber ich ... ich hatte keine Ahnung.«

»Ich wusste auch nichts von Ihnen oder den anderen. Bis Daniel es mir am Donnerstag gesagt hat. Ich dachte, ich wäre die Einzige gewesen.«

»Ich auch. O Gott.« Gretchen starrte sie immer noch an. »Ich denke, das haben wir wohl alle gedacht.«

»Ich habe heute meine Aussage gemacht und unterschrieben«, sagte Susannah. »Ich werde vor Gericht erscheinen, wenn nötig.«

Gretchen nickte langsam. »Es wird schwierig werden.«

Schwierig. Langsam konnte sie das Wort nicht mehr ausstehen. »Ich schätze, es wird für uns alle die Hölle werden.«

»Wahrscheinlich wissen Sie es besser als jede andere«, sagte Gretchen. »Sie sind Anwältin, wie ich gelesen habe.«

*Noch,* dachte Susannah, als Al ihren Arm erneut drückte. *Bald vielleicht nicht mehr.* Al hatte natürlich recht: Die Verteidigung würde nun bei jedem Fall versuchen, ihren Status als ehemaliges Opfer auszuschlachten. Trotzdem würde sie zu den anderen Frauen stehen. Sie konnte sich immer noch Gedanken über Lösungen machen, wenn die Probleme tatsächlich auftauchten. »Staatsanwältin Chloe Hathaway hat mir erzählt, dass Sie eine Pressekonferenz arrangieren. Wenn Sie mir sagen, wann und wo sie stattfinden wird, komme ich.«

»Danke.«

»Danken Sie mir bitte nicht. Ich gebe Ihnen meine Karte. Rufen Sie mich an.« Sie senkte den Kopf, um in ihrer Handtasche zu suchen, als plötzlich ein scharfes Krachen die Luft zerriss.

Susannah wurde zu Boden gestoßen, und Als Gewicht presste ihr alle Luft aus den Lungen. Und dann brach auf dem Friedhof das Chaos aus. Leute schrien und rannten umher, während die Polizei Befehle brüllte und versuchte, Ordnung in die panikgetriebene Menge zu bringen.

Benommen hob Susannah den Kopf und entdeckte inmitten der Hektik augenblicklich eine Frau, die fast reglos verharrte. Sie trug Schwarz, von ihrem Hut über die Handschuhe bis hin zum Saum ihres altmodischen Kleides. Ein schwarzer Schleier verdeckte ihr Gesicht, aber irgendwie wusste Susannah, dass die Frau sie anstarrte. *Mich anstarrt.*

Und Susannah starrte wie hypnotisiert zurück.

Rote Lippen. *So rote Lippen.* Die Farbe war sogar durch die schwarze Spitze zu sehen, was eine seltsame Wirkung erzeugte. Und dann wich die Frau zurück und war einen Moment später in der Menge verschwunden.

»Alles in Ordnung?«, brüllte Al über die Schreie hinweg.

»Ich ... ich bin unverletzt.«

»Bleiben Sie noch einen Moment un... Oh, verdammt!« Al sprang auf, und Susannah kam langsam zum Knien, als Al vorsichtig Gretchen Frenchs Körper zu Boden gleiten ließ. »Sie wurde getroffen.«

Mindestens zwanzig Polizisten stürmten die Umgebung, und Susannah versuchte zum zweiten Mal in vierundzwanzig Stunden, eine Blutung zu stillen. Gretchen war bei Bewusstsein, aber sehr blass und durcheinander. Die Kugel war durch ihren Oberarmmuskel gedrungen, und das Blut sickerte kontinuierlich aus der Wunde.

»Bleiben Sie bitte, wo Sie sind«, sagte Susannah. »Bewegen Sie sich nicht.« Sie knüllte Als Taschentuch zusammen und drückte es auf Gretchens Arm. »Al, können Sie mir ...« Sie sah auf und entdeckte, dass Als entsetzter Blick auf etwas vor ihm fixiert war, und ihr Herzschlag setzte aus. »O nein. Nein!«

Kate Davis lag auf dem Boden zwischen zwei Grabsteinen

und starrte blicklos in den Himmel. Ihre weiße Bluse färbte sich tiefrot. Ein Arm lag ausgestreckt, die Hand umklammerte eine Pistole.

Zwei Officer waren gerade im Begriff, ihre Waffen wieder in die Holster zu stecken. Susannah konnte sie nur schockiert anstarren. Sie hatte keinen Schuss gehört. Aber Kate Davis war tot.

Al blickte verdattert hinab. »Sie hat auf Gretchen French geschossen.«

»Bitte treten Sie zur Seite.« Sanitäter schoben sie aus dem Weg, und ebenfalls zum zweiten Mal in vierundzwanzig Stunden überließ sie die Arbeit den Profis. Sie stand auf und stellte fest, dass ihre Beine wie Gummi waren.

»Al …«

Seine Arme schlangen sich um sie und hielten sie fest, als ihre Knie nachgaben. Die ersten Kameras blitzten, und Al schirmte sie mit seinem Körper ab. »Kommen Sie.« Schwer atmend führte er sie weg. »Susannah, diese Stadt ist doch das Letzte!«

»Ja«, sagte Susannah, »ich weiß.«


Tanner drosselte das Tempo, und Bobby schlüpfte auf den Beifahrersitz. »Fahr los.«

Er gehorchte, und zehn Sekunden später hatten sie das Friedhofstor hinter sich gelassen. »Geschafft?«

»Natürlich.« Genau wie geplant.

»Hat dich jemand erkannt?«

»Nein.«

Tanner schnitt ein Gesicht, als Bobby den Hut mit dem Schleier abnahm. »Der Hut ist scheußlich, aber der Lippenstift ist noch schlimmer.«

Er reichte Bobby sein Taschentuch. »Wisch dir lieber das Gesicht ab.«

»Sheila hat immer diese Farbe getragen. Ich hielt es für eine reizende Idee.«

Tanner verdrehte die Augen, als Bobby sich den Lippenstift abrieb. »Wo ist die Waffe?«

»Die, die ich für Rocky benutzt habe, habe ich ins Gras fallen lassen, die andere ist noch immer in meiner Tasche.« Bobby betastete das kleine Loch im Stoff. »Das Training mit Charles zahlt sich wirklich aus. Mit zwei Waffen gleichzeitig zwei Ziele getroffen. Die Ballistik wird viel Spaß haben, wenn sie die Kugeln zuordnen will.«

»Susannah Vartanian ist also auch tot?«

»Nein, natürlich nicht.«

Tanners Kopf fuhr herum. »Du hast gesagt, du hättest es geschafft. Du hast danebengeschossen?«

Bobby schüttelte verächtlich den Kopf. »Unsinn. Ich schieße nicht daneben. Wenn ich Susannah hätte treffen wollen, dann hätte ich das auch. Aber ich hatte nie die Absicht, sie einfach zu töten. Wenn Charles mit ihr spielen kann, dann kann ich das auch.«

»Aber wen hast du dann getroffen?«

»Keine Ahnung. Irgendeine arme Frau, die gerade zufällig neben Susannah stand.« Ein vergnügtes Lachen. »Ich fühle mich großartig. So habe ich mich seit … oh, ich weiß nicht, seit Ewigkeiten nicht mehr gefühlt. Vielleicht nicht mehr, seit ich diesen Mistkerl Lyle getötet habe.«

»Dein Vater hat es herausgefordert«, sagte Tanner.

*Er war nicht mein Vater.* »Das hat Rocky auch. Fahren wir nach Ridgefield zurück. Wir haben ein paar Dinge zu erledigen, bevor du nach Savannah fährst.«

Tanner verspannte sich. »Runter. Polizeiwagen auf zwölf Uhr.«

Bobby rutschte hastig unter das Armaturenbrett. »Ich hab keinen gesehen.«

»Zivilwagen. Er ist jetzt weg. Komm, verschwinden wir.«

Luke stürmte aus seinem Wagen, sein Herz hämmerte heftig. *Schüsse, Friedhof Dutton.* Sobald er die Worte über Funk gehört hatte, hatte er das Steuer herumgerissen und war zurückgerast. Susannah saß auf dem Beifahrersitz ihres Mietwagens, der an allen Seiten zugeparkt war. Zwei Streifenbeamte gaben sich Mühe, die Menge wieder unter Kontrolle zu bringen, während ein wütender Al Landers vor Susannahs Auto auf und ab lief.

»Was ist passiert?«, fragte Luke.

Al Landers schüttelte den Kopf. »Ich weiß es immer noch nicht genau. Und ich schätze, Ihrem Chef geht es nicht anders.«

Luke steckte den Kopf in den Wagen. Susannah saß mit leicht gesenktem Kopf da und blickte auf ihre Hände in ihrem Schoß. Ihr Gesicht und ihr schwarzes Kleid waren mit rötlicher Erde beschmiert. »Geht's Ihnen gut?«

Sie warf ihm einen müden Blick zu. »Ich bin nur von Al getroffen worden. Kate Davis ist tot.«

Lukes Miene verfinsterte sich. »Kate Davis? Sie machen Witze.«

»Schön wär's. Die Polizei hat sie erschossen, nachdem sie auf Gretchen French gefeuert hat.«

Luke schüttelte den Kopf, um klar zu denken. »Was? Kate Davis hat auf jemanden *geschossen*? Auf dem *Friedhof*?«

»Ja«, erwiderte Susannah sehr ruhig. »Auf Gretchen French. Auf dem Friedhof.«

»Das Opfer, das Chloe heute Morgen erwähnt hat? Die Frau, die versucht, die anderen Opfer dazu zu bringen, an einer Pressekonferenz teilzunehmen?«

»Ja, genau die. Aber sie ist nicht schwer verletzt. Die Sanitäter kümmern sich schon um sie.«

Al steckte seinen Kopf an Susannahs Seite in den Wagen. »Was sie geflissentlich auslässt, ist die Tatsache, dass sie zur fraglichen Zeit direkt neben Miss French stand.«

Lukes Magen ballte sich zu einem kalten Stein zusammen. Sie hätte getötet werden können! »Ich erkundige mich nach Miss French«, sagte er rauh. »Sie fahren mit mir zurück.«

Susannah sah überrascht zu ihm auf. »Kate hat nicht mich angeschossen, sondern Gretchen French. Und Kate ist tot. Ich kann mir nicht vorstellen, dass sie noch jemanden zu erschießen versucht.«

»Dann tun Sie's mir zuliebe.«

Etwas glomm in ihren grauen Augen auf. »Sie sind sehr freundlich zu mir, Luke, aber Sie müssen nicht auf mich aufpassen. Ich komme auch allein zurecht.«

Sie zog sich zurück, obwohl sie keinen Muskel bewegte. »Dann tun Sie's dennoch. *Mir zuliebe.*«

Seine Kiefermuskeln verhärteten sich. »Susannah, ich bin so müde, dass es mir schwerfällt, mich zu konzentrieren. Es wird nur noch schwerer, wenn ich mir auch noch um Sie Sorgen machen muss.«

Das schien den Ausschlag zu geben, denn sie nickte langsam. »Also gut. Soll ich sofort mit Ihnen kommen?«

»Nein. Bleiben Sie bitte noch einen Moment hier.« Er und Al richteten sich gleichzeitig auf und warfen einander über den

Wagen hinweg einen Blick zu. »Würden Sie den Mietwagen zurückfahren?«

»Ja. Diese junge Frau, Kate Davis ... Ihr Bruder Garth ist das letzte lebende Mitglied von Simons Club. Ist es möglich, dass die Nachricht von Susannahs Aussage bereits durchgesickert ist?«

»Und dass sie das eigentliche Ziel war?« Luke hatte auch schon darüber nachgedacht. »Wir werden es herausfinden.«

Luke suchte Chase und sah ihn neben der toten Kate Davis hocken. Sein Chef blickte mit säuerlicher Miene zu ihm auf. »Das ist nicht gerade mein Tag.«

»Kate Davis' Tag aber auch nicht«, sagte Luke. »Wer hat sie erschossen?«

»Keine Ahnung«, sagte Chase noch säuerlicher. »Keiner von uns jedenfalls.«

Zwischen Lukes Augen entstand eine steile Falte. »Es war kein GBI, meinen Sie?«

»Nein, ich meine, es war überhaupt kein Gesetzeshüter, jedenfalls keiner von denen, die hier auf dem Gelände gewesen sind. Daher weiß ich nicht, wer diese Frau erschossen hat.«

Luke ignorierte den gereizten Tonfall und sah sich unwillkürlich um. »Wir haben also einen zweiten Schützen?«

»Sieht so aus.«

»Die Kugel hat sie direkt ins Herz getroffen. Da hat jemand ein gutes Auge.«

»Tja, wohl wahr. Zumindest hatte Kate kein so gutes Auge. Gretchen French ist nicht viel passiert.«

»Ja, das habe ich schon gehört. Ich nehme Susannah übrigens gleich in meinem Wagen mit. Also – was genau ist passiert?«

»Kate Davis befand sich inmitten einer Traube von Menschen, die auf dem Friedhof warteten. Es hatte sich eine ziemlich lange Schlange von Autos gebildet, die hinauswollten, und die Leute wurden ungeduldig.«

»Ich hatte in der nächsten Querstraße geparkt«, sagte Luke. »Ich musste zwar ein Stück gehen, kam dann aber flott weg.«

»Ja, und nicht nur Sie, was ebenfalls ein Problem war. Als uns die Kugeln um die Ohren flogen, begannen die Leute bereits zu gehen, wodurch wir das Gebiet nicht abriegeln konnten.« Noch immer befanden sich ziemlich viele Menschen auf dem Friedhof. Viele hatten sich hinter dem gelben Band versammelt, mit dem die Officers den unmittelbaren Tatort abgesperrt hatten. Offenbar hofften die meisten auf einen Hauch *CSI*-Krimiromantik. »Zeugen?«

»Die drei alten Herren auf den Klappstühlen saßen in der ersten Reihe. Sie meinten, sie hätten Kate gesehen. Sie habe ihre Jacke überm Arm getragen und ›nervös‹ ausgesehen.« Er zeigte auf eine Jacke, die ungefähr einen halben Meter von der Leiche entfernt auf dem Boden lag. »Es gab einen Schuss, und die Menge geriet in Panik. Al Landers riss Susannah zu Boden, aber es war Gretchen French, die getroffen worden war. Sekunden später hatten zwei Polizisten die Pistolen gezogen und auf Kate Davis gerichtet. Einer sagte ihr, sie solle die Waffe fallen lassen. Die Polizisten meinten, sie habe richtiggehend verwundert ausgesehen.«

Chase begegnete seinem Blick. »Und dann hat sie ›Ich habe sie verfehlt‹ gesagt.«

Luke gefror das Blut in den Adern. »Mist.«

»Genau. Tja, und plötzlich sackte Kate in sich zusammen. Sie war tot, bevor sie noch auf dem Boden aufschlug. Wie Sie schon sagten – da hatte jemand ein verdammt gutes Auge.«

»Und eine Waffe mit Schalldämpfer.«

»Wieder richtig.«

»Und der andere Schütze ist untergetaucht.« Luke kämpfte die aufsteigende Panik nieder. Die Frau hatte ihr Ziel verfehlt, und Susannah war unverletzt. Gretchens Verletzung war nicht schwer. »Ich bin nur froh, dass Sie sich mit der Obrigkeit auseinandersetzen müssen. Diese Geschichte lässt uns wie Vollidioten aussehen.«

»Tja, das ist sehr hübsch zusammengefasst. Sie müssen nicht bleiben, Luke. Ed ist hier, und ich kümmere mich um die Presse.« Er verzog das Gesicht. »Und die hat tolles Material für die Abendnachrichten.«

»Ich bin jedenfalls froh, dass wir hier waren«, sagte Luke bedeutungsvoll, und Chase verdrehte die Augen.

»Ja, ja, Sie hatten recht. Das hier war kein Babysitter-Job.«

»Danke auch. Ich fahre jetzt zurück. Ich muss um zwei Uhr Kasey Knights Eltern begrüßen. Sie wissen schon, die Eltern des ersten Opfers, das wir identifizieren konnten. Ich freue mich nicht darauf.«

»Moment«, sagte Chase. »Wollten Sie nicht in der Davis Bank hier in Dutton nachsehen, ob Granville ein Schließfach hat?«

»Ich war schon vor der Feier dort, aber die Bank hat geschlossen«, erklärte Luke. »Rob Davis, der Enkel des Bankiers, wird heute in Atlanta begraben.«

»Weil Rob Davis Mack O'Brien mit Schwung auf die Zehen getreten ist, der dann aus Rache seinen Enkel umgebracht hat.« Chase seufzte tief. »Jetzt sitzt sein Neffe Garth im Knast, Garths Frau und Kinder werden vermisst, und Kate ist tot. Es scheint ziemlich ungesund zu sein, zu dieser Familie zu gehören.«

»Oder zu den Vartanians, wenn wir schon dabei sind«, fügte Luke hinzu.

Chase nickte. »Oder zu den Vartanians.«

»Verzeihen Sie.«

Chase und Luke drehten sich um und entdeckten Pastor Wertz. »Reverend«, sagte Chase. »Was können wir für Sie tun?«

Wertz wirkte wie betäubt. »Ich habe heute Nachmittag noch eine Beerdigung. Was soll ich tun?«

»Wer wird beerdigt?«, wollte Luke wissen.

»Gemma Martin«, erwiderte der alte Pastor. »Oje, das ist nicht gut. Gar nicht gut.«

»Mack O'Briens drittes Opfer«, murmelte Chase. »Erwarten Sie viele Gäste?«

»Die Martins haben Leute engagiert, die die Medien fernhalten sollen. Aber einer kommt immer durch, und gegen Hubschrauber lässt sich sowieso nichts unternehmen. Ach, es ist entsetzlich, so entsetzlich!«

»Wir müssen diesen Bereich hier komplett absperren«, sagte Chase. »Er ist jetzt ein Tatort. Sie werden die Feier und die Beerdigung verschieben müssen.«

»Oje, oje.« Pastor Wertz rang die Hände. »Mrs. Martin, Gemmas Großmutter, wird gar nicht glücklich sein. Nein, gar nicht.«

»Wenn Sie möchten, spreche ich mit ihr«, erbot sich Chase, und der Pastor nickte erleichtert.

»Ja, bitte, das wäre sehr nett.« Mit einem Seufzen senkte er den Blick. »Die arme Kate. Ich hätte nie erwartet, dass sie so etwas tun könnte. Aber ich denke, Zeiten wie diese können selbst klare Köpfe vernebeln. Wie reagiert man, wenn der Bruder beschuldigt wird, jemanden vergewaltigt zu haben? Ach, ihre Eltern wären so enttäuscht, wenn sie ihre Kinder heute gesehen hätten. Es ist traurig, so traurig.«

Luke warf Susannah einen Blick zu, bevor er sich wieder auf die Straße konzentrierte. Seit sie den Friedhof verlassen hatten, starrte sie auf ihren Bildschirm. »Was machen Sie jetzt?«

»Ich durchsuche die Seiten für Ausreißer auf unsere Miss M. Das habe ich vergangene Nacht schon ungefähr drei Stunden lang getan.«

»Wir haben Leute dafür. Warum entspannen Sie sich nicht ein klein wenig und schlafen?«

»Weil sie in meiner Verantwortung liegt«, gab Susannah ruhig zurück. »Ihre Leute haben nur Bilder von ihrem Gesicht mit geschlossenen Augen. Ich habe sie mit offenen Augen gesehen. Vielleicht entdecke ich etwas, das ihnen entgeht. Ich werde wahnsinnig, wenn ich nichts tun kann.«

»Das allerdings kann ich verstehen. Was haben Sie heute Morgen über die Swastika herausgefunden?«

»Nichts Weltbewegendes. Dieses Symbol taucht im Hinduismus, Jainismus und Buddhismus auf. Immer ist es ein religiöses Symbol, das von der Entstehung des Lebens bis hin zu Glück und Harmonie alles bedeuten kann – und Verschiedenes, je nachdem, ob es nach links oder rechts geöffnet ist. Meins öffnet sich nach rechts, soll also Stärke und Intelligenz heißen.« Sie lächelte selbstironisch. »Nach links bedeutet es Liebe und Gnade.«

Luke dachte nach. »Keines der Brandzeichen öffnet sich nach links.«

»Dachte ich mir schon. Das Hakenkreuz der Nazis öffnet sich übrigens ebenfalls nach rechts.«

»Das heißt, wir müssen die Neonazis nicht zwingend ausschließen.«

»Nein, aber ich glaube einfach nicht dran. Das Nazi-Symbol ist sehr kantig und eckig und wird fast immer um fünfundvierzig Grad gekippt dargestellt. Die Enden sind jedenfalls nie gebogen.«

Er warf ihr wieder einen Blick zu. »Warum haben Sie Ihres eigentlich nicht entfernen lassen?«

»Buße, nehme ich an.« Sie zögerte, dann hob sie die Schultern. »Niemand sollte es je sehen, also war es eigentlich egal.«

Er zog die Brauen zusammen. »Was soll denn das heißen?«

»Das soll heißen, dass ich es nie wieder jemandem zeigen werde.«

Er blickte noch finsterer. »Am Strand oder in einer Beziehung?«

»Weder noch.«

Es klang enervierend bestimmt. »Und warum nicht?«

Sie stieß einen verärgerten Laut aus. »Sie sind verflixt neugierig, Agent Papadopoulos.«

»Luke«, sagte er schärfer, als er es beabsichtigt hatte, aber sie zuckte nur erneut mit den Schultern, was ihn noch wütender machte. »Erst bin ich freundlich, dann bin ich neugierig.« Er wartete, aber sie sagte nichts mehr. »Ist das alles, was Sie zu sagen haben?«

»Ja, das ist alles.«

Er war erleichtert, als sein Handy in der Tasche surrte. Er hatte kurz davorgestanden, die Geduld zu verlieren, und das konnten sie beide nicht gebrauchen. »Papadopoulos.«

»Luke, hier ist Leigh. Ich habe einige Nachrichten für dich. Ist es gerade schlecht?«

*Allerdings.* »Nein, ist schon okay«, sagte er. »Was gibt's?«

276

»Zuerst haben die Knights angerufen. Du wolltest dich um zwei mit ihnen treffen, aber sie können nicht vor halb vier hier sein. Zweitens habe ich einen Treffer zu dem Namen Ashley C-s bekommen: Ein Jacek Csorka in Panama City, Florida, hat seine Tochter vermisst gemeldet. Das war am vergangenen Mittwoch. Das Mädchen ist noch keine achtzehn.«

»Kannst du mir die Telefonnummer durchgeben? Oder gib sie bitte lieber Susannah.« Er reichte ihr das Telefon. »Könnten Sie die Nummer notieren, die sie Ihnen nennt?« Sie tat es, und er nahm das Telefon zurück. »Was noch?«

»Alex hat angerufen. Daniel ist wach.«

Zum ersten Mal seit Stunden atmete er befreit auf. »Schön. Und unsere Unbekannte?«

»Schläft noch.«

»Man kann wohl nicht alles haben. Und was ist mit Hinweisen aus der Bevölkerung?«

»Hunderte, aber leider nichts Glaubhaftes.«

»Danke, Leigh. Ruf mich an, sobald das Mädchen bei Bewusstsein ist.« Er legte auf und wandte sich Susannah zu, die ihren Blick nicht vom Bildschirm nahm. »Bei unserer Miss M ist alles unverändert.« Er zögerte. »Wissen Sie, Susannah, vielleicht hat niemand sie gemeldet oder eingetragen.«

»Doch, bestimmt. Sie hat gestern nach ihrer Mom gefragt. Ihre Mutter muss sie lieben. Und eine Mutter würde doch alles tun, was sie kann, um ihr Kind wiederzufinden.«

Ihre Stimme klang sehnsüchtig, und er fragte sich, ob sie sich dessen bewusst war. Es berührte ihn tief. »Ich hätte noch eine neugierige Frage.«

Sie seufzte. »Was?«

»Hatten Sie je einen Freund?«

Sie runzelte die Stirn. »Das ist nicht witzig.«

»So war es auch nicht gemeint. Im College, vor Darcy? Hatten Sie da einen Freund?«

»Nein«, sagte sie kalt, aber er ließ sich nicht beirren.

»Und auf der Highschool? Bevor das mit Simon und Granville passierte?«

»Nein«, gab sie zurück, nun verärgert.

»Und seit Darcy?«

»Nein!«, brüllte sie. »Hören Sie endlich auf! Wenn ich mir so was anhören muss, nur um am Leben zu bleiben, dann werfen Sie mich einfach dem bösen Rocky zum Fraß vor, und das war's dann!«

»Und warum nicht?«, fuhr er fort, als habe ihr Ausbruch gar nicht stattgefunden. »Warum nach Darcy nicht?«

»Darum nicht«, fauchte sie. Doch dann sackten ihre Schultern nach vorn. »Wollen Sie meine Seele, Agent Papadopoulos?«, fragte sie müde, und dieses Mal korrigierte er sie nicht. »Na, schön. Gott weiß, dass *ich* meine Seele nicht verdiene. Aber noch wichtiger – kein anständiger Mann verdient sie.«

»Bin ich anständig?«, fragte Luke leise.

»Ich fürchte ja, Luke«, sagte sie so traurig, dass es ihm das Herz brach.

»Und so werden Sie für ewig allein sein? Ist das die Buße, die Sie leisten?«

»Ja.«

Luke schüttelte unwillig den Kopf. »Das ist falsch, Susannah. Sie zahlen für etwas, das man Ihnen angetan hat. Sie waren das Opfer.«

»Sie wissen doch gar nicht, was ich war.«

»Dann sagen Sie es mir. Reden Sie mit mir.«

»Und warum?«

»Weil ich es wissen will. Weil ich Ihnen helfen will.« Er holte tief Luft. »Weil ich Sie kennenlernen will, verdammt noch mal.« Seine Hände umfassten das Lenkrad fester. »Schon als ich Sie das erste Mal sah, wollte ich ... Sie kennenlernen.« Er, der normalerweise immer die Worte fand, die Frauen gefielen, tat sich nun schwer. »Ich wollte Sie«, endete er schließlich.

Einen langen Augenblick schwieg sie. »Sie wollen mich nicht, Luke, glauben Sie mir.«

»Weil Sie mal einen One-Night-Stand hatten? Na und?«

»Nicht nur einen«, flüsterte sie so leise, dass er sie fast nicht gehört hätte. »Ich will aber jetzt nicht mehr darüber reden. Es reicht. Bitte.«

Das Beben in ihrer Stimme veranlasste ihn, es gut sein zu lassen. »Okay. Würden Sie die Nummer, die Leigh durchgegeben hat, für mich wählen?«

Sie tat es, und Luke sprach mit Mr. Csorka, der sofort aus Florida losfliegen und DNA-Proben von seiner Tochter Ashley mitbringen wollte. Luke hoffte sehr, dass sie bald darauf das erste der fünf vermissten Mädchen identifiziert haben würden. Mr. Csorka würde irgendwann nach sechs Uhr am Abend eintreffen.

Luke ging noch einmal jedes Detail dieses Falls im Geiste durch, um die Stille im Auto nicht zu hören, respektierte jedoch Susannahs Bitte und schwieg. Als sie am Krankenhaus in Atlanta ankamen, hoffte er, sie würde noch etwas sagen, sich wenigstens verabschieden, aber sie klappte nur wortlos den Laptop zu und ging.

Traurig und hilflos sah er ihr nach.

Er wollte gerade aussteigen, als sein Handy vibrierte. Ein Blick aufs Display genügte, dass er auf »Annehmen« drückte.

»Ja?«

»Luke, ich bin's, Nate. Ich habe mir die Bilder in Mansfields Computer angesehen.«

Lukes schlechtes Gewissen meldete sich sofort. »Tut mir leid, Nate. Ich habe dich das schon wieder allein machen lassen. Ich habe aber jetzt ein wenig Zeit, bevor die Eltern von Kasey kommen. Lass mich eben mit Daniel sprechen, dann komme ich und helfe dir.«

»Ich habe tatsächlich etwas gefunden«, sagte Nate aufgeregt. »Komm lieber sofort.«

# 13. Kapitel

Susannah hatte vorgehabt, direkt zu dem bewusstlosen Mädchen zu gehen, aber ihre Schritte schienen sich wie von selbst zu verlangsamen, als sie an Daniels Zimmer vorbeikam. Er war allein, wach und hatte das Kopfteil aufrecht gestellt, so dass er saß.

Ihre Blicke blieben ineinander hängen, seiner intensiv blau. Sie war ratlos, wusste nicht, was sie sagen sollte oder was er tun würde.

Dann streckte er die Hand nach ihr aus, und der Damm in ihrem Inneren brach. Sie eilte auf ihn zu, und er nahm ihre Hand und zog sie an sich. Sie vergrub das Gesicht an seiner Schulter und weinte. Ungelenk strich er ihr übers Haar, und sie spürte plötzlich, dass auch er weinte.

»Es tut mir so leid, Suze«, sagte er heiser. »Ich kann die Zeit nicht zurückdrehen. Ich kann nicht mehr ändern, was ich getan habe.«

»Ich auch nicht.«

»Du hast doch nichts getan«, wandte er heftig ein. »Ich hätte dich beschützen müssen.«

»Und ich hätte es dir sagen müssen«, murmelte sie, und er verharrte.

»Warum hast du es nicht getan?«, flüsterte er gequält. »Warum hast du es mir nicht gesagt?«

»Simon hat mir gedroht. Du seiest weg, und er würde …« Sie

281

hob die Schultern. »Simon hat viel gesagt. Er stand darauf, andere zu manipulieren und mit Andeutungen zu quälen.«

»Wem sagst du das. Ganz wie Dad.« Er seufzte. »Ich hätte es ahnen müssen. Beide waren zu dir immer viel grausamer. Als ich dich in Schutz zu nehmen versuchte, schien es schlimmer zu werden.«

»Also hast du dich ferngehalten«, murmelte sie.

»Das hätte ich nicht tun dürfen.«

*Ich verzeihe dir. Sag es. Sprich die Worte aus.* Aber sie blieben ihr in der Kehle stecken.

»Es ist geschehen, Daniel«, sagte sie stattdessen. »Und ich verstehe es.« Das war das Beste, was sie hervorbringen würde.

Sie richtete sich auf und wandte unter dem Vorwand, nach Papiertaschentüchern zu suchen, ihr Gesicht ab. Als sie glaubte, wieder präsentabel zu sein, drehte sie sich zu ihm um und verzog zerknirscht das Gesicht. »Oje. Die Schwestern werden mich vierteilen.«

Er lächelte schwach. Ihr Make-up hatte sein Krankenhaushemd verschmiert, und die rote Erde von ihrem Kleid hatte sich auf der weißen Bettwäsche ausgebreitet. »Du solltest dich waschen gehen, Liebes.«

»Ich bin gestürzt. Sozusagen. Ich war auf Sheila Cunninghams Beerdigung.«

Er blinzelte überrascht. »Tatsächlich?«

Sie nickte. »Und ich habe Gretchen French kennengelernt. Ich soll dir von ihr danken und gute Besserung wünschen.« Sie hob die Schultern. »Es würde mich nicht überraschen, wenn sie vorbeikommt, sobald sie in der Ambulanz mit ihr fertig sind.«

Er riss die Augen auf. »Wieso ist sie in der Ambulanz?«

Sie berichtete ihm, was passiert war, und er war wie vom Donner gerührt. »Mein Gott. Kate Davis hat uns geholfen, Mack O'Brien auf die Spur zu kommen. Sie hat uns gesagt, dass Garths Frau mit den Kindern abgereist ist, weil sie um ihr Leben fürchtete. Ich dachte, da Mack und die anderen tot sind, sei sie nun sicher, aber ...«

»Ich denke, Kate hat es uns wohl übelgenommen, dass wir Garth vor Gericht zerren werden. Daniel, ich muss dir etwas sagen, und du musst mir bitte zuhören. Gestern habe ich dich angeschnauzt, du hättest doch keine Ahnung, was ich war. Oder bin.«

»Ja. Ich habe nicht so recht verstanden, was du damit sagen wolltest.«

»Ich weiß, und ich werde es dir erklären, und wenn du anschließend willst, dass ich gehe, dann tue ich es. Aber als ich vorhin an Sheilas Grab stand, ist mir klargeworden, dass ich ganz allein auf dieser Welt wäre, wenn du gestern gestorben wärest. Und ich will nicht allein sein.«

»Ich lasse dich nicht mehr im Stich«, sagte er rauh.

Einer ihrer Mundwinkel hob sich zu einem traurigen Lächeln. »Das werden wir sehen, wenn du die Geschichte gehört hast. Luke weiß sie schon, und ich möchte, dass du es von mir und nicht von ihm hörst.«

*Atlanta,*
*Samstag, 3. Februar, 13.25 Uhr*

Luke stand vor »der Kammer«, dem Raum, in dem sie sich stets das Material ansahen, von dem anständigen Menschen in der Regel schlecht wurde. *Bin ich anständig?*, hörte er sich fragen.

*Ich fürchte ja, Luke.* Und sie hielt sich nicht dafür, nur weil sie einen One-Night-Stand gehabt hatte. Oder zwei oder drei. Er würde sie dazu bringen, es ihm zu erzählen, und sei es nur, um ihr anschließend zu erklären, dass sie keinesfalls ein hoffnungsloser Fall war.

Aber Susannah musste einfach noch ein wenig warten. Obwohl er versucht hatte, es vor sich herzuschieben, hatte Luke ganz genau gewusst, dass er irgendwann in »die Kammer« zurückkehren musste. Er hatte es gewusst, seit er gestern Angels Gesicht erkannt hatte.

»Die Kammer« war fensterlos und besaß nur eine einzige Tür. Nur Personen, die es wissen mussten – sehen mussten –, hatten Zugang. Luke wünschte, dass es bei ihm anders gewesen wäre, als er den Code eingab. Er hatte schon viel zu viele Stunden darin verbracht. *Und jeden Tag stirbt ein bisschen mehr.*

Ja. Luke atmete tief durch und drückte die Tür auf. »Hey, Nate.«

Nate sah auf, kein Lächeln in seinem Gesicht. »Setz dich«, sagte er ohne Einleitung. »Hierfür ist es nötig.«

Luke tat es und bereitete sich seelisch auf die Übelkeit vor, die ihn befallen würde, denn so war es stets, wenn sie eine neue Datei mit widerwärtigem Inhalt öffneten. Doch auch die Vorbereitung auf das, was kommen würde, machte es nie einfacher. »Okay. Ich bin so weit.«

»Ich habe gerade erst angefangen, das Zeug durchzusehen, das wir auf Mansfields Computer gefunden haben«, sagte Nate. »Der Kerl hatte fünf externe Festplatten, Papa. Jede mit fünfhundert Gigabyte.«

»Tausende, Hunderttausende von Bildern«, murmelte Luke.

»Das wird uns monatelang beschäftigen. Die Jungs von der Computerforensik haben die Festplatten gespiegelt, und ich habe die Kopien erst vor ein paar Stunden bekommen. Mansfields Dateien sind organisiert. Die meisten Ordner haben passende Namen. Einer heißt ›Fine Young American Flesh‹. Und das hier habe ich darin gefunden.«

Luke setzte sich vor den Computer und scrollte durch die Bilder. Auf jedem war ein Mädchen in provokanter Pose zu sehen. Jedes Mädchen war nackt, jedes Mädchen hielt eine kleine amerikanische Flagge in der einen Hand, in der anderen ein Symbol des Bundesstaates, aus dem es stammte.

Jedes Foto war beschriftet mit Namen, Profil und ›persönlicher Botschaft‹ des Mädchens. »Hi, ich bin Amy«, las Luke. »Ich bin in Idaho geboren und aufgewachsen.« Amy hielt eine Kartoffel in der Hand, die irgendein krankes Schwein so gemorpht hatte, das sie einem männlichen Genital ähnelte. Da gab es eine Jasmin aus dem sonnigen Kalifornien und Tawny, die aus Wisconsin stammte. Jedes Mädchen lächelte verführerisch, und Luke fragte sich unwillkürlich, was man mit ihnen gemacht hatte, damit sie ein solches Lächeln hervorbrachten.

»Am Ende steht eine Preisliste«, sagte Nate.

»Ein Katalog«, sagte Luke tonlos.

»Genau. Und das Logo der Gesellschaft ist die Swastika.«

»*Buy American*«, murmelte Luke. »Ich dachte mir doch, dass wir es hier mit Rassisten zu tun haben.«

»Schau mal auf Seite vierundzwanzig.«

Luke tat es. »Angel.« Nur hieß sie hier Gabriela.

»Und Seite zweiundfünfzig.«

»Unsere unbekannte M. Sie nennen sie Honey. O Gott. Kein Wunder, dass sie sich gestern so aufgeregt hat. Ich habe sie mit dem Kosenamen angesprochen. Gibt es noch andere Ausgaben? Frühere?«

»Ja, zwei noch. Augenscheinlich wurden die Kataloge vierteljährlich herausgebracht. Luke, in diesem Katalog sind auch zwei Mädchen, die mit Angel auf der Website waren, die wir vor acht Monaten geschlossen haben.«

»Aber wir haben die Spur der Mädchen damals verloren.«

Nate deutete auf den Schirm. »Nun wissen wir, wohin sie gegangen sind.«

»Also war Mansfield entweder an dieser Website beteiligt, oder er wusste, wer es war. Wie sonst soll er an alle drei Mädchen gekommen sein?«

»Keine Ahnung. George und Ernie kommen gleich, damit ich mir 'ne Mütze Schlaf holen kann. Vielleicht finden sie ja was, das uns zu dem Urheber der Seite führen kann. Ich würde eine Menge dafür geben, den Kerl in die Finger zu kriegen.« Nate betrachtete Luke prüfend. »Du siehst genauso müde aus, wie ich mich fühle. Leg dich hin.«

»Nein. In einer Stunde kommen Kasey Knights Eltern. Gib mir eine von den Festplatten.« Er setzte sich an einen der Computer und schloss einen Moment die Augen.

»Brauchst du was? Etwas zu essen vielleicht?«, fragte Nate, und Luke stellte fest, dass er nichts mehr gegessen hatte, seit Leo ihm vor ungefähr zwölf Stunden Eier gebraten hatte.

»Ja, gerne. Ich hab's ganz vergessen.«

»Wie immer«, sagte Nate und reichte ihm einen kleinen Behälter aus dem Kühlschrank. »Moussaka.«

Luke starrte den Behälter ungläubig an. »Aber wie …«

Nate grinste. »Deine Mama kam gestern vorbei und hat ziemlich viel zu essen gebracht. Sie machte sich Sorgen, dass wir alle verhungern könnten, wo wir doch mit Daniels Fall so viel zu tun bekommen hatten.«

Lukes Herz zog sich zusammen. *Ich liebe dich, Mama.* »Sie ist eine großartige Frau, meine Mama.«

»Und eine verdammt großartige Köchin. Iss, Papa. Und dann sieh dir die Seiten an. Deine Augen sind besser als meine.«

Bewaffnet mit Mamas Moussaka, machte sich Luke an die Durchsicht des Stoffs, aus dem seine Alpträume waren. Er überflog zunächst das Verzeichnis, um zu sehen, ob ihm ein Name ins Auge sprang. Manche Ordnerbezeichnungen waren recht vielsagend, andere weniger. »Peitschen und Ketten«, »Nein heißt Ja«, »Boys will be Boys« … Luke hatte eine ziemlich genaue Vorstellung davon, was ihm in den Kapiteln begegnen würde. Dann, plötzlich, blieb sein Blick an einem Namen hängen.

*Von wegen Sweetpea.* Er klickte darauf, und augenblicklich stieg ihm bittere Galle in die Kehle und drohte ihn zu ersticken. Langsam stellte er sein Essen zur Seite. »Gott. Nate, komm her.«

Nate spähte über seine Schulter. »Oha, was für eine miese Qualität.«

Die Fotos waren tatsächlich körnig, verschwommen und wirkten verrutscht. »Mansfield scheint sie mit einem Handy oder einer versteckten Kamera gemacht zu haben. Das ist Granville. Mit einem Mädchen.«

»Was macht er denn da?« Nate beugte sich vor, dann seufzte er angewidert. »Oh, Papa, verdammter Dreck.«

»Dieser Dreckskerl. Dieses Schwein.« Luke scrollte die Seiten entlang, und jedes Foto schien noch schauderhafter als das vorherige zu sein. Granville hatte die Mädchen gefoltert, unsägliche Dinge mit ihnen angestellt. Und Mansfield hatte das alles irgendwie fotografisch festgehalten.

»Was soll *Von wegen Sweetpea* heißen?«, fragte Nate und zog sich einen Stuhl heran.

»Du hast doch von dem Vergewaltigungs-Club gehört, nicht wahr?«

»Ja. Es geschah vor dreizehn Jahren, und Daniels Bruder Simon war der Anführer.«

»Nicht unbedingt«, sagte Luke. »Wir denken inzwischen, dass Granville der Anführer war und Simon sein Partner. Daniel hat mit der Witwe eines der Clubmitglieder gesprochen und von ihr erfahren, dass die Jungen sich damals Spitznamen gegeben haben. Mansfield war Sweetpea.«

»Und was soll das ›von wegen‹?«

»Keine Ahnung. Gestern haben sich die Ereignisse überstürzt, und Daniel wurde angeschossen, bevor ich weitere Informationen erhalten konnte. Ich frage ihn nachher, aber ich vermute, dass Mansfield diese Bilder als eine Art Vorkehrungsmaßnahme aufgenommen hat. Für den Fall, dass er sich gegen Granville würde schützen müssen.«

Luke klickte weiter durch die Fotos, bis er erneut innehielt und das wenige, was sich in seinem Magen befand, wieder hochzukommen drohte. Angel. Von all den Perversionen, die Luke sich schon hatte ansehen müssen, mochte dies die schlimmste sein.

»Zur Hölle, Nate.«

Nate schloss die Augen. »Scheiße«, wisperte er. »Verdammt.«

»Irgendetwas ist uns entgangen«, sagte Luke, seine Stimme so tot, wie er sich innerlich fühlte. »Wir haben diese Schweine nicht gekriegt, die die Webseite betrieben haben, aber Granville und Mansfield ist es irgendwie gelungen. Deswegen sind diese drei Mädchen so plötzlich vom Erdboden verschluckt gewesen. Granville hatte sie hier. Und das da hat er ihnen angetan. Wie ist er an die Mädchen gekommen?«

»Ich weiß es nicht. Aber falls sich auf den fünf Festplatten etwas befindet, das uns einen Hinweis gibt, dann finden wir ihn.«

Fünf Festplatten. Fünfundzwanzigtausend Gigabyte. Hunderttausend Fotos. »Verdammt, verdammt!«

»Wir finden es heraus, Luke.«

»Noch rechtzeitig für die fünf Mädchen, die Granvilles Partner mitgenommen hat?«, fragte Luke verbittert. »Wir beschäftigen uns seit vierundzwanzig Stunden mit nichts anderem, und nichts passt. Wir haben einen Richter, der vermisst wird, und ein Brandzeichen mit Hakenkreuz. Wir haben einen Namen, Rocky, und das ist so gut wie gar nichts. Wir haben einen sechs Jahre alten Mordfall in New York und dreizehn Jahre alte Vergewaltigungsfälle, und beide hängen irgendwie miteinander zusammen. Und wir haben ein Mädchen, das einfach nicht aufwachen und uns erzählen will, was es weiß!« Er blickte zur Seite, war kurz davor zu explodieren.

Neben ihm sog Nate behutsam die Luft ein. »Und wir haben ein totes junges Mädchen, Angel genannt, das wir hätten retten müssen«, sagte er leise.

Ein Schluchzen stieg in Lukes Kehle auf, und entsetzt kämpfte er dagegen an. »Verdammt noch mal, Nate«, würgte er hervor. »Sieh nur, was er ihr angetan hat. Allen diesen Mädchen.«

Nate drückte seine Schulter, dass es weh tat. »Schon okay«, murmelte er. »Wäre nicht das erste Mal, dass einer von uns hier drin ausrastet. Deswegen ist die Bude schallisoliert.«

Luke schüttelte den Kopf und fasste sich langsam wieder. »Es geht mir gut.«

»Nein, tut's nicht.«

»Okay, tut's nicht. Aber ich werde trotzdem tun, was nötig ist.« Er sah auf die Uhr. »Ich habe noch etwas Zeit, mit Daniel zu sprechen, bevor die Knights kommen und ihre Tochter identifizieren wollen. Vielleicht weiß Daniel etwas mehr.«

»Du musst schlafen, Luke.«

»Jetzt nicht. Ich kann die Augen jetzt nicht zumachen. Dann würde ich nur *das* da sehen.«

»Hallo, Susannah.«
Susannah wandte sich auf ihrem Platz neben dem Bett des unbekannten Mädchens um und entdeckte Mrs. Papadopoulos. Lukes Mutter trug mit jeder Hand jeweils eine große Einkaufstüte. »Mama Papa. Hallo.«
»Ich dachte mir schon, dass ich Sie hier finde. Bei diesem Mädchen.«
Susannah lächelte. »Und ich dachte, Sie hätten dieses Mädchen schon vergessen.«
Ihre dunklen Augen funkelten. »Ich schweige wie ein Grab, wenn ich gehe. Aber ich wollte Ihnen das hier bringen. Luka hat meiner Tochter Demi erzählt, was ihre Tochter für Sie gekauft hat. Demi war gar nicht zufrieden.«
»Es war trotzdem sehr, sehr nett von ihr«, sagte Susannah, aber Lukes Mutter schüttelte den Kopf.
»Also habe ich heute Morgen meine jüngste Tochter Mitra losgeschickt, Ihnen ein wenig anständigere Kleidung zu besorgen.« Sie hielt ihr die Tüten hin. »Wenn sie Ihnen gefällt, kaufen Sie sie, wenn nicht, bringt Mitra sie zurück.«
Susannah warf einen Blick in die Tüten und lächelte. »Das sieht großartig aus. Und sehr schick.«
»Und alles war im Ausverkauf.« Mama verengte die Augen. »Sie haben geweint.«
»Ich war auf einer Beerdigung. Da muss ich immer weinen.«

Das war gelogen, aber Susannah musste unbedingt einen Rest Würde bewahren. »Kommen Sie und sagen Sie der Kleinen guten Tag.«

Lukes Mama legte ihre Hand auf die des Mädchens. »Schön, dich kennenzulernen, meine Kleine«, sagte sie leise. »Hoffentlich wachst du bald auf.«

Dann beugte sie sich vor und drückte dem Mädchen einen Kuss auf die Stirn, und Susannahs Kehle verengte sich erneut. Niemand hatte je etwas Derartiges bei ihr getan.

Lukes Mama wandte sich zu ihr um, und ihre dunklen Augen schienen mehr zu sehen, als sie sollten. »Kommen Sie, ziehen Sie sich saubere Sachen an. Dann fühlt man sich gleich besser.«

»Ja, in Ordnung.« Susannah strich dem Mädchen eine Haarsträhne aus dem Gesicht. »Ich bin bald zurück.«

*Atlanta,*
*Samstag, 3. Februar, 14.45 Uhr*

Sie war nicht tot. Monica konnte sich zwar immer noch nicht bewegen, aber tot war sie nicht. *Was immer die Schwester mir gegeben hat, die Wirkung hat beim ersten Mal nachgelassen, also wird sie auch ein zweites Mal nachlassen.*

*Und was dann? Wirst du mit den Cops reden? Und Genie gefährden?*

*Aber niemand garantiert mir, dass sie Genie nicht trotzdem verkaufen, wenn ich nicht mit ihnen rede. Sie lassen sie doch nie im Leben gehen. Ich muss mit der Polizei reden.*

Wenigstens war Susannah zurück und saß wieder an ihrem Bett, aber irgendetwas stimmte auch dabei nicht. *Ich muss auf*

*Beerdigungen immer weinen,* hatte sie der anderen Frau gesagt, der, die ihr die Kleider gebracht hatte. *Die mich auf die Stirn geküsst hatte.*

*Beerdigung von wem?* Die anderen konnten es doch noch nicht sein. Sie waren erst gestern erschossen worden. Wer war gestorben? Susannah war mit der anderen Frau hinausgegangen und allein zurückgekehrt. Jetzt war sie sehr ruhig. Irgendwie gedrückt. Traurig.

Monica versteifte sich mental. Da war noch jemand gekommen. »Wie geht's ihr?« Eine Männerstimme.

Der Agent mit den dunklen Augen. Luke. Er klang wütend. Aufgewühlt.

»Sie ist heute Morgen kurz aufgewacht, hat aber wieder das Bewusstsein verloren. Ich nehme an, dass sie auf diese Weise den Schrecken und die Schmerzen noch eine Weile verdrängen kann.«

Ein Stuhl schrammte über den Boden, und Monica spürte die Wärme seines Körpers. »Hat sie etwas gesagt?«

»Ich war nicht hier.«

»Und gestern? Hat sie noch irgendetwas gesagt?«

»Nein. Sie hat mich bloß angesehen, als sei ich Gott oder seine Vertreterin auf Erden.«

»Nun, Sie haben sie aus dem Wald geholt.«

»Ich habe gar nichts getan«, sagte Susannah, und Luke seufzte.

»Susannah. Sie tragen hieran keine Schuld.«

»Komischerweise mag ich dem nicht zustimmen.«

»Reden Sie doch mit mir«, sagte er frustriert, als habe er sie schon einmal dazu aufgefordert.

»Und warum?«

»Na ja, weil ... weil ich es wissen will.«

»Was wollen Sie wissen, Agent Papadopoulos?« Susannahs Stimme war kalt geworden.

»Warum Sie meinen, dass Sie einen Teil der Schuld an den Ereignissen tragen.«

»Weil ich es wusste«, antwortete sie leise, »und nichts gesagt oder getan habe.«

»Was genau wussten Sie?«, fragte er.

»Ich wusste, dass Simon ein Vergewaltiger war.«

*Simon.* Wer war Simon? Wen hatte er vergewaltigt?

»Ich dachte, Simon selbst habe nicht vergewaltigt, sondern nur die Fotos gemacht.«

Einen Moment lang herrschte Stille. »Er hat es zumindest einmal getan.«

*O nein.* Jetzt verstand Monica. Wer immer Simon war, er hatte auch Susannah vergewaltigt.

Luke sog scharf die Luft ein. »Haben Sie das Daniel erzählt?«

*Wer ist Daniel?*

»Nein«, fauchte Susannah. »Und Sie werden das auch nicht wagen. Ich weiß nur, dass sich vieles von dem hier hätte vermeiden lassen, wenn ich den Mund aufgemacht hätte. Sie wäre vielleicht jetzt nicht hier.«

Die beiden schwiegen einen langen Augenblick, aber Monica konnte sie atmen hören. Schließlich ergriff Luke wieder das Wort. »Ich habe eine der Leichen aus dem Bunker wiedererkannt.«

»Wie denn das?«, fragte Susannah überrascht.

»Von einem Fall, an dem ich vor acht Monaten gearbeitet habe. Ich habe es nicht geschafft, das Mädchen zu schützen. Ich habe es nicht geschafft, ein sadistisches Schwein zur Strecke zu bringen. Ich will ihn haben.«

Er klang so wütend. Seine Stimme bebte.

»Granville ist tot.«

*Tot? Er ist tot? Halleluja.* Er konnte Genie nichts mehr antun.

»Aber es gibt jemand anderen. Ein anderer hat die Fäden gezogen. Jemand, der Granville in das Geschäft eingeführt hat«, sagte er verbittert. »Und den will ich. Ich will ihn in die Hölle sperren und den Schlüssel wegwerfen.«

*Der andere. Oder die andere?* Die Frau, die dem Arzt den Befehl gegeben hatte, sie alle zu erschießen. Diese Frau hatte Genie. Monicas Freude löste sich auf.

»Warum erzählen Sie mir das?«, fragte Susannah. Nun lag ein Hauch Ungeduld in ihrer Stimme, als wolle sie ausdrücken, dass sie das alles schon wusste.

»Weil ich glaube, dass Sie dasselbe wollen.«

Eine lange Pause entstand. Dann: »Was soll ich tun?«

»Das weiß ich noch nicht. Ich rufe Sie an.« Er stand auf. »Ich danke Ihnen.«

»Wofür?«

»Dass Sie Daniel nichts von Simon gesagt haben.«

»Danke, dass Sie meine Entscheidung respektieren.«

Dann war er fort, und Susannah seufzte schwer.

*Ja,* dachte Monica hilflos. *So geht's mir auch.*


Luke stand unschlüssig auf der Schwelle zu Daniels Zimmer. Sein Freund hatte die Augen geschlossen.

»Ich schlafe nicht«, sagte er plötzlich und schlug die Lider auf. Seine Stimme war noch heiser, aber kräftiger, als Luke es erwartet hätte. »Ich habe mich schon gefragt, wann du dich wohl blicken lässt.«

Lukes Blick fiel auf die dunklen Make-up-Flecken an Daniels Schulter. »Wenn man überlegt, wie hoch die Krankenhauskosten sind, sollte man mindestens saubere Hemden erwarten.«

Ein Mundwinkel verzog sich zu einem Grinsen, und Luke entdeckte plötzlich eine unheimliche Ähnlichkeit mit Susannah. Äußerlich hatten sie sonst gar nichts miteinander gemein.

»Gestern haben sich die Ereignisse überstürzt.«

»Du machst dir kein Bild. Ich habe nicht viel Zeit, aber ich brauche Informationen.«

»Schieß los.« Daniel verzog das Gesicht. »Oder doch lieber nicht. Rede einfach mit mir.«

Luke grinste und fühlte sich einen Moment lang besser. »Ich bin jedenfalls ganz froh, dass du dich nicht hast umbringen lassen.«

»Und ich erst«, sagte Daniel. »Aber ich muss sagen, dass du so elend aussiehst, wie ich mich fühle.«

»Vielen Dank«, erwiderte Luke trocken. »Weißt du's schon? Kate Davis ist vorhin erschossen worden.«

»Suze hat es mir gesagt, aber für mich ergibt das überhaupt keinen Sinn. Kate kam mir nicht wie ein Mensch vor, der plötzlich auf andere schießt.«

»Da würde ich dir zustimmen, aber bei dem Fall ist wohl nichts so, wie es scheint.«

»Alex hat mir von den Leichen erzählt, den Mädchen, und auch von den Mädchen, die sie offensichtlich mitgenommen haben. Sie meinte, Mansfield und Granville seien Menschenhändler gewesen.«

»Ja, so sieht's aus. Aber in den vergangenen vierundzwanzig Stunden ist ziemlich viel passiert. Ich habe nicht die Zeit, dir jetzt alles ganz genau zu erklären, aber, Daniel, wir haben auf Mansfields Computer eine Datei gefunden. Mit sehr anschaulichen Fotos von Granville, der diese Mädchen foltert. Die Datei heißt ›Von wegen Sweetpea‹.«

»Sweetpea war Mansfield. Granville hat ihm den Namen gegeben, ihn also indirekt Memme genannt, und Mansfield hat es natürlich gehasst, so genannt zu werden.«

»Ja, so ähnlich habe ich es mir gedacht. Was weißt du über Richter Borenson?«

Daniel war eindeutig überrascht von der Frage. »Er hatte den Vorsitz über Gary Fulmores Mordprozess. Frank Loomis' Sekretärin hat mir erzählt, er sei pensioniert und lebe in den Bergen wie ein Einsiedler.«

»Den Teil kenne ich. Ich wollte wissen, ob du dich im Zusammenhang mit ihm an irgendetwas erinnerst. Von früher vielleicht?«

»Manchmal war er bei uns zum Essen, anschließend ging er mit meinem Vater in dessen Arbeitszimmer, wo sie bis in die frühen Morgenstunden miteinander sprachen. Wieso?«

»Er gilt als vermisst. Seine Hütte in den Bergen wurde durchwühlt, und überall ist Blut. Als ich mich das letzte Mal erkundigte, wartete Talia noch auf den Leichenspürhund.«

Daniel verzog den Mund. »Meine Güte. Dann wären sie alle tot. Randy Mansfields Vater war der Staatsanwalt, der Gary Fulmore damals anklagte, und er ist schon lange verstorben. Der Leichenbeschauer, der die Autopsie gemacht hat, ist tot. Fulmores ehemaliger Verteidiger – tot. Übrigens ein höchst verdächtiger Todesfall: Unfall auf trockener Straße am helllichten Tag.«

»Und Frank Loomis ist nun auch tot«, sagte Luke, und Daniel sah ihn gequält an.

»Ja. Ich sehe ihn immer noch sterben. Er wollte mich in letzter Minute noch warnen. Mit der Fälschung von Beweisen hat er eine schreckliche Tat begangen, Luke. Gary Fulmore hat dreizehn Jahre für eine Tat, die er nicht begangen hat, im Gefängnis gesessen, und mir will einfach nicht in den Kopf, warum Frank das getan hat.«

»Vielleicht hat er damals Geld gebraucht, Daniel. Vielleicht wurde er erpresst.«

Daniel schloss die Augen. »Er war für mich wie der Vater, der mein Erzeuger nie war.«

»Es tut mir leid.«

Daniel nickte, die Augen noch immer geschlossen. »Danke.« Plötzlich runzelte er die Stirn. »Zweiundfünfzig«, sagte er und schlug die Augen auf.

Luke erkannte frische Energie darin. »Ich habe gerade vor meinem inneren Auge noch einmal gesehen, wie Frank starb. Er ist an mein Autofenster gekommen, um mich zu warnen, dass es sich um eine Falle handelte. Dann gab es einen Schuss, und er rutschte an der Scheibe herab.«

Luke erinnerte sich an die blutigen Schmierstreifen an der Autoseite. »Und was heißt zweiundfünfzig?«

»Das Boot. Ich wollte zurücksetzen, aber Mansfield hatte die Straße blockiert, und durch den Aufprall schlug ich mir den Schädel an. Zuerst dachte ich, Alex sei tot, aber sie war nur einen Moment lang betäubt. Mansfield befahl mir, sie in den Bunker zu tragen, und als wir zur Tür gingen, sah ich das Boot vorbeifahren. Die Zahl stand auf dem Bug.«

»Boote werden normalerweise mit vier Zahlen und zwei Buchstaben gekennzeichnet.«

Daniel schloss die Augen, versuchte, sich zu konzentrieren, schüttelte aber schließlich den Kopf. »Tut mir leid. Ich kann mich nur an die Zweiundfünfzig erinnern. Ich habe auch nur einen kurzen Blick darauf werfen können. Es war ziemlich schnell.«

»Und du hast Sterne gesehen, weil du kurz vorher einen Unfall hattest. Dennoch könnte uns das weiterbringen.«

Daniel ließ sich in sein Kissen zurückfallen. »Gut.«

»Noch eine Frage, dann lasse ich dich wieder in Ruhe. Sagt der Name Rocky dir irgendwas?«

Daniel dachte einen Moment nach, dann schüttelte er wieder den Kopf. »Nein, leider nicht. Warum?«

»Wir denken, dass Granvilles Partner so genannt wird.«

»Finden sich keine Bilder von diesem Partner in Mansfields Sweetpea-Datei?«

»Bisher habe ich nichts gesehen, was darauf hinweist, aber wir haben fünf Festplatten zu durchsuchen, also wer weiß, was wir noch finden.« Luke erhob sich. »Ruh dich noch ein bisschen aus. Die Schwester draußen sieht aus, als würde sie mir am liebsten den Kopf abreißen.«

»Warte noch.« Daniel schluckte. »Du musst mir sagen, was mit Susannah los ist.«

»Was meinst du?«, fragte Luke wachsam.

»Das jedenfalls nicht.« Daniel presste die Kiefer zusammen. »Obwohl wir Streit miteinander bekommen, wenn du sie als eine deiner Affären abhakst.«

»Entspann dich, Daniel. Sie hat mir sehr deutlich gemacht, dass sie an mir nicht interessiert ist.« Nur allzu deutlich.

»Aber du an ihr?«

Luke überlegte, was er sagen sollte, kam dann aber zu dem Schluss, dass er schon zu lange mit Daniel befreundet war, um ihn anzulügen. »Ja. Schon, als ich sie das erste Mal auf der Beerdigung deiner Eltern sah. Aber nicht so, wie du denkst.«

»Also nicht als hübscher Zeitvertreib?«, fragte Daniel, und er meinte es sehr ernst, das war zu spüren.

»Nein. Sie hat zu viel durchgemacht.«

Daniel schluckte. »Ich weiß. Sie hat es mir erzählt.«

Luke riss die Augen auf. »Tatsächlich? Wann?«

Daniel berührte die dunklen Flecken auf seinem Krankenhaushemd. »Bevor du kamst. Sie hat mir von ihrer Freundin Darcy und allem anderen erzählt.«

*Nein, mein Freund, dachte Luke traurig. Bestimmt nicht von allem anderen.* Susannah würde ihrem Bruder nicht erzählen, dass Simon sich an ihr vergriffen hatte. »Sie ist stark, Daniel.«

»So stark ist niemand. Aber ich weiß genau, dass da noch etwas ist. Etwas, das sie mir nicht erzählt hat.« Er verengte die Augen. »Und du weißt es.«

»Sie ist in Sicherheit. Das ist im Augenblick alles, was ich dir sagen kann.«

»Weil du es nicht weißt oder weil du es mir nicht sagen willst?«

Luke richtete sich auf. »Hör auf, Daniel, bitte. Ich passe auf sie auf, versprochen.«

»Danke.« Sein Blick glitt an Luke vorbei, und ein Lächeln erschien auf seinem Gesicht. »Mama Papa. Du bist gekommen.«

Lukes Mama trat mit ausgebreiteten Armen auf das Bett zu. »Ich habe gerade von der Schwester gehört, dass du wach bist.« Mit Blick auf Luke zog sie eine Braue hoch. »Manche Leute vergessen, ihrer Mama Bescheid zu geben.«

Daniel schloss wieder die Augen, als Mama ihn an sich drückte, und er wirkte wie jemand, dem nach einem langen Winter endlich wieder warm wurde. Luke erinnerte sich an die Sehnsucht in Susannahs Stimme, als sie behauptet hatte, Miss M's Mutter müsse ihre Tochter lieben. Plötzlich tat ihm das Herz weh.

»Bist du etwa selbst gefahren?«, neckte Daniel sie.

»Nein«, erklärte Mama und setzte sich auf den Stuhl. »Leo hat mich gebracht.« Sie warf Luke einen düsteren Blick zu. »In deinem Kühlschrank sah es schauderhaft aus, Luka.«

Lukes Lippen zuckten. Offenbar hatte Leo das Küchen-Sondereinsatzkommando gerufen. »Ich weiß. Du hast ihn nicht zufällig gereinigt?«

»O doch. Und wieder aufgefüllt.« Ihre finstere Miene wurde verschlagen. »Falls du also in nächster Zeit einen Gast mit nach Hause bringst, muss sie nicht denken, dass du wie ein Schwein lebst.«

Lukes Lächeln verblasste. Er wusste, wen sie meinte, und er wusste, dass dieser Gast eher unwahrscheinlich war. »Danke, Mama.« Er küsste ihren Scheitel. »Wir sehen uns später.«

*Atlanta,*
*Samstag, 3. Februar, 15.30 Uhr*

»Schrecklich, dass ihre Eltern sie so sehen müssen«, sagte Felicity gepresst.

Luke zwang sich, Kasey Knights grotesk hageres Gesicht zu betrachten. Die Wangenknochen standen messerscharf hervor und schienen durch die Haut dringen zu wollen. Das Einschussloch prangte kreisrund oberhalb der Nasenwurzel. »Sie wollten es so. Sie haben sie zwei Jahre lang gesucht. Sie brauchen diesen Abschluss.«

»Dann bringen wir es hinter uns«, fauchte sie, aber er war nicht beleidigt, denn er konnte sehen, dass ihre Augen unnatürlich hell waren. »Holen Sie die Eltern.«

In der Wartehalle sprangen die beiden Knights auf die Füße. »Zwei Jahre lang haben wir uns vor diesem Anruf gefürchtet.«

Mr. Knights Kehlkopf arbeitete heftig, als er die Hand seiner Frau ergriff. »Wir müssen einfach wissen, was unserer Tochter zugestoßen ist.«

Mrs. Knight war gefährlich bleich. »Bitte«, flüsterte sie. »Lassen Sie uns zu ihr.«

»Hier entlang.« Luke brachte sie in den dafür vorgesehenen Raum. Er war in warmen Farben gehalten und mit bequemen Möbeln ausgestattet, Einzelheiten, die den trauernden Angehörigen die Aufgabe ein wenig leichter machen sollte. »Soll ich einen Arzt für Ihre Frau rufen?«, fragte Luke leise, als Mrs. Knight auf das Sofa sank. Sie zitterte am ganzen Körper und sah aus, als würde sie jeden Moment ohnmächtig werden. Mr. Knight schüttelte den Kopf. »Nein«, sagte er. »Wir müssen das ganz einfach hinter uns bringen.«

Luke wusste, dass nichts die beiden auf das vorbereiten konnte, was sie nun zu sehen bekommen würden, aber er musste sie dennoch vorwarnen. »Dieses Mädchen sieht nicht mehr so aus wie auf dem Foto, das Sie der Polizei gegeben haben.«

»Es ist zwei Jahre her. Kinder verändern sich rasch.«

»Nein, es … es ist nicht nur das. Die Größe, eins vierundsiebzig, stimmt mit Ihren Angaben überein, aber das Mädchen wiegt nur sechsunddreißig Pfund.«

Mrs. Knight erstarrte. »Kasey wog achtundfünfzig.«

»Ich weiß, Ma'am«, sagte Luke und sah, dass sie verstanden hatte.

Mr. Knight schluckte hörbar. »Ist sie sexuell …« Er konnte nicht weitersprechen.

»Ja.« *Unzählige Male.* Aber das würde Luke nicht sagen. Die Eltern hatten genug zu verarbeiten.

»Agent Papadopoulos«, fragte Mr. Knight mit brüchiger Stimme. »Was hat man meiner Kleinen angetan?«

Entsetzliches. Unaussprechliches. Aber auch das sagte Luke natürlich nicht. »Sie haben darum gebeten, ihr Gesicht sehen zu dürfen, und die Gerichtsmedizin wird Ihrer Bitte entspre-

301

chen, aber bitte konzentrieren Sie sich auf andere Körperteile. Hände, Füße, Muttermale, vielleicht Narben.« Er wusste, dass das Warten es umso schlimmer machte, daher drückte er auf die Sprechanlage. »Wir sind so weit. Dr. Berg.«

Auf der anderen Seite der Scheibe zog Felicity die Vorhänge auf. Mr. Knight hielt die Augen fest verschlossen. »Mr. Knight«, sagte Luke leise. »Wir können jetzt.«

Mit zusammengepressten Kiefern schlug Knight die Augen auf, und das erstickte Wimmern, das sich seiner Kehle entrang, brach Luke das Herz. Felicity hatte den Torso der Leiche mit einem kleineren Tuch bedeckt, so dass nur Gesicht und Glieder zu sehen waren.

»Oh, Kasey«, flüsterte der Vater. »Warum hast du nur nicht auf uns gehört?«

»Woher wissen Sie, dass es Ihre Tochter ist, Sir?«

Knight schien kaum zu atmen. »Sie ist als Kind vom Rad gefallen und hat vom Sturz eine Narbe am Knie. Der mittlere Zeh war länger als die anderen. Und sie hat ein Muttermal am linken Fuß.«

Luke nickte Felicity zu, die die Vorhänge wieder schloss. Mr. Knight kniete sich vor seine Frau, so dass er ihr in die Augen sehen konnte. Tränen strömten ihr über das Gesicht. »Es ist Kasey.« Die Worte kamen in einem Stöhnen, und sie beugte sich vor und schlang die Arme um ihn. Ihre stummen Tränen wurden zu gequälten Schluchzern, und sie glitt vom Sofa, um vor ihm zu knien. Ihr Schluchzen und seines mischten sich, als sie einander umklammert hielten, sich in ihrem Schmerz auf den anderen stützten und sich gemeinsam wiegten.

»Ich warte draußen«, murmelte Luke. Die Knights erinnerten ihn an seine eigenen Eltern. Sie waren seit fast vierzig Jahren verheiratet und gemeinsam in der Lage, so gut wie jede Krise zu meistern, weil sie einander stützten. Luke liebte sie inbrünstig, beneidete sie aber ähnlich leidenschaftlich. Und nun, da er die gequälten Laute der Knights hörte, bemitleidete er sie und war doch auch neidisch. Luke war noch nie einer Frau begegnet, der er so sehr vertraute, dass er sich ihr so vollkommen verwundbar gezeigt hätte. Er war noch nie einer Frau begegnet, von der er glaubte, dass sie verstand.

Bis jetzt. Susannah. *Und sie will niemanden.* Nein, das entsprach nicht der Wahrheit. Sie *vertraute* niemandem. Aber auch das war nicht wahr. Sie hatte ihm heute vertraut, war zu ihm gekommen, als sie Angst gehabt hatte. Und auf dem Friedhof hatte sie sich sogar an ihn gelehnt.

Susannah traute sich selbst nicht. Er hörte das Schluchzen aus dem Raum hinter ihm und dachte an die dunklen Make-up-Flecken auf Daniels Krankenhaushemd. *Susannahs Make-up.* Das war ein gutes Zeichen.

Das Weinen hinter der geschlossenen Tür verstummte, und einen Moment später öffnete sich die Tür. Mr. Knight räusperte sich. »Wir können jetzt mit Ihnen reden, Agent Papadopoulos.«

Mrs. Knight blickte zu ihm auf. Ihre Augen wirkten wie erloschen. »Haben Sie denjenigen erwischt, der das getan hat?«

»Nicht alle von ihnen.«

Beide Knights zuckten sichtlich zusammen. »Das war nicht nur einer?«, fragte Mr. Knight entsetzt.

Luke dachte an die Bilder in der Sweetpea-Datei. »Wir wissen bisher von zweien. Sie sind beide tot.«

»Haben sie gelitten?«, fragte Mrs. Knight durch zusammengepresste Zähne.

»Nicht genug«, gab Luke zurück. »Wir suchen noch nach einem dritten Täter.«

»Haben Sie für diesen Fall viele Leute abgestellt?«, wollte Knight wissen.

»Über ein Dutzend Agents, das Personal, das die telefonischen Hinweise aus der Bevölkerung entgegennimmt, nicht mitgerechnet. Und nun würde ich Ihnen gern ein paar Fragen stellen. Fühlen Sie sich in der Lage, diese zu beantworten?«

Die Knights strafften sich.

»Natürlich«, sagte Mr. Knight. »Fragen Sie.«

»Hatte Kasey eine Beziehung, die Sie beunruhigte? Mit Jungen, Schulfreunden, Freundinnen?«

Mrs. Knight seufzte. »Das hat die Polizei uns damals schon gefragt. Es gab eine Clique von Mädchen, mit denen sie schon seit der vierten Klasse befreundet war. In der Nacht, in der sie verschwand, war sie auf einer Übernachtungsparty. Die Mädchen sagten, dass Kasey mit ihnen zu Bett ging, aber am Morgen fort war.«

»Die Polizei war misstrauisch«, sagte Mr. Knight müde. »Aber sie schaffte es trotzdem nicht, aus den Mädchen etwas herauszubekommen.«

»Bitte geben Sie mir die Namen der Mädchen.«

»Werden Sie sie zum Reden bringen?«

»Ich werde mit ihnen reden«, sagte Luke. »Hier ist meine Karte. Wenn Sie Fragen haben, zögern Sie nicht, mich anzurufen. Und ich melde mich bei Ihnen, sobald wir mehr wissen.«

Mr. Knight stand auf. Er wirkte unendlich erschöpft. »Wir wollen Ihnen danken. Wenigstens können wir unser Kind jetzt begraben.« Er half seiner Frau auf die Füße, und sie lehnte sich an ihn.

»Wir müssen noch Ihre Identifikation bestätigen. Haben Sie mitgebracht, worum ich Sie gebeten habe?«

Mrs. Knight nickte bebend. »Kaseys Sachen sind im Auto.«

»Ich komme mit Ihnen hinaus.« Er begleitete sie auf den Parkplatz und wartete, während Mr. Knight den Kofferraum öffnete. »Ich weiß, dass es Ihnen nicht hilft, aber es tut mir so schrecklich leid.«

»Es hilft uns doch«, flüsterte Mrs. Knight. »Sie fühlen mit. Und Sie finden ihn, diesen Dritten, der unserer Kasey das angetan hat. Sie finden ihn, nicht wahr?« Ihr Blick war eindringlich.

»Ja, das werde ich.« Er nahm den Schuhkarton, der die Habe ihrer Tochter enthielt, und sah ihnen nach, als sie davonfuhren. Er dachte an die vier noch unidentifizierten Leichen im Kühlhaus, an fünf Mädchen, die irgendwo da draußen waren, an das Mädchen im Krankenhaus. *Das muss und das werde ich.*

# 14. Kapitel

Dutton,
Samstag, 3. Februar, 15.45 Uhr

Charles starrte hasserfüllt auf das Telefon, das nun schon zum zehnten Mal innerhalb der letzten Stunde klingelte. Jeder wollte einen Kommentar zu der Schießerei auf dem Friedhof. Als würde er den Reportern auch nur einen Krumen hinwerfen. Niemals.

Aber als er auf das Display blickte, erkannte er die Nummer.

»Paul. Wo bist du?«

»In Raleigh. Bobby ist außer Kontrolle. Ich dachte, das solltest du wissen.«

In Pauls Stimme lag eine gewisse Schärfe. »Was ist in Raleigh?«, fragte Charles.

»Der Vater des Mädchens, das aus dem Bunker fliehen konnte. Rocky hat die Schwester des Mädchens entführt und es so aussehen lassen, als sei die Kleine zu ihrem Vater gefahren.«

»Bobby räumt also auf, was Rocky verbockt hat. Das zeigt Verantwortungsgefühl.«

»Das zeigt, dass hier jemand die Kontrolle verloren hat«, fauchte Paul. »Dr. Cassidy hätte bestimmt nicht sterben müssen.«

»Ich fahre zum Ridgefield House und rede mit Bobby.«

»Gut, denn ich habe es absolut satt, die Kohlen für dein Lieblingsmündel aus dem Feuer zu holen. Bobby meint, ich würde nur für Geld arbeiten. Ich stand kurz – *sehr kurz* – davor, klarzumachen, dass ich nur für *dich* arbeite. Dass du alles inszeniert hast. Dass ich für Bobby nur den Handlanger mime, weil du mich darum gebeten hast. Mir langt's, Charles. Und ich meine es ernst.«

Wenn Paul müde war, reagierte er immer ausgesprochen reizbar. So war er schon als Kind gewesen. »Du bist nicht mein Angestellter, Paul, du bist meine rechte Hand, also entspann dich. Nimm dir ein Hotelzimmer und schlaf ein wenig. Und ruf mich an, wenn du wieder in Atlanta bist.«

»Okay. Hauptsache, du verweist Bobby auf den richtigen Platz.«

»Das werde ich tun.« Er machte eine bedeutungsvolle Pause. »Danke, Paul.«

Paul seufzte. »Gern geschehen, Sir. Und ich wollte nicht so ausfallend werden.«

»Entschuldigung angenommen. Ruh dich aus.« Charles legte auf, doppelt verärgert. Was war mit Bobby los? Susannah Vartanian war aus nur knapp zehn Metern Entfernung nicht einmal angeschossen worden, und Pauls Kräfte wurden in sinnlosen Aktionen vergeudet. *So habe ich dich nicht ausgebildet.* Es war wohl an der Zeit für einen Auffrischungskurs.

*Atlanta,*
*Samstag, 3. Februar, 16.00 Uhr*

Eines von Monicas Lidern war geöffnet. Es war seltsam, die Decke nur durch ein Auge zu betrachten. Ihre Krankenschwester trat ein, und Monica wünschte sich nichts mehr, als lauthals schreien zu können.

Die Schwester hatte wieder eine Spritze in der Hand. Ihre Augen waren zwar nicht mehr rot verweint, aber sie wirkte angespannt. Sie drückte ihr das eine Lid zu. »Ich werde dich nicht töten«, murmelte sie dicht an Monicas Ohr. »Aber ich kann verhindern, dass du mit der Polizei sprichst, bis mein Sohn außer Gefahr ist. Das wird die letzte sein.«

Monica spürte die Wärme der Schwester, als sie sich erneut tief über sie beugte und zu flüstern begann. »Wenn diese Wirkung hier nachlässt, bin ich weg. Vertrau niemandem. Glaub mir, hier gibt es noch jemanden im Krankenhaus, der für die Leute arbeitet, die dir das angetan haben. Gestern hat man versucht, einen der anderen zu töten, die aus dem Bunker entkommen konnten. Den Mann.«

Beardsley. Er hatte ihnen geholfen, aus dem Bunker zu fliehen. Das hatte Bailey ihr im Wald gesagt. Monica hatte die Schwestern plaudern hören. Beardsley hatte Glück gehabt und befand sich wieder in einem normalen Krankenzimmer. Mit einem Wachposten vor der Tür.

»Sobald du von der Intensivstation entlassen wirst, bist du verwundbar«, fuhr die Krankenschwester fort. »Ich habe versucht, dich so lange wie möglich am Leben zu halten, aber jetzt ist mein Sohn in Gefahr. Ich kann dir nicht mehr helfen. Allerdings denke ich, dass du Susannah und Schwester Ella vertrauen kannst. Und nun muss ich gehen.«

*Raleigh, North Carolina,*
*Samstag, 3. Februar, 16.15 Uhr*

Special Agent Harry Grimes blickte sich wohlwollend in der Außenstelle des North Carolina State Bureau of Investigation in Raleigh um. Er war ein Jahr zuvor nach Charlotte versetzt worden und vermisste die Kollegen, vor allem seinen Chef, der ihm viel beigebracht hatte.

Sein alter Chef saß nun an einem neuen Tisch. Er war vor kurzem zum leitenden Agent dieser Außenstelle befördert worden. Harry klopfte an, und augenblicklich erschien ein breites Grinsen auf Steven Thatchers Gesicht.

»Harry Grimes. Wie geht's dir? Komm rein, komm rein.«

»Ich hoffe, ich störe nicht«, sagte Harry, als Steven mit ausgebreiteten Armen um den Tisch herumkam.

»Nein, überhaupt nicht.« Steven verzog das Gesicht. »Nur Papierkram.«

»Das bringt der neue Tisch mit sich, was?«

»Ja, aber jetzt bin ich öfter zu Hause, und das gefällt Jenna natürlich ganz gut, vor allem, weil schon wieder ein Baby unterwegs ist.« Steven deutete einladend auf einen Stuhl. »Wie ist es in Charlotte?«

Harry setzte sich. »Klasse. Nicht wie hier, aber trotzdem.«

Steven betrachtete ihn prüfend. »Du machst hier keinen Höflichkeitsbesuch, nicht wahr?«

»Schön wär's. Heute Morgen hat mich eine panische Mutter angerufen. Ihre vierzehnjährige Tochter ist verschwunden.«

Steven wurde ernst. »Verschwunden inwiefern? Weggelaufen oder entführt?«

»Sie lag heute Morgen nicht mehr in ihrem Bett. Kein Anzeichen von gewaltsamem Eindringen in das Haus. Die örtlichen Behörden haben sie zunächst als Ausreißerin eingestuft, sind jetzt aber mit im Boot.«

»Dann klär mich bitte rasch auf und sag mir, wie ich helfen kann.«

»Die ältere Schwester des Mädchens ist vor sechs Monaten verschwunden. Sie ist in der Datenbank des NCMEC als ›gefährdete Ausreißerin‹ gelistet.« Er reichte Steven ein Foto.

»Beatrice Monica Cassidy«, las Steven.

»Rufname Monica. Laut ihrer Mutter hatten sie ein ganz normales Verhältnis. Sie stritten über Kleidung, Ausgangszeiten und Hausaufgaben. Vor einem halben Jahr dann sagt Monica ihrer Mutter, sie würde zu einer Freundin gehen, doch sie kehrte nie zurück. Die Freundin gibt schließlich zu, dass sie für Monica lügen sollte, weil diese einen Jungen treffen wollte. Aber zu dem Zeitpunkt ist die Spur bereits kalt. Monica ist weg. Ihre Mutter ist sicher, dass sie nicht einfach ausgerissen ist.«

»Das sind Eltern immer«, sagte Steven ruhig.

»Ja, ich weiß. Monica hat ziemlich viel Zeit vor dem Computer verbracht.«

»Lass mich raten. Chatrooms und Messenger?«

»Klar. Mom kann die Gespräche nicht nachverfolgen, weil sie weg sind, und genau da komme ich ins Spiel. Der Rektor von Monicas Schule hat mich gebeten, für die Eltern der Schulpflegschaft einen Vortrag über Software zu halten, mit der man Chatroom- und Messenger-Gespräche zurückverfolgen kann. Wenn die Eltern sie richtig installieren, merken die Kids nichts davon. Wie immer hatte ich auch einen Vertreter des örtlichen Computergeschäfts da, so dass die Eltern die Software noch am gleichen Abend kaufen können …«

»Clever. Wie oft wollen die Eltern, aber dann kommen sie doch nie dazu.«

»Eben drum. Mrs. Cassidy war jedenfalls an diesem Abend auch da und kaufte das Paket, denn sie hat auch noch eine jüngere Tochter, Eugenie Marie. Wird Genie gerufen.«

»Und seit heute Morgen wird Genie vermisst.«

»Mrs. Cassidy rief erst alle ihre Freundinnen an, dann die Polizei. Die kam und nahm ein Protokoll auf. Dann geht Mom online und liest Genies Unterhaltungen. Sie hat über Messenger mit jemandem kommuniziert, der sich Jason nennt. Er ist angeblich auf dem College.«

»Du denkst an einen Pädophilen?«

»Ja, das tue ich. Monicas Freundinnen haben damals erzählt, dass sie online einen College-Studenten kennengelernt hat – einen Jason.«

Steven blinzelte.

»Erstaunlicher Zufall.«

»Nicht wahr?«

»Und war auch zu lesen, wie sie und dieser Jason sich treffen wollten – und vor allem wo?«

»Nein. Gestern oder heute Nacht gab es keine Einträge, aber die beiden könnten natürlich per SMS kommuniziert haben. Die Software hält nur die Konversation auf Computer fest. Die Frau tat mir so unendlich leid, Steven, dass ich zum Busbahnhof gegangen bin und mich umgehört habe. Dort erfuhr ich, dass eine Jugendliche in einem Kapuzensweatshirt von Genies Highschool mitten in der Nacht ein Ticket nach Raleigh gekauft hat, und hier bin ich.«

»Und wie bist du an diesen Fall gekommen, Harry?«, fragte Steven wachsam.

Harry grinste schief. »Ich tue nichts Widerrechtliches, Steven, man hat mir diesen Fall ganz offiziell zugewiesen. Mrs. Cassidy lebt in einer dörflichen Gegend, ungefähr dreißig Meilen von Charlotte entfernt. Die Polizei dort verfügt nicht gerade über viel Personal, so dass sie uns gebeten hat zu übernehmen, nachdem Mrs. Cassidy sie auf die Jason-Parallele aufmerksam gemacht hat. Mein Chef hat mich auf den Fall angesetzt, da ich bereits dazu recherchiert hatte.«

»Und wieso Raleigh?«

»Ihr Dad lebt hier. Der geht aber nicht ans Telefon, also bin ich hergekommen. Daddy ist nicht zu Hause, und der Wagen ist fort.«

»Vielleicht ist er wirklich nicht zu Hause, Harry.«

»Er ist Arzt. Er ist heute nicht zu seiner Schicht im Krankenhaus aufgetaucht, und das dortige Personal sagt, das sei noch nie vorgekommen. Er sei schon fast zwanghaft zuverlässig.«

»Hast du einen Durchsuchungsbefehl für sein Haus?«

»Müsste exakt jetzt unterzeichnet werden. Kommst du mit?«

Steven nickte grimmig. »Ich hol nur meinen Mantel.«

*Ridgefield House,*
*Samstag, 3. Februar, 16.55 Uhr*

»Wo ist Tanner?«, fragte Charles, als Bobby ihm seinen Mantel abnahm.

*Auf dem Rückweg von Savannah,* dachte Bobby, aber das musste Charles nicht wissen. »Erledigt etwas für mich.« Bobby setzte sich ohne weitere Erklärung hinter den Schreibtisch. »Ja?«

Charles ließ sich ebenfalls auf einen Stuhl nieder. »Man hätte dich schnappen können.«

Bobby lächelte. »Ich weiß. Das war's ja, was Spaß gemacht hat.«

»Wo hast du nur dieses scheußliche Kleid her?«

»Es gehörte meiner Großmutter. Du hast gesagt, ich benehme mich wie eine alte Frau, und so habe ich mich wie eine solche angezogen.«

»Aber du hast danebengeschossen«, sagte Charles.

»*Au contraire.* Ich schieße nie daneben. Ich hatte einen Scharfschützen der US-Army als Lehrer.«

312

»Das weiß ich«, sagte Charles gereizt. »Ich war schließlich jede ermüdende Stunde dabei.«

»Nun, dann weißt du so gut wie kein anderer, was ich kann. Ich habe genau das getroffen, auf das ich gezielt habe.«

Charles sah einen Moment verwirrt aus. »Du wolltest Gretchen French treffen?«

»Sie war es?« Bobby lachte leise. »Das macht es ja noch besser.«

»Das wusstest du nicht?«, fragte er ungläubig.

»Nein. Ich hatte vor, die Person zu treffen, die Susannah Vartanian in dem Moment, in dem Rocky den Abzug betätigte, am nächsten stand. Ich hatte fast gehofft, Agent Papadopoulos zu treffen, aber Gretchen French ist unter den Umständen noch schöner.«

»Und was ist mit dem Schuss passiert, den Rocky abgegeben hat?«

»Eine Platzpatrone. Ich wollte nicht, dass sie etwas trifft – sie war eine miserable Schützin. Aber ich wollte, dass sie glaubte, sie hätte es getan. Ich wollte, dass sie glaubt, sie würde Susannah Vartanian töten. Sie ist in dem Wissen gestorben, dass sie mir gehorcht hat.«

»Sie ist in dem Wissen gestorben, dass sie ihr Ziel verfehlt hat.«

»Umso besser. Sie hat gehorcht, aber dennoch versagt. Das hat sie verdient.«

»Also gut«, sagte Charles, und es klang widerstrebend anerkennend. »Und was hast du jetzt vor? In Bezug auf Susannah Vartanian, meine ich?«

»Ich werde mich um sie kümmern, aber nur Stück für Stück. Wenn ich mit ihr fertig bin, wird sie einsamer sein, als ich es je gewesen bin. Sie wird sich fürchten, neben einem Baumstumpf stehen zu bleiben, weil sie glaubt, er würde unter Schüssen zersplittern. Und wenn ich sie schließlich töte, dann wird sie mich anflehen, es schnell zu tun.«

»Wann wirst du also wieder zuschlagen?«

Bobby dachte an den Anruf aus dem GBI, kurz bevor Charles eingetroffen war. Der Bericht war mehr als ärgerlich gewesen, aber Bobby hatte beschlossen, aus dieser Zitrone Limonade zu machen. Und Charles konnte für den Zucker sorgen.

»In etwa einer Stunde. Ich hätte gerne deinen Wagen. Den schwarzen mit dem Darcy-Nummernschild.«

»Was hast du vor?«

»Ich habe vor, einer aufsässigen Angestellten eine Lektion zu erteilen. Die Krankenschwester will das GBI über mich informieren.«

»Du räumst also immer noch auf, was Rocky verbockt hat?«

Bobby mochte den missbilligenden Tonfall nicht. »Was soll das heißen?«

»Du hast ziemlich viele lose Fäden abzuschneiden, aber viele Tote auf einmal tauchen die Szenerie in gleißendes Neonlicht. Das weißt du sehr gut.«

»Ja, Macht ist Unsichtbarkeit. Aber dieser Plan hier verfolgt zwei Ziele gleichzeitig. Ich vermittle die klare Botschaft, dass es unklug ist, mir nicht zu gehorchen, und ich kann Susannah weitere Schläge versetzen. Warte ab. Und vertrau mir.«

Charles dachte einen Moment darüber nach. »Ja, in diesem Fall kannst du den Wagen haben.«

»Luke, wach auf. Wach auf!«

Luke riss den Kopf hoch. Er war an seinem Schreibtisch eingeschlafen. »Oje«, murmelte er.

Leigh sah ihn besorgt an. »Es ist fast fünf. Das Team versammelt sich gerade im Konferenzraum.« Sie reichte ihm einen Becher mit Kaffee.

Er trank die Hälfte aus. »Danke, Leigh. Ist irgendetwas passiert, während ich geschlafen habe?«

»Nein. Die Flut an telefonischen Hinweisen verebbt langsam. Bisher ist noch nichts Relevantes aufgetaucht.«

»Hast du irgendwelche Treffer in Bezug auf die Bootsnummer, an die sich Daniel erinnert hat?«

»Gute zweihundert. Aber ich konnte die Auswahl ein wenig eingrenzen, denn das Boot hatte ja nur Platz für fünf Mädchen.« Sie reichte ihm ein Blatt Papier. »Hier ist die Liste. Ich bin gerade fertig geworden.«

»Gute Arbeit, Leigh. Ich weiß, dass du jede Menge Freizeit dafür investiert hast. Hoffentlich ist es bald vorbei.« Luke rieb sich das Gesicht. Seine Bartstoppeln kratzen an seinen Handflächen. »Ich muss mich rasieren. Vielleicht fühle ich mich dann wieder wie ein Mensch. Sag Chase, dass ich in fünf Minuten nachkomme.«

Exakt fünf Minuten später ließ er sich schwer auf den Platz zwischen Chase und Ed fallen und sah sich am Tisch um. Pete und Nancy waren da, Nate und Chloe ebenfalls. Talia Scott war von der Hütte in den Bergen zurückgekehrt, und sie und die Psychologin Mary McCrady sahen frischer aus als der Rest.

»Können wir anfangen, Chase?«

»Jep. Germanio sucht noch nach Helen Granville, wir hatten also nur auf Sie gewartet.«

Luke straffte den Rücken. »Wir haben die Identität von Kasey Knight bestätigt, und vielleicht haben wir eines der vermissten Mädchen identifiziert – Ashley Csorka. Ihr Vater ist auf dem Weg von Florida zu uns und bringt DNA-Proben mit.«

»Ich werde die Analyse der Urinproben von den Matratzen aus dem Bunker vorziehen«, sagte Ed. »Und sobald der Vater eintrifft, lege ich mit den Proben los. Morgen um die Zeit wissen wir mehr.«

»Gut«, sagte Chase. »Was noch?«

»Daniel hat ein Stück einer Registrierungsnummer des Bootes gesehen«, sagte Luke. »Leigh hat die möglichen Eigner auf zwei Dutzend einengen können.«

Chase nahm die Liste. »Wir überprüfen sie. Weiter?«

»Nur das, was Nate und ich entdeckt haben.«

»Wir haben Kataloge mit Mädchen gefunden – sie werden zum Verkauf angeboten. Die Gesellschaft nennt sich ›Fine Young American Flesh‹, und ihr Logo ist die Swastika«, begann Nate. »Ich konnte drei der fünf toten Mädchen unter den Bildern finden. Kasey Knight war allerdings in keinem der Kataloge.«

»Kasey wurde seit zwei Jahren vermisst. Die Kataloge erschienen vierteljährlich, und wir haben nur drei, also reichen sie nur bis etwa ein Jahr zurück.«

»Das heißt?«, fragte Chase.

»Das heißt, dass Kasey nicht zum Unternehmen gehörte«, erklärte Nate. »Im Bunker war sie aber trotzdem.«

»Ein weiteres Puzzleteil«, sagte Luke, und Chase seufzte.

»Ein rundes Puzzle ohne Motiv«, murrte er. »Und alle Teile in

Gelb. Man muss ewig probieren, bis zwei Teile zueinanderpassen. Können wir eines der Bilder von Mansfields Festplatten zurückverfolgen?«

»Ein Drittel der ICAC-Leute arbeiten dran, aber es sind verdammt viele Fotos.«

»Mich interessieren am meisten die, die Mansfield heimlich gemacht hat«, sagte Luke. »Sie sind nicht gestellt, also werden wir auf ihnen am ehesten etwas finden, das uns weiterbringt.« Nate nickte. »Aber die Fotos sind körnig, daher dauert es lange. Wenn mich hier niemand mehr braucht, dann mache ich jetzt lieber weiter.«

»Ed?«, fragte Chase, als Nate die Tür hinter sich geschlossen hatte.

»Oh, viele tolle und spannende Einzelheiten«, sagte Ed vergnügt, »die uns vor allem nur noch mehr verwirren werden.« Er legte zwei Klarsichtbeutel auf den Tisch, in jedem eine Pistole. »Die da«, sagte er und tippte auf eine Waffe, »war die Waffe, die Kate Davis in der Hand hatte. Die andere lag im Gras.« Er stand auf und zeichnete ein Dreieck an die weiße Tafel. »Kate stand hier, an der oberen Spitze. Dort«, er zeigte auf die linke untere Spitze, »haben wir die zweite Waffe gefunden. Eine Halbautomatik mit einem Schalldämpfer. Und an diesem Punkt hier unten rechts stand Miss French.«

»Jetzt kommt meine Lieblingsstelle«, sagte Chase sarkastisch.

»Die Kugel, die durch Gretchens Arm gedrungen ist, fanden wir hier.« Ed deutete auf eine Stelle weit rechts vom Dreieck. »Könnt ihr mir noch folgen?«

Luke legte die Stirn in Falten. »Wie soll denn das gehen? Sofern die Kugel nicht von irgendetwas abgeprallt ist, kann sie unmöglich dort gelandet sein.«

»Richtig. Denn die Kugel, die Gretchen French getroffen hat, kam gar nicht aus Kates Pistole. Sondern von hier.« Ed deutete auf die Stelle, an der sie die Halbautomatik gefunden hatten.

»Also wurde Gretchen mit der Halbautomatik angeschossen?«, fragte Nancy.

»Nein«, sagte Ed. »Es gab drei Waffen: Kates, die Halbautomatik und eine, die wir bisher noch nicht gefunden haben. Aus dieser dritten wurde Gretchen getroffen, während Kate mit der Halbautomatik erschossen wurde. Kate selbst hat niemanden verletzt, verwundet oder getötet.«

Pete schüttelte den Kopf. »Und ich habe plötzlich Kopfschmerzen.«

»Willkommen im Club«, sagte Chase. »Die Ballistik sagt, dass Kate wahrscheinlich eine Platzpatrone abgefeuert hat.«

Chloe riss die Augen auf. »Wieso?«

»Und wer hat jetzt Gretchen French angeschossen?«, wollte Talia Scott wissen.

»Das weiß im Augenblick niemand«, meinte Ed. »Wir gehen die Videos des Gebiets durch, aber nach dem Schuss rennen überall Personen herum.«

»Wenn Kate also nicht Gretchen getroffen hat«, sagte Luke, »was hat sie dann mit ›Ich hab sie verfehlt‹ gemeint?«

»Gute Frage. Wenigstens in ihrem Fall konnten uns die Überwachungsbänder helfen«, fuhr Ed fort. »Als wir begriffen, dass ihre Waffe nur Lärm gemacht haben kann, sahen wir uns das Video noch einmal an. Kate hat weder auf Gretchen noch auf Susannah gezielt, sondern in diese Richtung.« Er zeigte auf den Punkt des Dreiecks, an dem die Halbautomatik gefunden worden war. »Sie zielte auf die Person, von der sie letztlich erschossen wurde.«

»Und wenn das noch nicht spannend genug ist, haben wir

noch etwas Hübsches.« Chase schob ein Bild über den Tisch. »Das Foto wurde bei Kates Autopsie gemacht.«

Alle Anwesenden holten hörbar Luft.

»Das Brandzeichen«, sagte Chloe. »Die Swastika.«

»Ich schätze, wir brauchen ein paar Informationen über Kate Davis«, sagte Luke. »Zeit, dem guten Bürgermeister einen weiteren Besuch abzustatten. Kommen Sie mit, Chloe?«

»Sicher. Wissen wir schon etwas über seine Frau?«

»Die Fahndung nach ihrem Chrysler Minivan hat noch nichts ergeben«, sagte Pete, »aber sie scheint in Bewegung zu bleiben. Ich habe ihren Nummernnachweis hier. Seit sie am Donnerstag abgetaucht ist, hat sie Kate Davis' Handy mehrmals täglich angerufen. Sie ist in Richtung Westen unterwegs. Heute war sie in Reno. Der letzte Anruf auf Kates Telefon hat um vierzehn Uhr stattgefunden. Und hat fünf Minuten gedauert.«

Luke zog die Brauen zusammen. »Vierzehn Uhr? Da war Kate schon tot.«

»Richtig«, sagte Pete. »Ist in Kates Nähe ein Handy gefunden worden?«

»Nein«, sagte Chase. »Aber jemand muss den Anruf ja entgegengenommen haben, sonst hätte es die Mailbox getan. Wir sollten die Nummer auf einen von unseren Apparaten umleiten. Chloe, können Sie das veranlassen?«

»Ja, aber es wird ein Weilchen dauern. Vielleicht habe ich einen Richter an der Hand, der die Dinge ein wenig beschleunigt.«

»Danke«, sagte Chase. »Pete, hat Garths Frau Familie im Westen?«

»Nein. Sie hat eine Tante, die in Dutton wohnte, die aber weggezogen ist, als sie Garth geheiratet hat. Niemand hat von dieser Tante eine Nachsendeadresse oder etwas Ähnliches. Ich suche noch.«

»Hast du mit Angie Delacroix gesprochen?«, fragte Luke.

»Die Friseurin? Susannah sagte, sie würde so gut wie alles wissen, was in der Stadt vor sich geht.«

»Noch nicht, aber ich habe es noch vor.« Pete strich sich in dem Versuch, etwas Heiterkeit ins Spiel zu bringen, über seinen kahlen Kopf. »Ich könnte einen schicken Schnitt gebrauchen.«

Alle lächelten pflichtschuldig.

»Ich habe Mrs. Davis' Kreditkarten überprüft«, fuhr Pete fort. »Überall dort, von wo aus sie angerufen hat, gab es Kontobewegungen. Ich habe die Polizei in den Orten, durch die sie gekommen ist, angerufen, und man will mir die Sicherheitsvideos der Läden senden, in denen die Kreditkarten benutzt worden sind. Wir können zumindest herausfinden, ob sie längst ein anderes Auto fährt. Wer immer jetzt Kates Telefon hat, hat ihr vielleicht erzählt, dass ihre Schwägerin tot ist. Und ich wette, das wird sie dazu bringen, noch tiefer unterzutauchen.«

»Vielleicht weiß die Friseurin ja, wen sie im Falle eines Falles anrufen würde«, schloss Chase. »Nancy?«

»Ich war den ganzen Tag auf der Suche nach unserem Brandstifter, Chili Pepper«, sagte Nancy. »Seine Eltern behaupten, sie hätten ihn jahrelang nicht gesehen, was auch gut wäre, weil ihr Sohn nämlich ein nichtsnutziger Versager sei. Die Nachbarn stimmen dieser Einschätzung vorbehaltlos zu. Ich habe herausgefunden, wo seine Freundin lebt, aber sie streitet ab, etwas von seiner Vorliebe fürs Zündeln zu wissen. Sie behauptet, er habe seinen Spitznamen Chili bekommen, weil er so scharf im Bett ist.« Sie verzog das Gesicht. »Was ich mir nicht einmal vorstellen mag, glaubt mir.«

»Reizende Person«, sagte Chloe. »Gibt es etwas, ohne das er nicht kann? Irgendwelche Abhängigkeiten?«

»Ja. Ich habe Spritzen bei seiner Freundin gefunden. Ich habe darum gebeten, das Bad benutzen zu dürfen, und einen Blick ins Medizinschränkchen geworfen. Ich weiß, ich weiß«, sagte sie, als Chloe sie indigniert ansah. »Ich habe eine Flasche Insulin mit Clive Peppers Namen gefunden.«

»Und wie heißt die Freundin?«

»Lulu Jenkins«, sagte Nancy. »Ich habe nichts angefasst.«

»Klar«, sagte Chloe verärgert. »Aber wenn wir ihn finden, dann ist das das Ergebnis einer unrechtmäßigen Hausdurchsuchung.«

»Und wer wird es ihm sagen?«, fragte Nancy aufgebracht. »Sie?« Chloe wandte sich mit wütend blitzenden Augen an Chase. »Durch Ihre Leute werde ich verdammt viel Ärger bekommen.«

»Beruhigen Sie sich bitte. Nancy, machen Sie das nicht noch einmal. Chloe, Nancy wird das nicht noch einmal machen.«

»Also ist er Diabetiker«, sagte Luke. »Und muss früher oder später wegen des Insulins auftauchen.«

»Ausgezeichnet«, bemerkte Chase. »Ed, haben wir schon den Scan von dem Bunkergrundstück?«

*Becky,* dachte Luke. Der Name, den Beardsley gehört hatte, als jemand offensichtlich begraben worden war.

»Nein. Sie wollten um drei kommen, aber zu dem Zeitpunkt war ich am Tatort auf dem Friedhof«, sagte Ed. »Tut mir leid, Chase. Jetzt ist es zu dunkel. Wir müssen bis zur Morgendämmerung warten.«

»Wir bekommen noch Unterstützung«, kündigte Chase an. »Vier weitere Agents.«

»Wann können sie anfangen?«, fragte Luke.

»Das haben sie zum Teil schon. Einer von ihnen hat Isaac Gamble aufgespürt, den Pfleger, dessen Signal am stärksten gefunkt hat, als jemand sich an Beardsleys Tropf zu schaffen gemacht hat. Gamble behauptete, in einer Bar gewesen zu sein, und Barkeeper und Überwachungsvideo bestätigen das.«

»Also hat jemand anderes versucht, Beardsley zu töten«, sagte Pete.

»Scheint so. Zwei der neuen Agents sichten die Videos vom Friedhof und versuchen herauszufinden, wer geschossen hat.«

Mary McCrady beugte sich vor. »Und warum hat er seine Waffe fallen lassen?«

»Weil er einen Fehler gemacht hat«, antwortete Ed. »Oder nicht mit der Waffe erwischt werden wollte.«

Mary hob die Schultern. »Ja, vielleicht haben Sie recht. Aber wenn Sie überlegen, welch eine Planung diese Sache erfordert haben muss ... Falls Kate Davis eine Platzpatrone abgefeuert hat, musste der Schütze auf exakt den Augenblick warten, um auf Gretchen French zu schießen. Und er muss von vornherein gewusst haben, dass Kate zu schießen beabsichtigte. Das klingt einfach nicht nach einer Person, die die Waffe versehentlich fallen ließ. Ich denke, der Täter wollte, dass sie gefunden wird.«

»Psychospiele«, sagte Luke. »Er spielt mit uns.«

»Das glaube ich auch«, sagte Mary. »Hat Kate Davis wohl gewusst, dass ihre Pistole nur Platzpatronen enthielt?«

»Keine Platzpatronen«, sagte Ed. »Nur eine einzige. In der restlichen Kammer steckte scharfe Munition.«

»Das Puzzle ohne Bild«, knurrte Chase. »Sie haben recht, Mary. Wenn Kate Gretchen etwas tun wollte, bevor diese mit den Vergewaltigungen an die Öffentlichkeit getreten wäre, dann hätte es keine einzige Platzpatrone gegeben. Wenn sie sie nur hätte warnen wollen, dann hätte es nur Platzpatronen gegeben. Wenn sie auf eine ganz andere Person gezielt hat, fehlt uns leider ein Puzzleteil.«

»Aber wer immer auf Kate gezielt hat, wusste genau, dass sie mit einer Waffe bei der Beerdigung auftauchen würde«, sagte Luke. »Da war jemand bestens vorbereitet.«

Es klopfte an der Tür, und Leigh steckte den Kopf herein. »Chase, da ist Germanio am Telefon. Aus Savannah. Er sagt, es sei dringend.«

Chase schaltete das Gespräch auf den Lautsprecher. »Hank, wir sind alle hier. Was gibt's Neues?«

»Ich habe Helen Granville gefunden«, sagte Germanio. »Sie ist tot.«

Chase schloss die Augen. »Wie ist es passiert?«

»Hat sich offenbar erhängt. Ich habe das Haus der Schwester gefunden, aber die Polizei war bereits da. Ihre Schwester hat sie an einem Dachsparren baumelnd gefunden.«

»Haben Sie schon unserem Gerichtsmediziner von der Außenstelle in Savannah Bescheid gegeben?«

»Ja, er ist unterwegs. Helen Granvilles Schwester sagte, sie sei gestern Abend hier angekommen und sehr verängstigt gewesen. Sie selbst musste heute arbeiten. Als sie zurückkam, war Helen tot.«

»Hat sie gesagt, dass Helen Granville lebensmüde gewirkt habe?«

»Nein, der Ausdruck war ›sehr verängstigt‹. Die Schwester ist ziemlich mitgenommen. Vielleicht kriege ich noch mehr aus ihr heraus, wenn sie sich etwas beruhigt hat.«

»Halten Sie mich auf dem Laufenden.« Chase beendete den Anruf und seufzte. »Wirklich nicht mein Tag. Okay, beenden wir unser Meeting. Wir müssen alle schlafen. Talia, was haben Sie in Ellijay gefunden?«

»Die Hunde haben nichts gewittert. Aber Borenson kann natürlich in einem Wagen weggebracht worden sein.« Sie warf Luke einen Blick zu.

»An der hässlichen Bulldogge hat das Labor nichts gefunden. Willst du sie?«

»Ich?«, fragte Luke. »Warum ausgerechnet ich?«

»Weil sie ansonsten im Tierheim landet. Ich würde sie ja nehmen, aber ich habe schon vier Hunde, und meine Mitbewohnerin ist der Meinung, das sei genug.«

»Ich habe meinen letzten Hund Daniel gegeben«, wandte Luke ein. »Ich kann doch nicht plötzlich einen neuen aufnehmen.«

Talia zuckte mit den Schultern. »Tja, in dem Fall ... Dabei ist sie ein ganz liebes Wesen. Hoffentlich findet sie ein neues Herrchen. Ansonsten wird sie wohl irgendwann eingeschläfert.«

Niemand regte sich, bis Luke tief aufseufzte. »Okay, ich nehme den verdammten Hund.«

Talia lächelte. »Ich wusste, dass auf dich Verlass ist.«

»Dafür musst du aber morgen mit mir nach Poplar Bluff fahren«, sagte Luke. »Ich muss ein paar Jugendliche verhören, die vor zwei Jahren nichts zu Kasey Knights Verschwinden sagen wollten. Du kannst mit diesen Mädchen besser reden als ich.«

»Okay«, sagte Talia. »Mach ich ... wenn du etwas zu essen mitnimmst, das deine Mama gekocht hat.«

»Moment mal«, warf Nancy ein. »Hast du Poplar Bluff gesagt?«

»Ja«, bestätigte Luke. »Das liegt etwa zwei Autostunden Richtung Süden.«

324

Nancy zog ein Blatt aus ihrer Tasche. »Und ist einer der Orte, die Mansfield markiert hat.«

Chase beugte sich vor. »Und was haben wir noch auf der Liste?«

Nancy blickte auf. »Panama City, Florida.«

»Ashley Csorka«, murmelte Luke, und Nancy nickte.

»Das muss Mansfields Trefferliste sein«, sagte sie. »Hier hat er die Mädchen geholt.«

»Und die können wir mit den zuletzt vermissten in der Datenbank abgleichen«, sagte Luke mit neuer Energie. »Und mit den Fotos im Katalog. Diese Liste ist reines Gold.«

»Wir müssen allerdings herausfinden, ob Mansfield derjenige war, der sie abgeholt hat oder der sie gelockt hat«, sagte Talia. »Denn wenn wir wissen, wie er es angestellt hat, wie sie entführt wurden, dann können wir die Spur vielleicht zu Rocky zurückverfolgen.«

»Und die anderen Mädchen finden«, sagte Luke leise.

»Gute Arbeit, Leute«, sagte Chase. »Und jetzt sollten wir uns alle ein bisschen ausruhen. Ich bitte unseren Assistentenpool, die Liste mit der Datenbank abzugleichen. Sobald wir Namen haben, können wir Eltern informieren. Um acht Uhr morgen früh treffen wir uns wieder.«

Alle hatten sich erhoben, als Leigh erneut an der Tür erschien. Ihre Miene verriet Aufregung. »Über die Hotline ist gerade ein Anruf eingegangen – für Luke. Eine Frau behauptet, Informationen über das Mädchen auf der Intensivstation zu haben.«

Luke fuhr herum, um Chase einen Blick zuzuwerfen. »Wir haben der Presse nichts von ihrer Existenz gesagt. Ist sie noch immer in der Leitung, Leigh?«

»Nein. Sie will dich in zwanzig Minuten vor der Ambulanz treffen. Allein.«

»Okay, ich gehe. Aber Ashley Csorkas Vater will um sechs hier sein.«

»Dann bleibe ich«, sagte Talia. »Ich rede mit ihm und reiche die DNA-Proben ans Labor weiter.«

»Danke«, sagte Chase. »Und ihr anderen – ab ins Bett. Ich melde mich, wenn es Neuigkeiten gibt.«

# 15. Kapitel

Harry Grimes ging vor dem Fleck auf Dr. Cassidys Garagenboden in die Hocke. »Das ist Blut.«

Steven wandte sich an die ältliche Nachbarin. »Wann hat der Wagen die Garage verlassen, Ma'am?«

»Gegen Mittag. Der Doktor hält immer kurz an und fragt mich, wie es mir geht. Heute hat er das nicht getan. Aber ich dachte, er sei vielleicht nur sehr beschäftigt.« Sie rang die Hände. »Ich hätte die Polizei rufen müssen.«

Harry richtete sich wieder auf. »Konnten Sie sehen, ob der Doktor selbst gefahren ist?«

»Leider nein. Ich sehe nicht mehr so gut. Tut mir leid.«

»Vielen Dank, Ma'am. Sie haben uns sehr geholfen.« Als sie fort war, begegnete Harry Stevens Blick. »Niemand in dem Bus kann sich erinnern, Genie Cassidy gesehen zu haben.«

»Steven, Harry.« Ein Labortechniker winkte sie zu sich. »Kent hat etwas.«

Kent Thompson von der Spurensicherung saß am Computer des Arztes. »Gegen elf heute Morgen hat Cassidy eine E-Mail von Genie bekommen, sie sei an der Busstation, und er möge sie bitte abholen. Er willigt ein und erklärt, er habe die Tickets nach Toronto bereits abgeholt.«

»Er wollte mit ihr das Land verlassen?«, fragte Steven.

»Das sollen wir zumindest glauben. Aber seht mal oben in die Kopfzeile beider Mails.«

Harry tat es und begriff sofort. »Beide sind über denselben Wireless-Router gesendet worden«, sagte er. »Und zwar über den hier im Haus.«

»Das heißt, wer immer diese Mails abgeschickt hat, war bereits hier.«

»Richtig«, sagte Kent. »Genies Nachricht kann von einem Laptop oder einem Organizer geschickt worden sein, aber der Absender oder die Absenderin befand sich unter keinen Umständen an der Busstation.«

Harry nickte. »Ich gebe sofort eine Suchmeldung raus.«

*Atlanta,*
*Samstag, 3. Februar, 18.05 Uhr*

»Miss Vartanian. Wachen Sie auf.«

Susannah schreckte hoch. Sie war auf dem Stuhl neben dem Krankenbett eingenickt. Sie blinzelte und erkannte das Gesicht von Ella, der Nachtschwester. »Wie spät ist es?«

»Kurz nach sechs. Auf der Schwesternstation ist ein Anruf für Sie eingegangen. Aus dem GBI.«

Susannah blinzelte erneut. »Wenn es erst kurz nach sechs ist, warum sind Sie dann schon hier?«

»Jennifer ist krank geworden und musste nach Hause gehen, also bin ich früher gekommen. Ihr Anrufer wartet.«

Susannah nahm den Hörer an der Theke der Station entgegen. »Susannah Vartanian.«

»Brianna Bromley, ich arbeite bei der Hotline des GBI. Ich habe eine Nachricht von Agent Papadopoulos. Sie sollen ihn am Eingang der Ambulanz treffen. Es ist dringend.«

Ihr Herzschlag beschleunigte sich. »Wann?«

»Er hat mir die Nachricht vor fünfzehn Minuten durchgegeben. Wahrscheinlich wird er jede Minute eintreffen.«

»Danke.« Susannah hastete durch die Flure und schauderte, als die kalte Luft ihr draußen ins Gesicht schlug. Sie suchte nach Lukes Wagen, sah aber stattdessen ein bekanntes Gesicht.

»Jennifer? Ella sagte, Sie seien krank.«

Die Augen der Schwester waren gerötet, ihre Haut wirkte fahl. »Ich soll abgeholt werden.«

»Sie sehen wirklich nicht gut aus. Wie lange warten Sie denn schon?«

Jennifer presste die Kiefer zusammen. »Fast eine Stunde.«

»Wie unhöflich.« In diesem Moment sah sie aus dem Augenwinkel einen Wagen auf den Parkplatz biegen, und als sie den Kopf wandte, blendeten die Scheinwerfer sie einen Augenblick lang. Sie blinzelte noch, als ihr bewusst wurde, dass der Wagen schwarz war und getönte Scheiben hatte. Während er näher kam, wurde das Fenster herabgelassen, und zu spät sah Susannah das Aufblitzen von Metall.

»Runter!«, brüllte sie und riss die Schwester zu Boden. Sie hörte einen Schuss, der die Stille zerriss, und hob den Kopf, um sich das Nummerschild anzusehen, obwohl sie es schon kannte: DRC-119.

Entsetzt starrte sie dem Wagen nach, als ein gurgelnder Laut sie nach unten blicken ließ.

»Oh, verdammt, *verdammt!*« Hilflos starrte Susannah auf den sich rasch vergrößernden roten Fleck auf dem Krankenhauskittel der Schwester. »Jennifer! Jennifer! *Wir brauchen Hilfe!*«

Jennifer Ohmans Lider öffneten sich flatternd. »Bobby«, sagte sie. »Das war Bobby.«

Schritte knallten laut auf das Pflaster um sie herum, und

Susannah beugte sich näher an die verletzte Frau heran. »Bobby wer?«

Hinter ihr quietschten Reifen, und eine Autotür wurde zugeworfen. »O mein Gott.«

Luke. Aber Susannah wandte den Blick nicht von der Krankenschwester. »Wer ist Bobby?«

»Aus dem Weg, Lady«, befahl einer der Sanitäter.

Luke half ihr auf die Füße und musterte sie rasch von Kopf bis Fuß. »Sind Sie verletzt?«

»Nein.« Und dann zog er sie an sich, schlang die Arme um sie und hielt sie. Sein Herz schlug laut, und sie packte die Aufschläge seines Jacketts und presste ihre Wange an seine Brust. Sie war warm und muskulös. Aber er zitterte.

»Ich habe den Schuss gehört und gesehen, wie Sie zu Boden gingen.« Seine Stimme war rauh, fast barsch. »Sind Sie sicher, dass Sie nicht verletzt sind?«

Sie nickte, wollte sich nicht rühren, wollte bleiben, wo sie war und sich sicher fühlen, aber sie musste es ihm sagen. Sie klammerte sich an seine Aufschläge, bis sich sein Griff lockerte, aber er ließ sie nicht los. Sie hob den Kopf und sah in seine schwarzen Augen, die ihr wie ein Anker vorkamen.

»Sie hat gesagt: ›Es war Bobby.‹«

Er runzelte die Stirn. »Wer ist Bobby?«

»Ich weiß es nicht, aber sie hat den Namen zweimal gesagt. ›Es war Bobby.‹«

Seine Hände glitten von ihrem Rücken zu ihren Oberarmen und hielten sie. »Können Sie stehen?«

»Ja.« Sie musste sich zwingen, sein Jackett loszulassen. »Es geht schon.«

Luke beugte sich über die Trage. »Jennifer. Wer ist Bobby? Was ist mit dem Mädchen?«

»Wir müssen sie jetzt reinbringen«, sagte der Arzt streng. Luke folgte ihnen in die Notfallambulanz.

DRC-119. »Luke, warten Sie. *Luke!*« Susannah wollte sich in Bewegung setzen, stolperte aber, noch immer benommen.

»Susannah.« Plötzlich war Chase da und hielt sie fest. »Was ist passiert?«

»Ich … ich stand einfach nur neben dieser Schwester. Sie war für das unbekannte Mädchen zuständig. Sie erzählte, sie warte auf jemanden, der sie abholt, und dann kam der Wagen. Es war dieser schwarze Wagen, Chase. DRC-119.« Sie presste die Lippen zusammen, um nicht zu hyperventilieren. »Ich wollte sie aus dem Weg stoßen, aber es war zu spät.«

»Ganz ruhig. Einen Moment.« Chase gab über Funk durch, dass alle verfügbaren Streifenwagen in der Nähe nach dem schwarzen Wagen Ausschau halten sollten. Dann führte er sie in die Ambulanz, als Luke ihnen auch schon entgegenkam. Seine Miene war grimmig.

»Jennifer Ohman ist tot«, sagte er.

Susannah bekam kaum Luft. »Sie stand neben mir. Sie ist meinetwegen gestorben. Gretchen stand auch neben mir. O Gott. O Gott!«

Luke nahm ihre eiskalten Hände in seine. »Susannah, beruhigen Sie sich. Sagen Sie mir ganz genau, was geschehen ist.«

»Die schwarze Limousine. Sie fuhr vorbei, das Fenster wurde herabgelassen, und ich sah die Pistole. Ich wollte Jennifer aus dem Weg stoßen, aber es war schon zu spät. Das Nummernschild habe ich gesehen, als der Wagen davonfuhr. DRC-119.«

»Derselbe schwarze Wagen, der Ihnen heute Morgen gefolgt ist?«, fragte Luke.

»Sind Sie ganz sicher?«, fügte Chase hinzu.

Sie sah beide böse an. »Natürlich.«

»Verzeihen Sie«, sagte Luke. »Wir wollten Ihre Aussage nicht in Zweifel ziehen.«

Ihre Knie fühlten sich an wie Gummi. »Es ist auch für mich verdammt schwer zu glauben, und ich war dabei.«

»Warum eigentlich?«, fragte Luke. »Warum waren Sie hier?«

Sie sah ihn ungläubig an. »Weil Sie mich herbestellt haben.«

Die beiden Männer warfen einander einen Blick zu, und Susannah überlief es eiskalt. »Sie ... Sie haben mich nicht herbestellt?«

»Wer hat Sie angerufen?«, fragte Luke ruhig.

»Eine ... eine Frau. Ihr Name war sehr klangvoll. Brianna Bromley. Sie sagte, sie sei eine Telefonistin aus Ihrem Büro, und Sie hätten sie gebeten, mir Bescheid zu geben.«

»Ich habe niemanden gebeten, Sie anzurufen.«

»Und wir haben auch keine Telefonistin, die Brianna Bromley heißt«, fügte Chase grimmig hinzu.

Susannahs gerade noch wild hämmerndes Herz verlangsamte sich zu einem quälenden Pochen. »Man hat mich also herausgelockt.«

»Ich lasse den Anruf zurückverfolgen«, sagte Chase. »Luke, hat die Schwester noch etwas gesagt, bevor sie starb?«

»Nur das, was sie Susannah sagte.«

»›Bobby‹«, wiederholte Susannah. »›Es war Bobby.‹ Luke, wenn Sie mich nicht angerufen haben, was tun *Sie* dann hier?«

»Ich bekam über unsere Hotline einen Anruf von einer Frau, die angeblich Informationen über unsere Miss M hat. Es muss die Krankenschwester gewesen sein.«

»Aber ... wenn Jennifer Sie angerufen hat, wer hat dann mich angerufen? Und wieso?«

»Wir haben jetzt zwei Namen: Bobby und Rocky. Einer oder beide müssen in der schwarzen Limousine gewesen sein. Ich glaube, sie wollten, dass Sie sehen, wie Jennifer erschossen wird.«

»Also musste sie wissen, dass auch Jennifer hier stehen würde«, schloss Chase. »Was bedeutet, dass sie entweder Jennifer beobachtet haben ...« Er machte eine bedeutungsvolle Pause.

»Oder dass wir ein Leck haben.«

»Das ergibt aber doch keinen Sinn«, sagte Susannah. »Ich stehe neben der Krankenschwester, und sie wird erschossen. Vorher stehe ich bei der Beerdigung neben Gretchen French, und sie wird von Kate Davis angeschossen. War ich jedes Mal das eigentliche Ziel oder die beiden anderen?«

»Ich weiß es nicht«, sagte Luke, »aber Gretchen wurde nicht von Kate Davis angeschossen. Es gab mindestens noch einen weiteren Schützen. Kate wurde ermordet.«

»Aber ... ich habe doch gesehen, wie die Polizisten ihre Waffen zogen.«

»Nur haben sie nie geschossen, Susannah«, sagte Chase leise. »Wir haben die Pistole gefunden, mit der Kate Davis erschossen wurde. Der Täter stand zwischen Ihnen und Kate.«

»Links von mir«, murmelte Susannah.

Luke beugte sich vor. »Woher wissen Sie das?«

Sie sah ihm in die Augen. »Eine Frau in Schwarz. Al riss mich zu Boden, und ich sah auf und sah eine Frau, ganz in Schwarz gekleidet, mit einem Schleier über dem Gesicht. Sie starrte mich an. Dann war sie in der Menge verschwunden.«

»Warum haben Sie das nicht vorher erwähnt?«

»Ich dachte, sie trauert. Ich dachte, Kate hätte Gretchen angeschossen, und die Polizei hätte Kate ausgeschaltet.«

»Können Sie die Frau beschreiben?«

Susannah blies die Wangen auf. »Sie war sehr groß. Überall liefen die Leute aufgeregt umher, aber sie stand nur da wie eine … Insel der Ruhe. Ich weiß nicht, wie lange sie mich so angesehen hat. Aber es kann nicht mehr als ein, zwei Sekunden gewesen sein. Es war seltsam … surreal. Oh, und sie hatte roten Lippenstift aufgetragen. Das konnte man durch den Schleier erkennen. Das Kleid war lang. Altmodisch. Ich habe sie für alt gehalten. Unheimlich.« Sie schloss die Augen und beschwor die Szene noch einmal herauf. »Sie trug ein Cape, das mit Fell gesäumt war. Sie wirkte wie jemand auf einer alten Fotografie.«

»Was war mit den Schuhen?«, fragte Chase.

»Blau.« Sie schlug die Augen auf, als ihr etwas klar wurde. »Blaue Laufschuhe. Das Kleid reichte ihr nur bis zu den Knöcheln, als sei es zu kurz für sie.«

»Oder für ihn?«, fragte Luke.

»Bobby«, murmelte sie. »Oder Rocky. Oh, verdammt. Wer ist Bobby?«

»Das runde Puzzle ohne Motiv«, brummte Luke.

Chase nickte grimmig. »Ganz in Gelb.«

»Was soll das heißen?«, fragte Susannah. »Sprechen Sie nicht so rätselhaft daher!«

Luke seufzte. »Es bedeutet, dass wir eine Schicht nach der anderen von dieser Zwiebel abpellen, aber immer wieder eine neue zum Vorschein kommt. Sie sind schon wieder voller Blut. Ich fahre Sie ins Hotel.«

»Ich muss auf der Intensivstation meine Sachen holen.«

»Dann gehe ich mit.«

Sie öffnete den Mund, um ihm zu sagen, dass sie keinen Aufpasser brauchte, als ihr überdeutlich bewusst wurde, was gerade geschehen war. Erst Gretchen, jetzt Jennifer. Vielleicht brauchte sie doch seinen Schutz.

»Ist es wahr?«, fragte Schwester Ella. »Ist Jennifer tot?«
Monica hielt im Geist den Atem an.

»Ich fürchte ja«, erklang Susannahs Stimme. »Sie ist vor ein
paar Minuten erschossen worden.«

*O Gott. Jennifer hat versucht, mich zu beschützen, und nun ist
sie tot.*

Sie spürte, wie jemand ihre Hand berührte. »Ich bin's, Susannah. Ich muss jetzt gehen, aber ich komme morgen wieder. Ich
wünschte, du würdest aufwachen. Es gibt so vieles, das wir
dich fragen müssen.«

*Ich bin wach. Verdammt, ich bin doch wach!* Die Verzweiflung erstickte sie fast, doch dann spürte sie Wärme an ihrem
Gesicht. Lippen. Susannah küsste Monica auf die Stirn, und
die Frustration mischte sich mit einer Sehnsucht, die ihr erneut die Kehle zuzog.

»Schlaf jetzt«, murmelte Susannah. »Ich komme morgen wieder.«

*Nein.* Susannah wollte schreien. *Geh nicht. Verlass mich nicht.
Bitte lass mich nicht allein.*

Aber Susannah war schon fort.

Heiße Tränen rannen Monica über die Schläfen, wo sie unbemerkt trockneten.


Als Susannah aus dem verglasten Krankenzimmer trat, wurde
ihr bewusst, dass Luke sie beobachtet hatte. Sie spürte, wie sie
errötete. »Sie ist doch noch ein Kind. Sie muss schreckliche
Angst haben.«

Er legte ihr eine Hand an die Wange, und sie schmiegte sich

unwillkürlich hinein. »Sie sind ein guter Mensch«, murmelte er. »Das wissen Sie, oder?«

Ihre Kehle verengte sich. Wenn er es sagte, konnte sie es fast glauben. Sie machte sich los, wich zurück und setzte ein künstliches Lächeln auf. »Nett von Ihnen.«

Luke war die Frustration anzusehen, aber Susannah ignorierte es. Gemeinsam fuhren sie im Fahrstuhl hinab und gingen schweigend zu Lukes Wagen. Als sie beide angeschnallt waren, richtete er seinen Blick geradeaus. »Ich habe Daniel versprochen, dass ich auf Sie aufpasse. Das kann ich bei mir zu Hause oder in Ihrem Hotel tun. Bitte geben Sie mir die Möglichkeit, mein Versprechen zu halten. Etwas anderes verlange ich nicht von Ihnen.«

*Mehr nicht.* Sie war enttäuscht, musste sie erkennen. Was jämmerlich und kleinlich und … menschlich war. Welche Frau würde sich nicht wünschen, dass ein Mann wie Luke sich für sie interessierte? Aber er hatte offenbar schon aufgegeben. So schnell.

*Du hast es ihm doch gesagt. Sei nicht beleidigt, weil er auf dich hört.* Dennoch war sie enttäuscht. Und zu müde, um zu argumentieren. »Wenn wir zu Ihrer Wohnung gehen, wo schlafe ich dann?«

»In meinem Schlafzimmer. Ich nehme das Sofa.«

»Also gut. Dann los.«

*Atlanta,*
*Samstag, 3. Februar, 18.45 Uhr*

»Sind sie weg?«, fragte Bobby, als Tanner wieder einstieg.

»Ja, endlich.« Er reichte die Nummernschilder mit dem DRC-

Kennzeichen nach hinten. »Wenn wir angehalten werden, bin ich jetzt George Bentley. Hast du dich amüsiert?«

»O ja«, erwiderte Bobby. »Und ich bin froh, dass du noch rechtzeitig aus Savannah zurückgekehrt bist, um mich zu fahren. Vom Fahrersitz aus hätte ich Ohman bestimmt nicht so gut treffen können.«

»Und nun? Zurück ins Ridgefield House?«

»Noch nicht. Ich habe von unserem Maulwurf Neues erfahren. Wie es aussieht, ist das GBI Jersey Jameson auf den Spuren. Daniel Vartanian soll einen Teil der Bootsnummer gesehen haben.«

»Wo finden wir Mr. Jameson?«, fragte Tanner.

»Ich kenne einige Lokale, in denen er sich gerne aufhält. Lust, ein wenig um die Häuser zu ziehen?«

Tanner lachte. »Wie in alten Zeiten.«

»Ja, das waren schöne Zeiten. Du hast die Beute aufgespürt, und ich habe sie mir geholt. Einige der Kerle zahlen noch immer monatlich auf meine Überseekonten.«

»Du warst eine gute Hure, Bobby.«

»Und du warst immer gut darin, Kunden zu finden, die viel Geld dafür bezahlen, damit ihre Perversionen geheim bleiben. Mir fehlen sie, die alten Zeiten.«

»Wir könnten sie wiederholen. Woanders hingehen. Noch einmal neu anfangen.«

»Könnten wir, aber mir gefällt mein jetziges Leben. Ich will immer noch das Haus auf dem Hügel. Es steht mir zu.«

»Arthur Vartanian wird es seinen legitimen Kindern vermacht haben, Bobby.«

»Aber ich habe einen legalen Anspruch. Und bald werden seine legitimen Nachkommen ohnehin im Familiengrab neben dem Richter und seiner Schlampe von Frau liegen.« Die Worte schmeckten bitter auf der Zunge.

»Nun, wenn das geschehen ist«, sagte Tanner mit einem leichten Lächeln, »dann weißt du ja, was ich haben will.«

»Großmutter Vartanians silbernes Teeservice.« Bobby lachte leise. »Selbstverständlich.«

»Nett hier«, sagte Susannah und sah sich in Lukes Wohnung um.

»Es ist zumindest sauber, dank meiner ...« Das Ende des Satzes blieb in der Luft hängen, als er entdeckte, dass sein Esstisch für zwei gedeckt worden war. Er musste nicht genauer hinsehen, um zu wissen, dass das Porzellan seiner Mutter gehörte. Genau wie der silberne Kerzenständer, der bereitstand.

Susannah blickte ebenfalls auf den Tisch. Ein leichtes Lächeln lag auf ihren Lippen. »Dank Ihrer Mutter?«

»Ja.«

Susannahs Lächeln wurde sehnsüchtig. »Sie hätte Daniel mit ihrer Umarmung fast erdrückt. Ich mag sie.«

»Jeder mag sie.«

»Und Ihr Vater?«

»Oh, den erdrückt sie auch mit ihren Umarmungen«, sagte er grinsend. »Pop führt mit seinen Brüdern ein Restaurant. Griechisch selbstverständlich. Früher war Mama die Chefköchin, aber heute kümmern sich meine Cousins ums Tagesgeschäft, so dass mein Vater und meine Onkel Zeit haben, ihr Leben zu genießen, aber Mama fehlt es. Das kompensiert sie, indem sie für alle meine Freunde kocht.« Er zog aus dem Schrank den

Anzug von gestern. »Riecht gut. Nichts mehr von Rauch oder fauligem Fisch wahrzunehmen.«

»Ihre Reinigung liefert nach Hause?«

»Meine Reinigung gehört meinem Cousin Johnny. Er hat einen Schlüssel. Er liefert mir frei Haus, und ich lasse ihn auf meinem Flatscreen Sport über Pay-TV sehen.«

»Ob er auch die rote Tonerde aus Chloe Hathaways Kleid bekommt?«

»Wenn Johnny es nicht schafft, dann sonst auch niemand.« Sein Magen knurrte plötzlich. »Und ich habe Hunger.«

»Ich auch.« Sie zögerte. »Ich kann kochen. Ein bisschen jedenfalls.«

»Mama hat gesagt, sie hat mir etwas zu essen in den Kühlschrank gestellt.« Er ging in die Küche, und sie folgte ihm.

»Kann ich etwas tun?«

»Ziehen Sie sich um.« Er lächelte sie an, während er den Kühlschrank aufzog. »Sie haben es schon wieder nötig.«

Sie blickte auf ihr blutbespritztes T-Shirt hinab. »Ich bin gleich wieder da.«

Sein sorgloses Lachen verschwand, sobald sie den Raum verlassen hatte. »Ich bitte darum«, murmelte er und begann, das vorbereitete Essen seiner Mutter in Töpfe umzufüllen und auf dem Herd zu erhitzen.

Susannah. Auf dem Weg zu seiner Wohnung hatte sie auf dem Handy einen Anruf von Gretchen French erhalten, die die Pressekonferenz für den folgenden Tag angesetzt hatte. »Sie sollten wohl mit ihr reden«, hatte sie ihn ermahnt, als sie aufgelegt hatte. »Sie ist noch immer der Meinung, dass Kate Davis versucht hat, sie umzubringen.«

Er hatte ihr eine Gegenfrage gestellt. »Sind Sie sicher, dass Sie sich das antun wollen? Wenn Sie erst einmal mit den anderen

Frauen vor einem Meer aus Mikrofonen sitzen, gibt es kein Zurück.«

Sie hatte sehr ruhig reagiert. »Es hat schon kein Zurück mehr gegeben, als ich das Flugzeug nach Atlanta bestiegen habe. Luke, ich wusste es gestern schon. Ich tue, was ich tun muss.«

Er hatte tiefen Respekt empfunden ... und anschließend ein Verlangen, das so intensiv war, dass es ihm den Atem raubte. Es lag nicht an ihrem hübschen Gesicht, der zierlichen Figur oder an der Würde, die sie ausstrahlte. Das hier war etwas anderes, er spürte es mit jeder Faser seines Körpers. Susannah war, um es schlicht auszudrücken, ganz genau das, was er immer gesucht hatte.

Nur spielte es leider im Augenblick überhaupt keine Rolle, was er wollte oder gefunden zu haben glaubte. Vor der Ambulanz vorhin hatte sie gezittert wie Espenlaub. Sie hatte sich an ihn geklammert, bei ihm Schutz gesucht. Sie war mit ihm hierhergekommen, weil sie ihm zutraute, sie beschützen zu können. Aber bevor sie ihm nicht so weit vertraute, dass sie ihm ihre Seele offenbarte – diese Seele, die sie selbst angeblich nicht wollte –, hatte nichts anderes Bedeutung.

Er schob eine Schüssel in den Ofen und zog gerade den Korken aus einer Weinflasche, als es an der Tür klingelte. Er stellte die Flasche ab, damit der Wein atmen konnte, und spähte durch den Spion. Und seufzte.

»Talia«, sagte er, als er die Tür öffnete.

Talia hielt ihm die Leine hin, an der Richter Borensons Bulldoge hing. »Du hast den Hund vergessen.«

»Ich hatte plötzlich viel zu tun.«

Ihr Lächeln war mitfühlend. »Ich habe gehört, was vor der Ambulanz passiert ist. Tut mir leid für dich.«

Er seufzte wieder. »Ich sollte dich vermutlich hereinbitten.«

»Oh, vielen Dank«, gab sie trocken zurück. »Welche Gastfreundschaft.«

Er öffnete die Tür weiter. Talia und der Hund kamen herein, und bevor Luke noch ausweichen konnte, ließ sich das Tier vor Lukes Füße fallen. Talia lachte. »Sie heißt Darlin'.«

Er verdrehte die Augen. »Klar, wie denn sonst. Hast du Futter mitgebracht?«

Talia holte eine Tüte mit Trockenfutter aus ihrem Rucksack. »Bis morgen sollte es reichen. Hier ist auch ihr Napf und die Leine.«

»Und niemand wollte sie?«, hakte Luke nach, als sie ihm die Gegenstände in die Hand drückte.

»Nein, wirklich nicht. Borensons Jagdhunde sind bei den Nachbarn untergekommen, aber Darlin' wollte keiner. Hm, hier riecht es lecker.« In diesem Moment sah sie den für zwei gedeckten Tisch. »Aber du hast einen Gast. Ich verschwinde schon.«

Sie wandte sich zum Gehen, aber er hielt sie am Ärmel fest. »Susannah Vartanian ist hier.«

Sie riss die Augen auf. »Tatsächlich?«

»Nein, es ist nicht so, wie du denkst. Du kannst gerne hierbleiben. Komm schon. Ich habe eine Flasche Wein aufgemacht.«

Er ging in die Küche, den Hund buchstäblich auf den Fersen. Jedes Mal, wenn Luke stehen blieb, legte sich der Hund zu seinen Füßen. Jedes Mal, wenn er sich in Bewegung setzte, tat der Hund es auch. »Ich kann sie nicht behalten. Ich bin doch nie zu Hause.«

Talia setzte sich an seine Theke. »Dann muss sie in ein Heim. Und wer weiß, wie es ihr da ergeht.«

Luke blickte finster. »Du bist eine grausame Frau, Talia.«

Sie lachte. »Und du ein lieber Mann.«

Er schüttelte den Kopf. »Erzähl das bloß nicht weiter. Hast du Mr. Csorka getroffen?«

Sie wurde ernst. »Ja. Er kam mit Zahnarztunterlagen, DNA-Proben und Bildern von seiner Tochter mit Pokalen, die sie gewonnen hat. Sie ist Schwimmerin. Und zwar so gut, dass sie ein Stipendium bekommen hat.«

»Inzwischen sind über vierundzwanzig Stunden vergangen. Sie kann überall sein.«

»Schon, aber jetzt können wir das Foto eines der vermissten Mädchen an jede Polizeidienststelle im ganzen Südosten schicken. Sie ist noch ein paar Wochen lang siebzehn, daher habe ich einen Amber Alert rausgegeben.« Bei diesem Informationsplan im Falle einer Kindesentführung arbeiteten alle Medien auf nationaler Ebene zusammen. Talia beugte sich vor und drückte aufmunternd seinen Arm. »Wir machen vielleicht nur kleine Fortschritte, aber wir kommen weiter.«

»Ich habe Ihre …« Susannah brach ab und blieb wie angewurzelt stehen, die feuchten Handtücher säuberlich über dem Arm gefaltet. Ihr Blick fiel auf Talias Hand, die Luke berührte. »Entschuldigung. Ich wusste nicht, dass noch jemand hier ist.«

Lächelnd streckte Talia die Hand aus. »Talia Scott. Ich bin eine Kollegin von Luke und Daniel.«

Susannah schob die Handtücher auf ihren anderen Arm, um ihr die Hand zu schütteln. »Sehr erfreut. Sie haben das erste Gespräch mit Gretchen French geführt.«

»Ja, und mit den anderen Opfern auch«, gab Talia zurück. Ihr Lächeln war freundlich. »Außer mit Ihnen.«

Susannahs Wangen färbten sich rot. »Ich habe bei ASA Hathaway meine Aussage gemacht.«

342

»Ich weiß, aber darum geht es mir nicht. Bei den anderen Frauen konnte ich mich vergewissern, dass sie ihre Rechte kennen und wissen, welche Möglichkeiten sie haben.«

Susannah lächelte spröde. »Ich bin Staatsanwältin. Ich kenne meine Rechte. Aber danke.«

»Dass Sie die betreffenden Rechte und Gesetze kennen, zweifle ich nicht an. Und ich bin davon überzeugt, dass Sie andere Frauen sehr einfühlsam darüber informieren.« Talia ließ sich nicht beirren. »Aber möglicherweise können Sie Ihr Wissen nicht auf Ihre eigene Person anwenden. Wenn Sie reden möchten, stehe ich Ihnen jederzeit zur Verfügung.« Sie hielt der anderen, immer noch lächelnd, ihre Karte hin.

Widerwillig nahm Susannah sie an. »Gretchen French hat Sie in höchsten Tönen gelobt«, sagte sie. Dann betrachtete sie mit hochgezogenen Brauen die Tüte Trockenfutter auf der Theke. »Das Abendessen?«

Luke sah finster auf seine Füße herab. »Ja. Ihres.«

Susannahs Gesicht leuchtete auf, und ein echtes Lächeln erschien auf ihren Lippen. »Oh, sieh mal an.« Sie ließ sich auf die Knie sinken, legte die Handtücher beiseite und streichelte den Hund. »Ist das Ihrer, Talia?«

Talia kicherte und blinzelte ihm zu. »Nö. Lukes.«

Susannah sah, noch immer lächelnd, zu ihm auf. »Das ist Ihr Hund? Wirklich?«

Er seufzte. »Ja, sieht so aus. Jedenfalls solange ich kein anderes Zuhause für sie finden kann. Sie hat Richter Borenson gehört. Und falls er lebendig wieder auftaucht, geht sie auch zu ihm zurück.«

Susannah wandte sich wieder dem hässlichen plattnasigen Tier zu. »Ich habe auch einen Hund. Zu Hause, in New York.«

»Ah, was denn für einen?«

»Einen Sheltie. Eine Sie. Sie heißt Thor.«

Talia lachte. »Ein weiblicher Sheltie namens Thor? Wenn da keine Geschichte dahintersteckt.«

»Und ob. Sie ist jetzt im Zwinger und fragt sich wahrscheinlich, wann ich zurückkomme und sie endlich abhole.«

Der Hund leckte ihr über das Gesicht, und sie musste lachen. Es klang so fröhlich, dass Luke unwillkürlich lächeln musste.

»Wie heißt sie?«, fragte Susannah.

»Darlin'«, sagte er leise, und sie sah auf und begegnete seinem Blick.

»Ein schöner Name.« Ihr Lächeln ließ nach. »Nehmen Sie häufig Streuner auf, Luke?«

»Gewöhnlich nicht.« Plötzlich wurde ihm bewusst, dass er sie anstarrte, und er sah weg.

»Luke hat eine Flasche Wein aufgemacht«, sagte Talia, die offenbar Mitleid mit ihm hatte. »Wollen Sie ein Glas?«

»Ich trinke nicht, aber tun Sie es gerne. Das Essen duftet köstlich. Bleiben Sie, Talia?«

»Ja«, sagte Luke.

»Nein«, sagte Talia gleichzeitig. »Ich muss langsam nach Hause.«

»Und du bist sicher, dass du den Hund nicht mitnehmen kannst?«, murmelte Luke aus dem Mundwinkel.

»Ganz sicher«, erwiderte Talia fröhlich. »Als ich den vierten Hund mit nach Hause brachte, hat meine Mitbewohnerin mich nur strafend angesehen. Diesmal würde sie ausrasten. Also, *Luka*, entweder du oder das Tierheim.« Sie streckte sich und tätschelte seine Wange. »Aber überleg nur, wie sehr ein Hund das Leben bereichern kann.«

Luke musste über das Funkeln in ihren Augen lachen. »Du amüsierst dich prächtig, nicht wahr?«

»Komm, bring mich zur Tür. Es war schön, Sie kennenzulernen. Susannah. Sie können mich jederzeit anrufen.«

Mit Darlin' auf den Fersen brachte Luke sie zur Tür. »Was?«, fragte er gereizt.

Talia schüttelte den Kopf, während ihre Lippen zuckten. »Oh, Baby, dich hat's erwischt. Und sie ist keine Griechin. Was wird Mama Papa sagen?«

»Wer, denkst du, hat den verdammten Tisch gedeckt?«

Sie wurde wieder ernst. »Interessant. Aber sieh zu, dass Susannah mich anruft, falls sie es nötig hat.«

»Sie ist genau wie Daniel«, murmelte er. »Alles runterschlucken. Alles mit sich selbst ausmachen.«

»Ja, ich weiß. Wann willst du nach Poplar Bluff?«

»Ich würde ja lieber auf einen Schultag warten, da wir Kaseys Freundinnen dann vermutlich leichter zu fassen kriegen, aber ich halte es nicht für schlau, bis Montag zu warten. Fahren wir direkt nach dem Meeting morgen früh. Gegen elf sollten wir da sein.«

»Kirchenzeit«, gab Talia zu bedenken. »Poplar Bluff ist ein kleines Kaff. Ich rufe den Geistlichen an und frage nach, wer dort regelmäßig in die Kirche geht. Vielleicht erwischen wir sie ja alle an einem Ort. Also, bis morgen. Bring mir ein paar leckere Reste mit, okay?«

»Du könntest auch einfach bleiben.«

Sie lächelte. »Nein, kann ich wirklich nicht. Viel Glück, Luka.«

Er verdrehte die Augen und kehrte in die Küche zurück, wo Susannah Salatblätter zerrupfte. Er lehnte sich gegen den Kühlschrank, und der Hund ließ sich prompt wieder zu seinen Füßen fallen. »Sie folgt mir auf Schritt und Tritt.«

Sie lächelte das typische halbe Lächeln, das er schon von ihr kannte. »Haben Sie sie aus dem Wald gerettet?«

»So könnte man es wohl nennen.«

Sie schob ihn behutsam aus dem Weg und holte Gemüse aus dem Kühlschrank. »Nun, da haben Sie's. Darlin' ist für Sie, was unsere Miss M für mich ist. Und in gewisser Weise«, fügte sie hinzu, während sie ein Ende der Gurke mit mehr Kraft abschnitt, als nötig gewesen wäre, »was ich für Sie bin.«

Am liebsten hätte er sie an den Schultern gepackt und zu sich umgedreht, aber er rührte sie nicht an. »Das scheint mir nicht fair. Keinem von uns beiden gegenüber«, sagte er leise.

Sie ließ den Kopf hängen. »Sie haben recht. Tut mir leid.« Sie schluckte und konzentrierte sich auf das Schneiden der Gurke. »Talia hat Sie Luka genannt.«

»Meine Mutter nennt mich so.«

»Ja, das weiß ich schon. Talia und Sie sind also befreundet?«, fragte sie vorsichtig.

Er ließ sich seiner Stimme nichts anmerken, aber sein Herz begann zu hämmern. »Sie ist Griechin.«

»Aha? Kennen sich alle Griechen in Atlanta?«

Er musste lächeln. »Ja, irgendwie schon. Es ist eine recht enge Gemeinschaft. Mein Vater und seine Brüder bekochen häufig Hochzeiten und andere Feierlichkeiten. Da lernt man ziemlich viele Leute kennen.«

Sie warf die Gurkenscheiben in den Salat. »Scott klingt nicht gerade griechisch.«

»Überbleibsel ihrer ersten Ehe. Es lief nicht so gut.«

»Hm. Es überrascht mich, dass Ihre Mutter Sie beide nicht zu verkuppeln versucht«, sagte sie aufgesetzt locker.

»Sie hat's versucht. Und musste aufgeben. Talia und ich sind befreundet. Nicht mehr.«

Sie wandte sich mit der Salatschüssel im Arm zu ihm um. Ihre Augen begegneten seinen, und ihr Blick war so sehnsüchtig und eindringlich, dass ihm plötzlich das Atmen schwerfiel. Dann senkte sie abrupt den Blick, schob sich an ihm vorbei und stellte die Schüssel auf den Tisch. Er folgte ihr, Darlin' im Schlepptau, blieb jedoch stehen und starrte auf ihren Rücken.

»Susannah.«

»Ich muss gehen. Ich schlafe bei unserer Unbekannten im Krankenzimmer, falls Sie sich dann besser fühlen. Es steht ja ein Wachmann davor.«

»Ich würde mich besser fühlen, wenn Sie mich ansehen könnten.« Sie regte sich nicht, also legte er ihr die Hände auf die Schultern und zog sanft an ihr, bis sie sich umdrehte, doch ihr Blick lag auf Höhe seiner Brust. Er wartete schweigend, bis sie endlich zu ihm aufsah. Und plötzlich war ihm, als habe man ihn in den Magen geboxt. Ihre Augen, die sonst so wenig verrieten, schienen nun vor Emotionen zu glühen. Er sah Begierde und Interesse. Er sah Sehnsucht und Ablehnung. Und da er wusste, dass alles nun von seinem nächsten Schritt abhing, legte er ihr eine Hand an die Wange, wie er es schon zuvor getan hatte.

Sie schmiegte ihr Gesicht in seine Handfläche und sog tief den Atem ein, als wolle sie sich seinen Geruch merken, und alles in ihm zog sich zusammen. Plötzlich wusste er, dass er noch nie jemanden so gewollt hatte wie sie.

»Wie lange ist es her, Susannah?«, fragte er heiser.

»Was?«

Gute Frage. »Seit dich jemand berührt hat.« Er strich ihr mit dem Daumen über die Wange, um ihr zu zeigen, was er damit meinte. »Seit jemand deine Stirn geküsst hat.«

Er spürte ihren inneren Kampf. »Das hat noch nie jemand getan«, sagte sie schließlich.

Es brach ihm das Herz. »Aber deine Mutter?«

»Nein. Sie war kein herzlicher Mensch.«

»Susannah, hat dein Vater ...« Er konnte nicht fragen. Nicht nach allem, was sie durchgemacht hatte.

»Nein. Aber er wollte es. Das konnte ich immer spüren. Getan hat er es jedoch nicht.« Nervös befeuchtete sie ihre Lippen. »Ich habe mich oft versteckt. So habe ich auch das Geheimversteck hinter meinem Schrank gefunden. Anfangs habe ich mich nicht vor Simon versteckt, sondern vor meinem Vater.«

Luke hätte am liebsten geschrien. Irgendetwas gegen die Wand geschleudert. Ihren Vater getötet. Ironischerweise hatte Simon das für ihn erledigt. »Hat er dich geschlagen?«

»Nein. Meistens hat er mich ignoriert. Als sei ich gar nicht da. Aber manchmal sah er mich mit einem sehr merkwürdigen Blick an.« Sie schauderte.

»Und deine Mutter?«

Sie lächelte verbittert. »Sie war eine gute Gastgeberin und hielt das Haus tadellos in Schuss. Nahm sich meistens zurück. Und uns beachtete sie eigentlich kaum. Bis auf Simon. Immer war es Simon. Als er sein Bein verlor, wurde alles noch schlimmer. Und als wir alle glaubten, er sei tot, als mein Vater ihn aus dem Haus geworfen hatte und der ganzen Welt erzählte, er habe einen tödlichen Unfall gehabt ... da wurde es unerträglich.«

»Warum?«

»Meine Mutter war hysterisch. Sie schrie, sie würde uns hassen, mich und Daniel. Dass wir besser nie geboren worden wären. Dass ihr lieber gewesen wäre, wenn wir an Simons Stelle gestorben wären.«

*Gott.* Wie musste sich ein Kind fühlen, das so etwas zu hören bekam? »Also konntest du auch nie etwas sagen, als Simon dir etwas antat.«

Sie sah weg. »Sie wusste es ohnehin.«

»Was?«

Sie zuckte mit den Schultern. »Ich weiß nicht woher, aber sie wusste es. Sie beschimpfte mich. Ich sei ein Flittchen, das Jungen provozierte. Ich müsse mich nicht wundern. Dabei hatte ich damals noch nicht einmal eine einzige Verabredung gehabt.«

»Das ist … grausam, Susannah«, sagte er mit zitternder Stimme.

Endlich sah sie ihn wieder an. »Danke.«

Danke. Die eigene Mutter hatte die Vergewaltigung ihrer Tochter durch den Sohn geduldet, und sie dankte ihm, weil er die Einstellung der Mutter verurteilte? Wieder wäre er gerne laut geworden, doch er zügelte sich und küsste sie auf die Stirn. »Du glaubst, du bist noch immer allein, aber das stimmt nicht. Du glaubst, du bist die Einzige, die Dinge tut, für die sie sich schämt, aber auch das stimmt nicht.«

»Du hast nicht das getan, was ich getan habe, Luke.«

»Woher willst du das wissen? Ich habe mit Frauen geschlafen, die ich kaum kannte, und manchmal nur, um mich von dem abzulenken, was ich am Tag gesehen habe. Nur damit ich nicht allein sein würde, wenn ich um drei Uhr nachts aufwachte und nicht mehr schlafen konnte. Dafür schäme ich mich auch. Ich will das, was meine Eltern haben, aber ich konnte es bisher nicht finden.«

»Du verstehst nicht«, sagte sie und begann, sich widerstrebend von ihm zu lösen. »Und ich hoffe, das wirst du auch nicht.«

»Warte. Geh nicht.« Er legte seine Lippen auf ihren Mundwinkel. »Geh nicht.« Er rührte sich nicht, atmete nicht, verharrte einfach dort, ein Flüstern von ihrem Mund entfernt. Nach einer Zeit, die ihm wie eine Ewigkeit vorkam, wandte sie den Kopf. Nur einen Hauch. Ein winziges Stück. Gerade genug.

Seine Lippen legten sich über ihre, behutsam. Zart. *Endlich.*
Mit einem kleinen Wimmern gab sie ihre Anspannung auf, ließ ihre Hände über seine Brust aufwärtsgleiten, schlang ihre Arme um seinen Nacken und erwiderte den Kuss. Ihr Mund war weich, nachgiebig und heißer und süßer, als er gedacht hatte. Und dann zog sich die Sanftheit klammheimlich zurück, und er nahm sich, was er wollte, zog sie von den Füßen und presste sie dort an seinen Körper, wo es schmerzte, pulsierte und die Sehnsucht am größten war.

Susannah hörte schon zu bald auf. Einen Moment lang drückte sie ihre Wange gegen seinen Hals, dann stemmte sie ihre Hände resolut gegen seine Brust, bis er sie losließ und wieder auf dem Boden absetzte.

Um zu verhindern, dass er ihr nachkam, hielt sie eine Hand abwehrend hoch. Sie senkte den Blick, doch er hatte die Qual in ihren Augen gesehen. »Ich ... ich kann das nicht«, sagte sie, wich zurück, rannte zum Schlafzimmer und schloss die Tür.

Luke presste die Kiefer zusammen und warf sich im Geiste jedes Schimpfwort an den Kopf, das er kannte. Er hatte ihr versprochen, dass er nichts von ihr verlangen würde, und was hatte er getan? Anstatt sie einfach zu beschützen und das Versprechen Daniel gegenüber einzuhalten, hatte er die Situation ausgenutzt, wie jedes andere männliche Wesen es in ihrem Leben anscheinend getan hatte.

Wütend auf sich selbst griff er nach der Hundeleine. »Komm, Darlin'. Gehen wir spazieren.«

# 16. Kapitel

Ashley Csorka hielt inne, um sich zu sammeln. Stundenlang hatte sie Mörtel gekratzt, bis der Nagel zu kurz
und zu stumpf geworden war. Sie hatte ein weiteres Brett der
Treppe gelöst, um an den nächsten Nagel zu kommen, und
das hatte viel Zeit gekostet. Endlich, endlich, hatte sie etwa
einen halben Meter oberhalb des Bodens den ersten Ziegelstein gelockert. Mit angehaltenem Atem drückte sie dagegen.
*Es wird Lärm machen. Dann kommen sie. Du machst seit
Stunden Lärm, und es ist noch niemand gekommen. Vielleicht
ist niemand da. Nutze die Zeit. Schnell, schnell.* Sie drückte
fester gegen den Ziegel und schluchzte beinahe, als er nachgab. Frische Luft wehte ihr entgegen. Da draußen war die
Freiheit.
Sie musste noch mindestens vier oder fünf weitere Steine lösen.
*Beeil dich. Schnell.*

Harry Grimes klopfte an die Tür von Nicole Shafer, der dritte
Name auf der Liste von Freundinnen, die Genie Cassidys
Mutter ihm gegeben hatte.
Ein junges Mädchen öffnete die Tür, und Harry hielt ihr seine

Marke entgegen. »Special Agent Harry Grimes. Sind deine Eltern zu Hause?«

»Mom«, rief sie, und eine Frau, die sich die Hände an einem Geschirrtuch abtrocknete, erschien im Flur.

»Was können wir für Sie tun?«, fragte sie, und er zeigte auch ihr seine Marke.

»Ich ermittle im Fall Genie Cassidy. Sie ist verschwunden.«

Die Frau runzelte die Stirn. »Ich denke, sie ist ausgerissen.«

»Nein, Ma'am. Wir gehen davon aus, dass sie entführt wurde. Es könnte für uns sehr hilfreich sein, wenn ich mit Ihrer Tochter sprechen dürfte.«

»Natürlich. Kommen Sie herein.« Man führte ihn in ein Wohnzimmer, wo Mr. Shafer vor dem Fernseher saß. »Mach bitte aus, Oliver. Dieser Mann ist von der Polizei. Setzen Sie sich doch, Agent Grimes.«

Harry tat es, ohne den Blick von Nicole zu nehmen, die wiederum auf ihre Füße starrte. »Nicole, Genie hat mit einem Jungen namens Jason gechattet, wusstest du das?«

Nicole warf ihren Eltern einen nervösen Blick zu. »Ja. Aber sie wollte nicht, dass ihre Mom etwas davon erfährt. Ihre Mutter ist furchtbar ängstlich und streng. Genie durfte praktisch nichts. Wirklich, Mom.«

»Wusstest du, dass ihre Schwester Monica verschwand, nachdem sie eine längere Zeit im Internet mit einem Jungen namens Jason gechattet hat?«, fragte Harry, und Nicole nickte.

»Die Hälfte aller Jungs in unserer Jahrgangsstufe heißt Jason«, sagte sie. »Ein Allerweltsname.«

»Hast du gewusst, wo Genie ihn treffen wollte?«

Nicole sog die Luft ein, hielt den Atem an. »Niki«, sagte ihr Vater barsch. »Wenn du es weißt, musst du es ihm sagen.«

Nicole stieß den Atem aus. »Bei Mel's. Ein Bistro.«

»Das kenne ich«, sagte Harry, dann beugte er sich vor. »Nicole. Chattest du auch mit Jason?«

Sie sah auf ihre lila lackierten Fingernägel. »Manchmal. Manchmal war ich dabei, wenn Genie mit ihm gechattet hat, und ich durfte auch. Es war cool. Er hat ihr gesagt, dass sie hübsch ist.«

»Wollte er sich auch mit dir treffen?«, fragte Harry.

Sie nickte. »Aber ich hatte Angst. Genie meinte, wir würden zusammen gehen, aber ich habe Angst gekriegt.«

»O mein Gott«, hauchte Mrs. Shafer. »Niki. Es hätte dich auch erwischen können.«

Nicoles Augen füllten sich mit Tränen. »Wird sie wirklich vermisst? Ich meine, hat man sie entführt?«

Harry nickte. »Davon müssen wir ausgehen. Sei vorsichtig, Niki. Das, was Jungen im Internet sagen, entspricht selten der Wahrheit. Und manchmal wird es regelrecht gefährlich.«

»Aber Sie finden sie doch, oder?« Niki weinte jetzt.

»Wir werden jedenfalls alles versuchen. Sag mal, simst er dich manchmal an? Oder du ihn?«

»Er mich. Er ist auf dem College.« Sie zögerte. »Er glaubt, dass ich auch schon auf dem College bin.«

»Ich brauche alle deine Nicknames und Passwörter.« Harrys Puls legte an Tempo zu. Wenn sie die Karten richtig ausspielten, konnten sie dem Mistkerl vielleicht eine Falle stellen. »Und du musst mir versprechen, dass du niemandem etwas verrätst. Keine deiner Freundinnen darf ihm auch nur versehentlich einen Tipp geben.«

»Das heißt, ich kann allen Leuten erzählen, Sie seien zu uns gekommen, hätten aber nichts von mir erfahren?«

Harrys Lippen zuckten, als er ihren hoffnungsvollen Tonfall wahrnahm. »Na klar. Mach dir keine Gedanken.«

Mr. Shafer tilgte alle Hoffnungen der Tochter mit einem Blick. »Gib mir dein Handy. Du hast Technik-Arrest, junge Dame.« Nicole wollte protestieren, klappte aber den Mund zu und holte ihr Handy wortlos aus der Tasche, um es ihrem Vater in die ausgestreckte Hand zu legen. »Es hätte auch mich treffen können«, sagte sie leise.

Mr. Shafer zog sie in die Arme und drückte sie fest. »Danke«, sagte er zu Harry über den Kopf seiner Tochter hinweg. »Was immer Sie brauchen, fragen Sie einfach.«


*Atlanta,*
*Sonntag, 4. Februar, 00.15 Uhr*


Es war ein Weinen, das ihn weckte. Luke blinzelte ins helle Lampenlicht, das er im Wohnzimmer angelassen hatte. Er fühlte sich verkatert, obwohl er den Wein nicht angerührt hatte. Er war nach dem Desaster von einem Kuss hellwach gewesen und hatte sich mit Selbstvorwürfen gemartert, bis ihm kein Schimpfwort mehr eingefallen war.

Anschließend hatte er seinen Zorn auf »Bobby« gerichtet. Bisher war jede wichtige Figur in diesem widerlichen Spiel aus Dutton gekommen, deshalb hatte er dort gesucht und eine Liste all jener Einwohner zusammengestellt, die Bobby hießen. Als er schließlich zu erschöpft gewesen war, um auch nur nachzudenken, hatte er die Liste Chase gemailt und die Augen zugemacht. Er hatte ungefähr vier Stunden geschlafen und wäre sicher noch lange nicht aufgewacht, wenn das Weinen ihn nicht geweckt hätte. Zuerst fragte er sich, ob er sich das Geräusch nur eingebildet hatte. Es war schon vorgekommen, dass in seinen Träumen jemand weinte.

Doch diese Schluchzer waren echt. Er hörte es wieder, gedämpft und leise. Lautlos trat er an seine Schlafzimmertür heran, die einen Spalt offenstand, spähte hinein und fühlte sich wie ein elender Mistkerl. Susannah, die in einem seiner Sweatshirts fast vollständig verschwand, saß auf dem Boden und hielt Borensons hässliche Bulldogge im Arm. Ihre Schultern zuckten, während sie weinte, und mit zwei Schritten war er bei ihr, nahm sie auf die Arme und setzte sich mit ihr aufs Bett.

Er hatte geglaubt, dass sie sich sträuben würde, aber stattdessen packte sie sein Hemd und klammerte sich an ihn, wie sie es getan hatte, als er sie am Abend vor der Ambulanz im Arm gehalten hatte.

Er schob ihr seine Hand in den Nacken und durch die Haare und umfasste ihren Hinterkopf. Nach einer Weile wurde ihr Schluchzen zu einem Schniefen, und sie beruhigte sich. Schließlich wollte sie von ihm abrücken, aber er ließ sie nicht.

»Bleib einfach da und ruh dich aus«, sagte er leise.

»Ich habe heute mehr geheult als in meinem ganzen Leben«, brachte sie mit einem angedeuteten Lächeln hervor.

»Meine Schwester Demi sagt immer, Weinen tut gut. Du müsstest dich also eigentlich großartig fühlen.« Er küsste sie auf den Scheitel. »Warum hast du geweint?«

»Wegen des Anrufs vom Krankenhaus. Die Testergebnisse.«

Er brauchte einen Moment, bis er begriff, doch dann wurde ihm eiskalt. Das Blut des unbekannten Mädchens, er und Susannah waren damit in Kontakt gekommen. Ihre HIV-Tests.

»Positiv?«, fragte er so neutral, wie er konnte.

Sie wich ein Stück zurück, die Augen geweitet. »Nein, negativ. Ich dachte, du hättest den Anruf auch bekommen.«

»Wenn ja, dann ist er auf der Mailbox gelandet.« Er stieß den Atem aus. »Himmel. Hast du mir einen Schrecken eingejagt.«

»Tut mir leid. Ich dachte, du seiest wegen des Anrufs wach geworden.«

»Ich bin wach, weil ich dich weinen gehört habe. Also, der Test ist negativ. Wir haben nichts. Warum die Tränen?«

Sie hob die Schultern. »Schwer zu erklären.«

»Versuch's«, sagte er trocken.

Sie wich seinem Blick aus. »Du bist ein sehr netter Mann.«

Luke zog die Brauen hoch. »Und deswegen weinst du dir die Augen aus? Das verstehe ich nicht.«

»Ich versuche ja, es zu erklären. Es ist nur so, dass … dass du der erste Mann bist, der sich um mich kümmern will. Der erste anständige Mann. Du bist lieb und interessant, klug und einfühlsam …«

»Und gutaussehend?«, schlug er vor. »Und sündhaft sexy?«

Sie lachte, wie er es sich erhofft hatte. »Ja.« Doch schon verblasste das Lächeln wieder. »Jede Frau wäre geschmeichelt von deinem Interesse an ihr.« Sie zuckte mit den Schultern. »Oder ebenfalls interessiert.«

»Oder würde sich zu mir hingezogen fühlen?«

Sie senkte die Augen. »Ja. Als ich also eben den Anruf vom Krankenhaus bekam, war mein erster Gedanke: ›Hey, ich werde also nicht sterben.‹ Und mein zweiter: ›Hey, jetzt kann ich Luke haben.‹«

Er räusperte sich. »Definiere ›haben‹.«

Sie seufzte. »Du weißt, was ich meine. Aber es geht nicht.«

»Wegen deiner sündigen Vergangenheit? Susannah, dafür, dass du eine kluge Frau bist, ziehst du in diesem Fall den schwachsinnigsten Schluss, den ich je gehört habe.«

Sie presste die Zähne zusammen. »Das ist nicht schwachsinnig.«

»Okay, aber zumindest nicht clever«, sagte er, der Verzweiflung nah. »Falls ein Vergewaltigungsopfer mit einer solchen Story zu dir käme, würdest du die Frau ohrfeigen und sofort in eine Therapie schicken, und das weißt du auch.«

»Ich würde niemanden ohrfeigen.«

»Na gut, aber du würdest ihr sagen, sie soll endlich zu leben beginnen. Du schleppst eine Schuld mit dir herum, die du nicht verdient hast.«

Sie war einen Moment lang still. »Es ist nicht nur die Schuld.«

»Was dann?«

»Ich kann's nicht tun«, presste sie zwischen den Zähnen hervor.

»Natürlich kannst du. Erzähl's mir. Ich bin einfühlsam und nett.«

»Ich kann *es* nicht tun. *Sex*«, fauchte sie. Dann schloss sie die Augen. »Mein Gott, das ist ... *peinlich*.«

Luke wich mental zurück, kam dann aber zurückgeschlichen. »Gibt es ein ... körperliches Problem?«

»Nein!« Sie presste sich die Hände auf die Augen. »Jetzt lass mich bitte los.«

»Nein. Sag's mir. Du willst mich, das hast du gerade praktisch zugegeben. Ist es denn nicht wünschenswert, das Problem, das du hast, zu lösen, so dass du mich haben kannst?«

»Wie selbstlos du bist«, gab sie gereizt zurück.

»Und nett. Und gutaussehend. Und sündhaft sexy.«

Ein trauriges Lächeln umspielte einen ihrer beiden Mundwinkel. »Du bist unverbesserlich.«

»Ich weiß, dass sagt Mama auch immer.« Er wurde ernst und strich ihr mit dem Daumen über die Wange. »Sag's mir, Susannah. Ich lache auch nicht, versprochen.«

»Lass mich los. So kann ich nicht mit dir reden. Bitte.«

Er öffnete die Arme, und sie ließ sich wieder auf den Boden gleiten. »Ich vermisse meinen Hund«, sagte sie, während sie Darlin' streichelte. »Sie glaubt bestimmt schon, ich komme nie wieder.«

»Erzähl mir, wie eine Sheltie-Hündin zu dem Namen Thor kommt.«

»Thor ist der Donnergott«, begann sie. »Eines Abends hatten wir ein furchtbares Gewitter. Ich war wie immer am neunzehnten Januar zum Friedhof zu Darcys Grab gefahren.«

»Ihr habt im Januar ein Gewitter gehabt?«

»Es ist selten, aber es kommt vor. Es schneite wie verrückt, daher konnte ich nicht schneller als zehn Meilen pro Stunde fahren. Zum Glück, denn wäre ich schneller gewesen, hätte ich sie angefahren. Es gab einen heftigen Blitz, und da stand sie mitten auf der Straße, als wollte sie sagen: Fahr mich platt oder nimm mich mit, aber lass mich nicht einfach hier. Sie war vollkommen durchnässt, schmutzig und zitterte furchtbar.«

»Und du hast angehalten.«

»Natürlich. Es war ein Mietwagen – mir war es völlig egal, ob er schmutzig werden würde. Ich hatte vor, sie zu einem Tierarzt zu bringen, damit er sie weitervermittelt, aber dann leckte sie mir das Gesicht, und … da konnte ich einfach nicht widerstehen.«

»Das muss ich mir merken«, murmelte er, und sie lachte, wenn auch traurig.

»Das ist nicht dasselbe. Jedenfalls stellte sich heraus, dass sie gechipt war. Sie gehörte einer Familie im Norden und hatte sich monatelang allein durchgeschlagen.«

Er begann, eine Parallele zu sehen. »Zähes kleines Hündchen.«

»Ja. Aber die Leute hatten ihren Kindern schon einen anderen

Hund gekauft und sagten, ich könne sie behalten. Das tat ich dann auch. Es ist schön, nicht in eine leere Wohnung zurückkommen zu müssen. Und sie ist sehr treu. Oft sitzt sie um drei Uhr morgens bei mir, wenn ich nicht schlafen kann. Ich kann mich glücklich schätzen, sie zu haben.«

»Und sie kann sich ebenso glücklich schätzen, dich zu haben.«

»Siehst du? Typisch für den netten Mann.«

»Susannah, erzähl mir, warum das mit dem Sex nicht geht.«

Sie seufzte schwer. »Also gut. Es geht, aber nicht auf die normale Art.«

»Was bezeichnest du als normale Art?«

»Das ist total peinlich«, murmelte sie, und er hatte Mitleid.

»Die Missionarsstellung, meinst du das?«

»Genau. Das geht nicht. Ich kann … den Mann nicht ansehen. Währenddessen.«

»Während du mit ihm schläfst?«

»Ja. Ich fühle mich dann wie gefangen. Bekomme nicht genug Luft. Gerate in Panik.«

Er setzte sich auf die Bettkante und streichelte ihr Haar. »Nach allem, was du bereits durchgemacht hast, überrascht mich das nicht. Und wie hast du es bei … bei deinen bisherigen Männern gemacht?«

Sie lachte unfroh. »Mich ihnen *nicht* zugewandt.«

Einen Moment lang wusste er nicht, wie er darauf reagieren sollte, aber er würde sie nicht wissen lassen, wie sehr ihn das anmachte. »Das ist alles? Das ist dein einziges Problem?«

»Nein. Nur eines.«

»Und die anderen?«

Sie gab einen erstickten Laut von sich. »Es muss … ungewöhnlich sein. Muss. Sonst kann ich nicht.«

Er zog die Brauen zusammen. »Susannah, tut irgendwas von dem, das du machst, weh?«

»Manchmal, aber nur mir. Niemand sonst kommt zu Schaden.«

Er schloss die Augen. »Also magst du es …«

»Ruppig. Und das *hasse* ich.« Die letzten Worte waren wütend hervorgestoßen worden.

*Oh, Gnade.* Er öffnete den Mund, um etwas zu sagen, aber er kam nicht dazu. Sie war noch nicht fertig.

»Ich hasse den Umstand, dass ich es so brauche. Ich hasse es, dass ich nur so …« Sie brach ab.

»Dass du nur so kommen kannst.«

Sie ließ den Kopf sinken. »Das ist doch nicht normal. Und falsch.«

»Und weil du es so brauchst und so wolltest und so tust, konnte es zu diesem Abend kommen, an dem deine Freundin umgebracht worden ist.«

»Tja, so kompliziert bin ich nicht.«

*O doch, und ob.* Er rutschte ein Stück zurück und hielt seine Beine gespreizt. »Komm her.«

»Nein.«

»Du musst mich nicht ansehen. Komm her. Ich will dir etwas zeigen, und wenn es dir nicht gefällt, dann reden wir einfach nicht mehr darüber. Versprochen.«

»Du hast mir schon vorher etwas versprochen«, brummelte sie, stand aber auf.

»Setz dich zu mir. Nein, sieh mich nicht an«, sagte er, als sie sich umdrehen wollte. Er zog sie zwischen seine Beine. »Sieh mal drüben.« Er zeigte auf den Spiegel an der Kommode. »Schau dich an. Nicht mich.« Nun schlang er seine Arme um ihre Taille und zog sie näher an sich heran. »Ich bin angezogen. Du bist angezogen. Nichts wird geschehen außer dies hier.«

Er zog ihr Haar nach hinten, schob es zur Seite und küsste ihren Hals, und dass sie nach Luft schnappte, verursachte ihm eine prickelnde Gänsehaut. »Nur du und ich und der Spiegel«, sagte er.

»Das ist doch albern«, sagte sie, neigte aber den Kopf, damit er besser an ihren Hals herankam.

»Tut es weh? Gerätst du in Panik?«

»Nein. Ich komme mir nur dämlich vor.«

»Entspann dich. Du denkst zu viel.« Er plazierte Küsse über die Länge ihres Halses abwärts, dann ließ er seine Zunge über ihre Schulter gleiten. »Mache ich das nicht besser als Thor?« Sie lachte atemlos. »Du hast einen langen Hals«, murmelte er ihr ins Ohr. »Das kann eine Weile dauern.«

»Aber du … du kannst das doch nicht …«

»Genießen? Susannah, ich halte eine schöne Frau im Arm, die mich für sündhaft sexy hält, und ich darf ihren Hals küssen. Was kann man sich denn noch mehr wünschen?«

»Sex«, sagte sie ohne Umschweife, und er lachte.

»So einer bin ich nicht. Du musst mir erst einen Drink spendieren, bevor ich dir erlaube, mich nach Hause mitzunehmen.«

Er sah im Spiegel, dass sie die Augen wieder schloss. »Ich kann kaum fassen, dass ich dir das alles erzählt habe.«

»Ich bin eben sehr einfühlsam. Im Übrigen *hättest* du es früher oder später jemandem erzählt, und ich bin bloß froh, dass ich es war. Und ich sag's auch niemandem weiter. Du kannst mir vertrauen.«

»Ich weiß«, sagte sie ernsthaft, und er musste sich einen Moment sammeln, um langsam fortzufahren, obwohl er sie am liebsten verschlungen hätte.

Er hatte gerade an der anderen Halsseite angesetzt, als sein Handy in seiner Hosentasche zu vibrieren begann und sie beide zusammenfahren ließ. Er hielt sie mit einer Hand, während er mit der anderen sein Telefon aufklappte. Es war Chase.

»Sie müssen herkommen.«

Luke verspannte sich und ließ Susannah los. »Was ist los?«, fragte er.

»Verflixt viel«, antwortete Chase. »Kommen Sie so schnell Sie können. Und bringen Sie Susannah mit.«

Luke schob das Telefon in die Tasche zurück. »Wir müssen los. Chase will dich ebenfalls im Büro sehen. Aber du solltest dich umziehen. Ich bringe den Hund hinaus, und dann fahren wir.« Die Hand schon auf dem Türknauf, zögerte er, dann beschloss er, es zu wagen. Aus seinem Schrank, ganz weit hinten versteckt, zog er eine staubige Schachtel heraus und stellte sie auf die Kommode. »Du wärst überrascht, was normal ist und was nicht, Susannah«, sagte er, dann schnalzte er mit der Zunge. »Komm, Darlin'.«


Susannah saß auf der Bettkante und starrte die Schachtel volle dreißig Sekunden an, bevor sie ihrer Neugier nachgab. Sie war eindeutig eine ganze Weile schon nicht mehr geöffnet worden, und sie mühte sich mit dem Deckel ab. Dann starrte sie hinein.

»Meine Güte«, murmelte sie und hob die Handschellen heraus. In der Schachtel befanden sich alle möglichen Spielzeuge. Einige dieser Art hatte sie bereits benutzt. Manche waren harmlos, manche eher langweilig, aber alle erregten sie auf einer Ebene, die sie beschämte. Dennoch … Sie ließ die Handschellen wieder hineinfallen und legte den Deckel auf die Schachtel.

Ihr Herz hämmerte heftig, als sie sich umzog. Er war nicht abgestoßen. Er hatte einen ähnlichen Geschmack. *Aber deswegen ist es noch lange nicht gut und richtig, oder?*

Er klopfte an die Tür, und sie fuhr zusammen. »Hast du … etwas an?«

»Komm ruhig rein.«

Er tat es, sah zu ihr, dann zur Schachtel. Ohne ein weiteres Wort legte er die Schachtel in den Schrank zurück. »Gehen wir. Wir müssen zurück zur Arbeit.«

*Atlanta,*
*Sonntag, 4. Februar, 1.45 Uhr*

Susannah ging vor dem Konferenzraum ungeduldig auf und ab. Luke war seit zwanzig Minuten dort drin, und mit jeder Minute wuchs ihre Furcht. Als sie eingetroffen waren, hatte sie nur Chases Miene betrachten müssen, um zu wissen, dass etwas ganz und gar nicht stimmte.

Die Tür ging auf, und Luke trat in den Flur. Er lächelte nicht. »Wir sind jetzt so weit«, sagte er und nahm ihre Hand. »Bringen wir es hinter uns.«

Sie zögerte, bevor sie den Raum betrat. Alle darin würden es wissen. *Na und? Nach Gretchens Pressekonferenz morgen weiß es ohnehin die ganze Welt.*

*Aber diese Leute wissen über Darcy Bescheid.*

Es zählte nicht mehr. Keine Geheimnisse mehr. Chase war anwesend, Talia und Chloe. Und Ed Randall, den sie bei Sheila Cunninghams Beerdigung kennengelernt hatte. Zu ihrer Überraschung saß auch Al Landers am Tisch. Er klopfte auf den leeren Stuhl neben sich, während Chase sie mit den Teammitgliedern bekannt machte, die sie bisher noch nicht kennengelernt hatte: Pete, Nancy, Hank. Mary, die Psychologin.

*Oh-oh. Eine Seelenklempnerin.* Kein gutes Zeichen. »Was ist passiert?«

»Viel«, sagte Chase. »Aber einiges betrifft direkt Sie, Susannah.«

»Chloe und ich haben jemanden losgeschickt, der Michael Ellis verhören sollte«, begann Al. »Darcys Mörder.«

»Ja, davon sprachen Sie heute Morgen. Was ist dabei herausgekommen?«

»Nichts«, sagte Chloe. »Was seltsam war. Er muss noch zwanzig Jahre absitzen, und wir bieten ihm einen Deal, mit dem er sich einige Jahre sparen kann, aber er will kein Wort sagen.«

»Das heißt, er hat selbst nach sechs Jahren noch eine Heidenangst«, sagte Al. »Aber das war noch nicht das Interessanteste.« Chloe schob ihr ein Foto über den Tisch. »Dies wurde vor Darcys Autopsie aufgenommen.«

Beklommen nahm Susannah das Foto. Sie wusste, was sie sehen würde, bevor ihr Blick darauffiel. Es war die Großaufnahme einer Frauenhüfte. »Das Brandzeichen«, sagte sie. »Sie hatte also auch eines.«

»Sie haben das Brandzeichen heute Morgen erwähnt, als Sie Ihre Aussage machten, und ich konnte mich daran aus den Papieren von damals erinnern«, sagte Al. »Aber ich wollte es erst bestätigt haben, bevor ich es Ihnen sagte.«

»Ist das im Prozess zur Sprache gekommen?«

»Es kam zu keinem Prozess«, sagte Al. »Er bekannte sich schuldig. Die Polizei hielt die Information über das Brandzeichen zurück, falls man andere Opfer finden würde. Man wollte keine Nachahmungstaten riskieren.«

»Das heißt also, das Ganze war von vornherein aufwendig

geplant?«, fragte Susannah ungläubig. »Jemand hat Darcy getötet, um mich damit zu treffen? Aber wieso? So wichtig bin
ich nicht.«

»Für irgendjemanden offenbar schon«, sagte Chase. »Wichtig
genug, um diesen Übergriff auf den Tag genau sieben Jahre
nach dem ersten zu inszenieren. Jemand, der genau wusste,
dass Sie sich nicht der Polizei stellen würden.«

»Aber das ... das ist doch unglaublich«, sagte Susannah kopfschüttelnd. »Wer sollte das tun?«

»Dazu später noch«, sagte Chase. »Ed?«

»Wir haben eine Anzahl von Haarproben aus dem Bunker genommen«, sagte Ed. »Wir haben die DNA untersucht und etwas gefunden, das wir nicht erwartet haben.« Er schob ihr
zwei Profile hin.

Sie musterte beide eingehend. »Diese beiden Personen sind
verwandt«, sagte sie. »Richtig?«

»Geschwister«, sagte Ed. »Und eine der Proben stammt von
Daniel.«

Susannah war wie vom Donner gerührt. »Wollen Sie damit
sagen, dass Simon dort war?«

»Die Polizei aus Philadelphia hat uns sein DNA-Profil geschickt«, sagte Ed. »Und es stimmt nicht mit diesem überein.
Tatsächlich handelt es sich auch um eine Sie.«

»Aber ... ich war nicht im Bunker«, sagte Susannah.

»Nein, und das Haar ist auch nicht deines«, fuhr Luke leise
fort. »Es war kurz und blond.«

Sie zupfte an ihrem langen, dunklen Haar. »Wir haben also
eine Schwester, von der wir bisher nichts wussten?«

»So sieht es aus«, sagte Ed. »Wir wollten Sie zuerst fragen, ob
Sie eine Ahnung davon gehabt haben, bevor wir es Daniel
sagen. Es dürfte ein ziemlicher Schock für ihn sein.«

Susannahs Herz hämmerte viel zu schnell und viel zu laut. »Ich hatte nicht die geringste Ahnung. Und für mich ist es ebenfalls ein Schock.«

Luke räusperte sich. »Ed hat auch noch herausgefunden, dass die Mutter eine andere sein muss.«

»Also hatte mein Vater einen illegitimen Sprössling.« Susannah stieß die Luft aus. »Warum überrascht mich das nicht? Verdammt, ich habe eine Halbschwester.«

»Das könnte ein Motiv sein, Susannah«, sagte Luke. »Für Darcy und alles andere.«

Susannah schloss die Augen. »Ich habe also eine Halbschwester, die mich so sehr verabscheut, dass sie all das hier inszeniert? Die mich mit Nummernschildern verhöhnt und auf jeden schießt, der neben ...« Sie riss die Augen auf. »O Gott. Die Frau in Schwarz bei Sheilas Beerdigung.«

»Einer der Agents hat sie auf dem Überwachungsband gefunden«, sagte Luke.

»Sie ist nur flüchtig zu sehen«, erklärte Chase. »Und für das Gesicht reicht es nicht. Aber es scheint wirklich eine Frau zu sein.«

»Also weder Rocky noch Bobby«, murmelte Susannah.

»Alles in Ordnung?«, fragte Luke besorgt.

»Ja und nein. Ich meine, ich bin mir nicht sicher, ob mir das Wissen hilft, dass irgendeine Sadistin, die mit mir verwandt ist, mir das Leben zur Hölle macht. Simon war schon grausam, aber ...« Sie rieb sich die Stirn. »Und ich habe eine Halbschwester.« Sie schüttelte wieder leicht den Kopf. »Dass mein Vater eine Affäre gehabt hat, ist nichts, was mich vollkommen aus der Bahn wirft, aber ich hätte gerne gewusst, ob meine Mutter davon geahnt hat.«

»Wer könnte eine solche Frage beantworten?«, fragte Al.

»Angie Delacroix«, sagte Susannah sofort. »Falls meine Mutter etwas wusste, hat sie es wohl am ehesten ihr erzählt. Sie waren befreundet. Sofern meine Mutter überhaupt mit jemandem befreundet war.«

»Die Inhaberin des Schönheitssalons, stimmt's?«, sagte Luke. »Also los, reden wir mit ihr.«

»Mitten in der Nacht?«

»Mitten in der Nacht«, sagte Luke. »Die Frau, deren DNA wir analysiert haben, war im Bunker. Sie hatte irgendwie mit Granville und Mansfield zu tun. Wenn sie nicht direkt mit dem Verschwinden der Mädchen zusammenhängt, dann weiß sie zumindest, dass sie dort gewesen sind.«

»Vielleicht ist sie auch gefoltert worden. Vielleicht war sie auch ein Opfer.«

»Das ist sicher möglich«, sagte Luke, »wenn es auch nicht dazu passt, dass die Frau in Schwarz wahrscheinlich Kate Davis umgebracht hat.«

Chase zögerte. »Wir glauben, dass der Mann, der Sie damals vergewaltigt hat, ebenfalls beteiligt war. Vielleicht handelt es sich sogar um Bobby oder Rocky. Wir möchten, dass Sie sich mit einem Zeichner zusammensetzen. Es wartet schon einer auf Sie.«

»Einverstanden«, murmelte Susannah.

Luke brachte sie zur Tür. »Du warst großartig«, sagte er ruhig. Er zeigte auf eine Frau, die draußen auf einem Stuhl saß. »Unser Zeichner ist eigentlich eine Zeichnerin. Wenn du fertig bist, warte bitte in meinem Büro. Ich komme, sobald ich kann, dann gehen wir Angie Delacroix besuchen.«

Luke schloss die Tür des Konferenzraums. »Das lief besser, als ich befürchtet habe.«

367

»Sie ist durch die Hölle gegangen«, sagte Al sorgenvoll. »Ich lasse sie nur ungern allein, aber ich muss noch heute nach New York zurück. Am Montag beginnt ein wichtiger Prozess.«

»Wir sind ja auch noch da«, sagte Luke. »Keine Sorge.«

»Danke, Al«, sagte Chase. »Sie waren eine große Hilfe. Guten Flug zurück.«

»Und Sie kümmern sich um die andere Sache, über die wir gesprochen haben?«, fragte Luke, und Al nickte.

»Und ob. Ich rufe Sie an, wenn ich Einzelheiten weiß.«

»Was für Einzelheiten?«, fragte Chase, als Al fort war.

»Etwas für Susannah«, sagte Luke. »Etwas Persönliches.«

»Nun, wenn jemand ein Anrecht darauf hat, etwas Persönliches für sich zu behalten, dann wohl sie«, sagte Chase reuig.

Luke seufzte. »Also, wir haben drei Tote, die uns lebend als Zeugen zu Granvilles Partner hätten führen können. Nancy?«

»Es war kein schöner Anblick. Ich habe Chili Pepper bei seiner Freundin zu Hause gefunden. Beide tot, beide mit aufgeschnittenen Kehlen. Die Spurensicherung ist noch dort.«

»Danke, Nancy«, sagte Chase. »Hank? Was ist mit Helen Granville?«

»Der Gerichtsmediziner hat herausgefunden, dass die Würgemale an Helens Hals nicht zum Seil passten. Sie ist mit etwas Dünnerem erwürgt und dann aufgehängt worden, damit es wie ein Selbstmord aussieht.«

Luke rieb sich die Stirn. »Also ist der Mann, den Granvilles Partner engagiert hat, um das Haus niederzubrennen, tot. Granvilles Frau, die diesen Partner vielleicht gekannt hat, ist ebenfalls tot. Und die Krankenschwester, die Granvilles Partner vielleicht gesehen hat, ist auch tot. Es ist doch zum Kotzen.«

»Granvilles Partner kappt lose Fäden«, sagte Chase. »Granvilles Frau ist tot. Davis' Frau könnte die nächste sein. Pete, haben Sie eine Spur gefunden?«

»Nein, aber etwas anderes. Ich habe mir das Video von drei Tankstellen durchgesehen, an denen Mrs. Davis Kate Davis' Handy angerufen hat. Garths Frau taucht nicht auf, dieser Typ aber schon.« Er deutete auf das Foto eines stämmigen graubärtigen Mannes, der neben einem Brummi stand.

»Ein Fernfahrer«, sagte Luke, als es ihm dämmerte. »Er hat das Handy von Garth Davis' Frau. Hat er auch Garths Frau und die Kinder?«

»Ich lasse bereits nach dem Kerl fahnden«, sagte Luke. »Aber bisher hat sich noch nichts ergeben. Aber wenn er über die Interstates fährt, wird man ihn früher oder später ausfindig machen.«

»Dann hoffentlich früher«, sagte Chase.

»Vielleicht will sie einfach nicht gefunden werden«, sagte Mary McCrady vom Ende des Tisches, wo sie bisher wortlos zugehört hatte. »Wenn sie glaubt, dass ihre Kinder in Gefahr sind …«

»Das mag sein«, sagte Chase. »Aber das wissen wir erst, wenn wir sie gefunden haben. Was ist mit der Geliebten, die am Flughafen arbeitet?«

»Kira Laneer. Ich habe noch nicht mit ihr gesprochen«, sagte Hank.

»Und die Krankenschwester?«, hakte Luke nach. »Hat man vielleicht bei ihrer persönlichen Habe etwas gefunden, das uns weiterhelfen kann?«

»Handy, Schlüssel, der Dienstausweis, alles in der Handtasche.« Chase zeigte auf eine Plastiktüte auf dem Tisch. »Da drin.«

»Auf dem Handy sind nur ihre Abdrücke zu finden«, sagte Ed langsam. »Moment.« Er streifte ein Paar Handschuhe über und holte das Telefon aus der Tasche. »Da war etwas. Diese Telefonnummer. Sie hat gestern Morgen um acht Uhr zwanzig einen Anruf bekommen. Es ist dieselbe Nummer, die Granville am Freitag anrief, kurz bevor im Bunker das Chaos ausbrach.«

»Granvilles Partner«, sagte Chloe. »Er hat sie angerufen. Hat er sie bedroht?«

»›Es war Bobby‹«, zitierte Luke. »Bobby hat sie bedroht, dann umgebracht.«

»Wer also ist Rocky?«, fragte Pete.

»Vielleicht dieselbe Person?«, gab Nancy zu bedenken. »Rocky klingt wie ein Spitzname.«

»Hier ist eine Liste von allen Bobbys aus Dutton«, sagte Chase und deutete auf die Namen, die Luke zusammengestellt hatte. »Wir haben Bobbys, Roberts, Bobs, Robs …«

»Zeigen Sie mal«, sagte Chloe, dann blinzelte sie überrascht. »Kongressmann Robert Michael Bowie? Sein Sohn, Robert Michael Bowie junior, Rob Davis, Garths Onkel.«

»Der Sohn des Abgeordneten hat ungefähr dasselbe Alter wie Mansfield und Granville«, sagte Ed. »Ich habe ihn getroffen, als ich das Zimmer seiner Schwester untersucht habe, nachdem sie von Mack O'Brien getötet worden war. Er war kooperativ, aber da ging es auch um den Mord an seiner Schwester, nicht um sein Privatleben. Der Abgeordnete Bowie muss ungefähr sechzig sein. Allerdings ist er bestens in Form.«

»Fit genug, um zwei Leuten die Kehle durchzuschneiden?«, fragte Nancy.

»Für solche Arbeiten kann man auch andere bezahlen«, wandte Hank ein.

Aber Luke dachte an die Einwohnerliste Duttons, die er durchgesehen hatte, als er die Bobbys zusammengestellt hatte. Er hatte bewusst einen Namen ausgelassen, aber nun ...

»Könnte Bobby eine Frau sein?«, fragte Luke, und alle blickten auf. »Die Frau in Schwarz tötete Kate Davis. Sie ist im Bunker gewesen. Sie hat etwas mit der Sache zu tun.«

»Aber ... Bobby ist doch ein Männername«, wandte Germanio ein.

Luke warf Pete einen Blick zu, dessen Gesichtsausdruck verriet, dass er gerade denselben Schluss gezogen hatte.

»Mrs. Garth Davis«, sagte Pete langsam. »Ihr voller Name lautet Barbara Jean. Bobby Jean.«

»Ed?«, fragte Luke. »Wie groß war die Frau auf dem Video?«

»Eins siebenundsiebzig mit Laufschuhen.«

»Wie Mrs. Davis«, sagte Pete.

Eine lange Weile herrschte absolute Stille. Dann gab es plötzlich ein heftiges Klopfen an der Tür, und eine Sekunde später stand Susannah auf der Schwelle. Sie hielt den geöffneten Laptop in den Händen, und ihre Wangen glühten vor Aufregung.

»Ich habe sie gefunden!«

»Wen?«, fragte Luke. »Bobby?«

Sie sah ihn verwirrt an. »Nein.«

»Wo ist die Zeichnerin?«, fragte Chase.

»Schon fertig«, erwiderte sie ungeduldig. »Sie hat die Zeichnung Leigh gegeben, und die macht Kopien. Aber hören Sie mir doch zu. Ich habe das unbekannte Mädchen auf der Site der vermissten Kinder gefunden.« Sie stellte den Laptop auf den Tisch. »Ich habe die Mädchen rausgesucht, deren Namen mit M anfangen. Aber dann dachte ich, was, wenn M nur eine Abkürzung oder ein Spitzname ist? Also habe ich noch einmal von vorn angefangen. Hier ist sie, bei B.«

371

Luke kniff die Augen zusammen. »Die sieht dem Mädchen auf der Intensiv aber nicht ähnlich.«

»Na ja, weil sie fünfzehn Kilo weniger wiegt und ein vollkommen zerschlagenes Gesicht hat. Ich habe dir schon gesagt, dass eure Leute sie unmöglich auf der Basis eines aktuellen Fotos finden können. Aber ich habe ihre Augen gesehen, Luke. Sie hat mich im Wald angesehen, sie hatte die Augen geöffnet. Das hier ist das Mädchen, glaub mir. Ihr zweiter Name lautet Monica. Schau. Beatrice Monica Cassidy.«

»Sehr gute Arbeit, Susannah«, lobte Chloe.

»Aber ich habe noch mehr gefunden. Ich habe sie gegoogelt.« Sie wechselte auf eine andere Seite, und Luke erstarrte.

»Amber Alert«, sagte er. »Ihre Schwester Eugenie Cassidy ist irgendwann zwischen Freitag Mitternacht und Samstagmorgen acht Uhr aus Charlotte entführt worden. Kontakt ist ein Agent Harry Grimes. War Charlotte ein Punkt auf Mansfields Straßenkarte, Nancy?«

»Ja. Mansfield hat eine Strecke nach Port Union, South Carolina, südlich von Charlotte, markiert.«

Susannah sah sich am Tisch um. »Und? Worauf warten wir? Rufen Sie diesen Harry Grimes an. Ich fahre ins Krankenhaus.« Schon setzte sie sich in Bewegung, als Luke sie sanft zurückhielt.

»Warte.« Von dem Stapel Fotos, die auf dem Tisch lagen, nahm Luke eines der Frau in Schwarz und ein anderes von Mrs. Davis.

Er presste die Zähne aufeinander, als er nun deutlich erkannte, was ihm vorher nicht aufgefallen war. »Sieh her.«

Susannah verharrte reglos und riss die Augen auf. »Ja, das ist sie. Der Mund hat dieselbe Form. Er war so leuchtend rot geschminkt, dass man ihn durch die Spitze erkennen konnte.

Aber … aber das ist Barbara Jean Davis, Garths Frau. Oh.«
Fassungslos blickte sie auf. »Bobby Jean. Sie ist gar nicht auf
der Flucht. Sie war gestern Morgen in Dutton.«
»Sieh genauer hin. Sieh dir die Augen an.«
Jeder Tropfen Blut wich ihr aus dem Gesicht. »Die Augen sind
dieselben wie Daniels. Wie die unseres Vaters.«

# 17. Kapitel

Ella betätigte den Türöffner und ließ Susannah und Luke auf die Intensivstation ein. »Sie ist wach.«

»Gut.« Susannah sah zu Daniels Zimmer hinüber, doch es war leer.

»Er wurde verlegt«, sagte Ella. »Er wird jetzt nur noch überwacht, und das ist ein gutes Zeichen.«

»Und er hat einen Wachmann vor der Tür«, murmelte Luke in Susannahs Ohr. »Das ist noch besser.«

Monica war noch immer intubiert, aber ihre Augen blickten aufmerksam. Susannah lächelte. »Hey.« Als die Schwester fort war, beugte sie sich herab und flüsterte dem Mädchen ins Ohr: »Monica.«

Monicas Augen weiteten sich und füllten sich dann mit Tränen.

»Sch«, sagte Susannah leise. »Wir wissen, wer du bist.«

Hektisch versuchte Monica, die Tränen wegzublinzeln.

»Kannst du einen Stift halten?«, fragte Luke.

»Sie bewegt die Hände nicht«, bemerkte Susannah besorgt.

»Versuchen wir es mit der Buchstabentabelle. Luke, du zeigst auf die einzelnen Felder, ich achte auf ihr Blinzeln. Monica, weißt du, wer die Mädchen entführt hat?«

Mit ihrer Methode kamen sie rasch zu Ergebnissen. »*Meine Schwester*«, sagte Luke, als Monica zu blinzeln aufhörte. »Du weißt das von deiner Schwester?«

Monica blinzelte wieder.

»*Krankenschwester sagt, sie haben sie. Foto.*« Luke drückte ihre andere Hand sanft. »Hat die Schwester dir ein Foto gezeigt oder es aufgenommen?«

»*Handy.*«

»Auf dem Handy der Schwester waren keine Fotos, aber vielleicht hat sie sie gelöscht«, sagte Luke. »Wir geben das Telefon in die Forensik. Vielleicht können sie eine Datei retten.«

»*Genie noch vermisst?*«

»Leider ja, Honey«, sagte Susannah, und Monica fuhr leicht zusammen, während ihr neue Tränen in die Augen traten.

»Sie haben ihr im Katalog diesen Namen gegeben«, erklärte Luke. »Honey.«

»Oh, Monica«, sagte Susannah, während sie das Gesicht des Mädchens zärtlich abtupfte. »Du musst so furchtbare Ängste ausgestanden haben.«

»*Schwester mich betäubt. Konnte nicht töten. Ich sollte nicht reden.*«

Luke runzelte die Stirn. »Was hat sie getan?«

»*Paralysiert.*«

Susannah begegnete Lukes Blick über das Bett hinweg. »Deswegen hat sie sich nicht geregt.«

»Aber die Wirkung lässt mit der Zeit nach.« Luke wandte sich wieder an das Mädchen. »Monica, hast du Bobby gesehen?«

»*Nein. Rocky.*«

Luke beugte sich unwillkürlich vor. »Du hast Rocky gesehen? Wie sieht er aus?«

»*Sie.*«

Luke setzte sich wie vom Donner gerührt zurück. »Hast du *sie* gesagt?«

»*Ja. Rocky Frau.*«

»O mein Gott«, hauchte Susannah. »Und wir haben die ganze Zeit angenommen …«

Luke presste die Lippen zusammen. »Eine Frau. Verdammt. Wir sind zwei Tage lang Gespenstern nachgejagt!«

Wieder füllten sich Monicas Augen mit Tränen. »*Tut mir leid.*«

Luke stieß geräuschvoll den Atem aus und entspannte sich dann mit einem Mal. »Nein, nein, Liebes, das ist ganz und gar nicht deine Schuld. Bitte reg dich nicht auf.«

»Luke«, murmelte Susannah, »hast du ein Bild von Bobby dabei?«

Luke suchte in seiner Tasche und holte das Foto hervor, das er zuvor Susannah gezeigt hatte. »Monica, ist das die Frau, die du gesehen hast?«

»*Nein. Jung. Kinnbob.*«

Susannahs Blick flog zu Luke, und sie erkannte, dass er dasselbe dachte. »Hast du auch ein Bild von Kate Davis?«

Er durchsuchte die Tasche erneut. »Nur dieses hier.«

Susannah zuckte mental zusammen. Kate im Leichenschauhaus. Aber wenigstens war ihr Gesicht weder verunstaltet noch blutig. Bobbys Kugel hatte sie ins Herz getroffen. »Monica. Ist das Rocky?«

»*Ja.*«

Luke schüttelte fassungslos den Kopf. »Verdammt soll ich sein«, sagte er leise. »Rocky ist Kate Davis.«

»Und Bobby hat sie umgebracht.« Susannahs Herz hämmerte schmerzhaft gegen ihre Rippen. »Mein Gott.«

»*Hasse sie. Befahl, uns zu töten. Mich auch.*«

»Aber du hast es geschafft. Du bist entkommen.« Susannah nahm wieder ihre Hand. »Und nun bist du in Sicherheit.«

»*Nein. Noch andere hier. Rev töten.*«

376

»Rev? Reverend«, sagte Luke. »Also war es nicht Jennifer Ohman, die Beardsley zu schaden versucht hat?«

»*Nein. Anderer. Nicht sicher hier. Tötet Jens Schwester.*«

»Jennifers Schwester ist tot?«, fragte Susannah.

»*Totgeprügelt. Jen weint. Hat Angst um Sohn.*«

»Mist«, knurrte Luke. »Wir erkundigen uns sofort nach dem Jungen. Aber Rocky ist tot.«

Befriedigung erfüllte den Blick des Mädchens, und Susannah konnte es ihr nicht verübeln.

»Monica, wie bist du ihnen in die Hände geraten?«

Der zufriedene Blick verschwand. »*Meine Schuld.*«

»Nein, nichts davon ist deine Schuld«, sagte Susannah fest. »Du bist ein Opfer.«

»*Jungen getroffen. Online. Jason. Gelogen. Deputy.*«

Luke verengte die Augen. »Mansfield hat sich für Jason ausgegeben?«

»*Ja. Hat mich …*« Sie brach ab, schloss die Augen. Tränen quollen ihr unter den Lidern hervor, liefen die Schläfen herab und versickerten in ihrem Haar.

»Wir wissen Bescheid«, sagte Susannah leise. »Es tut mir so leid.«

»Jason«, murmelte Luke.

»Genau wie Agent Grimes erzählt hat«, erwiderte sie genauso leise. Harry Grimes hatte sie über die aufgezeichneten Gespräche informiert, die er auf dem Heimcomputer der Cassidys gefunden hatte. Er hatte ihnen ebenfalls gesagt, dass Monicas Vater vermisst wurde und man von einem Verbrechen ausging, aber das mussten sie dem Mädchen jetzt nicht sagen. Sie hatte schon genug durchgemacht.

Monica schlug die Augen wieder auf und begann rasch zu zwinkern. »*Wer ist Simon?*«

Susannah erstarrte. »Woher ...? Oh, du warst wach. Du hast alles mitgehört.«

*»Simon. Wer.«*

»Mein Bruder«, antwortete Susannah, und Monicas Augen schienen zu flackern. »Er ist tot.«

*»Gut.«*

Susannah lächelte grimmig. »O ja.«

»Monica.« Luke beugte sich vor. »Kanntest du Angel? Sie haben sie wohl Gabriela genannt.«

*»Ja.«*

»Und Kasey Knight?«

*»Truckerhure.«*

Lukes Miene verfinsterte sich. »Heißt das, Bobby, Granville und Mansfield haben Mädchen an Fernfahrer verkauft?«, fragte er.

*»Kasey lief weg. Deputy holt zurück. Kasey ausgehungert. Arzt bringt sie ins Flusslager.«*

»Wir haben die Infusionen im Bunker gefunden«, sagte Luke. »Wir dachten, er behandelt euch Mädchen.«

Monicas Augen blitzten hasserfüllt. *»Aufpäppeln. Und wieder benutzen. Wollte sterben.«*

Susannah spürte, wie es in Luke brodelte, und wusste, dass er seinen Zorn kaum beherrschen konnte. Aber er schaffte es doch, und als er sprach, war seine Stimme so sanft und freundlich, dass Susannah plötzlich den Tränen nahe war. »Du darfst nicht sterben, Monica. Wenn du stirbst, haben sie gewonnen. Du überlebst und hilfst mir, sie alle in die Hölle zu sperren.«

Monica blinzelte gegen die Tränen an. *»Schlüssel wegwerfen.«*

Luke lächelte. »Das hast du also auch gehört.«

*»Will auch Stück vom Rachekuchen.«*

»Und das wirst du bekommen«, versprach er. »Wir müssen jetzt gehen, aber ich werde noch einen Officer abstellen, so dass wir einen vor und einen *in* der Intensivstation haben. Dir wird nichts passieren.«

»*Danke.*«

»Nein, *dir* müssen wir danken. Du bist eine tapfere junge Lady. Jetzt schlaf ein wenig. Wir suchen weiter nach deiner Schwester und den anderen Mädchen.«

»*Mom.*«

»Sie ist unterwegs«, sagte Susannah. »Sie bittet mich, dir zu sagen, dass sie niemals die Hoffnung aufgegeben hat.« Sie strich Monicas Haar glatt und küsste sie auf die Stirn. »Sie liebt dich.«

Vor der Intensivstation zog Luke sie an sich. »Das war gut. Wir sind ein gutes Team.«

Er hatte recht. Sie legte ihre Stirn an seine Brust. »Ich sollte bei ihr bleiben.«

»Ich bringe dich zurück zu ihr, wenn wir mit Angie Delacroix gesprochen haben.«

Sie nahm den Kopf zurück, um ihn anzusehen. »Aber wir wissen doch jetzt, wer Bobby ist.« Der Gedanke, nach Dutton zurückzukehren, verursachte ihr ein flaues Gefühl im Bauch. »Wozu brauchen wir Angie noch?«

»Wir wissen noch nicht, wo Bobby die Mädchen versteckt hat – oder wo ihre eigenen Söhne sind.«

»Also gut. Dann los.«

Als Luke sich hinters Steuer setzte, kramte Susannah in ihrer Aktentasche.

»Was hast du vor?«, fragte er, als sie ihre Puderdose hervorholte.

»Ich bringe mein Make-up in Ordnung. Meine Mutter wäre nie im Leben auf die Idee gekommen, einen Schönheitssalon zu betreten, ohne perfekt frisiert und geschminkt zu sein. Ich versuche das nach Möglichkeit auch.«

»Aber was willst du dann noch da?«

Sie zuckte mit den Schultern. »Das ist ein Frauending. Versuch gar nicht erst, es zu verstehen. So ist das eben.«

»Meine Schwestern sagen solche Dinge auch immer. Ich hatte eigentlich gehofft, es läge an ihnen.«

Sie grinste. »Tut mir leid, dass ich dich enttäuschen muss.«

»Tust du nicht«, sagte er, plötzlich ernst. »Kannst du gar nicht.«

Ihre Hand, die den Lippenstift auftrug, bebte. »Wir werden sehen«, antwortete sie. Dann warf sie ihm einen gereizten Blick zu. »Hast du nicht zu tun?«

»Ich kann durchaus Chase anrufen und dich gleichzeitig ansehen.« Er gab die Nummer in sein Handy ein. »Ich bin nicht nur sündhaft sexy, sondern auch multitasking-fähig.«

Sie klappte den Spiegel zu. »Das sündhaft sexy kam von dir, nicht von mir.«

»Aber du hast nicht abgewiegelt. Weil ich nämlich nicht nur sündhaft sexy bin, sondern auch noch einfühlsam und …« Er brach ab, als Chase sich meldete. »Ich bin's, Luke.«

»Ich habe Neuigkeiten«, sagte Chase, bevor Luke noch ansetzen konnte. »Ed hat einen Treffer für die Fingerabdrücke, die

380

sich auf Mansfields Straßenkarte befinden. Na, raten Sie mal, wer das Ding noch angefasst hat.«

»Kate Davis«, sagte Luke. »Monica Cassidy hat sie als Rocky identifiziert.«

»Ernsthaft? Eigentlich sollte mich in diesem Fall nichts mehr überraschen, aber dann geschieht es doch immer wieder.« Chase seufzte. »Sie wollen trotzdem zu diesem Schönheitssalon fahren?«

»Ja. Aber Sie müssen sich in der Zwischenzeit nach Jennifer Ohmans Sohn erkundigen. Monica wusste von ihr, dass ihre Schwester ermordet worden ist und sie sich Sorgen um ihren Sohn macht.«

»So hat man die Krankenschwester also erpresst. Ich kümmere mich darum.«

»Monica hat außerdem gesagt, dass Jennifer Ohman behauptet hätte, jemand anderes habe versucht, Beardsley zu töten.«

»Und glauben Sie das auch?«

»Ich weiß nicht, warum sie hätte lügen sollen. Isaac Gambles Alibi ist wasserdicht, er kann also am Freitagabend nicht bei Beardsley im Raum gewesen sein.«

»Aber wir haben überall Polizisten postiert.«

»Nur weiß ich nicht, ob das ausreicht. Vor der Intensivstation hat auch jemand aufgepasst, und doch konnte die Krankenschwester Monica ein Mittel verabreichen, das sie seit Freitag in einen Lähmungszustand versetzt hat.«

»Sie machen Witze.«

»Nein. Wir müssen nicht nur aufpassen, dass niemand Unbefugtes eintritt. Wir müssen außerdem überprüfen, ob wirklich nur das getan wird, was dem Wohl des Patienten dient.«

»Ich fasse es einfach nicht«, knurrte Chase. »Was hat das Mädchen noch gesagt?«

»Dass Kasey Knight an Truckerraststätten zur Prostitution gezwungen worden ist.«

Chase fluchte leise. »Wie oft haben wir da schon aufgeräumt.«

»Ja, aber sie sind inzwischen mobil. Sie brechen einfach die Zelte ab und ziehen zur nächsten Raststätte. Mir ist eingefallen, dass der eine Trucker vielleicht so an Bobby Davis' Handy gekommen ist. Möglicherweise war er Kunde.«

»Wenn er sein Fahrtenbuch sauber geführt hat, finden wir vielleicht heraus, wo genau er hier in der Nähe angehalten hat«, sagte Chase. »Die Fahndung hat allerdings noch nichts ergeben. Ich sage Bescheid, wenn wir Neues wissen.«

»Auch oben im Norden beobachten wir einen Anstieg der Truckerprostitution«, bemerkte Susannah, als Luke aufgelegt hatte. »Ein frustrierendes Problem.«

»Die Interstate 75 ist ein Problem«, sagte Luke grimmig, während er den Wagen vom Parkplatz lenkte. »Eine ganze Zeit lang kamen die Drogen von Miami herauf. Jetzt sind es Prostitution und eine Million anderer Dinge.«

»Kaseys Eltern tun mir leid. Es muss entsetzlich sein, sich so etwas vorzustellen.«

»Ja. Aber zu wissen, was geschehen ist, hilft uns vielleicht, aus den sogenannten Freundinnen, die der Polizei vor zwei Jahren nicht helfen wollten, etwas herauszubekommen.«

»Ich würde mein Geld auf Talia setzen«, sagte Susannah. »Wenn jemand die Mädchen zum Reden bringt, dann bestimmt sie.« Sie setzte sich zurück und runzelte plötzlich die Stirn. »Warum will Darcys Mörder nicht reden? Wovor hat er solche Angst?«

»Vielleicht redet er, sobald wir Bobby festgesetzt haben. Sie hat die Krankenschwester bedroht – vielleicht auch ihn.«

»Vielleicht. Aber … mir spukt da etwas im Kopf herum. Bobby Davis ist nicht so viel älter als ich, höchstens ein oder zwei Jahre. Ich war zweiundzwanzig, als ich Darcy kennenlernte, dreiundzwanzig, als sie starb. Das heißt Barbara Jean muss ungefähr vierundzwanzig gewesen sein, und es fällt mir schwer zu glauben, dass sie in dem Alter schon derart abgeklärt war, einen so ausgefeilten Plan zu entwerfen und auch noch in die Tat umzusetzen.«

»Du würdest dich wundern. Ich habe einmal gegen einen Vierzehnjährigen ermittelt, der Bilder und Filme seiner siebenjährigen Schwester ins Netz gestellt hat. Wir haben ihn gefasst, aber es war alles andere als leicht. Er kannte sich mit Servern aus und wusste genau, wie man sich im Internet verstecken konnte.«

»Kann aus ihm noch etwas werden?«, fragte sie leise. »Oder ist ein solcher Fall hoffnungslos?«

»Letzteres«, sagte Luke. »Und für das Mädchen ist mit sieben das Leben bereits vorbei.«

»Das stimmt doch überhaupt nicht«, fuhr Susannah ihn an. »Nur weil sie …« Sie brach ab und sah ihn an. »Du hältst dich für sehr schlau, nicht wahr?«

»Bin ich ja auch. Und einfühlsam.« Er warf ihr einen Blick aus dem Augenwinkel zu und sah zufrieden, dass ihre Stirn sich wieder ein wenig glättete. »Ich hatte recht. Wenn ein Opfer behaupten würde, sein Leben sei vorbei, würdest du sofort protestieren. Warum sollte es bei dir anders sein?«

»Vielleicht ist es das ja nicht«, sagte sie, und in ihm keimte Hoffnung auf.

»Ganz sicher ist es das nicht. Es wäre sogar ziemlich arrogant, so etwas anzunehmen.«

»Treib's nicht zu weit, Papadopoulos«, sagte sie ernst.

Er nickte. Er hatte ihr bewiesen, dass er recht gehabt hatte, das musste im Augenblick genügen. »Schlaf ein bisschen. Ich wecke dich, wenn wir da sind.«

Charles ging bereits beim ersten Klingeln ran. Er hatte auf Pauls Anruf gewartet. »Und?«

»Bobby hat die Krankenschwester vor gut zehn Zeugen getötet«, sagte Paul angewidert.

»Haben sie sie erwischt?«, fragte Charles, zutiefst enttäuscht. Er hatte auf mehr Finesse gehofft.

»Nein. Sie sind erst einmal untergetaucht. Ich habe die Cops abgelenkt, damit sie entkommen konnten.«

»Und wo ist sie dann hin?«

»Zu Jersey Jameson, dem Drogenkurier.«

»Bobby hatte Rocky beauftragt, ihn anzuheuern, um das Inventar aus dem Bunker zu entfernen. Ist Jersey tot?«

»Das kann man wohl sagen. Bobby ist außer Kontrolle geraten, Charles. Sie muss aufgehalten werden.«

»Simon war klug, aber so instabil. Ich hatte gehofft, Bobby hätte den Verstand der Vartanians, aber nichts von dem Wahnsinn.«

»Tja, bei allem nötigen Respekt, Sir, ich denke, das war ein Irrtum.«

»Ja, das denke ich inzwischen auch. Ich kümmere mich um Bobby. Bleib in Rufbereitschaft, falls ich dich brauche.«

*Nur noch einmal drücken.* Ashley Csorka schob ihr Gesicht durch das Loch in der Wand und spürte die kalte Luft auf ihrem glühenden Gesicht, während sie sich einen Moment ausruhte. Das Loch war recht eng, aber Ashley glaubte nicht, dass sie noch länger weitermachen konnte. Sie hatte den zweiten Stein, den sie gelockert hatte, dazu verwendet, den Nagel in den Mörtel zu treiben, und sie war verzweifelt genug gewesen, den Lärm zu riskieren und von dem unheimlichen Butler entdeckt zu werden.

Sie hatte einen dritten Ziegel gelöst, dann zwei weitere gleichzeitig, aber niemand war gekommen.

Wenn sie den Kopf neigte, konnte sie gedämpftes Licht erkennen. Vielleicht war es Mondschein. Das hieß, dass es eine Tür oder ein Fenster geben musste. Plötzlich erstarrte sie. Ein Auto. Sie hörte das Knirschen der Reifen auf der Auffahrt. Türen wurden zugeschlagen, leises Lachen war zu hören.

»Wir hatten einen schönen Abend, nicht wahr, Tanner?«

»Dem stimme ich zu.«

Es war die Frau, die sich Bobby nannte, und der unheimliche Butler.

»Jersey Jameson hätte nicht versuchen sollen, mir zu erklären, was er tun und was er lassen würde. Vielleicht hätte ich ihm die Schmerzen sonst erspart.«

»Nun hast du wenigstens ein Exempel an ihm statuiert. Haben wir alle offenstehenden Probleme bereinigt?«

»Ich denke ja. Und jetzt habe ich auch wirklich genug. Ich muss unbedingt schlafen.«

Ashley hoffte inständig darauf. Die Stimmen wurden leiser, als die beiden um das Haus zur Vorderseite gingen. *Gut. Also bin ich hinten. Von hier aus ist der Fluss näher.*

Plötzlich fiel Ashley etwas ein. Die beiden hatten nicht mit dem Wachmann gesprochen. Wo war er? Aber sie konnte nicht warten. Sie hatte solches Glück gehabt, unbemerkt und ungehört die Ziegel aus der Wand zu brechen, jetzt war es an der Zeit zu fliehen.

Sie holte tief Luft und steckte den Kopf durch das Loch. Die Ziegelwand hatte den Raum geteilt, und auf dieser Seite befand sich ein Fenster. *Schnell.* Die scharfen Kanten der Ziegel schrammten ihre Haut auf, als sie ihre Schultern hindurchzwängte. Sie drehte ihren Körper und war froh über die vielen Stunden Yoga, die ihr Schwimmtrainer in das Fitnessprogramm seiner Mannschaft eingebaut hatte. Ashley war nicht nur stark und ausdauernd, sie war auch biegsam und gelenkig.

Und abgehärtet. Dennoch tat es weh. Sie musste sich das Wimmern verbeißen, zwängte, schob und quetschte sich weiter hindurch. Ihre Haut war nun aufgeschürft und blutete.

*Egal. Wenn du dich nicht beeilst, bist du tot, da wirst du ja wohl ein paar Kratzer aushalten.* Sie bewegte die Hüften hin und her, bis sie mit den Händen den Boden auf der anderen Seite berührte, presste sich weiter hindurch und blieb schließlich schwer atmend liegen. Dann sah sie sich um und wäre fast in lautes Gelächter ausgebrochen. Auf dieser Seite des Raums befand sich alles, was sie für einen Ausbruch gebraucht hätte. Auf einem Tisch sah sie eine Vielzahl an Türknäufen und Klinken, manche aus Glas, andere aus Marmor, manche noch mit den altmodischen gusseisernen Platten verbunden, die in die Tür eingefügt wurden. Sie hob einen marmornen Knauf hoch und wog ihn in der Hand. Er lag dort besser als ein Ziegelstein.

Dann wählte sie aus den Werkzeugen eine Ahle mit einer gefährlich aussehenden Spitze.

Vorsichtig zog sie an der Tür. Sie quietschte laut, und Ashley erstarrte.

»Wer ist da?« Die schläfrige Stimme der Wache.

*Lauf.* Sie schoss hinaus in die Nacht und erschrak vor der Helligkeit des Mondes. Sie war viel zu gut sichtbar. Verletzlich. Der ganze Aufwand, nur damit man sie jetzt schnappte?

»Halt!« Dem Befehl folgte eine Gewehrfeuersalve.

Der Wachmann. *Er schießt auf mich. Lauf.* Ihre Füße flogen über den Rasen, doch die Schritte und das Keuchen des Wachmanns kamen immer näher.

Sie grunzte, als sie auf den Boden aufschlug und der Aufprall des Neunzig-Kilo-Manns ihr die Luft aus den Lungen presste. »Hab ich dich, Baby«, keuchte er. Sie roch Bier in seinem Atem. »Und jetzt krieg ich dich umsonst.« Er war betrunken. Nur deshalb hatte sie ungehört arbeiten können. Aber leider war er nicht betrunken genug. Und verdammt stark. »Und danach bring ich dich um.«

*Ich werde sterben. Nein. Nein!* Mit einem verzweifelten Schrei befreite sie ihre Hand und rammte ihm die Ahle in die Schulter.

Er heulte vor Schmerz auf, und sie rutschte hastig zurück.

»Tanner!« Das war die Frau. Aus dem Augenwinkel sah sie den Butler mit einem Gewehr um die Ecke kommen, als der Wachmann auch schon zum nächsten Sprung ansetzte. Ashley holte aus und schlug mit dem marmornen Türknauf zu.

Der Wachmann war einen Moment lang benommen.

Und mehr brauchte Ashley nicht. *Lauf. Lauf. Lauf.* Schon war sie an der Baumreihe angelangt, die das Haus vom Fluss trennte. *Lieber Gott, hilf mir.* Die Äste und Steine stachen ihr in die Füße, rissen die Haut auf und verlangsamten ihr Tempo. *Sie kommen. Sie kommen näher.* Die Angst verlieh ihr neue Kraft. Sie konnte das Wasser schon sehen. Es würde eiskalt sein.

*Egal. Komm weiter. Mach dich bereit. Tief Luft holen. Es wird kalt. Jetzt. Spring.*

Sie schlug auf das kalte Wasser auf, sank sofort herab. *Los, los, los.* Ein paar Augenblicke später brach sie wieder durch die Wasseroberfläche. Das Wasser war zu kalt, um die Luft lange anzuhalten, und sie zuckte zusammen, als ein Schuss abgefeuert wurde. Hinter ihr klatschte die Kugel aufs Wasser.

Hinter ihr. Sie waren hinter ihr.

Aber sie hatten kein Boot. *Und ich bin bei der nächsten Olympiade dabei.*

*Vorwärts.* Sie befahl ihren Armen, durchs Wasser zu pflügen, mit dem Strom zu schwimmen, das Ufer hinter sich zu lassen. *Es geht. Ich schaffe es. Dad, ich komme. Ich komme nach Hause.*


*Dutton,*
*Sonntag, 4. Februar, 4.10 Uhr*


Susannah erwachte, weil sich ein Paar Lippen auf ihren befand und sie nicht atmen konnte. Panisch schreckte sie zurück und riss gleichzeitig die Faust hoch. Ihre Finger berührten etwas Festes und Warmes, das nach Zedern duftete.

»Autsch.« Luke wich zurück und rieb sich das Kinn. »Das tat weh.«

»Mach das nicht noch mal«, sagte sie keuchend. »Ich mein's ernst.«

Er bewegte den Unterkiefer hin und her. »Tut mir leid. Du sahst so süß aus. Da konnte ich nicht widerstehen.«

»Ich bin nicht süß«, sagte sie finster, und er musste lachen.

»Im Augenblick nicht.« Er räusperte sich und wurde wieder ernst. »Du hast geträumt und wolltest nicht aufwachen.«

Sie befeuchtete ihre Lippen mit der Zungenspitze. »Also hast du mich geküsst?«

»Und damit aufgeweckt, ja. Wir sind da. Das ist Angie Delacroix' Adresse.«

»Aber sie schläft bestimmt tief und fest.«

»Dann hoffen wir, dass sie leichter zu wecken ist als du«, murmelte er und lief um das Auto herum zur Beifahrertür. »Lass mich zuerst reden. Falls ich dich brauche, lasse ich es dich wissen.«

»Und wie? Durch ein geheimes Zeichen?«

»Wie wär's, wenn ich einfach sage ›Susannah, könntest du mir bitte helfen?‹«, sagte er trocken. Er drückte auf die Klingel. »Bist du bereit?«

»Nein. Aber wir tun's trotzdem.«

Es dauerte nicht lange, bis Angie öffnete, den Kopf voller Lockenwickler. »Was soll das? Susannah Vartanian? Was in Gottes Namen machst du mitten in der Nacht vor meiner Haustür?«

»Entschuldigen Sie, dass wir Sie wecken müssen«, sagte Susannah. »Aber es ist wirklich dringend. Können wir hereinkommen?«

Angie blickte von Susannah zu Luke, dann hob sie die Schultern. »Bitte schön.« Sie führte sie in ein Wohnzimmer, in dem jedes Polstermöbelstück mit einem Plastiküberzug versehen war.

Luke setzte sich ohne Umschweife und klopfte auf das Polster neben sich. »Ich bin Special Agent Luke Papadopoulos.«

»Das weiß ich«, sagte Angie. »Sie sind Daniels Freund.«

»Miss Delacroix«, sagte er. »Wir brauchen Ihre Hilfe in einer heiklen Angelegenheit.«

Angies Miene verschloss sich. »Worum geht es?«

»Heute haben wir feststellen müssen, dass es noch einen Vartanian-Nachkommen gibt«, sagte Luke. »Eine Halbschwester.«

Sie seufzte. »Ich habe mich schon immer gefragt, wann das wohl herauskommen wird. Wie haben Sie es erfahren?«

»Sie wussten es also?«, fragte Susannah, und Angie lächelte bittersüß.

»Liebes, ich weiß Dinge, die mich nichts angehen, und andere, von denen ich am liebsten nie etwas gehört hätte. Ja, ich wusste es. Es war aber auch nicht zu übersehen. Man musste sich die Kleine nur genau ansehen.«

»Und wo ist sie jetzt, Miss Delacroix?«, fragte Luke, und Angie sah ihn verwirrt an.

»Jetzt? Keine Ahnung. Sie war noch ein Baby, als ihre Eltern von hier fortzogen. Der Kontakt ist schon lange abgebrochen.«

»Miss Delacroix«, sagte Luke. »Wer war die Mutter des Babys?«

»Terri Styveson.«

Susannah riss die Augen auf. »Die Frau des Priesters?«

»Ich dachte, Wertz sei der Pastor«, wandte Luke ein.

»Styveson war es vor Pastor Wertz«, sagte Angie.

»Sie meinen, Mrs. Styveson hatte eine Affäre mit meinem Vater?«

»Ich weiß ehrlich gesagt nicht, ob es wirklich eine Affäre war. Terri war eigentlich nicht der Typ deines Vaters. Aber deine Mama war mit Simon schwanger und enorm aus dem Leim gegangen. So was liegt in den Genen.«

»Und weil Mutter schwanger war, hat mein Vater einfach …«

»Männer haben eben ihre Bedürfnisse. Außer anscheinend Pastor Styveson. Terri war eine sehr frustrierte Frau. Ihr Mann schien hauptsächlich an Gebeten interessiert zu sein. Einmal fragte sie mich sogar, wie sie sich aufreizender für ihn geben könnte. Das hat mir den Sonntagsgottesdienst ziemlich verleidet.«

»Kann ich mir vorstellen«, murmelte Susannah. »Also hatte sie etwas mit meinem Vater?«

»Ja«, seufzte Angie. »Und ich werde nie vergessen, wie gekränkt deine Mutter war, als sie es herausfand.«

»Und wie hat sie es herausgefunden?«

»Wie ich schon sagte: Man musste sich das Baby nur genau ansehen. Eines Morgens holte deine Mutter Simon im Kindergarten der Kirche ab und entdeckte die Kleine. Sie sah genauso aus wie Daniel in dem Alter.«

»Und was hat sie getan? Meine Mutter, meine ich?«

Angie war einen Moment lang still. »Deine Mutter und ich waren zwar fast vierzig Jahre miteinander befreundet, Susannah, aber ich muss dennoch sagen, dass sie richtig gemein werden konnte. Sie stattete dem Pastor einen Besuch ab und erzählte ihm alles. Er war … wütend. Gedemütigt. Sie stellte ihn jedoch vor die Wahl – einer müsse gehen, er oder das Baby. Sie drohte ihm, dass er sein ganzes Leben nicht mehr predigen würde, wenn sie gezwungen sei, jeden Sonntag dieses uneheliche Balg zu sehen. Und ich bin sicher, dass das keine leeren Drohungen waren.«

»Also zogen sie aus dem Ort weg«, sagte Luke.

»Und hatten, soweit ich weiß, keinen Kontakt mehr zu dem Richter und seiner Frau.«

Plötzlich war sich Susannah sicher, dass Angie nichts von Barbara Jean Davis' wahrer Identität wusste. »Vielen Dank, dass

Sie es uns erzählt haben.« Sie wollte sich erheben, aber Angie machte keine Anstalten, es ihr nachzutun.

»Die Frau ist also letztendlich aufgetaucht, um Anspruch auf ihr Erbe zu erheben«, sagte Angie, und Susannah blinzelte. Auf die Idee war sie noch gar nicht gekommen.

»Richtig«, sagte Luke, ohne zu zögern.

»Die Gier treibt die Menschen dazu, schreckliche Dinge zu tun.« Angie neigte den Kopf. »Die Gier. Und Zorn.«

»Was wollen Sie damit sagen?«, fragte Susannah.

»Nur, dass du vielleicht auch mal über einen Vaterschaftstest nachdenken solltest.«

Susannah fiel die Kinnlade herab. »Miss Angie, bitte spielen Sie nicht mit mir. Sagen Sie genau, was Sie meinen.«

»Na schön. Als deine Mutter von dem Betrug deines Vaters erfuhr, wollte sie es ihm heimzahlen.«

Susannah begriff und lehnte sich verdattert zurück. »Mit wem?«

Angie sah auf ihre Hände, die fest verschränkt in ihrem Schoß lagen.

Susannah hörte nur das laute Klopfen ihres Herzens. »Mit wem?«, wiederholte sie.

Angie hob den Blick und sah die jüngere Frau gequält an. »Frank Loomis.«

Susannah bekam plötzlich keine Luft mehr. »Sie meinen ... Sie meinen, Frank Loomis ist ... war ...«

Angie nickte. »Dein Vater.«

Unwillkürlich hob Susannah die Hand zum Mund. Luke begann, ihr den Rücken zu streicheln. Warm. Tröstend. »O Gott«, flüsterte sie.

»Du darfst es nicht missverstehen«, sagte Angie leise. »Frank liebte deine Mutter seit Jahren.«

»Wusste Frank Loomis, dass er Susannahs biologischer Vater war?«, fragte Luke.

»Eine ganze Weile lang nicht. Erst als Simon mehr Ärger machte, als Arthur vertuschen konnte. Oft flehte deine Mutter Frank an, Simons Missetaten auszubügeln. ›Für mich‹, hat sie gebettelt.«

Angie verzog verbittert das Gesicht. »Eines Tages stellte Simon etwas so Schlimmes an, dass selbst Frank passen musste. Und sie zog ihren letzten Trumpf aus dem Ärmel. ›Tu es für mich‹, hat sie gesagt, ›für die Mutter deiner kleinen Tochter‹. Frank war schockiert. Und setzte alle Hebel in Bewegung, um zu tun, was sie verlangte. Er hat dafür bezahlt. Dreizehn Jahre lang hatte er Alpträume, weil er einen unschuldigen Mann ins Gefängnis gebracht hat.«

»Gary Fulmore«, sagte Luke, und sie nickte. »Woher wissen Sie das alles?«, fragte er.

Ihre Lippen verzogen sich. »Frank war nicht der Einzige, der unter einer unerwiderten Liebe litt.«

»Frank und Sie hatten eine Beziehung?«, fragte Luke, und Angies Augen blitzten gequält auf.

»Fünfundzwanzig Jahre lang war er mein Liebhaber. Er kam nachts und ging noch vor dem Morgengrauen. Nur heiraten wollte er mich nie. Er wollte nur Carol Vartanian.«

»Sie müssen sie gehasst haben«, flüsterte Susannah.

Angie schüttelte traurig den Kopf. »Nein. Sie war meine Freundin. Aber ich habe sie beneidet. Sie hatte einen wichtigen Ehemann *und* die Liebe eines anderen, der seine Seele verkauft hatte, damit sie glücklich war. Aber sie war nicht glücklich. Ein Jahr nachdem Gary Fulmore verurteilt worden war, verschwand Simon, und davon hat sich deine Mutter nie erholt. Und Frank … Herauszufinden, dass sie tot und Simon

393

ihr Mörder war, hätte ihn fast umgebracht. Ich denke, am Ende war es auch so.«

»Miss Delacroix«, sagte Luke. »Eine Frage haben wir noch. Als der Pastor damals ging – hat er eine Adresse hinterlassen? Könnte es eine Möglichkeit geben, mit ihm in Kontakt zu treten?«

»Vielleicht wissen es Bob Bowie und seine Frau. Rose war in der Kirche immer sehr aktiv.« Sie verengte die Augen. »Warum war das so wichtig, dass Sie mitten in der Nacht hier aufkreuzen mussten?«

»Heute hat jemand auf Susannah geschossen«, sagte Luke.

Angie sah überrascht auf. »Ich dachte, es sei auf die kleine French geschossen worden. Die junge Frau, die in der Öffentlichkeit erzählen will, dass … na ja, Sie wissen schon.«

»Susannah stand direkt neben ihr. Wir müssen alle Möglichkeiten in Betracht ziehen.«

»Denken Sie wirklich, dass Terris uneheliches Kind wegen ihres Erbteils auf Susannah geschossen hat?«

»Jeden Tag werden Leute aus nichtigeren Gründen getötet.« Luke erhob sich und half Susannah auf die Füße. »Es tut uns sehr leid, dass wir Sie so spät gestört haben, und vielen Dank. Ich hoffe, Sie können sich noch einmal hinlegen.«

Angies Lächeln war traurig. »Ich habe seit Tagen nicht mehr richtig geschlafen. Seit Frank getötet wurde.«

Susannah betrachtete die ältere Frau verunsichert. »Warum haben Sie es mir erzählt? Warum jetzt?«

»Ich habe mich immer gefragt, was bei euch zu Hause los war. Deine Augen waren immer so ausdruckslos, und ich fürchtete, dass ich bereits wusste, warum das so war. Ich hätte etwas sagen müssen, aber … Frank wollte das nicht. Schließlich hätte es deine Mutter in Verlegenheit gebracht. Und als er letztlich

394

erfuhr, dass du seine Tochter bist, da war es schon zu spät. Es ... es war doch zu spät, nicht wahr?«

Susannah nickte betäubt. Sie spürte nichts. Damals hatte es Leute gegeben, die es gewusst hatten. Sie hatten es *gewusst*. Und sie hatten nichts getan. »Ja.«

Angie schloss die Augen. »Es tut mir leid. Es tut mir so leid.«

*Schon gut.* Das hätte sie sagen müssen. Aber das stimmte nicht. Es war nicht gut. »Hat mein Vater ... Arthur ... Hat *er* es gewusst? Dass ich nicht seine Tochter war?«

»Ich bin mir nicht sicher. Aber ich weiß, dass du die Buße deiner Mutter warst. Und jetzt bist du meine. Ich habe damals nichts gesagt und musste all die Jahre damit leben. Nun muss ich mit dem Wissen leben, dass ich dir hätte helfen können und es nicht getan habe.«

Sie gingen, während Angie Delacroix auf ihren Schutzbezügen sitzen blieb und ins Leere starrte.

Susannah schaffte es bis zu Lukes Auto, bevor ihre Beine nachgaben, und er schnallte sie an wie ein kleines Kind. »Das war ein ziemlicher Schock.«

Ein Mundwinkel verzog sich ironisch. »Ja. Es war ... *schwierig*.«

Er hockte sich neben sie und legte ihr eine Hand an die Wange. »Schlägst du wieder zu, wenn ich dich jetzt küsse?«

Seine Augen waren dunkler als die Nacht, die sie umgab, und sie sah nicht weg, denn sein Blick gab ihr den Halt, den sie nun dringend brauchte. »Nein.«

Sein Kuss war warm und süß und verlangte nichts. Plötzlich wünschte sie sich mehr. Doch er machte sich los und strich ihr mit dem Daumen über den Mundwinkel. »So weit okay?«

»Nein«, flüsterte sie. »Mein ganzes Leben ... war eine Lüge.«

»Dein Leben nicht. Nur die Rollenspiele der Leute um dich

herum. Du bist immer noch dieselbe Person, die du vor zwanzig Minuten warst, Susannah. Ein guter Mensch, der sich trotz allem, was er durchgemacht hat, immer noch um andere Menschen kümmert. Glaubst du wirklich, du seiest nur Staatsanwältin geworden, um das Stigma loszuwerden, Arthur Vartanians Tochter zu sein? Das ist nicht wahr. Du bist es geworden, weil du für andere tun wolltest, was niemand für dich getan hat.«

Sie schluckte hart. »Ich habe ihn gehasst, Luke. Jetzt weiß ich, warum er *mich* gehasst hat.«

»Arthur Vartanian war ein grausamer Mensch, Susannah. Aber er ist tot, und du bist noch da. Auch du verdienst das Leben, für das du dich bei anderen mit so viel Energie einsetzt.«

»Als Kind habe ich mir immer vorgestellt, dass ich vertauscht oder von Zigeunern gestohlen worden war. Ich wollte nicht Arthur Vartanians Tochter sein. Aber ob ich mich glücklicher schätzen darf, Frank Loomis als Vater zu haben …?«

»Er ist gestorben, weil er versucht hat, Daniel zu warnen. Und als Bailey und Monica entkommen waren, hat er ihnen geholfen, anstatt sie Granville zu übergeben, um seine eigene Haut zu retten. So schlecht war er also nicht.«

»Daniel muss es erfahren. Dass Frank die Beweise um Fulmore gefälscht hat, macht ihm schwer zu schaffen.«

»Wahrscheinlich wird es ihn ein wenig trösten zu erfahren, dass es auch Frank zu schaffen gemacht hat«, sagte Luke, dann küsste er sie leicht auf die Wange. »Fahren wir nach Atlanta zurück. Dann kannst du dich etwas ausruhen.«

»Und was machst du?«

»Ich finde heraus, wo Bobby sich versteckt. Angie hat uns biographische Informationen gegeben, von denen wir bisher nichts wussten.« Er richtete sich auf, als sein Handy brummte.

»Ja?«

Plötzlich spannte sich sein ganzer Körper an. »Wo ist sie?« Er rannte um den Wagen herum und setzte sich hinters Steuer, während er mit verengten Augen lauschte. Als er auflegte, erschien ein Lächeln auf seinem Gesicht. »Jetzt rate mal, was eine Familie auf einem Hausboot aus dem Fluss gezogen hat.«

»Bobby?«

»Nein, in gewisser Hinsicht viel besser. Eine Siebzehnjährige namens Ashley Csorka.«

»Das Mädchen aus dem Bunker. Die, die ihren Namen in die Liege gekratzt hat.«

Luke machte eine scharfe Kehrtwende auf Duttons Main Street und trat aufs Gas. »Eben die. Sie sagt, sie habe entkommen können. Aus einem Haus, in dem die anderen noch gefangen gehalten werden.«

*Dutton,*
*Sonntag, 4. Februar, 4.30 Uhr*

Vom Schlafzimmerfenster aus sah Charles Luke und Susannah davonfahren. Er drückte auf die Kurzwahltaste Nummer drei.

»Und? Was hast du ihnen gesagt?«

»Die Wahrheit«, sagte Angie. »Wie du es wolltest.«

»Gut.«

# 18. Kapitel

Luke fand Jock's Raw Bar in Arcadia ohne Probleme, das Neonschild war von der Hauptstraße aus sichtbar. Sheriff Corchran stand neben dem Krankenwagen und sah zu, wie Ashley hineingehoben wurde.

»Wie geht's ihr?«, fragte Luke.

»Sie steht unter Schock. Nach ihrer Körpertemperatur zu urteilen war sie wahrscheinlich fünfundzwanzig Minuten im Wasser. Jock hier drüben hörte ein dumpfes Geräusch am Rumpf seines Hausboots. Er fischte sie heraus und rief mich sofort an. Ich konnte mich noch gut an ihren Namen erinnern, weil Ihre Leute vorhin den Amber Alert rausgegeben haben. Sie ist aber ansprechbar. Ein zähes Ding, die Kleine.«

»Danke.« Luke stieg hinten in den Krankenwagen ein. »Ashley, kannst du mich hören?«

»Ja«, presste sie durch klappernde Zähne hervor.

»Mein Name ist Agent Papadopoulos. Sind die anderen noch am Leben?«

»Ich weiß es nicht. Ich glaube ja.«

»Wo sind sie?«

»Haus. Altes Haus. Fenster zugenagelt.«

»Hat es einen Bootssteg?«

»Nein.«

»Wir müssen sie ins Krankenhaus fahren«, sagte einer der Sanitäter.

»Entweder Sie kommen mit, oder Sie steigen jetzt aus.«

»Wo fahren Sie sie hin?«, fragte Susannah.

»Mansfield Community Hospital. Das liegt am nächsten.«

»Luke, bleib bei ihr. Wir treffen uns im Krankenhaus«, sagte Susannah. »Ich nehme deinen Wagen.«

Er warf ihr die Schlüssel zu und wandte sich dann an Corchran, der hinter ihr stand. »Man hat heute zweimal auf sie geschossen. Bleiben Sie nah an ihr dran.«

Susannah wandte sich zu Corchran um, als der Krankenwagen verschwand. »Haben Sie ein Computermodell der Strömung im Fluss?«

»Ich habe der Wasserschutzpolizei bereits die Koordinaten durchgegeben. Wenn sie fünfundzwanzig Minuten im Wasser gewesen ist, wird sie ungefähr eine halbe Meile abgetrieben sein. Sie haben einen Uferabschnitt von einer Meile abgesteckt und die Suche bereits begonnen.«

»Sheriff, können Sie jemanden abstellen, der mich zum Krankenhaus fährt?«

Er sah sie überrascht an. »Können Sie nicht Auto fahren?«

»Doch, aber ich muss dringend etwas online recherchieren. Vielleicht kann ich schnell herausfinden, wo die anderen Mädchen sind. Und Zeit ist hier ein wesentlicher Faktor.«

»Larkin«, bellte er. »Die Lady braucht eine Mitfahrgelegenheit. Los geht's.«


Im Krankenwagen betrachtete Luke besorgt das bleiche Gesicht des Mädchens. »Kann man das Haus von der Straße aus sehen?«

»Nein. Musste rennen. Lange. Durch die Bäume.«

»Ihre Füße sind voller Kratzer und Schrammen«, sagte der Sanitäter.

»Beschreib das Haus.«

»Wirklich alt. Dunkel drin. Alte Türbeschläge.« Aus irgendeinem Grund musste sie lächeln.

»Und draußen, Ashley?«

»Nur ein Haus. Nichts Besonderes.«

»Wie seid ihr hingekommen?«

»Erst über den Fluss mit einem Boot. Mir wurde schlecht im Boot. Dann ein Hänger.«

»Ein Hänger? Ein Wohnwagen?«

»Nein. Ein Pferdetransporter. War Heu drin.«

Luke runzelte die Stirn. »Sah der Hänger irgendwie auffällig oder besonders aus?«

»Nur weiß. Der Pick-up auch. Tut mir leid.«

Luke lächelte sie an. »Dir muss nichts leidtun. Du bist entkommen. Wir holen die anderen schon.«

»Wo ist mein Dad? Er wird sich solche Sorgen machen.«

»Er ist schon hier. Wir haben deinen eingekratzten Namen im Bunker gefunden.«

Sie schauderte. Tränen traten ihr in die Augen. »Ich hatte solche Angst.«

»Aber du hast es großartig gemacht, Ashley. Wie haben sie dich erwischt?«

»Bin so dumm. Hab online einen Jungen kennengelernt.« Ihre Zähne klapperten noch immer. »Jason.«

»Der allseits bekannte Jason«, murmelte Luke. »Du warst nicht die Einzige, Ashley.«

Ihre Augen blickten gequält.

»Fünf haben sie mitgenommen. Und die anderen … erschossen.«

»Ich weiß. Wir haben sie gefunden. Ashley, hast du die Entführer gesehen?«

»Zwei Frauen. Jung. Eine zwanzig, die andere dreißig vielleicht. Und der Mann. So unheimlich.«

»Ein Mann? Beschreib ihn.«

»Alt. Unheimlich. Tanner.«

»Was?«

»So hieß er. Tanner.« Sie driftete ab. »Und ein Wachmann. Ich glaube, er ist tot.«

»Ashley, aufwachen«, sagte Luke, und sie kämpfte sich aus der Benommenheit. »Der Wachmann.«

»Jung. Groß. Weiß.« Wieder lächelte sie, wenn auch schwach. »Ich hoffe, ich habe ihn erschlagen.«

»Ashley, nicht wieder einschlafen!«, sagte Luke scharf. »Wie weit ist das Haus entfernt?«

Sie blinzelte, aber ihr fielen immer wieder die Lider zu. »Weiß nicht. Bin geschwommen. Aber es war eiskalt.«

Er strich ihr mit einer Hand über den zerschundenen Kopf. »Ashley, was ist mit deiner Kopfhaut passiert?«

»Das hab ich gemacht«, presste sie hervor.

»Warum?«

»Haynes. Er mag Blondinen. Ich wollte nicht zu ihm. Also hab ich mir die Haare ausgerissen.«

*Haynes.* Ein Kunde? Kunden neigten dazu, dem Händler treu zu bleiben, zumindest im Internet-Kinderpornographiegeschäft. So hatten sie in der Vergangenheit schon die eine oder andere Website dichtmachen können. *Folge der Spur des Geldes.* Eine sehr, sehr alte, erfolgreiche Methode.

»Haynes wollte dich also nicht?«

»Hat mich nie gesehen«, murmelte sie so leise, dass er sich vorbeugen musste, um sie noch zu verstehen. »Bobby hat mich ins Loch geworfen. Bin geflohen. Hab am Mörtel gekratzt bis … ich …«

401

Sie verstummte. Luke sah zum Sanitäter auf.

»Bewusstlos. Ihr Körper ist in dem kalten Wasser stark strapaziert worden. Wenn sie nicht so gut in Form gewesen wäre, hätte ihr Herz aussetzen können.«

*Dutton,*
*Sonntag. 4. Februar, 5.20 Uhr*

Susannah wartete schon ungeduldig, als Luke aus der Notfallambulanz kam.

»Sie schafft es«, sagte er. »Ich will hier auf ihren Vater warten.«

Sie zupfte an seinem Arm. »Lass die Ärzte mit ihrem Vater sprechen. Komm, wir müssen los.«

»Wohin?«

»Ich habe Terri Styvesons Heiratsurkunde im öffentlichen Archiv gefunden. Ihr Mädchenname war Petrie. Dies ist die Adresse eines Hauses, das ihrer Mutter gehörte.«

»Bobbys Großmutter.«

»Das Gericht hat vor fünfzehn Jahren ein Testament vollstreckt, als die Styvesons ermordet in ihrem Haus in Arkansas aufgefunden wurden. Die Behörden gingen davon aus, dass es ein Raubüberfall gewesen ist. Barbara Jeans Großmutter wurde wenige Monate später ebenfalls tot aufgefunden, sie war offensichtlich friedlich entschlafen. Barbara Jean erbte das Haus, Baujahr 1905. Es heißt Ridgefield House.«

Er starrte sie an. »Du hattest doch kaum dreißig Minuten Zeit.«

Sie lächelte triumphierend. »Chase hat bereits seine Leute losgeschickt. Corchran war am nächsten dran, wahrscheinlich ist

402

er also schon dort. Also?«, fragte sie. »Wartest du auf eine glanzbedruckte Einladung?«

Er legte ihr den Arm um die Schultern, und gemeinsam liefen sie zum Auto. »Habe ich dir schon gesagt, dass du erstaunlich bist?«

»Nein, ich glaube nicht.«

Er lachte, zum ersten Mal seit Tagen mit Hoffnung im Herzen. »Du bist erstaunlich. Steig ein.«

Sie grinste, als sie vom Parkplatz fuhren. »Das gefällt mir. Vielleicht gefällt mir das sogar besser als der Gerichtssaal. Es ist verdammt aufregend.«

Ihre Worte ernüchterten ihn wieder. »Nur dann, wenn man nicht zu spät kommt.«

Auch sie wurde wieder ernst. »Corchran hat Suchtrupps mit Hunden losgeschickt, die in einer Meile Entfernung von der Stelle suchen, an der man Ashley aus dem Wasser gezogen hat, aber diese Adresse ist locker noch eine weitere Meile entfernt. Ich weiß nicht, wie sie das geschafft hat.«

»Sie ist eine Schwimmerin«, sagte Luke. »Ihr Vater hat Talia die Siegerurkunden gezeigt.«

»Dann hat sie soeben den Wettbewerb ihres Lebens gewonnen«, murmelte Susannah.

»Hoffen wir, dass wir genauso schnell sind.«

Sie waren zehn Minuten unterwegs, als Lukes Handy brummte.

»Papadopoulos.«

»Corchran hier. Sie waren definitiv hier, sind aber jetzt weg.«

»Mist!«, knurrte Luke. *Zu spät. Wir sind schon wieder zu spät!*

»Haben wir wenigstens *etwas* gefunden?«

»Das Haus ist alt. Sie haben es in Brand gesetzt, bevor sie flohen, aber wir sind noch rechtzeitig eingetroffen, um einen Teil zu retten. Oh, und hier liegt ein Toter hinterm Haus. Wahrscheinlich ein Wachmann.«

»*Was?* Ashley hat ihn wirklich umgebracht?« Lukes Gedanken rasten. *Zu spät. Schon wieder zu spät.*

»Nur, wenn sie ein Gewehr dabeihatte. Dem Kerl fehlt ein gutes Stück Bauchdecke. Ansonsten hat er eine Stichwunde in der Schulter und ein höllisches Horn am Kopf. Wir haben einen blutigen Türknauf neben der Leiche gefunden.«

Er dachte an Ashleys kleines Lächeln. »Das Mädchen hat ihn wahrscheinlich damit bewusstlos geschlagen, dann hat Bobby ihn erschossen, anstatt ihn lebendig zurückzulassen und damit das Risiko einzugehen, dass er vielleicht etwas ausplaudert. Sehen Sie irgendwo den weißen Pick-up und den Hänger?« Er hatte schon im Krankenwagen die Beschreibung durchgegeben.

»Negativ. Wir haben einen Minivan gefunden, der auf Garth Davis gemeldet ist, sowie einen Volvo von seiner Schwester Kate. Und einen schwarzen LTD.«

»Registriert auf den Namen Darcy Williams«, sagte Luke. »DRC-119.«

»Jep«, sagte Corchran. »Die Nummernschilder lagen unter dem Fahrersitz. Aber keinen Pferdetransporter.«

»Schicken Sie jeden verfügbaren Streifenwagen auf die Suche.«

»Haben wir schon.«

Luke klappte das Handy zu. »Verdammter Dreck. Ich habe es so satt, immer zu spät zu kommen.«

Susannah sagte eine volle Minute lang gar nichts. »Wohin können sie wollen?«, fragte sie schließlich. »Wenn dies ihr Hauptquartier gewesen ist, wo sind sie dann jetzt hin?«

»Sie muss irgendwo die Mädchen unterbringen«, sagte Luke.

»Luke«, sagte Susannah und starrte angestrengt geradeaus.

»Sieh mal, da vorn. Das Fahrzeug, das da gerade auf den Highway einschert. Kann das nicht ein Trailer sein?«

Sie hatte recht. Luke gab Gas und forderte über Funk Verstärkung an. »Sie steigern das Tempo«, sagte er angespannt. »Runter mit dir.«

Susannah gehorchte und duckte sich. »Was machen sie?«

»Jedenfalls nicht abbremsen. Bleib einfach unten.«

»Ich bin ja nicht dumm, Luke«, sagte sie gekränkt.

Nein, sie war erstaunlich. »Ich weiß.«


»Er hat uns gesehen«, sagte Tanner. Seine Hände umklammerten das Lenkrad. »Wir hätten gar nicht auf die Interstate fahren dürfen.«

»Halt die Klappe. Mit deinem Gejammer machst du es nicht besser.« Bobby blickte in den Seitenspiegel. »Er holt auf. Entweder wir schießen auf ihn, oder wir geben den Trailer auf und verschwinden.«

»Er ist uns zu dicht auf den Fersen. Wir könnten niemals entkommen. Schieß. Jetzt.«

Bobby hörte die Panik in Tanners Stimme und dachte über ihre Möglichkeiten nach. *Sie wissen vom Trailer, aber nicht von mir. Ich brauche Zeit.* Zeit, um zu fliehen und neu zu beginnen. *Was würde Charles tun?* Und plötzlich stand ihr Plan fest.

»Tanner, fahr auf die Raststätte und setz den Transporter quer, so dass die Straße blockiert ist. Wir springen raus und kapern uns einen anderen Wagen. Bis sie angehalten und in den Trailer hineingesehen haben, sind wir zurück auf der Interstate und haben schon die nächste Ausfahrt genommen.«

Tanner nickte. »Könnte klappen.«

»Das wird es. Vertrau mir.«

Susannah begann der Nacken weh zu tun. Die geduckte Haltung war alles andere als bequem. »Was machen sie jetzt?«

»Dasselbe, was sie getan haben, als du vor zehn Sekunden gefragt hast. Nicht abbremsen.«

Ohne sich aufzurichten, griff Susannah über die Mittelkonsole hinweg und zog den Revolver aus Lukes Knöchelholster.

»Was zum Teufel machst du da?«

»Ich bewaffne mich. Und bleibe unten«, fügte sie hinzu, bevor er sich wiederholen konnte.

»Was zum …?«, murmelte Luke. »So was.« Der Wagen scherte nach rechts ein. »Sie fahren auf eine Raststätte. Was immer geschieht, du bleibst unten. Versprich es.«

»Ja doch«, war alles, was sie sagte.

Er fluchte knurrend, dann trat er mit Wucht auf die Bremsen. Vor ihnen hörte sie Reifen quietschen, und Luke war schon ausgestiegen, bevor der Wagen erst richtig zum Stehen gekommen war. »Polizei! Alle runter auf den Boden. Und im Trailer: Keine Bewegung!«

Dann krachte ein Schuss. *Luke!* Sie packte den Revolver fester, dann stieß sie die Tür auf und ließ sich in ihrem Schutz hinausgleiten. Luke war nicht zu sehen. Sie richtete sich auf und rannte zum Transporter.

Die Mädchen. Nur sie zählten jetzt.

Wieder hörte man Reifen quietschen, aber was immer geschah, passierte hinter dem Trailer, und schon kehrte Luke fluchend zurück. »Bobby ist rausgesprungen und hat einen Wagen gekidnappt. Du bleibst hier und wartest auf Verstärkung. Aus dem Weg.«

Susannah sprang zur Seite, als er über den Gehweg fuhr, um den Transporter zu umrunden und die Verfolgung aufzunehmen. Der Motor des Trailers lief noch, doch die Hecktüren waren verschlossen und mit einer Kette durch die Griffe zusätzlich gesichert. Susannah zog sich hoch, stellte sich auf die Stoßstange und spähte durch das schmutzige Fenster. Unwillkürlich stöhnte sie auf.

*Lieber Gott.* Ashley hatte gesagt, ein Mädchen sei an einen Mann namens Haynes verkauft worden, also hatte Susannah mit vier gerechnet: Drei von den fünf, die ursprünglich im Bunker gewesen waren, plus Monicas kleine Schwester Genie. Doch im Inneren des Transporters saßen, dicht aneinandergedrängt, gefesselt und geknebelt, mindestens doppelt so viele. Sie hämmerte an das Fenster.

»Seid ihr verletzt?«, rief sie.

Ein Mädchen sah auf, und selbst durch den Schmutz auf der Scheibe konnte Susannah die große Verzweiflung in ihren Augen erkennen. Langsam schüttelte sie den Kopf. Doch dann begannen die Tränen zu laufen, und das Kopfschütteln wurde zu einem Nicken.

Die Kette war mit einem dicken Schloss versehen, also rannte Susannah zunächst nach vorn zur Fahrerkabine, stoppte dann aber abrupt. »O Himmelherrgott«, murmelte sie. Hinterm Steuer saß eine Gestalt, die einmal ein Mann gewesen war. Der größte Teil seines Kopfs klebte an der Scheibe und der Rückenlehne. Angewidert zog sie den Schlüssel aus der Zündung, kehrte zum hinteren Teil des Trailers zurück und probierte alle Schlüssel aus, bis sich das Hängeschloss endlich öffnen ließ.

Triumphierend zerrte sie die Kette durch die Griffe und hörte das metallische Klirren und Rasseln, als die Kette erst die Stoßstange traf und dann auf den Asphalt glitt. Sie riss die Türen auf und stieß den Atem aus, als sich zehn Augenpaare auf sie richteten. »Hi«, sagte sie keuchend. »Ich bin Susannah. Ihr seid jetzt in Sicherheit.«

Luke marschierte auf den Pferdetransporter zu und bekam gerade noch mit, wie Susannah einen Mann, der eine Videokamera in der Hand hielt, zusammenstauchte. Sie stand direkt vor dem Hobbyfilmer, hatte die Hände in die Hüften gestemmt, blickte wütend zu dem massigen Kerl auf und brüllte ihn an.

In der halben Stunde, die er fort gewesen war, hatte man die Mädchen aus dem Transporter befreit. Nun führte ein Beamtenteam immer zwei der Mädchen behutsam zu den wartenden Krankenwagen.

Es war ein Triumph. Und eine Tragödie. Bobby hatte ein weiteres Leben vernichtet. Und war entkommen. *Zu spät. Zu spät.*

»Wie können Sie nur?«, fauchte Susannah den sichtlich beschämten Mann an. »Ihre Kinder sitzen in Ihrem Wagen! Sie haben sogar *Töchter!* Wie würden Sie sich wohl fühlen, wenn irgendein sensationsgeiler Mensch sich ein paar Dollar verdient, indem er das Bild Ihrer Tochter ans Fernsehen verkauft, hm? Geben Sie mir die Kassette. Sofort«, knurrte sie, als er Anstalten machte zu protestieren.

Der Mann drückte das Band aus der Kamera, reichte es ihr und schlurfte zerknirscht zu seinem Wagen zurück.

»Idiot«, murmelte sie.

Luke legte ihr seine Hände auf die Schultern, und sie fuhr zusammen. »Sch«, sagte er leise, vielleicht auch, um sich selbst zu beruhigen. »Ich bin's nur.«

Ihre finstere Miene verschwand, und ein Lächeln erhellte ihr Gesicht. »Diesmal warst du nicht zu spät.« Doch als sie sah, dass er ihr Lächeln nicht erwiderte, wurde auch sie wieder ernst. »Was ist passiert, Luke? Wo warst du so lange? Und wo ist Bobby?«

»Bobby hat einen Wagen gestohlen. Ganz vorn in der Reihe parkte einer mit laufendem Motor. Die Tür war nicht abgeschlossen, und der Beifahrer war eingeschlafen.«

»Oh. Das mit dem Wagen habe ich mitbekommen, nicht aber, dass sie wieder jemanden entführt hat.«

»Sie hat die Geisel bei sechzig Meilen pro Stunde aus dem Auto gestoßen. Natürlich wusste sie, dass ich anhalten würde. Aber er war schon tot. Sie hat ihn vorher erschossen. Einen Jungen.«

Sie legte ihm die Hand auf den Arm. »Das tut mir leid.«

»Und mir erst.« Er warf einen Blick zum Rastplatz, wo ein Mann hinten in einem Polizeiwagen saß. »Nun muss ich diesem Mann dort sagen, dass sein Sohn nicht nach Hause kommt.«

»Lass es jemand anderen tun. Chase wird gleich hier sein.«

»Nein. Ich tue, was nötig ist.«

»Dann komme ich mit.«

Er hätte fast abgelehnt. Aber nach allem, was geschehen war, brauchte er jemanden, auf den er sich stützen konnte.

Der Mann stieg aus, als er Luke herankommen sah. Lukes Miene war aber beredt genug, denn nun wich alle Farbe aus dem Gesicht des Mannes. »Nein ... Nein!«

»Es tut mir leid. Die Frau, die Ihren Wagen gestohlen hat, hat Ihren Sohn erschossen. Er ist tot.«

Der Mann wich kopfschüttelnd einen Schritt zurück. »Das kann nicht sein. Wir waren doch unterwegs zu Six Flags. Es ist sein Geburtstag, und er hat sich einen Tag im Freizeitpark gewünscht. Er ist doch gerade erst vierzehn geworden.«

»Es tut mir leid«, sagte Luke. Sein Herz war so schwer, dass er es kaum ertragen konnte. »Kann ich jemanden für Sie anrufen?«

»Meine Frau. Ich muss meine Frau anrufen.« Betäubt und nicht ganz bei sich, starrte er geradeaus. »Sie ist mit dem Baby zu Hause geblieben. Das wird sie nicht überleben.«

Der Polizist, der bei ihm gewartet hatte, nahm ihm behutsam das Handy aus der Hand. »Ich kümmere mich darum, Agent Papadopoulos. Kehren Sie zu den anderen Opfern zurück.«

Die Schultern des Mannes begannen nun zu zucken, und das Schluchzen schnitt Luke wie ein Messer in die Eingeweide.

Nun hatte er noch ein Gesicht mehr, das ihn in seinen Träumen heimsuchen würde.

Susannah legte ihm eine Hand auf den Rücken, erst zögernd, doch dann mit leichtem Druck. »Du hast zehn Mädchen gerettet, Luke«, flüsterte sie. »Zehn.«

»Aber diesen Vater interessiert nur das Kind, das wir nicht rechtzeitig gerettet haben.«

»Nein, tu das nicht«, sagte sie, eindringlich. »Tu dir das ja nicht an!« Sie packte seinen Arm und zog ihn herum. »In diesem Transporter waren zehn Mädchen, die man zur Prostitution gezwungen hätte und die letztlich daran gestorben wären. Diese Mädchen können wieder nach Hause fahren. Du hörst jetzt auf, an den einen zu denken, den du nicht beschützen konntest, und zählst stattdessen die zehn, die ihre Eltern endlich wieder in die Arme schließen können.«

Er nickte langsam. Sie hatte recht. »Du hast recht.«

»Und ob ich recht habe.« Sie verengte die Augen. »Und jetzt gehst du zurück zu deinem Wagen. Du fährst nach Atlanta, setzt dich mit deinem Team zusammen und überlegst, wie du Barbara Jean Davis in die Finger bekommst. Steck sie in die Hölle und wirf den Schlüssel weg.«

Allmählich setzte er sich in Bewegung, ihren Arm um seine Taille. »Ich bin so müde.«

»Ich weiß«, sagte sie, nun wieder sanft. »Lass mich zurückfahren. Dann kannst du ein wenig schlafen.«

Er lehnte sich zu ihr, bis seine Wange auf ihrem Kopf ruhte, während sie weitergingen. »Danke.«

»Gern geschehen. Ich denke, ich war dir etwas schuldig.«

»Oh. Wir rechnen auf?«, fragte er ernüchtert.

»Nicht mehr. Ich glaube, du brauchst jemanden, genauso sehr wie ich.«

»Und das hast du gerade herausgefunden?«, murmelte er.

Ihr Arm drückte seine Taille. »Nicht so selbstherrlich, Agent Papadopoulos.«

*Interstate 75,*
*Sonntag, 4. Februar, 6.45 Uhr*

Bobby konnte endlich durchatmen. Der Wagen vom Rastplatz war entsorgt, der neue von einem Parkplatz gestohlen, der ein Stück vom Highway entfernt lag. *Und jetzt? Was nun?*

Tanner war tot. Abzudrücken war viel schwerer gewesen, als sie geglaubt hatte. *Jetzt bin ich allein. Wirklich allein.* Charles war noch da, aber Charles ... *ist nie so etwas wie eine Familie gewesen.*

*Tanner war meine Familie.* Und jetzt war er tot. Aber er hätte niemals schnell genug laufen können, das war ihr von Anfang an klar gewesen. Sie hatte ihn gebeten, ihr zu vertrauen. Tanner hatte sich vor dem Gefängnis gefürchtet und war zu alt gewesen, um eine weitere Haft zu überleben. Er wäre ihr dankbar gewesen.

*Und was nun?* Susannah Vartanian. Sie war die Einzige, um die sie sich noch kümmern musste. Sie hatte sich mit Agent Papadopoulos zusammengetan. Und alles zerstört. *Mein Geschäft. Mein Leben.* Nun würde Charles endlich bekommen, was er wollte. Aus irgendeinem Grund hatte er Susannah schon immer gehasst. *Sogar mehr als ich.*

*Ich hätte sie schon lange umbringen können.* Aber es nicht zu tun hatte Charles verärgert ... und Bobby damit das Gefühl gegeben, eine gewisse Macht über Charles zu haben. Obwohl das natürlich eine Illusion war, wie sie sehr wohl wusste.

*Also gut, Charles. Du wirst bekommen, was du dir wünschst. Ich töte sie für dich. Dann gehe ich.*

*Atlanta,*
*Sonntag, 4. Februar, 8.40 Uhr*

Sie hatten sich alle um den Konferenztisch versammelt, und im Raum herrschte eine angestrengte Mischung aus Euphorie, Erschöpfung und Verzweiflung. Ed und Chloe, Pete und Nancy, Hank, Talia und Mary McCrady. Und auf Lukes Bitte hin auch Susannah. Ihre schnelle Kombinationsgabe hatte sie heute auf die Spur der Mädchen geführt.

»Wir sind also immer noch nicht fertig«, sagte Pete, nachdem Chase zusammengefasst hatte, was geschehen war. »Bobby ist auf der Flucht.«

»Aber wir haben die Mädchen, und zwar lebend«, sagte Chase. »Und nicht nur die aus dem Bunker, sondern Genie Cassidy und sechs andere, die entführt worden sind. Das ist ein bahnbrechender Erfolg.«

»Außerdem haben wir kistenweise Unterlagen in Bobbys

412

Trailer gefunden«, sagte Luke. »Namen von zahlreichen Kunden, die wir durch finanzielle Transaktionen festnageln können. Dutzende perverse Kinderschänder werden in den Knast wandern.«

Chases Lächeln war angestrengt. »Wir konnten dem FBI die Adressen der Truckerbordelle geben, die sich von Northcarolina bis runter nach Florida erstrecken. GBI-Agents stürmen in diesem Moment zehn verschiedene Häuser, um die Mädchen zu retten, die Bobby kürzlich verkauft hat, darunter eines, das sich seit vergangenem Freitag in Darryl Haynes' Händen befindet.«

Ed riss die Augen auf. »Der Haynes, der für den Senat kandidiert und in seinem Wahlprogramm vor allem auf die Familienwerte pocht?«

»Ebender«, sagte Chase grimmig.

»Haynes wollte eine Blondine«, sagte Luke. »Und diejenige, die er sich ausgesucht hat, hat ihn schließlich zu Fall gebracht. Ashley Csorkas Flucht war für uns entscheidend.«

»Wie geht's ihr?«, wollte Talia wissen.

»Sie ist wach und munter und redet mit ihrem Vater«, sagte Luke mit einem Lächeln. »Der uns noch einmal ausdrücklich dankt und hofft, dass der Mann, der versucht hat, sein Kind zu kaufen, im Gefängnis erfährt, wie es ist, wenn andere nach Belieben mit einem verfahren.«

»Wir haben viel erreicht, auf das wir stolz sein können«, fuhr Chase ernst fort. »Granville hat die fünf Mädchen im Bunker getötet, aber Monica hat uns gesagt, dass der Befehl von Rocky alias Kate Davis kam, die ihre Befehle wiederum von Bobby bekommen hat. Sobald wir die Frau fassen, können wir ihr diese fünf Morde ebenso anlasten wie die zehn, die sie persönlich ausgeführt hat oder die ebenfalls in ihrem Namen ausgeführt wurden. Rechnen wir die Mordversuche an Ryan Beardsley und Monica Cassidy hinzu ...«

»*Und* Freiheitsberaubung, Missbrauch, Menschenhandel *und* Verbreitung von Kinderpornographie ...«, sagte Luke.

»... dann kommen wir auf locker tausend Jahre Gefängnisstrafe«, schloss Chase.

Chloe runzelte die Stirn. »Moment mal. Zehn? Wir haben Rocky/Kate und Jennifer Ohman, die Krankenschwester.«

»Und deren Schwester«, sagte Susannah.

»Okay, das sind drei.« Chloe nickte. »Helen Granville vier.«

»Chili Pepper und seine Freundin machen sechs«, sagte Nancy.

»Der Junge vom Rastplatz und Tanner, der Mann, der den Trailer gefahren hat – acht.« Luke warf Pete einen Blick zu. »Zach Granger sind neun.«

»Oh, Mist, tut mir leid, Pete«, sagte Chloe zerknirscht.

»Schon gut«, gab Pete zurück. »Aber wir müssen das Miststück fassen, damit sie für ihre Taten zahlt.«

»Nummer zehn ist der Wachmann, den Corchran hinter dem Haus gefunden hat.«

»Wenn wir Darcy mitzählen, kommt sie nur knapp an einem Dutzend vorbei«, sagte Susannah kalt.

»Und wir werden Darcy mitzählen.« Chase nickte ihr zu. »Tut mir leid, Susannah. Außerdem werden noch vier Personen vermisst: Richter Borenson, Monica Cassidys Vater und Bobbys eigene Söhne.«

Alle schwiegen, bis Luke seufzte. »Ich hatte gehofft, dass sie ihren eigenen Kindern nichts tun würde, aber als ich vorhin gesehen hatte, was sie mit dem Jungen am Rastplatz angestellt hat ... Mir scheint, sie ist zu allem fähig.«

»Was wissen wir eigentlich über sie?«, fragte Mary McCrady.

»Bisher kann ich nur das Bild eines intelligenten, seelenlosen und skrupellosen Ungeheuers zeichnen. Ich würde aber gerne mehr dazu beitragen.«

»Der Mann, der den Trailer fuhr, war Roger Tanner, sechsundachtzig Jahre alt«, erzählte Luke. »Seit den Achtzigern wird er polizeilich gesucht. Wegen Raubüberfalls, Diebstahls und zweifachen Mordes.«

»Was verbindet ihn mit Barbara Jean Davis?«, wollte Mary wissen.

»Die zwei Morde betrafen Bobbys Eltern«, erklärte Susannah, »Reverend Styveson und seine Frau Terri. Sie wurden in ihrem kleinen Pfarrhaus in Arkansas, wo Styveson gepredigt hat, zu Tode geknüppelt.«

»Tanner war das Faktotum der Kirche«, sagte Luke. Er hatte auf der Rückfahrt doch nicht schlafen können, und so hatten er und Susannah sich die nötigen Informationen besorgt: Er hatte mit der Polizei in Arkansas telefoniert, während sie im Internet die öffentlichen Archive durchsucht hatte. »Man fand seine Fingerabdrücke überall, was natürlich niemanden verwunderte, da er ja Mädchen für alles war. Doch dann entdeckte man sein Vorstrafenregister.«

»Man ging davon aus, dass er für die Morde verantwortlich war«, fuhr Susannah fort, »da es keine anderen Verdächtigen gab und er einen Schlüssel zum Pfarrhaus besessen hatte. Nirgendwo waren Anzeichen von gewaltsamem Eindringen zu sehen. Bobby blieb unverletzt, obwohl sie aussagte, dass er sie überwältigt hätte.«

Luke zuckte mit den Schultern. »Die Polizei vor Ort sagt, dass ihre Geschichte nicht zu den Beweisen passte, aber es gab eben auch keine Beweise, die sie belasteten. Aus jetziger Sicht würde ich sagen, dass beide schon damals gemeinsame Sache gemacht haben. Jedenfalls konnte Tanner nach der Beerdigung der Eltern entkommen und ist nie wieder aufgetaucht, und Bobby wurde nach South Carolina geschickt, wo sie bei der Schwester der Mutter unterkommen sollte.«

»Und wie sind sie in Dutton gelandet?«, fragte Nancy.

»Wer weiß? Vielleicht wusste Bobby, wer ihr echter Vater war, und hat ihre Tante dazu gebracht, dorthin zu ziehen. Oder die Tante grollte Susannahs Mutter, weil sie die Styvesons aus Dutton vertrieben hatte, und brachte das Mädchen zurück, um sie an ihre Tat zu erinnern. Wir werden es wahrscheinlich nie erfahren.«

»Mir ist es anfangs komisch vorgekommen, dass es nie Gerüchte gab. Ich jedenfalls habe nie davon gehört, dass Bobbys Eltern ermordet worden sind oder dass sie die Tochter des ehemaligen Pastors war«, sagte Susannah. »Normalerweise spricht sich so etwas in einer Kleinstadt sehr schnell herum, aber nicht einmal Angie Delacroix wusste, dass Bobby die Tochter der Styvesons war. In der Schule war sie bekannt als Barbara Jean Brown. Sie hatte also offenbar den Namen ihrer Tante Ida Mae Brown angenommen. Brown war der Familienname ihrer Tante, so dass niemand Bobby mit den Styvesons verband. Aus welchem Grund auch immer, aber die Tante hat das Geheimnis bewahrt.«

»Aber diese Tante ist weggezogen, nachdem Bobby Garth Davis geheiratet hat«, sagte Pete. »Und da verliert sich die Spur. Kein Job, keine Kreditkarten, keine Ticketbuchungen.«

»Vielleicht hat Bobby auch sie getötet« sagte Talia.

»Aber wo sind ihre beiden Kinder?«, fragte Mary. »Wer hat auf sie aufgepasst, während sie die Truckerbordelle geleitet und junge Mädchen an reiche Männer verscherbelt hat?«

»Die Davis' hatten eine Nanny«, sagte Pete. »Eine Immigrantin, wahrscheinlich illegal hier. Ihr Englisch ist nicht allzu gut. Ich habe mit ihr gesprochen, als ich nach der Tante suchte. Sie hatte normale Arbeitszeiten – von neun bis fünf in der Woche. Sie erzählte, dass Bobby jeden Morgen das Haus verließ, um in ihrem Geschäft zu arbeiten – Innenausstattung und Deko-sachen. Manchmal wurde das Kindermädchen gebeten, auch abends zu kommen, wenn Garth nicht da war und seine Frau einen Geschäftstermin hatte. Die Nanny schien an den Kin-dern zu hängen, und falls sie gewusst hat, wo sie sich aufhal-ten, dann hat sie es verflixt gut vertuscht.«

»Weitere Verwandte sind nur noch Garth Davis' Onkel Rob und seine Familie«, sagte Chase.

Pete schüttelte nachdenklich den Kopf. »Ich habe Rob Davis zwar gefragt, ob er wüsste, wo sie ist, habe sein Haus aller-dings nicht durchsucht.«

»Aber würde Rob Davis Garths Kinder verstecken?«, fragte Chloe. »Ich dachte, sie könnten einander nicht ausstehen.«

»Das hat Kate uns erzählt, als sie am Donnerstagnachmittag hier war.« Luke warf Chase einen Blick zu, als wieder ein Puzzleteil an den richtigen Platz glitt. »Kate hat uns auf Mack O'Briens Spur gebracht.«

Chase rieb sich die Stirn. »Und wir haben uns manipulieren lassen wie die Anfänger.«

»Kate wollte die Aufmerksamkeit unbedingt von Garth und seinem Club ablenken, denn je näher Daniel ihnen kam, umso näher kam er auch dem Bunker. Kate lieferte uns Garth aus, so dass sie und Bobby ihr Geheimnis bewahren konnte. O ja, man hat uns manipuliert.«

»Kate hat uns ebenfalls gesagt, dass Garths Frau mit den Kin-dern geflohen ist, nachdem Rob Davis' Enkel von Mack O'Brien getötet worden ist«, sagte Ed. »O Mann.«

»Wir haben ihr einfach geglaubt«, beendete Luke, was nun alle dachten.

»Nun, das lag ja nahe«, mischte sich Susannah ein. »Ihr hattet doch keine Ahnung, was noch alles dahintersteckte. Also holt euch einen Durchsuchungsbefehl für Garth Davis' Haus und sucht nach den Jungen.«

»Wir haben vor einer Stunde einen Tipp bekommen«, fuhr Chase fort. »Kira Laneer, Garths Geliebte, hat mich auf dem Handy angerufen. Sie weiß angeblich, wo Bobby ist, sagt, dass Garth ebenfalls weiß, wo sie sich verstecken könnte. Vielleicht will sie nur groß rauskommen, aber ich stelle dennoch jemanden ab, der es überprüft. Nancy, Sie sehen aus, als zweifeln Sie. Was ist los?«

»Nein, ich habe nur gerade über Bobby nachgedacht. Wir sagen, sie hat in den vergangenen zwei Tagen zehn Menschen umgebracht. Aber sie muss Hilfe gehabt haben.«

»Tanner scheint mir als Komplize durchaus in Frage zu kommen«, sagte Luke. »Ashley Csorka sagte, er sei der ›unheimliche Butler‹. Er muss Ridgefield House verwaltet haben.«

»Ich weiß nicht«, sagte Nancy. »Aber falls er nicht ziemlich gut ausgebildete Muskeln hat, wird er Chili Peppers Kehle wohl nicht durchgeschnitten haben. Chili ist ein kräftiger, großer Kerl. *War* ein kräftiger, großer Kerl.«

»Vielleicht hat sie noch andere Lakaien«, bemerkte Pete verächtlich.

»Andere«, murmelte Susannah. »Uns fehlt ein weiteres Puzzleteil. Mir geht dieser *thích* nicht aus dem Kopf. Dieses Gespräch zwischen Toby Granville und Simon fand statt, als ich elf war. Bobby war zwölf und lebte noch in Arkansas.«

»Und Tanner ebenso«, sagte Luke. »Er kann es also nicht gewesen sein.«

»Und doch war dieser Mensch sehr einflussreich«, sagte Susannah nachdenklich. »Irgendwo agiert noch eine Hauptfigur.«

»Wir haben die Zeichnung, die nach Ihren Angaben angefertigt wurde, nach Manhattan geschickt«, sagte Chase. »Das Büro der Staatsanwaltschaft wird sie Darcys Mörder zeigen. Bis dahin konzentrieren wir uns auf Bobby Davis und ihre zwei Kinder. Pete, Sie gehen zu Rob Davis und suchen nach Bobbys beiden Söhnen. Hank, Sie und Nancy durchsuchen Davis' Haus noch einmal. Talia, finden Sie alles über Bobbys Freunde und Freundinnen von heute und damals heraus, was Sie können. Chloe, wie lange können wir Garth noch festhalten?«

»Er wird morgen vernommen.«

»Wir lassen ihn beschatten, nur für den Fall, dass er noch tiefer in diese Geschichte verwickelt ist, als wir bisher vermuteten. Ed?«

»Wir haben Beckys Leiche draußen vor Beardsleys Zelle gefunden. Man hat sie dort verscharrt. Sieht schlimm aus.«

»Also noch eine weitere Leiche.« Chase schloss einen Moment lang die Augen. »Besorgen Sie mir ein Bild von Becky. Wir bitten die Medien, uns bei der Identifizierung zu helfen. Und«, Chase wandte sich direkt an Susannah, »Gretchen French hat ihre Pressekonferenz auf vier Uhr heute Nachmittag angesetzt.«

»Ja, stimmt. Im Grand Hotel. Gretchen geht davon aus, dass es ziemlich voll wird.«

»Wir werden alles videoüberwachen. Außerdem brauchen wir Metalldetektoren. Bobby mag arrogant genug sein, zu kommen und sich an ihrem eigenen Plan zu ergötzen.«

»Oder um noch einen weiteren Versuch zu unternehmen, auf Susannnah zu schießen«, sagte Luke.

Chase wandte sich wieder an Susannah. »Was haben Sie als Nächstes vor?«

»Ich gehe ins Krankenhaus«, sagte sie. »Ich habe ein paar Dinge mit Daniel zu besprechen.«

Zum einen die Sache mit ihrem Vater, das wusste Luke. Zum anderen die Gründe, warum Frank Loomis vor dreizehn Jahren Beweise gefälscht hatte. »Ich gehe mit. Ich muss noch herausfinden, wer sich an Beardsleys Tropf zu schaffen gemacht hat. Vielleicht war es dieser ›andere‹, nach dem wir suchen.«

»Gut. Passen Sie alle gut auf sich auf«, sagte Chase. »Melden Sie sich regelmäßig, und seien Sie um halb drei zu einem Briefing wieder hier, bevor Gretchen Frenchs Pressekonferenz startet.« Alle standen auf und verließen den Raum, aber Chase winkte Luke zurück.

»Luke. Sie sind in der vergangenen Woche kaum zu Schlaf gekommen«, sagte Chase. »Sie haben die Mädchen gefunden.«

»Bobby ist aber immer noch auf freiem Fuß.«

Chase machte eine ungeduldige Geste. »Jeder Agent in dieser Abteilung ist auf der Suche nach dieser Frau.«

Luke spürte, wie Ärger in ihm aufwallte. »Wollen Sie mich abziehen?«

»Unsinn, entspannen Sie sich. Ich will Sie nicht von diesem Fall abziehen, aber ich will, dass Sie verlässlich bleiben. Wir haben Bobby Davis erst einmal den Wind aus den Segeln genommen. Sie muss sich wahrscheinlich neu orientieren. Also fahren Sie nach Hause, und laden Sie Ihre Batterien wieder auf. Wenn Sie wiederkommen, können Sie sie zur Strecke bringen.«

»Also gut. Sobald ich Susannah ins Krankenhaus gebracht habe, gehe ich nach Hause und lege mich aufs Ohr.«

# 19. Kapitel

Bobby klappte das Telefon zu. Ihr GBI-Maulwurf hatte geglaubt, dass ihre Beziehung beendet sei, weil Bobby ein wenig an Boden verloren hatte. Aber Geheimnisse waren als Währung noch immer gültig – und nun erst recht. *Sie wissen, wer ich bin.* Und das bedeutete, dass sie nun umso vorsichtiger sein musste.

Sie schnaubte unwillkürlich. Kira Laneer glaubte tatsächlich zu wissen, wo sie, Bobby, sich aufhielt. Aber dass Garth mehr wusste, als Bobby geglaubt hatte, durfte nicht ignoriert werden. Ihr Mann war kein Dummkopf. Bobby hatte keineswegs die Absicht, mit Kira Laneer ein Risiko einzugehen.

Sie wählte Pauls Nummer. »Ich brauche dich.«

»Ich denke nicht, Herzchen. Ich habe eben die Nachrichten gesehen. Wie mir scheint, geht's dir an den Kragen. Susannah Vartanian sah richtig süß aus, wie sie deine Ware aus dem Transporter geklaut hat.«

Heißer Zorn kochte in ihr hoch. »Halte dich bedeckt. Ich habe einen Auftrag für dich.«

Sie gab ihm Laneers Adresse durch. »Mach es schmerzlos. Immerhin habe ich es ihr zu verdanken, dass Garth die Finger von mir gelassen hat.« Bobby hasste Garth, hasste es, wenn er sie anrührte. Sie hatte ihm zwei Nachkommen geschenkt und ihre Pflicht als gute Ehefrau erfüllt. Die Jungen waren außerdem sehr passende Requisiten für ihre Identität als Vorstadthausfrau gewesen, und sie hatte sich gut um sie gekümmert.

»Leg Kira Laneer um, bevor sie dem GBI sagt, was sie weiß.«

»Bobby, es reicht langsam«, sagte Paul. »Du kannst nicht einfach weitermorden.«

»Tu einfach, was ich dir sage, oder ich rufe die Polizei an und teile ihr Interessantes über dich mit.« Es war das erste Mal, dass sie ihm drohte. Das erste Mal, dass sie glaubte, es nötig zu haben.

Zitternd legte sie auf. Heute Nachmittag würden Garths Opfer mit der Presse sprechen. Susannah würde dort sein. *Und ich natürlich auch.* Dass das GBI die Sicherheitsvorkehrungen verschärft hatte, war eine nützliche Information. Es würde schwerer werden, aber Bobby wusste mit solch einem Problem umzugehen. *Susannah, es ist Zeit zu sterben.*

*Dutton,*
*Sonntag, 4. Februar, 9.03 Uhr*

»Ich hab's dir gesagt«, sagte Paul zu Charles und klappte sein Handy zu. »Sie ist außer Kontrolle geraten.«

Charles schenkte ihnen beiden Kaffee nach. »Sie könnte aber ihre Drohung wahrmachen, und ich möchte, dass du bleibst, wo du bist. Du nützt mir bei der Polizei am meisten.«

Paul presste die Kiefer zusammen. »Sie kann nichts sagen, wenn du sie vorher ausschaltest. Oder mir das überlässt.«

Charles' Brauen hoben sich. »Aber ich bin noch nicht fertig mit ihr.«

»Ich bringe Garths Geliebte nicht um.«

Charles betrachtete ihn beinahe amüsiert über den Rand seiner Tasse hinweg. »Doch, das wirst du.«

Pauls Augen blitzten. »Du weißt doch gar nicht, ob diese Frau überhaupt etwas weiß.«

»Aber es ist wahrscheinlich«, sagte Charles nachdenklich. »Irgendetwas wird Garth ihr schon erzählt haben. Aber ich entscheide, welche Informationen wann preisgegeben werden.« Seine Augen verengten sich. »Ich will Bobby auf der Pressekonferenz heute Nachmittag sehen.«

»Warum?« Wenn Paul beleidigt war, klang er ganz wie der kleine Junge von damals.

»Weil Susannah Vartanian dort sein wird. Bobby wird nicht widerstehen können.«

»Deswegen wolltest du also, dass ich die Bemerkung mit der Ware im Transporter mache.«

Charles deutete mit der Gabel auf Pauls Teller. »Iss deine Eier, mein Sohn, sie werden kalt. Und dann fahr zu Kira Laneer rüber. Du kannst meinen Wagen nehmen.«

Paul stach wütend in sein Frühstück. »Soll Bobby die Drecksarbeit doch selbst machen.«

»Ich will aber nicht, dass sie dort auftaucht und ihre Drecksarbeit erledigt«, sagte Charles scharf. »In ihrem jetzigen Gemütszustand macht sie einen Fehler und lässt sich erwischen, und dann verpasse ich meine Live-Show um vier.«

*Atlanta,*
*Sonntag, 4. Februar, 9.30 Uhr*

Unsicher blieb Susannah auf der Türschwelle zu Daniels Krankenzimmer stehen. Als sie ihn das letzte Mal gesehen hatte, war er noch auf der Intensivstation gewesen, und sie hatte ihre Wimperntusche auf sein Nachthemd verteilt.

Jetzt fühlte sie sich unbehaglich und fast peinlich berührt. Er lag im Bett, hatte die Augen geschlossen, während Alex an seiner Seite eine Zeitschrift las. »Wie geht's ihm?«, fragte sie Alex flüsternd.

»Ihm geht's gut«, sagte Daniel. Er schlug seine unglaublich blauen Augen auf, die eisig, herzlich oder traurig dreinblicken konnten. Nun waren sie herzlich. »Ich habe dich in den Nachrichten gesehen. Ihr habt die Mädchen befreit. Großartig.«

»Danke.« Susannah ließ sich auf eine Stuhlkante sinken und kämpfte den Fluchtinstinkt nieder. Luke stellte sich hinter sie und legte ihr die Hände auf die Schultern. Sie faltete ihre Hände im Schoß. »Daniel, ich muss dir etwas sagen, und es wird wohl ziemlich schockierend für dich sein.«

Daniel bedachte Luke mit einem galligen Blick. »Aha?«, fragte er misstrauisch.

»Entspann dich«, sagte Luke, ein Grinsen in der Stimme. »Ich habe sie nicht angerührt.«

*Noch nicht.* Susannah spürte die zwei Worte in der Luft hängen, und ihre Wangen wurden heiß, jedoch nicht aus Scham oder Furcht, sondern aus Erregung. Sie dachte an die Schachtel in seinem Schlafzimmer. *Noch nicht.* Es war ein Versprechen auf das, was kommen mochte. Aber nicht jetzt, dachte sie und konzentrierte sich wieder auf das, was sie zu sagen hatte. Und es würde ihrem Bruder sowohl Trost spenden als auch einen Messerstich ins Herz versetzen.

»Es geht um Frank Loomis«, platzte sie plötzlich heraus.

Daniel runzelte die Stirn. »Was ist mit ihm?«, fragte er.

»Wir waren letzte Nacht bei Angie Delacroix, weil wir uns ein paar Antworten erhofften, aber tatsächlich haben wir sehr viel mehr erfahren, als wir uns hätten vorstellen können. Sie sagt, sie habe jahrelang eine Affäre mit Frank Loomis gehabt, aber er habe sie nie heiraten wollen, weil er eine andere geliebt habe: Mutter.«

Daniel blinzelte. »*Unsere* Mutter?«

»Ja. Und – wenigstens einmal beruhte dies auf Gegenseitigkeit.« Sie sog scharf die Luft ein und stieß sie geräuschvoll wieder aus. »Mein Vater ist nicht Arthur Vartanian. Sondern Frank Loomis.«

Daniel riss die Augen auf und blickte von Susannah zu Luke und zurück. »Bist … bist du dir sicher?«

»Ich habe Ed gebeten, die DNA zu vergleichen«, sagte sie. »Morgen wissen wir es genau.«

»Aber mit dieser Information ergeben andere Dinge plötzlich Sinn«, fügte Luke hinzu und drückte kurz ihre Schultern.

Susannah zögerte, dann nahm sie die Hand ihres Bruders. »Angie sagte, dass Simon vor dreizehn Jahren etwas Schreckliches getan hat, das sogar Frank nicht wieder hinbiegen mochte. Sie sagte, Mutter hätte ihn angefleht, es trotzdem zu tun. Für sie. Und seine leibliche Tochter. Und er hat es getan.«

»Er hat Beweise gefälscht und Fulmore ins Gefängnis gebracht«, sagte Daniel. »Und deswegen ist er diese Woche auch verschwunden. Er hat sich zurückgezogen und um sie getrauert.«

Susannah schwieg einen Moment, um ihrem Bruder Zeit zu geben, darüber nachzudenken und die Informationen zu verarbeiten. Und sie konnte genau nachvollziehen, wann Daniel verstand, was sie in Angies Wohnzimmer ein paar Stunden zuvor mit betäubender Klarheit ebenfalls begriffen hatte. Er riss die Augen auf und starrte sie entsetzt an.

»Also wusste Mutter es«, flüsterte er heiser. »Sie wusste, dass Simon etwas mit dem Mord an Alex' Schwester zu tun hatte. Mein Gott, Suze. Sie hat es *gewusst!*«

»Und wenn nicht vom Mord«, fügte Susannah hinzu, »dann zumindest von der Vergewaltigung.«

»Das habe ich mir auch gedacht«, sagte Luke, und Susannah fuhr zu ihm herum.

»Warum hast du nichts gesagt?«

»Du warst so getroffen. So verletzt. Ich dachte, du wirst schon selbst darauf kommen, wenn du bereit dazu bist.«

Einen Moment lang hielt sie seinen Blick fest. Seine Sorge rührte sie. Dann wandte sie sich wieder Daniel zu und wappnete sich. »Noch etwas, Daniel.«

Er war bereits blass. »Noch etwas? Was noch?«

»Ed hat Haare im Bunker gefunden, in dem Büro, in dem du angeschossen wurdest. Es … die DNA ist deiner sehr ähnlich, was bedeutet, dass du und eine andere Person denselben Vater habt.« Sie sprach jetzt so emotionslos, wie es ihr Beruf sonst erforderte. So fiel es ihr leichter. »Du hast eine Halbschwester. Eine andere Halbschwester, wenn du so willst. Garth Davis' Frau, Barbara Jean. Sie nennt sich Bobby.«

Alex' Augen weiteten sich. »Die andere Person, von der Granville sprach, bevor er starb.«

Daniels Mund öffnete und schloss sich einige Male, bevor er etwas herausbrachte. »Seid ihr sicher?«

»Ja«, bestätigte Luke. »Dein Vater hatte eine Affäre mit der Frau des ehemaligen Reverend eurer Kirche. Barbara Jean war das Produkt dieser Beziehung.«

»Und sie ist … sie ist schlimm, Daniel«, sagte Susannah. »Böse. Sie hat elf Menschen getötet und den Mord an fünf Mädchen angeordnet. Sie hat auch Kate Davis erschossen.«

Daniels Atem kam flach und unregelmäßig. »Aber warum denn? Warum Kate erschießen?«

»Weißt du noch, dass wir nach einem gewissen Rocky fragten?«, sagte Luke. »Wir dachten, dass es sich um einen Mann handelt. Aber Rocky war Kate Davis. Garths Schwester hat für Granville und Bobby Davis gearbeitet.«

Daniel wirkte, als könne er nicht mehr folgen. »Aber Kate kam doch zu uns. Sie hat uns gesagt, dass die Person, die die Frauen aus Dutton ermordete, Garth Briefe geschickt hatten. Dass Garth sich fürchtete, weil ein paar Jahre zuvor Jared O'Brien geredet hatte und bald darauf umgebracht worden war. Wir haben Mack O'Brien nur deswegen aufgespürt, weil sie mit uns gesprochen hat. Und sie hat nur mit uns gespielt?«

»O ja. Und das ganz geschickt, nicht wahr?«, sagte Luke trocken. »Chase und ich sind ebenfalls stinksauer.«

»Du musst also unbedingt weiterhin vorsichtig sein«, sagte Susannah. »Bobby ist noch auf freiem Fuß.«

»Deshalb steht also noch ein Polizist vor meiner Tür.« Daniel schloss die Augen. »Gott, das kann doch nicht wahr sein. Das ist doch …«

»Krank, ich weiß«, murmelte Susannah.

Daniel fuhr sich mit der Hand durchs Haar. »Aber ich bin froh, dass du es mir gesagt hast. Es beantwortet viele Fragen, auch wenn mir die Antworten nicht gefallen. Und wie du schon gesagt hast: Es ist, wie es ist. Susannah, du musst in ein sicheres Haus. Unbedingt.«

Sie hatte bereits darüber nachgedacht und den Gedanken verworfen. »Und für wie lange, Daniel?«

Misstrauisch sah er sie an. »Bis sie gefasst worden ist.«

»Und wenn es noch Wochen dauert? Oder Monate? Oder nie passiert? Durch Granville, Bobby und Simon habe ich dreizehn Jahre meines Lebens verloren. Das reicht.«

»Du kannst dieses Mal dein Leben verlieren«, sagte Daniel.

»Ich werde mich schützen.«

Dass er mit ihr streiten wollte, war ihm anzusehen, aber er hielt sich zurück. »Wirst du wenigstens eine Schutzweste tragen?«

Sie hatte sich bereits dazu entschlossen. »Ja. Jetzt gehe ich noch bei Monica Cassidy vorbei, und dann lege ich mich ins Bett. Ich habe einen anstrengenden Nachmittag vor mir.«

Sie war schon an der Tür, als er sie rief. »Suze. Versprich mir, dass du nicht solch ein Risiko eingehst wie beim Rublonsky-Prozess.«

Staunend wandte sie sich um. »Woher weißt du davon?«

Seine blauen Augen flackerten. »Ich kenne jeden Prozess, an dem du beteiligt warst.«

Plötzlich wurde ihr die Kehle eng. »Aber … ich …«

»Ich habe dich verlassen, weil ich dachte, dich auf diese Art beschützen zu können. Ich konnte Dad nicht beweisen, dass er unlautere Geschäfte tätigte, und ich wollte dich nicht mit hineinziehen. Ich hatte keine Ahnung, dass du bereits mittendrin stecktest …« Seine Stimme brach, und er musste sich erst fassen, bevor er fortfahren konnte. »Ich habe mitverfolgt, wie du deinen Abschluss als Zweitbeste deines Jahrgangs machtest. Ich wusste Bescheid, als du anfingst, im Büro der Staatsanwaltschaft zu jobben. Und ich bin über jede Entscheidung informiert, die du je bei einem Prozess getroffen hast.«

»Das wusste ich nicht«, brachte sie leise hervor. »Ich dachte, es wäre dir egal gewesen.«

»Es war mir niemals egal.« Sein Flüstern klang heiser. »Niemals. An keinem Tag meines Lebens.« Seine Augen schienen aufzuflammen, und Susannah konnte nicht wegsehen. »Also versprich es mir«, sagte er mit plötzlicher Heftigkeit. »Versprich mir, dass du nicht tust, was du damals im Rublonsky-Fall getan hast.«

Ihre Augen brannten, und sie blinzelte mehrmals. »Versprochen. Aber jetzt muss ich gehen.«

»Ich passe schon auf sie auf«, hörte sie Luke sagen, als sie auf dem Weg zum Fahrstuhl war.

Er holte sie ein, während sie noch wartete. »Was ist bei diesem Rublonsky-Fall passiert?«

Sie blickte auf die geschlossenen Türen. »Eine Studentin war von Männern mit Verbindungen zur Russenmafia vergewaltigt und ermordet worden. Ich arrangierte ein Treffen mit einem Informanten, der Namen, Daten, Beweise hatte. Er wollte nicht zu uns kommen, daher traf ich ihn in der Nähe einer Bodega. Man war ihm gefolgt und schoss auf ihn, während er nur ein paar Schritte von mir entfernt stand.«

»Und hast du deine Informationen bekommen?«

»Nein, aber die Polizei erwischte den Schützen, der uns wiederum zu den anderen führte.«

»Und der Informant?«

»Hat es nicht überlebt«, sagte sie, und zuverlässig stellte sich das vertraute Gefühl der Reue ein. Und das schlechte Gewissen.

»Du konntest ja nicht wissen, was geschehen würde.« Sie schwieg und hörte, wie er scharf die Luft einsog. »Oder?«

»Ich ... hatte es vermutet.«

Der Fahrstuhl öffnete sich. Sie trat ein, aber er blieb draußen stehen und starrte sie an. Erst als die Türen sich wieder schlossen, kam Leben in ihn, und er sprang hastig hinein. Dann nahm er ihr Kinn und zwang sie, ihn anzusehen. »Du hast den Lockvogel gespielt?«

Sie zuckte mit den Schultern. »So dramatisch war es nicht. Ich hatte einen bestimmten Verdacht, also bat ich die Polizei, mitzukommen und sowohl mich als auch den Informanten zu schützen. Er war ein ziemlich mieser Kerl, Luke. Er spielte auf beiden Seiten mit. Ich wusste, dass er die Mafia unterstützte, wenn es ihm in den Kram passte.«

»Du hast den Lockvogel gespielt«, wiederholte er. »Du hättest selbst getroffen werden können.«

Wieder schwieg sie, und er fluchte leise. »Du *bist* getroffen worden.«

»Ich trug eine Weste.« Sie lächelte ihr halbes Lächeln. »Ich war allerdings überrascht, wie weh es trotzdem tat. Ich hatte eine höllische Prellung.«

Er schloss die Augen. »Heilige Mutter Gottes.«

»Ich muss zugeben, dass es mir Angst gemacht hat«, sagte sie. »Aber wir haben den Fall gewonnen. Wir konnten auf der Basis des Urteils noch eine Menge weiterer Klagen einreichen.«

Die Fahrstuhltüren gingen wieder auf, und er nahm sie am Arm und führte sie in den Warteraum vor der Intensivstation. Bevor sie protestieren konnte, lag sein Mund auf ihrem, und er küsste sie drängend, verzweifelt und ... verängstigt. Er hatte Angst – *um sie*. Abrupt machte er sich wieder los. »Du tust so etwas nicht noch einmal«, sagte er leise und schlang seine Arme um sie. Sie spürte sein Herz an seinen Rippen hämmern und fuhr mit ihren Händen beruhigend über seinen Rücken.

»Ich versprech's«, murmelte sie. Sie drückte ihm einen Kuss auf das unrasierte Kinn. »Ich hole mir endlich mein Leben zurück, Luke. Ich werde nicht so dumm sein, es wieder aufs Spiel zu setzen. Und jetzt lass mich los. Ich will noch einmal nach Monica sehen, bevor ich vor Müdigkeit umfalle.«

Er löste seine Umarmung und küsste sie noch einmal. »Das freut mich«, flüsterte er.

»Was – dass ich vollkommen erledigt bin?«

»Nein. Dass du dir dein Leben zurückholst. Und dass ich daran teilhaben kann.«

Sie zog die Brauen hoch und versuchte zu scherzen, obwohl ihr Puls zu jagen begonnen hatte. »Schlüsse sollte man nur auf der Basis von Fakten ziehen, Agent Papadopoulos.«

Er legte eine Fingerspitze zwischen ihre Brüste, und jede Muskelfaser in ihrem Körper fuhr zusammen. »Dein Herz rast. Entweder bekommst du gerade eine Herzattacke, wobei es in diesem Fall günstig ist, dass wir uns gerade in einem Krankenhaus befinden, oder du hast durchaus Interesse an mir.« Seine Augen funkelten. »Weil ich so einfühlsam bin.«

Sie konnte sich das Grinsen kaum verbeißen. »Und sündhaft sexy.«

Nun grinste auch er. »Ich wusste doch, dass du es irgendwann einmal sagen würdest. Das gehört zu meinem schurkischen Plan, dich um den Finger zu wickeln.« Sein Grinsen verblasste ein wenig. »Wie mache ich mich bisher?«

Ihr hämmernder Puls geriet ins Stolpern. »Sehr, sehr gut«, flüsterte sie.

Er drückte seine Lippen auf ihre Stirn. »Sehr schön. Lass uns nach Monica sehen.«


Monicas Mutter saß am Bett ihrer Tochter, als Luke und Susannah durch die Kontrolle gelassen wurden. Sie erhob sich und ging ihnen entgegen. »Wie kann ich Ihnen jemals danken?«

Susannah strich der Frau über den Arm. »Das müssen Sie nicht.«

»Sie weiß noch nichts über das Verschwinden ihres Vaters. Bitte sagen Sie es ihr nicht. Noch nicht jedenfalls.«

»Haben Sie schon etwas Neues gehört?«, murmelte Luke,

obwohl er genau wusste, dass es keine Neuigkeiten gab. Er stand in Kontakt mit Agent Harry Grimes, seit sie Genie Cassidy hatten retten können. Es gab keine Spur von Dr. Cassidy, und das war kein gutes Zeichen.

»Noch nicht«, gab Mrs. Cassidy zurück. »Was für ein Alptraum.«

»Ja, allerdings«, sagte Susannah. »Wie geht's Genie?«

»Schläft in Monis Zimmer. Ich werde die beiden nie wieder aus den Augen lassen.«

»Das kann ich mir vorstellen«, sagte Luke. »Oh, der Beatmungsschlauch ist entfernt worden. Sie sieht schon besser aus.«

»Es geht ihr auch schon besser. Als die Ärzte erfuhren, dass sie ruhiggestellt worden ist, hat man den Schlauch entfernt. Sie hatte ja die ganze Zeit eigenständig atmen können. Sie hat schon mehrmals nach Ihnen gefragt.«

Monica deutete auf ihre Schwester, die auf dem Stuhl schlief. »Danke«, flüsterte sie.

Susannah lächelte. »Du solltest noch nicht so viel sprechen. Der Schlauch ist ja gerade erst entfernt worden.«

»Aber ich muss mich selbst hören«, sagte sie heiser. »Ich dachte schon, das würde ich nie wieder können.«

»Das kann ich verstehen.« Susannah berührte die Wange des Mädchens. »Also – wie geht's dir wirklich?«

»Besser. Mir tut trotzdem noch alles weh.« Monica holte tief Luft. »Ich muss Ihnen etwas sagen. Sie haben nach Angel gefragt. Und nach Becky. Sie waren Cousinen. Und wurden gleichzeitig gebracht.«

Luke hockte sich ans Bett, um mit Monica auf Augenhöhe zu gehen. »Bist du sicher?«

»Ja. Ich habe mich mit Becky angefreundet. Der Arzt hat sie

432

umgebracht. Sie hat immer wieder versucht wegzulaufen. Wir haben miteinander gesprochen. Durch ein Loch unter der Mauer.«

Wie Beardsley und Bailey es getan hatten. »Wann hat er sie getötet?«

»Einen Tag bevor der Reverend kam. Der Arzt hat sie zusammengeschlagen. Immer wieder. Sie sollte als Exempel für uns alle dienen.«

»Wofür?«

»Der Arzt konnte ihren Willen nicht brechen. Er hat's mit allen Mitteln versucht.« Die Tränen begannen zu laufen. »Hat sie in sein Büro geschleppt, und sie musste sich dort hinknien. Stundenlang. Sie hatte eine Binde über den Augen und konnte nichts sehen. Und dann … dann hat er ihr … weh getan.« Sie sah zu Susannah auf. »Wie Simon Ihnen.«

Susannah wischte dem Mädchen mit zitternden Händen die Tränen ab. »Ich weiß.«

»Es ist vorbei«, sagte Mrs. Cassidy. »Du bist jetzt in Sicherheit.«

Monica schüttelte langsam den Kopf. »Es ist nie vorbei. In meinem Kopf sehe ich es wieder und wieder.« Sie wandte das Gesicht ab. »Als Becky tot war, war ich dran.«

»Es tut mir so leid, Monica«, murmelte Luke.

»Ist ja nicht Ihre Schuld.« Sie schien sich zu sammeln, dann wandte sie sich ihm langsam wieder zu. »Einmal fragte der Arzt jemanden um Rat. Wie man jemanden brechen könne. Er war so wütend, weil ich ihm nicht gehorchte.«

»War es Bobby?«, fragte Luke.

»Nein, ein Mann. Der Arzt nannte ihn ›Sir‹. Er sagte, er habe aufmüpfige Gefangene.« Sie runzelte die Stirn. »Dann fragte er, was der VC tun würde. Ich wusste nicht, was er meinte.«

Luke schon. VC. Vietcong. Was sie zu dem buddhistischen *thích* zurückbrachte. »Monica, was hat dieser andere Mann gesagt?«

»Er wurde wütend. Ohrfeigte den Arzt. Sagte, er solle das nie, nie wieder erwähnen. Dann sagte er, um mich zu brechen, müsste man mich zu einem Tier machen. Ich müsse vergessen, dass ich ein Mensch bin, aber das haben sie nicht geschafft.« In ihrer Stimme lag Stolz.

»Du bist stark«, sagte Luke. »Vergiss das nie.«

Sie nickte müde. »Sie haben gesagt, dass Sie Angel kannten.«

*Als wir dachten, dass sie bewusstlos ist und uns nicht hören konnte.* »Ja. Hat Becky dir erzählt, wie sie im Bunker gelandet sind?«

»Ihr Stiefvater hat sie und ihre Cousine an Mansfield verkauft. Sie waren zu alt für die Website. Dafür hatte er neue. Beckys Schwestern. Deshalb ist sie immer wieder geflohen. Sie wollte sie da rausholen.«

»Kennst du den Nachnamen? Beckys oder den ihres Stiefvaters?«

»Snyder. Beide. Wohnten in Atlanta.« Sie runzelte konzentriert die Stirn. »1425 Candera.«

Luke hielt den Atem an. »Wann hat sie dort gewohnt? Wie lange ist es ungefähr her?«

»Vielleicht ein halbes Jahr? Ich weiß es nicht.«

»Woher wusste ihr Stiefvater, dass Mansfield Mädchen kaufte?«, fragte Susannah.

»Truckerhuren.« Ihre Lunge begann zu rasseln, und Schwester Ella kam rasch herein.

»Sie müssen jetzt gehen. Die Patientin soll eigentlich noch gar nicht sprechen.«

»Moment«, sagte Monica. »Beckys Stiefvater traf Mansfield an einem Truckstop. Er hat ihm dort Becky, Angel und noch ein weiteres Mädchen verkauft. Ich glaube, das dritte war ein Nachbarskind. Ich weiß aber nicht genau.«

»Das reicht jetzt«, sagte Schwester Ella. »Sie muss sich ausruhen. Sie können später wiederkommen.«

»Das hast du gut gemacht, Kleines«, sagte Luke leise. »Ruh dich aus. Ich fahre zur Nummer 1425 der Candera Street und sehe mich nach Beckys Stiefvater um. Er ist ein heißer Anwärter auf die Hölle.«

Monica packte seine Hand. »Retten Sie Beckys Schwestern. Sie hat ihr Leben für sie gegeben.«

»Ich tue alles, was ich kann.«


*Atlanta,*
*Sonntag, 4. Februar, 12.15 Uhr*


Luke hatte vor einem Schießstand geparkt. Er machte keine Anstalten hineinzugehen, sondern saß schweigend hinterm Steuer und starrte durch die Windschutzscheibe. Susannah konnte seine Wut spüren, obwohl er äußerlich wie versteinert wirkte. Seit er mit leeren Händen aus der schäbigen Wohnung in der Candera Street gekommen war, kochte er. Becky Snyders Stiefvater wohnte dort nicht mehr. Niemand wusste, wohin sie gegangen waren. Zumindest war das die Geschichte, die die Nachbarn ihm erzählten.

»Warum parken wir vor einem Schießstand?«, fragte Susannah schließlich.

»Er gehört meinem Bruder. Hier … hier komme ich öfter her.«

»Wenn die Wut überhandnimmt und dich auffrisst, so dass du

435

an nichts anderes mehr denken kannst«, beendete sie, was er unausgesprochen gelassen hatte.

Er wandte sich ihr zu. Seine Augen waren schwärzer als die Nacht. »Als ich dich das erste Mal sah, wusste ich sofort, dass du verstehen würdest.«

»Ich kenne diese Wut.«

»Das wusste ich auch.«

»Luke, es war nicht deine Schuld.« Sie legte ihm die Hand auf den Arm, aber er riss ihn weg.

»Nicht jetzt«, knurrte er. »Ich würde dir nur weh tun.«

»Nein, das würdest du nicht. So ein Mensch bist du doch nicht.« Er sagte nichts darauf, und sie seufzte. »Geh und schieß auf irgendetwas oder fahr mich zu dir, damit ich schlafen kann.«

Er blickte weg. »Ich kann dich jetzt nicht nach Hause fahren. Noch nicht.«

»Warum nicht?«, fragte sie.

»Weil ich dich will«, sagte er heiser.

Ein Schauder rann ihr über das Rückgrat. »Ich kann nein sagen.«

Er wandte sich ihr wieder zu, und ihre Brust verengte sich, und das Atmen fiel ihr plötzlich schwer. »Aber das würdest du nicht tun«, sagte er, »weil ich im Moment genau das bin, was du willst. Ich bin gefährlich, ein Risiko, und wahrscheinlich kann ich mich nicht beherrschen. Und dadurch hast du die Kontrolle. So hast du jedes Mal die Kontrolle gehabt, wenn du einen fremden Kerl mit auf ein schäbiges Hotelzimmer genommen hast.«

Sie maß ihn mit einem Blick, zwang jedoch ihren eigenen Zorn nieder. »Na und?«

»Ich verurteile dich nicht, weil ich verstehe, wenn jemand die

Kontrolle über sein Leben behalten will. Ich möchte bloß nicht auf diese Art mit dir zusammen sein. Wenn du mit mir ins Bett gehst, dann weil du mit *mir* schlafen willst und nicht mit der Person, die ich jetzt gerade bin.«

»Yin und Yang«, sagte sie, »Licht und Dunkelheit. Luke, du bist beides. Und falls ich mit dir ins Bett gehen sollte, dann nur, weil ich dich will. Alles von dir. Nicht nur den netten, zärtlichen Kerl.« Sie stieg aus dem Wagen. »Komm. Gehen wir ein bisschen ballern.«

An der Tür begegnete ihr eine jüngere Version von Luke. »Sie sind Lukes Bruder, stimmt's? Ich bin Susannah.«

»Ich weiß. Leo. Komm rein.« Leo sah zu Luke hinüber, der noch im Wagen saß. »Brütet er wieder?«

»Er hat ein paar harte Tage hinter sich.« Susannah deutete auf den Waffenschrank. »Darf ich?«


»Hast du schon mal geschossen?«

»Ja. Ich hätte gerne die da.« Sie zeigte an der Glasscheibe auf eine Neunmillimeter-Halbautomatik, die, wie sie aus Erfahrung wusste, in ihrer kleinen Hand am besten lag.

»Gute Wahl. Dann los.«

Als sie das erste Magazin verpulvert hatte, sah Leo sie beeindruckt an. Der Kopf des Pappkameraden sah aus wie ein Sieb. »Noch mal?«

»Klar.« Er sah zu, wie sie nachlud. »Wo hast du schießen gelernt?«

»Ein Polizist, der mir einen Gefallen schuldete, hat es mir beigebracht. Ich finde es verstörend entspannend.«

»Ja, ich auch«, sagte er. »Trägst du eine Waffe bei dir?«

»In New York tue ich es. Ich hatte vor ungefähr einem Jahr eine unangenehme Begegnung mit einer Kugel. Danach habe ich die Erlaubnis beantragt, habe die Waffe aber nicht mitgebracht. Dumm von mir.«

»Hm. Was ist mit Luke passiert?«

»Er ist einem Hinweis nachgegangen und hoffte, ein paar Kinder ausfindig machen zu können, die online zum Missbrauch angeboten wurden. Er hat die Wohnung gefunden, aber sie waren schon weg.«

»Das scheint in letzter Zeit sein Schicksal zu sein«, bemerkte Leo traurig.

Sie nickte. »Er gibt ständig sich selbst die Schuld und treibt sich weiter an. Irgendwann wird er zusammenbrechen.«

»Das tut er immer wieder. Er bricht zusammen, kommt her, um Dampf abzulassen, und geht dann nach Hause, um sich zu stärken.« Er lächelte. »Aber dazu ist eine Familie ja da.«

Sie versuchte gar nicht erst, die Sehnsucht zu unterdrücken. »Ihr habt es gut.«

»Ja, ich weiß«, antwortete er, dann deutete er auf das Ziel. »Von mir aus kannst du noch eine Runde schießen. Geht aufs Haus.«

Das erste Mal war nur eine Übung gewesen. Dieses Mal konzentrierte sich Susannah auf die Pressekonferenz, die in ein paar Stunden stattfinden würde, und die Zielscheibe wurde zu etwas Persönlichem.

»Du zielst gut«, sagte Leo mit einer Grimasse, als sie fertig war.

Der Umriss der menschlichen Gestalt hatte anstelle der Lendengegend ein großes Loch. »Ich habe an Garth Davis gedacht«, sagte sie.

Luke hatte sich inzwischen zu ihnen gesellt. »Dann hat es sich ja gelohnt«, sagte er.

Leo warf Luke die Schlüssel zu. »Schließ ab, wenn du fertig

438

bist. Ich habe Mama versprochen, dass ich vor dem Essen die Waschmaschine repariere. Susannah, du bist übrigens auch eingeladen.«

»Heute nicht«, sagte Luke. »Sie muss schlafen.«

Susannah konnte den Schmerz in seinen Augen sehen. Er brauchte dringend Familienstärkung. »Ich habe schon mit weniger Schlaf wichtige Prozesse durchgestanden. Sag deiner Mama, dass wir kommen«, sagte sie zu Leo. »Und vielen Dank.«

Leo winkte und verließ den Schießstand, während sich Luke außerhalb von Susannahs Reichweite gegen die Wand lehnte. »Chase hat angerufen, als ich noch im Wagen war. Pete hat Bobbys Jungen bei Rob Davis aufgestöbert. Kate hat sie vor ein paar Tagen dort abgesetzt und Rob gebeten, nichts zu sagen. Den Kindern geht es gut.«

Sie seufzte erleichtert. »Das ist doch mal eine gute Nachricht. Das hatten wir wahrhaftig nötig.«

»Ja. Komm, jetzt. Ich bringe dich nach Hause, damit du endlich schlafen kannst.«

»Nein, lass uns zu deiner Mutter fahren.« Sie näherte sich ihm vorsichtig. »Und? Darf man dich jetzt wieder anfassen?«

Verlegen wandte er den Blick ab. »Ja.«

»Oh, hör schon auf, Luke. Okay, du hast ein aufbrausendes Temperament, aber viele Menschen haben das. Na und? Du kannst dich beherrschen.«

Seine Augen blitzten auf. »Ja? Und was, wenn ich das irgendwann nicht mehr kann? Wenn mein Zorn überkocht und ich jemandem etwas antue?« Wieder sah er zur Seite. »Dir zum Beispiel?«

»Machst du dir bei jeder Frau so viele Gedanken?«

»Nein. Bisher war ich mit keiner lang genug zusammen.«

»Dann hast du im Grunde genommen auch noch keine richtige Beziehung gehabt. Außer mit den Frauen, die du mit ins Bett genommen hast, damit du um drei Uhr nachts nicht allein bist.«

Er verzog angewidert das Gesicht. »So ungefähr.«

Sie legte ihm einen Finger ans Kinn, bis er sie ansah. »Willst du mich verscheuchen, Luke?«

»Vielleicht. Nein. O Mann.« Er seufzte. »Du bist nicht der einzige Mensch, der unsicher ist.«

Das hatte sie auch allmählich begriffen. »Was machen wir also?«, flüsterte sie.

Er zog sie sanft an sich. »Jetzt? Jetzt gehen wir zu Mama. Ich glaube, es gibt Lamm.«

*Dutton,*
*Freitag, 4. Februar, 12.30 Uhr*

»Verdammt. Das tut weh«, presste Paul zähneknirschend hervor.

»Sei kein solches Weichei«, gab Charles zurück. »Ich habe dich ja kaum angefasst.«

»Ich bin seit zwanzig Jahren Cop und habe mir bei der Arbeit gerade mal hier und da einen Nagel eingerissen.«

»Es ist nur eine Fleischwunde«, sagte Charles, obwohl die Verletzung schwerwiegender war. »Ich habe schon weitaus Schlimmeres gesehen.« *Bei mir selbst.* Er hatte auf die harte Tour lernen müssen, wie man Wunden versorgte.

»Wie man an deinen Narben sieht. Ich weiß, ich weiß.«

Charles hob die Brauen. »Wie beliebt?«

Paul senkte den Blick. »Nichts. Tut mir leid.«

»Ah, dachte ich's mir doch«, gab Charles zurück. »Wir werden das schon wieder zusammennähen.«

»Das wäre nicht passiert, wenn du dein Schoßhündchen im Griff hättest«, murrte Paul und fuhr zusammen, als Charles ihn mit der Nadel stach. »Entschuldigung.«

Charles stach wieder zu. »Sir«, fügte Paul hinzu.

»Na also. Du musst nicht eifersüchtig sein, Paul. Bobby ist entbehrlich, du bist es nicht.« Es klingelte an der Tür, und er blickte finster auf. »Wenn das schon wieder ein Reporter ist ... Lass dich nicht blicken.«

Es war tatsächlich eine Reporterin, aber eine aus dem Ort. »Marianne Woolf. Was kann ich für dich tun, meine Liebe?«

Marianne hob den Blick, und Charles blinzelte. »Rein hier, sofort.« Er drückte die Tür zu und packte Bobby am Kinn. »Was soll das?«

»Ich wollte sehen, ob diese Verkleidung funktioniert, und das tut sie offensichtlich. Also kann ich ganz gemütlich heute Nachmittag zur Pressekonferenz marschieren.«

Charles trat einen Schritt zurück und musterte sie abschätzend. »Wo hast du die Perücke her?«

»Von Mariannes Kopf. Ihr Haar ist nicht echt, aber das weiß niemand außer Angie Delacroix und mir.«

»Aber die vielen Friseurtermine«, sagte er. »Sie geht doch jeden Donnerstag hin.«

»Eitelkeit. Sie ist nahezu kahl. Dafür sind ihre Titten echt.« Bobby tätschelte ihre Brüste. »Silikoneinlagen. Die Männer werden hauptsächlich darauf starren und sich keine Mühe geben, mir ins Gesicht zu schauen.«

»Wo ist Marianne jetzt?«

»Im Kofferraum ihres Wagens. Bewusstlos. Ich brauchte ihren Presseausweis.«

»Und wer hat dich geschminkt?«

»Ich selbst. Gehört zum Fachwissen einer hochbezahlten Prostituierten. Ich habe seit gestern Abend nichts gegessen und Hunger wie ein …« Sie schob sich an ihm vorbei und kam abrupt zum Stehen, als sie Paul in der Küche entdeckte. »Was soll das? Das … das verstehe ich nicht.«

»Was – dass wir uns kennen?«, sagte Paul gereizt. »Oder dass ich angeschossen wurde, weil ich die Drecksarbeit für dich erledigt habe?«

Bobby erholte sich schnell. »Ist Kira Laneer tot?«

»Na sicher. Ich habe ihr den Schädel weggepustet.«

»Dann kannst du mit deiner Bezahlung auch genügend Pflaster kaufen.« Sie wandte sich an Charles. »Warum ist er hier?«

»Weil er mir gehört.«

Sie schüttelte den Kopf. »Nein. Paul arbeitet für mich.«

»Du bezahlst ihn«, sagte Charles, »aber er gehörte immer mir. Niemals dir.«

Bobbys Augen blitzten auf. »Ich habe ihn gefunden. Geformt.«

»Er hat dich gefunden, weil ich es so wollte. Er hat nie dir gehört, genauso wenig wie Rocky. Du hattest niemanden, bis auf Tanner, und den hast du umgebracht.«

Bobby trat einen Schritt zurück, während ihr das Blut in die Wangen schoss. »Ich bin gekommen, um mich zu verabschieden. Doch jetzt sage ich, was ich schon immer sagen wollte. Ich hasse dich, alter Mann. Dich und deinen Kontrollwahn, deine Spielchen. Ich hasse dich.«

Paul sprang auf die Füße, aber Charles hob abwehrend eine Hand. »Lass sie. Sie hat in jeder Hinsicht versagt. Sie hat sogar ihr Geburtsrecht verloren, nun, da jeder weiß, wer sie ist. Du wirst das Haus auf dem Hügel niemals bekommen. Das Haus, dein Familienname – alles gehört Susannah.« Er begegnete Bobbys Blick. »Du hast nichts mehr. Nicht einmal deinen Stolz.«

»Und ob ich den habe, alter Mann. Ich hoffe, du erstickst an deinem.«

Die Tür fiel hinter ihr so heftig ins Schloss, dass die Glasscheibe darin klirrte.

»Das lief ja ganz toll«, bemerkte Paul trocken.

»Das tat es tatsächlich. Sie wird heute zu dieser Pressekonferenz gehen.«

»Aber da wimmelt es doch von Sicherheitsleuten. Wenn sie mit einer Pistole auftaucht, dann erwischen sie sie.«

»Das erhöht den Kitzel, mein Junge. Sie schafft das schon.«

»Aber sie dreht langsam durch. Willst du wirklich, dass sie mit einer geladenen Waffe einen überfüllten Raum betritt?«

Charles lächelte. »Ja.«

»Das wird sie niemals lebend überstehen.«

Charles' Lächeln wurde noch breiter. »Ich weiß.«

# 20. Kapitel

Kontrolliertes Chaos, dachte Susannah. Überall saß oder stand jemand.

Die Frauen hatten sich in der Küche versammelt, die Männer im Wohnzimmer. Zuerst waren alle neugierig gewesen, als Luke sie vorgestellt hatte, und jemand hatte sich sogar erbarmt, die Lautstärke des Fernsehers leiser zu stellen.

Aber dann hatte ihr Mama den Arm um die Schulter gelegt und sie zusammen mit dem »Rest der Mädels« in die Küche geführt, woraufhin man im Wohnzimmer den Fernseher wieder lauter drehte.

»Pop hört nicht mehr so gut«, vertraute Lukes Schwester Demi ihr an, während sie Gemüse schnitt. Als Älteste war sie die stellvertretende Befehlshaberin nach Mama Papa, die das Unternehmen Küche leitete.

Mama zuckte mit den Schultern. »Papa glaubt nicht dran, also ist es auch nicht so.«

Susannah musste lächeln. »Die Schönheit der Verleugnung. Sie hat ihre Vorteile. Sind Sie sicher, dass ich nichts tun kann?«

»Ja«, antwortete Demi. »Wir haben ein System.« Ihre zwei Jüngsten kamen in die Küche, Darlin' die Bulldogge in ihrem Schlepptau. »Hört auf, den Hund zu ärgern«, schimpfte Demi.

»Luke ist bestimmt froh, dass das Tier nicht dauernd an seinen Fersen klebt«, bemerkte Susannah.

»Ach, Luke tut immer, als sei er ein knallharter Kerl«, sagte Mitra, die am Herd stand und sich nun umwandte. »Dabei ist er ein echter Softie.«

»Ich weiß«, sagte Susannah, und Demi blickte auf. »Tatsächlich?«, fragte sie, dann gab sie einem anderen Kind, das ungefähr zwölf Jahre alt war, einen Klaps auf die Finger. »Wage es nicht, mit deinen schmutzigen Händen etwas anzufassen, junger Mann. Los, geh sie waschen. Jetzt!« Wieder sah sie Susannah nachdenklich an. »Mögen Sie Kinder?«

»Ich weiß nicht recht. Ich habe bisher nicht gerade viel mit Kindern zu tun gehabt.«

Mitra lachte. »Meine Schwester will eigentlich nur wissen, ob Sie irgendwann einmal Kinder haben wollen, Susannah.«

Nun blickten alle Frauen sie an. »Darüber habe ich mir eigentlich noch keine Gedanken gemacht.«

»Nun, Sie werden nicht jünger«, sagte Demi, und Susannah lachte verblüfft.

»Oh, danke.«

Demi grinste. »Gern geschehen. Ich gebe einfach zu gern Ratschläge.«

Mama schaute von dem Lammbraten auf. »Lass sie in Frieden, Demitra. Sie ist doch noch jung.«

Susannah sah von der einen Schwester zur anderen. »Sie heißen Demitra?«, fragte sie Demi.

»Ja. Und sie auch.« Demi zeigte auf Mitra. »In griechischen Familien ist es Tradition, dass das älteste Kind nach dem Vater oder der Mutter des Vaters genannt wird. Die Mutter unseres Vaters hieß Demitra. Das zweite Kind wiederum wird nach den Eltern der Mutter benannt.«

»Und Mamas Mutter hieß eben auch Demitra«, fügte Mitra hinzu.

»Und dann kann es sein, dass man in der eigenen Familie zwei Kinder mit demselben Namen hat?«

Mitra zuckte mit den Schultern. »Es kommt sogar häufiger vor, als Sie vielleicht denken. Ich kenne eine Familie, in der drei Söhne Peter heißen. Die griechischen Namen unterschieden sich zwar, die Übersetzung lautet aber immer Peter.«

Demi nickte. »Wie heißen Ihre Eltern, Susannah?«

»Demi«, zischte Mitra und machte ein böses Gesicht.

»Was?« Demi errötete. »Oh, tut mir leid. Ich habe nicht nachgedacht. Ihre Eltern sind ja … Sie hatten kein besonders gutes Verhältnis zu Ihren Eltern.«

Demi war offenbar Meisterin der Untertreibung, aber sie sah zerknirscht aus, weswegen Susannah ihr ein Lächeln schenkte. »Schon okay. Ich glaube, ich würde meine Kinder nicht nach ihnen benennen.«

»Also wollen Sie Kinder.« Zufrieden widmete sich Demi wieder ihrem Gemüse.

Susannah wollte protestieren, sah aber Mitras Grinsen und schloss den Mund wieder.

»Wie tragen sich die Kleider, die ich gekauft habe, Susannah?«, wechselte Mitra geschickt das Thema. »Stacie war übrigens ganz aufgeregt, weil Sie ihr das erste Set geschenkt haben.«

»Das freut mich. Die neuen Sachen sind ganz wunderbar, vielen Dank. Aber ich fürchte, ich brauche schon wieder neue.«

Mitra riss die Augen auf. »Wie bitte? Ich habe doch fünf komplette Outfits gekauft.«

Susannah verzog das Gesicht. »Leider sind sie ständig blutbefleckt.«

»Oh, ach so.« Mitra zuckte wieder mit den Schultern. »Na ja, Johnny kann sie reinigen.«

»Johnny kann alles reinigen«, sagte Demi. »Absolut alles.«

Das Gespräch wandte sich nun Flecken aller Art zu, dann Johnny und anderen Vettern und schließlich weiteren Familienmitgliedern, bis Susannah es aufgab, sich alle Namen und Verwandtschaftsbeziehungen zu merken. Stattdessen genoss sie es einfach, in einer warmen Küche zu stehen und sich mit anderen zu unterhalten, anstatt im Restaurant dem Gespräch anderer Gäste zu lauschen, während sie allein aß.

Beim Essen war es ähnlich. Susannah, die zwischen Luke und Leo plaziert worden war, sah zu, wie liebevoll der Familienvater mit seiner Frau umging. Und es gab so viel Gelächter, dass sie gern etwas davon mitgenommen hätte.

»Was heißt Lukamou?«, flüsterte sie Leo zu. Mama hatte Luke mehrmals so genannt, und jedes Mal war seine Miene augenblicklich sanfter und freundlicher geworden. Und plötzlich begriff Susannah, dass sie miterlebte, wie er vor ihren Augen wieder gestärkt wurde.

»Es ist ein Kosename«, flüsterte Leo zurück. »Als würde dich jemand Suzy Q nennen.«

»Das wagt niemand«, sagte sie finster, und Leo lachte leise.

»Luke ist allerdings auch nur eine Abkürzung oder ein Spitzname. Sein richtiger Name ist Loukaniko.«

»Loukaniko«, murmelte sie. »Das merke ich mir.«

Zu bald schon war das Essen vorbei. Susannah konnte kaum glauben, dass ein derart chaotisches, lärmreiches Ereignis jeden Sonntagnachmittag stattfand. *Kein Wunder, dass Daniel so gerne hier ist.*

»Komm doch nächste Woche wieder«, sagte Demi mit Nachdruck. »Selbst wenn Luke arbeiten muss.«

»Vielen Dank. Das täte ich sehr gern.«

Wie eine Herde bewegte sich die gesamte Familie in Richtung Tür. Leo wartete bereits mit ihrem Mantel und ihrer Tasche auf sie. Er half Susannah in den Mantel und drückte ihr dann ihre Tasche in die Hand. Überrascht fuhr ihr Blick zu ihm auf. Die Tasche war mindestens dreimal schwerer als sonst. Sofort begriff sie, wieso dem so war. »Leo.«

Er zog sie in die Arme und drückte sie fest an sich. »Du sollst dich sicher fühlen«, flüsterte er. Dann ließ er sie los, und seine Augen waren ebenso tiefschwarz und eindringlich wie Lukes. »Komm bald wieder.«

Ihr wurde die Kehle eng. »Mach ich. Danke.«

Mama zog sie ebenfalls in die Arme. »Worüber wir am Freitagabend gesprochen haben«, sagte sie. »Ihr Scheideweg. Wissen Sie schon, welche Abzweigung Sie nehmen?«

Susannah dachte an die bevorstehende Pressekonferenz. »Ich wusste auch da schon, welche Richtung ich einschlagen muss«, sagte sie. »Ich mochte sie bloß nicht.«

»Dann wird es die richtige sein«, sagte Mama trocken. »Wie Leo schon sagte, kommen Sie bald wieder. Luka, dieser Hund bleibt nicht in meinem Haus.«

Luke stieß einen abgrundtiefen Seufzer aus. »Also gut. Komm, Hund.«

»Ruf sie lieber Darlin'«, neckte Susannah ihn. Vor seiner Familie hatte er den Hund kein einziges Mal bei seinem Namen genannt.

Leo kicherte spöttisch. »Ja, bitte – Darlin'.«

Luke sah ihn finster an. »Schlimm genug, dass ich den blöden Hund mitnehmen muss«, brummelte er. Aber als er die Bulldogge auf den Rücksitz seines Wagens hob, strich er ihr fast zärtlich über den Kopf. »Braves Mädchen«, hörte Susannah ihn murmeln. »Brave Darlin'.«

Der Schutzpanzer um ihr Herz bekam einen Riss. *Ich will ihn. Ich will das hier. Sie sind glücklich. Das will ich auch sein.*

Er stieg in den Wagen und warf einen Blick zurück zum Haus seiner Eltern. »Chase sagte, ich soll nach Hause fahren und mich ausruhen, um meine Batterien wieder aufzuladen. Aber das habe ich gerade schon. Danke, dass du auf deinen Schlaf verzichtet hast. Das hier habe ich gebraucht.«

Sie nahm seine Hand und verschränkte ihre Finger mit seinen. »Ich auch.«

Er führte ihre Hand an die Lippen. »Bringen wir den Hund nach Hause. Dann habe ich noch ein Team-Meeting vor der Pressekonferenz. Bist du bereit?«

»Ja, ich bin bereit.« Und das war sie tatsächlich, wie sie feststellte. »Fahren wir.«

*Dutton,*
*Sonntag, 4. Februar, 15.15 Uhr*

Chase saß auf einer Bank im Außengelände und starrte mürrisch auf ein Entenpaar, das gierig Körner pickte. Luke sah in seiner Hand eine Tüte Popcorn, in der anderen eine angezündete Zigarette.

»Aber Sie rauchen doch gar nicht«, sagte Luke.

Chase betrachtete die Glut. »Seit zwölf Jahren und vier Monaten nicht mehr.«

»Was ist passiert?«, fragte Luke und wappnete sich gegen eine neue Welle schlechter Neuigkeiten.

Chase sah ohne ein Lächeln auf. »Bobby hat das Dutzend voll gemacht und noch ein Opfer draufgelegt.«

Dreizehn. Lukes Herz sank. »Monicas Dad?«

»Nein. Der wird noch immer vermisst. Genau wie Richter Borenson.«

»Die Davis-Jungs haben wir gefunden. Wer ist es also?«

»Jersey Jameson. Er hat die Mädchen vom Bunker zum Ridge-field House transportiert. Er hat versucht sauberzumachen, aber wir fanden ein Haar von Ashley Csorka sowie Erbroche-nes.«

»Sie sagte, ihr sei auf dem Boot schlecht geworden«, murmelte Luke. »Wer noch?«

»Kira Laneer.«

Luke ließ sich schwer auf die Bank fallen. »Garth Davis' Ge-liebte. Sie ist auch tot?«

»Theoretisch ja, praktisch nein.«

»Chase. Drücken Sie sich verständlich aus.«

Er seufzte tief. »Tut mir leid. Ich bin müde. Und jetzt weiß ich sicher, dass wir einen Maulwurf im Team haben. Ich habe Kira Laneer heute Morgen beim Meeting mit Absicht genannt. Sie hat keinesfalls angerufen, weil sie mit uns reden wollte.«

Luke runzelte die Stirn. »Sie haben einen von uns verdäch-tigt?«

»Ich habe *jemanden* verdächtigt. Ich hatte Ms. Laneer bereits in ein sicheres Haus bringen lassen, und das war eine ver-dammt gute Idee gewesen. Jemand hat vor ein paar Stunden durch ihr Fenster geschossen und eine Puppe mit einer Perü-cke getroffen, die auf dem Sofa saß und aus der Ferne als diese Frau durchgehen konnte. Als meine Agents den Schützen zu stellen versuchten, hat er auch auf sie geschossen.«

Luke schloss die Augen. »Und?«

»Ein Agent ist stabil, der andere noch in Gefahr. Der Schütze ist flüchtig. Einer der Agents hat ihn aber wahrscheinlich am Arm getroffen, wenn es ihn auch nicht gebremst hat.«

»Herr im Himmel!«

»Ja. Wir waren schlau genug, das Beet unter dem Fenster an-

ständig zu wässern, so dass wir jetzt einen recht guten Schuhabdruck haben. Männerschuh, Größe vierzehn.«

Luke schüttelte den Kopf. »Viel zu groß für Bobby. Der ist ja
sogar zu groß für mich.«

»Bobby hat Frauengröße zehn. In diesen Schuhen hätte sie
nicht wegrennen können. Im Übrigen war der Schuhabdruck
sehr gleichmäßig eingesunken, so dass man davon ausgehen
muss, dass der richtige Fuß drinsteckte. Wir haben Bilder des
Schützen, aber er hat eine Maske getragen.«

»Gott ... jeder, den wir im Team-Meeting erwähnen, wird nie-
dergeballert.«

»So sieht es aus.«

»Ich kann es mir von keinem von uns vorstellen. Nicht einmal
von Germanio.«

»Hank war nicht dabei, als wir über Jennifer Ohman, die
Krankenschwester, sprachen. Ich habe bereits meine Vorge-
setzten informiert. Außerdem ist das OPS eingeschaltet worden.«

Luke zog innerlich den Kopf ein. Das Office of Professional
Standards war ein notwendiges Übel, aber jeder Cop, ob mo-
ralisch unbelastet oder nicht, hasste die Leute instinktiv. »Und
was haben sie vor?«

»Ermitteln natürlich. Wir machen weiter wie bisher, aber Handys und Festnetze werden überwacht.«

»Und warum erzählen Sie mir das? Heißt das, ich bin über jeden Verdacht erhaben?« Luke versuchte, sich den Ärger nicht
anmerken zu lassen, aber verdammt – er hasste das OPS.

»Jeder aus meiner Truppe sollte über den Verdacht erhaben
sein«, fauchte Chase. Er nahm einen Zug von der Zigarette
und begann sofort zu husten. »Verdammt. Nicht mal richtig
rauchen kann ich noch.«

»Wann haben Sie das letzte Mal geschlafen, Chase?«

»Keine Ahnung. Aber ich … ich kann nicht schlafen, wenn ich weiß, dass wir einen Verräter in unseren Reihen haben.«

»Und was soll ich jetzt tun?«, fragte Luke etwas freundlicher.

»Sie müssen die Augen offen halten. Das ist einer der Gründe, warum ich Sie nach Hause geschickt habe. Als Bobby die Schwester getötet hat, hätte sie leicht Susannah erschießen können. Ich frage mich, warum sie es nicht getan hat.«

»Bin ich der Einzige, der es weiß?«

»Ja. Und wenn ich jetzt auf mysteriöse Art umkomme, dann wird Ihnen das OPS auf die Pelle rücken und sich wie eine Klette an Sie heften.«

»Danke«, sagte Luke trocken. »Ich gebe mir Mühe, Sie am Leben zu halten.«

Chase kippte das Popcorn auf den Boden. »Gebt alles«, brummte er den Enten zu.

»Wir schaffen das schon«, sagte Luke.

»Ja, vielleicht. Aber habe ich dann auch noch Leute übrig?«

*Atlanta,*
*Sonntag, 4. Februar, 15.55 Uhr*

Von ihrem sorgfältig ausgewählten Platz im Saal, in dem sich schon eine Menge Reporter drängten, zählte Bobby sechs Personen auf der Bühne. Fünf Frauen, die Garth vergewaltigt hatte, plus die liebe Susannah, die sich ganz links an den Tisch gesetzt hatte. Das Schicksal meinte es gut mit Bobby.

Mit den sechs Frauen allerdings nicht. Sie blickten ernst, einige waren sichtlich nervös. Gretchen French trug ihren Arm in einer Schlinge, was Bobby mit Befriedigung zur Kenntnis nahm. Dass Susannah allerdings so gelassen wirkte, machte Bobby rasend. Sie musste eine wahre Make-up-Künstlerin sein, denn man sah nicht einmal dunkle Ringe unter ihren Augen, und Bobby wusste sehr gut, dass diese Frau seit Tagen nicht mehr richtig geschlafen hatte.

Nun, es spielte eigentlich keine Rolle. Bald würde eine Kugel in ihrem Herzen stecken und sie töten. Bobbys Neunmillimeter würde schon dafür sorgen.

Sie war mit einem Lächeln durch den Metalldetektor gekommen. Ihre Beglaubigungen und die Presseausweise hingen ihr um den Hals, und selbst auf genauere Prüfung hin ging sie mit Make-up, Perücke und ausgestopftem BH als Marianne Woolf durch. Dennoch brannte ihr der Magen, wenn sie an Charles dachte. *Verdammter alter Mann.* Aber was kümmerte sie Charles' Meinung?

Nun, es hatte sie ein halbes Leben lang gekümmert, und so eine Gewohnheit schüttelte man nicht einfach ab. Noch immer wollte sie sich ihm beweisen. Sie hatte ihren Stolz. Und sie hatte Talent. Bald würde Charles dies erkennen, genau wie jeder andere auch, der bei der Pressekonferenz zusah oder nachher den Sender CNN einschalten würde.

Bobby widerstand der Versuchung, die Waffe in ihrer Tasche zu berühren. Sie war geladen. Sie hatte sie in der Damentoilette überprüft, nachdem man sie ihr, in eine Jacke gewickelt und in einen Rucksack gestopft, von hinten gereicht hatte. Ihr Kontakt hatte gute Arbeit geleistet. *Siehst du, ich habe doch etwas erreicht, alter Mann.* Sie hatte einen Maulwurf beim GBI.

*Den Paul dir verschafft hat. Und Charles hat dir Paul verschafft.* Dieser Gedanke hinterließ einen bitteren Nachgeschmack. Wenn sie zurückdachte, erkannte sie, wie sie manipuliert worden war. Dass sie Paul kennengelernt hatte, als sie gerade dringend jemanden beim Atlanta Police Department gebraucht hatte, war ihr damals wie eine gute Fügung des Schicksals erschienen. Nun wusste sie, dass sie auch nur eine von diesen Schachfiguren war, die Charles in seinem Elfenbeinkästchen mit sich herumschleppte.

Doch in diesem Augenblick musste sie sich konzentrieren. Die nächste Stunde war sie Marianne Woolf, Reporterin. Marianne brauchte ihre Identität erst zurück, wenn sie wieder erwachte. Denn tot war sie nicht. Bobby mordete nicht, wenn es nicht nötig war, was immer Paul auch denken mochte.

Paul. Dieser Dreckskerl.

*Denk nicht an Paul, oder du bist nicht konzentriert genug. Denk an …* Sie überlegte hastig. Marianne. Bobby hatte Marianne immer gemocht. Sie war eine der wenigen an dieser angestaubten Privatschule voller arroganter Schnösel gewesen, die sich herabgelassen hatte, mit ihr zu reden. Die reichen Zicken hatten Marianne verspottet und behauptet, sie würde es vermutlich mit allen treiben. Marianne hatte damals eine Freundin gebraucht.

Und ihre Freundschaft hatte die Jahre überdauert. Als Garth zum Bürgermeister gewählt worden war, waren einige der reichen Zicken etwas freundlicher geworden. Bobby war zu ihren Wohltätigkeitsveranstaltungen gegangen und hatte gelächelt, während sie sich insgeheim an dem Wissen geweidet hatte, dass sie eine Mörderin und eine Hure an ihren mit Spitzendeckchen geschmückten Teetafeln willkommen hießen.

Nur der Nachmittag, an dem sie bei den Vartanians zum Tee eingeladen gewesen war, hatte sie wirklich Nerven gekostet. Inmitten der stillen Eleganz alten Geldes zu sitzen, ohne »meins« zu schreien und Carol Vartanian an die Gurgel zu

454

gehen, hatte sie wirklich jeden Fetzen Selbstbeherrschung gekostet. Und sie hatte es nur geschafft, weil sie sich vorher mit Charles getroffen hatte. Er hatte sie beruhigt und ihr versichert, dass ihre Zeit kommen würde. Dass sie eines Tages in diesem Haus sitzen und aus dem silbernen Teeservice ihrer Urgroßmutter trinken würde.

Das allerdings war nun nicht mehr wahrscheinlich. Nun, da die Polizei wusste, wer sie war. Da Susannah Vartanian alles ruiniert hatte, als sie dieses verdammte Mädchen im Wald gefunden hatte. Nun musste sie Dutton und Georgia verlassen. Musste dieses verdammte Land verlassen.

Und sogar Charles hatte sie im Stich gelassen.

*Denk nicht an Charles. Schüre deinen Hass. Denk an die Vartanians.* Sie hatte sich so sehr gewünscht, Carol Vartanian das Genick zu brechen! Die Frau des Richters war der Grund gewesen, warum die Styvesons aus Dutton hatten wegziehen und die gutbezahlte Stelle aufgeben müssen. Carol hatte dafür gesorgt, dass Styveson nur noch in kleinen Gemeinden in entlegenen Käffern predigen durfte. Carol hatte ihr Leben zerstört. Es war ihre Mutter gewesen, die ihr das erzählt hatte.

Susannah Vartanian hatte ihr Leben gelebt. Dort oben in dem großen Haus auf dem Hügel, inmitten der teuren Möbel. Mit den teuren Kleidern, den Perlen, die seit sechs Generationen an die Töchter weitervererbt wurden. Doch Susannah Vartanian würde heute alles verlieren. Erst ihre Würde. Dann ihr Leben.

Mühsam widerstand Bobby dem Drang, Mariannes Pressekarten an ihrem Hals zu befingern. Marianne hatte heute Morgen sehr rasch auf ihre Bitte um Hilfe reagiert, wie Bobby es sich gedacht hatte. Garth war verhaftet worden, man hatte die Konten eingefroren, *und was wird jetzt bloß aus mir?* Marianne hatte den Köder gleich mit Haken und Schwimmer geschluckt. Und die Aussicht auf ein Exklusivinterview hatte ihre selbstlose Hilfsbereitschaft sicher nicht geschmälert.

GBI-Agent Talia Scott ging am Tisch auf der Bühne entlang und reichte jeder Frau, die dort saß, die Hand. Sie blieb bei Susannah stehen und sprach mit ihr, und Susannah nickte resolut. Scott trat zur Seite, und Gretchen French zog ihr Mikrofon näher heran.

Gretchen räusperte sich. »Guten Tag. Vielen Dank, dass Sie alle gekommen sind.« Die Gespräche erstarben rasch, und alle Blicke richteten sich auf die Bühne. »Wir sind sechs von sechzehn Frauen, die von einer Gruppe Männer vergewaltigt wurden. Die Medien haben diese Gruppe ›Richie Rich Rapists‹ getauft, aber bitte nehmen Sie zur Kenntnis, dass dieser Fall für uns sechs, die wir hier oben sitzen, nichts Komisches hat. Oder für die sieben Frauen, die ihre Gründe hatten, hier heute nicht zu erscheinen. Oder auch für die drei, die heute nicht mehr leben. Es war und ist nicht lustig. Es hat nichts von einer Kinokomödie. Es ist uns geschehen und war nur allzu real.«

Einige Reporter sahen tatsächlich betreten zur Seite. *Schau an, Gretchen ist gut,* dachte Bobby.

»Wir waren sechzehn«, fuhr Gretchen fort, »und wir wurden von Jungen vergewaltigt, die kaum älter waren als wir. Sie nutzten unsere Angst und unsere Scham, um dafür zu sorgen, dass wir schwiegen. Keine von uns wusste, dass es andere gab. Hätten wir das gewusst, hätten wir damals schon geredet. Jetzt aber tun wir es. Wir hören uns Ihre Fragen an, werden uns allerdings die Freiheit nehmen, nicht jede zu beantworten.«

Und zu einer solchen Situation würde es bald schon kommen. Ein anonymer Anruf hatte dafür gesorgt, dass ein Reporter vom *Journal*, der bekannt dafür war, dass er gern die Grenzen des guten Geschmacks überschritt, mit den notwendigen Hintergrundinformationen versorgt war. Seine Fragen würden genau den Aufruhr erzeugen, den Bobby zu ihrem Vorteil nutzen konnte. Unauffällig schob sie sich durch die Menge zu einer Stelle, von der aus sie ungehindert schießen konnte. Sie plante drei Treffer. Der erste würde Gretchen French den Garaus machen und ein Chaos auslösen. Der zweite würde die liebe kleine Susannah erledigen. *Und die dritte Kugel schenke ich dem armen Kerl, der gerade neben mir steht.* Die Panik würde eine regelrechte Stampede erzeugen, in der Bobby problemlos untertauchen konnte. Diese Strategie hatte schon einmal funktioniert, und Bobby glaubte fest daran, dass man bewährte Strategien nicht ändern sollte.

Sie warf einen Blick über die Menge. Der Reporter, den sie angerufen hatte, saß in der dritten Reihe. In seinen Augen lag ein gieriger Glanz, als wartete er nur auf den richtigen Augenblick, um endlich zuschlagen zu können.

*Und das tue ich auch.*


Susannah war ruhig. Erstaunlich ruhig. Sie blickte in das Meer von Gesichtern und wusste, dass sie die richtige Entscheidung getroffen hatte. Sie wusste auch, dass das Getuschel begonnen hatte, sobald sie auf der Bühne erschienen war. Die Presse hatte gewusst, dass sich die Opfer öffentlich äußern würden. Aber niemand hatte gewusst, dass sie zu den Opfern gehörte. Nun, jetzt wussten es alle. Man hatte sie augenblicklich erkannt, und die prompte Folge war ein Summen von menschlichen Stimmen und Kleinelektronik gewesen, als BlackBerrys und Handys gezückt wurden, um dieses saftige Stück Klatsch sofort an die Redaktionen weiterzugeben.

Natürlich war auch Marianne Woolf in Vertretung ihres Mannes, des Inhabers der *Dutton Review,* gekommen. Die Fotos von Kates Tod auf Sheila Cunninghams Beerdigung hatten heute auf der Titelseite geprangt. Susannah nahm an, dass ihr Bild morgen ebenfalls unter den Titelfotos zu finden sein würde.

Auch Luke war da. Er stand weit hinten im Raum und sah sich wachsam um. Sie und die fünf anderen Opfer waren durch eine Hintertür hineingebracht worden, um dem Gedränge zu entgehen, aber alle anderen Personen im Raum hatten durch eine Sicherheitsschleuse gehen müssen. Das GBI ging kein Risiko ein. Dennoch würde sich Luke, wie sie wusste, jede Person und ihr Verhalten genau ansehen. Es war tröstend zu wissen, dass er auf sie aufpasste.

Talia war an den Tisch gekommen und hatte jeder Frau ein paar aufmunternde Worte gesagt. Bei Susannah war sie stehen geblieben, um sie noch einmal zu fragen, ob sie sich ganz sicher sei. Ja, Susannah war sich ganz sicher.

Als Gretchen zu sprechen begann, wurde die Menge still. Gretchen hatte den anderen Frauen vorher ihre Aussage gezeigt, und ihre schlichten, aber eloquenten Worte hatten nicht nur einer von ihnen die Tränen in die Augen getrieben. Doch nun wirkten alle gefasst und ernst. Sie waren bereit.

Die erste Frage kam von einer Frau. »Wie haben Sie herausgefunden, dass es die anderen gab?«

Talia hatte Gretchen eine Antwort darauf vorbereitet. »Im Verlauf einer Ermittlung, die mehrere Mordfälle in einem anderen Bundesstaat betraf, wurden Fotos der Vergewaltigungen entdeckt. Aufgrund dieser Fotos hat das GBI in der darauffolgenden Woche unsere Identitäten festgestellt.«

Kameras blitzten, und Susannah hörte aus dem allgemeinen Geraune vereinzelte Worte wie »Simon Vartanian« und »Philadelphia«, ebenso wie ihren und Daniels Namen. Aber da sie im Haus Vartanian schon als Kind gelernt hatte, wie man leidenschaftslos wirkte und sich nichts anmerken ließ, hob sie nur das Kinn und blickte gelassen über die Menge, wobei sie sich bewusst war, dass nahezu jede Kamera nun auf sie gerichtet war.

Ein Mann stand auf und hob die Hand. »Wie hat sich dieses Verbrechen auf Ihr Leben ausgewirkt?«

Die Frauen sahen einander an, dann zog Carla Solomon, die auf der anderen Seite neben Gretchen saß, das Mikrofon zu sich heran. »Die Auswirkungen waren wohl für jede von uns anders, aber insgesamt kann man sagen, dass sie mit den üblichen Nachwirkungen übereinstimmen, unter denen Vergewaltigungsopfer leiden. Wir haben Schwierigkeiten, Beziehungen einzugehen und diese zu pflegen. Einige haben mit Tabletten- oder Alkoholsucht zu kämpfen. Ein weiteres Opfer hat Selbstmord begangen. Das Verbrechen war ein prägendes und vernichtendes Erlebnis in unserer Jugend, das dauerhafte Narben hinterlassen hat.«

Als Nächstes stand ein Mann in der dritten Reihe auf, und Susannah spürte ein Prickeln des Unbehagens. Er sah sie direkt an, und in seiner Miene lag eine ... eine Befriedigung, bei der sich ihr die Nackenhaare aufstellten.

»Troy Tomlinson für das *Journal*«, sagte er. »Die Frage geht an Susannah Vartanian.«

Das Mikrofon wurde ihr gereicht, und Susannah suchte aus dem Augenwinkel den Raum nach Luke ab. Er war nirgendwo zu sehen, und ihr Unbehagen wuchs.

»Vor dreizehn Jahren waren Sie alle Opfer«, begann Tomlinson, »und ich denke, ich spreche für alle Anwesenden, wenn ich sage, dass wir Verständnis dafür haben, warum Sie es damals versäumten, die Verbrechen anzuzeigen. Sie waren sechzehn Jahre alt und natürlich viel zu jung, um die enorme Tragweite der Erfahrung zu erfassen.« Aus seiner Stimme troff falsche Anteilnahme, die Susannah instinktiv aggressiv machte, und sie spürte, wie Gretchen sich neben ihr versteifte.

»Aber, Susannah Vartanian, wie erklären Sie – ausgerechnet Sie, die Sie als Staatsanwältin in New York Vergewaltigungsopfer stets drängen, an die Öffentlichkeit zu gehen – Ihr Versäumnis, eine zweite Vergewaltigung sieben Jahre später anzuzeigen, obwohl Ihre Freundin bei demselben Anlass brutal ermordet wurde?« Das Raunen schwoll an, und Tomlinson sprach lauter. »Und wie reagieren Sie darauf, dass Garth Davis abstreitet, Sie vergewaltigt zu haben?«

Susannahs Adrenalinspiegel stieg so rasch, dass ihr das Blut in den Ohren rauschte. *Woher weiß er von Darcy?* Als die zweite Frage ihren Verstand durchbohrte, kochte der Zorn auf und verdrängte die Furcht. *Garth Davis streitet es ab? Mit den Fotos als Beweisen? Dieses elende, miese Schwein.*

*Nein. Bleib ruhig. Sag die Wahrheit.*

»Mr. Tomlinson. Ihre Andeutung, ein Vergewaltigungsopfer, das das Verbrechen nicht anzeigt, sei in irgendeiner Hinsicht nachlässig, unreif oder verantwortungslos, ist unglaublich unsensibel und grausam.« Sie lächelte nicht. »Vergewaltigung ist mehr als nur Körperverletzung, und Opfer, mich eingeschlossen, zahlen nicht nur mit dem Verlust ihres Selbstvertrauens. Es ist sehr schlimm, erkennen zu müssen, dass einem körperliche Unversehrtheit nicht garantiert ist und dass man die Kontrolle über das eigene Leben verloren hat. Jede Frau wird anders damit fertig, aber jede muss sich damit auseinandersetzen, ob sie nun sechzehn oder sechzig Jahre ist. Als meine Freundin vor sechs Jahren umgebracht wurde, habe ich mit den ermittelnden Behörden kooperiert, so gut es mir möglich war. Ich habe dafür gesorgt, dass die Fakten bekannt wurden, die schließlich zur Ergreifung des Täters führten.« Er öffnete den Mund, aber sie schnitt ihm das Wort ab. »Ich bin noch nicht fertig, Mr. Tomlinson. Sie haben schließlich zwei Fragen gestellt. Mr. Davis kann weder die an uns begangenen Verbrechen noch seine Rolle dabei ernsthaft leugnen. Die existierenden Beweise sind unmissverständlich. Ekelhaft und scheußlich, aber unmissverständlich.«

Tomlinson lächelte. »Ich habe Bürgermeister Davis interviewt. Er leugnet keinesfalls das Verbrechen, er leugnet nur, eines an *Ihnen* begangen zu haben, Susannah. Er fordert Sie heraus, ihm ein Foto zu zeigen, auf dem er Sie vergewaltigt.«

*Und du bist auch ein Dreckschwein.* Aber sie blieb kühl. »Mr. Davis muss sich für seine Taten vor Gott und dem Volk des Staates Georgia verantworten. Ich weiß, was mir zugestoßen ist, und was Mr. Davis sagt, ist dabei belanglos. Wie ich bereits erwähnte, sind die Beweise unmissverständlich. Setzen Sie sich wieder, Mr. Tomlinson, Sie sind fertig.«


Bobby hätte am liebsten geschrien. *Dieses verdammte Biest.* Susannah Vartanian hatte sich durch das Minenfeld bewegt, als sei es eine liebliche Blumenwiese gewesen. *Es reicht.* Diese Frau hatte sich einmal zu viel wieder aufgerappelt. Jetzt war es genug. Nun würde es geschehen.

*Warte. Beruhige dich. Geh nach Plan vor, oder du wirst in Handschellen abgeführt. Zuerst Gretchen. Susannah als Zweite. Der Mann neben mir zuletzt.*

Ihre Hand war ruhig, als sie in ihre Tasche griff und die Waffe so drehte, dass sie durch den Stoff schießen konnte. Sie zielte und drückte ab, und das Ploppen des Schalldämpfers ging in den Rufen der Reporter unter, die die nächste Frage stellen wollten. Ihr Lächeln wurde grimmig, als Gretchen nach vorn fiel und auf dem Tisch zusammensackte. Die zweite Kugel traf Susannah direkt ins Herz und schleuderte sie rückwärts zu Boden.

Die dritte Kugel landete im Rücken eines Mannes, der eine Videokamera geschultert hatte. Wie ein Fels ging auch er zu Boden. Das Scheppern der Kamera war ohrenbetäubend.

Jetzt setzten die Schreie ein. Und Panik.

Bobby bewegte sich durch die hektische Menschenmenge und das Blitzlichtgewitter wie ein Star über den roten Teppich. Doch die Objektive waren auf die Bühne gerichtet. Der Cop, der an der Bühne Wache gehalten hatte, rannte auf den Kameramann zu.

Ruhig ging Bobby auf dem Weg zum Ausgang an der Bühne vorbei. Und blieb wie erstarrt stehen. Unter dem Tisch lag Susannah Vartanian auf dem Bauch, die Augen weit aufgerissen und hellwach, und ihre schmalen Hände umklammerten eine sehr große Pistole.

Die Leute kreischten. Sie hörte Gretchen stöhnen und Chase nach einem Arzt brüllen. Susannahs Brust schmerzte höllisch. *Mist. Es tut weh. Schlimmer als beim letzten Mal.* Sie war instinktiv unter den Tisch gerollt und hatte sofort nach der Pistole gegriffen, die Leo Vartanian ihr heimlich zugesteckt hatte.

Und dann war der Druck auf ihrer Brust vergessen, als sie in ein paar eiskalte blaue Augen starrte. Sie brauchte nur einen Sekundenbruchteil, um zu registrieren, was da nicht stimmte. Haare und Brüste waren die von Marianne Woolf. Die Augen gehörten zu Barbara Jean Davis.

Diese Augen verengten sich nun zu Schlitzen. Die Frau entblößte die Zähne wie ein wildes Tier, und ihre Hand in der Manteltasche hob sich und enthüllte die harten Umrisse einer Waffe.

Einen Moment lang zielte Susannah zwischen Bobbys Augen, überlegte es sich dann aber anders. *Der Tod ist zu gut für dich, du Miststück.* Sie senkte den Lauf, zielte auf den Arm und schoss.

Bobby riss schockiert die Augen auf, dann kniff sie sie vor Schmerz zusammen. Das Krachen von Susannahs Waffe löste neue Schreie aus, und das Donnern von Stiefeln brachte die Bühne zum Beben.

»Fallen lassen!«, brüllte jemand über ihr, als ein neues Blitzlichtgewitter losbrach und sie vorübergehend blendete. Dann sah sie noch das höhnische Grinsen auf Bobbys Gesicht, als sie ein paar Schritte zurückwich und schließlich von der Menge geschluckt wurde.

»Aber …« Susannah schrie vor Schmerz, als ein Stiefel auf ihren Unterarm trat.

»Fallen lassen, und halten Sie die Hände so, dass ich sie sehen kann«, bellte eine andere Stimme. Mit hämmerndem Herzen und pochendem Arm legte Susannah die Waffe ab und hielt die Arme ausgestreckt von sich weg. Sechs uniformierte Polizisten zielten mit ihren Dienstwaffen auf ihren Kopf.

»Hören Sie«, sagte sie laut. »Hören Sie doch zu, verdammt.« Sie zuckte zusammen, als sich der kalte Stahl der Handschellen um ihr Handgelenk legte. »Die Frau dort. Sie ist …«

Der Cop hatte ihren Arm gepackt und ihn ihr auf den Rücken gedreht, als plötzlich jemand auf die Bühne sprang und mit befehlsgewohnter Stimme rief: »Officer. Loslassen. Sofort!«

*Luke.* Endlich. Susannah stieß erleichtert den Atem aus, als sechs Polizisten einen Schritt zurücktraten und Luke sich an ihre Seite kniete.

»Was zum Teufel ist hier passiert?«, fauchte Chase hinter ihr.

»Ich weiß es nicht«, gab Luke zurück. »Susannah, bist du verletzt?«

Susannah packte seinen Arm und zog sich daran hoch, bis auch sie kniete. Das Handschellenpaar baumelte an ihrem Handgelenk. Der Raum begann zu schwanken, und sie kniff die Augen zu. »Es war Bobby. Sie hat eine Pistole. Sie ist noch hier.«

»Was?«, fauchte Luke.

»Wo?«, verlangte Chase zu wissen.

»Da drüben irgendwo«, sagte sie und betete, dass Mama Papas Lammgericht in ihrem Magen blieb. Nun, da es vorbei war, zitterte sie am ganzen Körper, und ihre Sätze waren abgehackt. »Sie trägt eine Perücke. Marianne Woolf. Sie sieht aus wie Marianne Woolf.« Ein hysterischer Anfall drohte sie zu übermannen, aber sie kämpfte ihn zurück. »Sie trägt einen schwarzen Trenchcoat.«

»Alles klar.« Chase setzte sich im Laufschritt in Bewegung, so dass die Bühnenbretter in Schwingung gerieten. »Sie bleiben bei ihr.«

Susannah schluckte und versuchte, die Übelkeit zu unterdrücken. Vorsichtig schloss sie die Augen. Lukes Hände packten ihre Schultern. »Mein Gott, Susannah.«

Sie zwang sich, die Augen wieder zu öffnen, und stellte fest, dass er entsetzt auf ihre Brust starrte. Sie folgte seinem Blick und musterte die Kevlarweste, die durch das Einschussloch in ihrem Pullover zu sehen war. »Mist«, murmelte sie. »Das war mein letztes unversehrtes Kleidungsstück.«

Bobby knöpfte mit einer Hand ihren Mantel auf, während sie Susannah verfluchte. Von diesem Miststück schienen die Kugeln nicht nur bildlich gesprochen abzuprallen. *Mein Arm brennt wie Feuer, und Susannah Vartanian ist noch immer nicht tot.* Die Frau hatte eine gottverdammte Schutzweste getragen. *Ich hätte es mir denken können. Ich hätte es einplanen müssen. Ich habe versagt.*

*Denk nicht länger an Susannah, sondern sieh zu, dass du hier rauskommst.* Sie hatte nur ein paar Sekunden Zeit, bis Susannah ihre Beschreibung durchgegeben hatte, falls die Cops sie überhaupt zu Wort kommen lassen würden. Im Moment glaubten sie ja noch, dass Susannah die Schützin war. Der Gedanke war so erhebend wie amüsant. Wenn das keine Ironie war.

*Jetzt mach schon. Verschwinde.* Mitten im Gedränge der Leute, die hinauswollten, streifte Bobby ihren Mantel ab und legte ihn sich über den verwundeten Arm. Prompt machte man ihr Platz, da sie unter dem Mantel die Jacke mit dem GBI-Emblem trug, in der ihr Maulwurf ihr die Waffe eingewickelt hatte. Sie war ein wenig eng, aber es ging.

»Verzeihung«, sagte sie, während sie sich durch die Menge schob. »Ich muss hier durch. Bleiben Sie ganz ruhig.«

Die Polizei lenkte den Menschenstrom bereits in die Mitte des Raums, fort von den Eingängen. Mit erhobenem Kopf ging Bobby zu einer hinteren Tür und nickte dem Polizisten aus Atlanta zu. Er nickte kurz zurück und beobachtete dann wieder die Menge.

Auch draußen im Flur suchte die Polizei nach dem Täter.

»Und? Was gefunden?«, wurde sie gefragt.

Sie schüttelte den Kopf. »Sie haben drinnen einen Schützen dingfest gemacht, suchen aber noch nach einem zweiten. Entschuldigung, ich muss weiter.« Im Gehen betastete sie mit der rechten Hand die Manteltasche, in der sich ihre Waffe befand. Ihr Arm schmerzte höllisch, aber die Hand funktionierte noch. Die Tür war in Sicht. Nur noch ein paar Schritte in die Freiheit.

»Stehen bleiben! Polizei!«

*Verdammter Dreck.* Bobby beschleunigte ihre Schritte, wandte sich dabei halb um und begann zu feuern.

»Sie hat auf dich geschossen.« Luke, der noch immer neben ihr auf der Bühne kniete, bekam kaum noch Luft.

Susannah presste den Handballen auf das Loch in ihrem Pulli. »Ich weiß. Und es tut verdammt weh.« Sie runzelte die Stirn und versuchte, sich zu konzentrieren. »Aber sie ist auch getroffen. Ich habe ihr in den rechten Arm geschossen. Sie hatte eine Pistole in der Manteltasche und hat ein zweites Mal auf mich gezielt. Verdammt!«

Luke zwang seine Furcht nieder. Von den Cops wurden sie noch immer scharf beobachtet, und Susannah trug auch noch die Handschellen am Handgelenk. Immerhin hatte sie eben auf die Menge gefeuert. Er warf einen Blick auf die Waffe, die neben ihr auf der Bühne lag, und wusste genau, woher sie kam. *Leo.* Das würde reichlich Ärger geben, aber damit musste er sich später auseinandersetzen. Nun konzentrierte er sich auf Susannah. Ihr Gesicht war grau, ihre Augen unnatürlich hell. Sie zitterte, sie hatte Schmerzen, und sie stand unter Schock. Und die Kameras blitzten unaufhörlich. Sie mussten hier raus.

»Kannst du dich aufrichten?«

Sie nickte grimmig. »Ja.« Während er ihr aufhalf, wandte sie sich um. Die Sanitäter schnallten Gretchen French gerade auf der Trage fest. »Wie schlimm hat es sie erwischt?«

»Sie hatte keine Weste an«, sagte Luke, »aber sie ist bei Bewusstsein, und das ist gut.« Er wandte sich an den Polizisten und ignorierte dessen finsteren Blick. Stattdessen las er das Namensschildchen. »Officer Swift. Ich bringe sie jetzt hier raus. Bitte nehmen Sie Miss Vartanian die Handschellen wieder ab, und zwar so, dass die Kameras es sehen. Ich übernehme hier.«

Susannah hielt dem Mann ihr Handgelenk entgegen, und er schloss auf. »Es war Notwehr«, sagte sie. »Ich wurde zuerst angeschossen.«

Officer Swift warf einen kurzen Blick auf das Loch in ihrem Pullover. »Sie haben in eine Menschenmenge geschossen, Miss Vartanian.«

»Wenn ich das nicht getan hätte, wäre ich jetzt tot.« Ihre Wangen in dem bleichen Gesicht färbten sich nahezu grellrot. Sie war wütend, aber ihre Stimme blieb ruhig.

Swift spannte die Kiefermuskeln an. »Ich werde einen ausführlichen Bericht schreiben, aus dem klar hervorgeht, wer hier welche Befehle gegeben hat.«

»Ja, tun Sie das bitte unbedingt.« Luke griff nach ihrer Pistole und ihrer Tasche und nahm sie am Arm. »Lass uns jetzt gehen«, murmelte er. »Wir verschwinden durch die Hintertür.«

»Wo sind die anderen Frauen?«, fragte sie mit zitternder Stimme.

»Talia hat sie ziemlich schnell nach draußen geschafft. Sie sind in Sicherheit.« Er führte sie durch die Hintertür und drückte sie zu. Der Geräuschpegel sank augenblicklich.

Ihre Schultern entspannten sich ein wenig. »Endlich Stille«, sagte sie erleichtert. »Ich konnte schon gar nicht mehr –«

»*Stehen bleiben. Polizei!*« Der Befehl kam ganz aus der Nähe. Ihm folgten zwei Schüsse, dann weitere Rufe. Mittendrin hörte Luke die schrecklichen Worte *Officer getroffen.*

*Chase.* Luke zog das Funkgerät aus seinem Gürtel. »Special Agent Papadopoulos hier. Agent Wharton, geben Sie Ihren Status durch.« Nichts. Lukes Puls begann zu rasen. »Chase, wo sind Sie?«

Zwei weitere Schüsse krachten durch das Funkgerät. Dann kam Chases Stimme durch, und Luke stieß erleichtert den Atem aus. »Ein APD-Officer ist getroffen worden. Verdächtige entkommen.«

Sie war entwischt. Schon wieder. *Verdammt noch mal.* »Ich komme zu Ihnen.« Luke führte eine bleiche Susannah um die Ecke und einen Flur entlang und traf Chase, der von draußen durch eine Tür hereintrat und noch immer ins Funkgerät sprach. Am Rand der Szenerie saß ein Officer mit weißem Gesicht und umklammerte seinen blutenden Oberschenkel. Ein anderer Polizist hockte vor ihm und verarztete die Wunde.

Am Boden nahe der Tür lag ein schwarzer Trenchcoat.

»Es war Bobby«, sagte Chase. »Sie hat auf den Cop geschossen und ist dann weggelaufen. Draußen wartete ein Wagen auf sie. Wir haben die Verfolgung aufgenommen.« Sein Blick fiel auf Susannahs Pullover. »Sie wurden getroffen!«

»Und Bobby auch«, antwortete Susannah. »Ich habe sie am rechten Arm erwischt, bevor sie noch einmal auf mich schießen konnte. Das da war ihr Mantel.«

»Nun, sie kann offenbar auch mit links ganz hervorragend schießen. Die ersten beiden Kugeln schlugen in die Schutzweste des Officers ein, die dritte in seinen Schenkel. Die Krankenwagen sind unterwegs. Der Officer hat ebenfalls zweimal geschossen, aber sie war bereits durch die Tür gelangt.«

»Haben Sie auf den Wagen geschossen?«, fragte Luke.

Chase zog die Brauen zusammen. »Ja. Daneben. Die Kiste schlingerte, als säße ein Stuntfahrer darin.«

Luke zog sich Plastikhandschuhe an und hockte sich neben den Mantel. »Drei Löcher. Sie hat aus der Tasche geschossen.« Er sah auf und begegnete Susannahs Blick. »Ein Loch im Ärmel und viel Blut.«

»Sie ist also verwundet«, sagte Chase. »In ein Krankenhaus kann sie nicht gehen. Wohin wird sie sich also wenden?«

»Jedenfalls nicht in das Haus am Fluss oder das in Dutton«, sagte Luke. »Susannah?«

»Ich weiß nicht, wem sie jetzt noch trauen würde. Haben Sie gesehen, wer den Wagen gefahren hat?«

Chase presste die Kiefer aufeinander. »Eigentlich nicht.« Dann seufzte er tief auf. »Bobby trug eine GBI-Jacke.«

Lukes Magen drehte sich um. »Der Maulwurf. Bobby hatte einen Komplizen.«

»Ihr habt ein Leck?«, fragte Susannah.

»Ja«, sagte Chase mit rauher Stimme.

»Sie haben den Fahrer doch gesehen«, sagte Luke ruhig.

Chase schüttelte den Kopf. »Nein. Aber ich habe den Wagen erkannt. Es war Leighs.«

»Leigh? Leigh Smithson? Ihr Wagen ist gestohlen worden?« Dann sah er Chases Miene und begriff. »Leigh ist das Leck? O verdammt. Chase, ich hätte nie gedacht … Verdammt!«

»Ja.« Chase rieb sich die Stirn. »Die Fahndung ist raus.«

»Tja, es passt alles«, sagte Luke langsam. »Vor allem das mit der Krankenschwester. Leigh hat mir die Nachricht gebracht, dass sie mich sprechen will.«

Susannah verharrte reglos. »Schwester Ohman sagte, dass sie schon fast eine Stunde gewartet habe.«

»Eben. Genug Zeit für Leigh, erst Bobby zu informieren und dann dich mit einer falschen Nachricht von mir nach unten zu locken«, murmelte Luke. »Warum? Warum tut Leigh so etwas?«

»Erpressung?«, fragte Susannah. »Aber was für ein schlimmes Geheimnis kann sie haben, um so etwas zu tun?«

Chase stieß geräuschvoll den Atem aus. »Keine Ahnung. Luke, trommeln Sie das Team zusammen. Wir müssen herausfinden, wohin Bobby sich jetzt zurückzieht. Wo ist Ihre Pistole, Susannah?«

»Luke hat sie.«

»Und wo haben Sie die her?«

»Sie gehörte meinem Vater«, sagte Susannah, ohne mit der Wimper zu zucken. »Ich habe sie im Haus eingesteckt.«

Luke unterdrückte, was ein müdes Aufseufzen geworden wäre. Sie wollte Leo beschützen und konnte gut lügen. Er war nicht sicher, ob ihm das gefiel, aber darüber würde er sich später Gedanken machen.

Chase nickte nur. »Tun Sie so etwas nicht noch einmal«, war alles, was er dazu sagte.

Susannah hob das Kinn an. »Schnappen Sie sich Bobby Davis, dann habe ich das nicht mehr nötig.«


Bobby prallte gegen Leigh Smithsons Autotür, als der Wagen um die Kurve schlingerte. Sie musste sich einen Aufschrei verkneifen, als der Schmerz durch ihren Arm zuckte.

»Deine Fahrkünste sind miserabel«, presste sie zwischen den Zähnen hervor, und Smithson warf ihr einen wütenden Blick zu.

»Ich hasse dich.«

»Ja, weiß ich. Aber schließlich war nicht ich es, die drei kleine Kinder ermordet hat.«

»Klar hast du das auch schon getan«, sagte Smithson verbittert.

Bobby lachte leise. »Du kannst mich hier rauslassen.«

Leigh Smithson bremste, dann packte sie Bobbys Arm. »Schieß auf mich.«

»Damit du so tun kannst, als hätte ich dich gezwungen? Vergiss es. Aber vielleicht hilft dir das.« Sie zog sich Mariannes Perücke vom Kopf und schleuderte sie ihr entgegen. »Tu dir keinen Zwang an.« Bobby stieg aus, warf die Tür zu und entfernte sich von dem Wagen. Es war kalt, und sie fror. Sie hatte den Mantel fallen lassen, als der Cop auf sie geschossen hatte. Zwar hatte sie ihre Waffe noch, aber ihr Handy nicht mehr. *Verdammter Mist.*

Ihr Arm tat weh, und noch immer drang Blut aus der Wunde, aber wenigstens nicht mehr im steten Fluss. Sie hatte die Stelle ausgiebig betastet und wusste, dass die Kugel noch steckte.

*Ich brauche einen Arzt.* Aber ein Krankenhaus kam natürlich nicht in Frage, und Toby Granville konnte ihr leider auch nicht mehr helfen, weil er wegen Daniel Vartanians Einmischung nicht mehr am Leben war. *Verflucht seien alle Vartanians.*

Sie dachte an Paul, wie er in Charles' Küche gesessen hatte. Charles hatte seine Wunde genäht. Sie hasste es, Charles anzurufen. Sie hasste Charles.

Aber sie hatte ausnahmsweise keine andere Wahl. Sie musste Charles anrufen. *Tanner hätte dich verarzten können.* Aber Tanner war tot. *Durch meine Hand gestorben.* Wegen Susannah Vartanian. Wenn sie sie nicht zur Raststätte verfolgt hätte … Verfluchte Vartanians. Diese Frau musste sterben. Und zwar bald.

*Aber zuerst muss ich untertauchen. Aufladen. Die Verletzung auskurieren.* Sie wusste, wo sie dies tun konnte. *Ich gehe nach Hause.*

# 21. Kapitel

Der Kameramann und Gretchen sind beide ernsthaft verletzt, aber außer Lebensgefahr«, sagte Chase, als alle beisammen waren. »Der Polizist, den Bobby angeschossen hat, konnte bereits wieder nach Hause gebracht werden.«

»Gott sei Dank«, sagte Talia. »Die arme Gretchen. Sie hat in der vergangenen Woche einiges durchmachen müssen.«

»Haben wir das nicht alle?«, murmelte Susannah, die sehr still geworden war. Luke erkannte alle Anzeichen des Adrenalinabfalls und wusste, dass auch er bald die Erschöpfung spüren würde. Doch noch war er hellwach und in Alarmbereitschaft, und sein Herzschlag legte jedes Mal an Tempo zu, wenn er an das Loch in ihrem Pulli dachte, das sich nur knapp über ihrem Herzen befunden hatte.

Sie trug nun ein Sweatshirt vom GBI. Luke hatte ihren Pullover als Beweisstück eingetragen, genau wie die Waffe, die sie in ihrer Tasche gehabt hatte. Luke wusste, woher sie stammte, aber Leo würde dafür gesorgt haben, dass man sie nicht zu ihm zurückverfolgen konnte.

Luke stand nun für ewig in Leos Schuld.

»Der Kameramann hat sogar einen Grund, sich zu freuen«, sagte Ed. »Als er die Kamera fallen ließ, traf sie mit dem Objektiv nach oben auf den Boden. Er hat großartige Bilder von Bobbys Gesicht. Sie laufen schon bei CNN.«

»Wir haben Marianne Woolfs Wagen gefunden. Sie selbst lag

gefesselt und geknebelt im Kofferraum«, erklärte Luke. »Sie sagt, Bobby habe sie heute Morgen angerufen und gebeten, sich mit ihr zu treffen. Dann hat sie sie überwältigt und in den Kofferraum verfrachtet. Den Presseausweis hatte sie ihr natürlich vorher abgenommen.«

»Woher hat Bobby die Pistole?«, fragte Pete. »Es musste doch jeder durch den Detektor gehen.«

Luke und Chase tauschten einen Blick aus. Was jetzt kam, würde niemandem gefallen.

»Die Waffe stammt aus unserer Asservatenkammer«, sagte Chase.

Totenstille. Die Mienen der Anwesenden waren zuerst ungläubig, dann entsetzt und zum Schluss wütend. Und misstrauisch. »Und wer hat sie ausgetragen?«, fragte Pete finster.

Hank Germanios Gesicht verhärtete sich, als Pete und Nancy ihm einen kurzen Blick zuwarfen. Er schwieg, und Luke hatte plötzlich echtes Mitleid mit ihm.

Chloes Augen verengten sich, und sie sah erst Chase, dann Luke an. »Sie wissen es doch. Also raus mit der Sprache.«

Chase musste sich sichtlich sammeln. »Das Atlanta PD hat Leighs Leiche gefunden. Sie lag zu Hause in der Badewanne. Sie …«, er schluckte hörbar, »sie hat sich eine Pistole in den Mund gesteckt.«

Einige Sekunden lang sagte niemand etwas. Keiner atmete. Das Misstrauen in ihren Gesichtern verwandelte sich in Unglauben, dann setzte der Schock ein.

»Leigh?«, fragte Talia schließlich. »Leigh Smithson?«

»Unsere Leigh?«, flüsterte Pete.

Chase schluckte wieder. »Ja.«

»Aber warum?«, fragte Nancy fassungslos. »Warum hat sie das getan?«

»Wir wissen es nicht«, antwortete Chase. »Noch nicht. Aber wir werden es herausfinden.«

»Es passt alles«, fuhr Luke fort. »All die Zeugen oder Verdächtigen, die getötet wurden, bevor wir sie finden konnten. Leigh war Bobbys Informantin. Durch den Einzelnachweis wissen wir, dass sie häufig die Nummer des Handys angerufen hat, das wir in Bobbys Mantel gefunden haben.«

Talia sank auf ihren Stuhl zurück. »Aber woher wusste sie, was wir hier besprochen haben?«

»Sie hatte eine Abhörvorrichtung im Konferenzraum versteckt«, meldete sich Ed zu Wort.

»Ich werde Ihnen Bescheid geben, sobald wir Neues zu Leighs Motiven wissen«, sagte Chase. »Jetzt müssen wir aber herausfinden, wo Bobby ist. Wir lassen Ridgefield House, den Bunker und das Haus, das sie mit Garth bewohnt hat, überwachen.«

»Wir haben den Computer durchsucht«, sagte Luke, »und ihre wichtigsten Kunden überprüft, aber sie scheint bei keinem untergekommen zu sein. Auch die Verwandtschaft behauptet, sie nicht gesehen zu haben.«

»Was ist mit Granvilles *thích*?«, fragte Susannah leise.

Chase seufzte müde. »Ich bezweifle seine Existenz nicht, Susannah, aber solange wir keinen Beweis haben, dass er jemandem körperlich geschadet hat ...«

»Aber das hat er«, unterbrach Susannah. »Monica sagt, er sei im Bunker gewesen und habe mit Granville gesprochen. Ob dieser Kerl sie angefasst hat oder nicht, er wusste zumindest, dass sie dort war. Und das ist Mitwisserschaft oder Beihilfe zur Entführung und erfüllt den Tatbestand der Verschwörung zur Durchführung von Freiheitsberaubung.«

»Damit hat sie recht«, sagte Chloe.

*Ja, hat sie,* dachte Luke und empfand erneut Stolz und Respekt für diese Frau. Trotz allem, was sie heute erlebt und durchgemacht hatte, arbeitete ihr Verstand mit messerscharfer Präzision.

»Im Übrigen«, fuhr Susannah fort, »könnte sich Bobby bei dieser Person verstecken.«

Chase rieb sich die Schläfen. »Wieder richtig. Vorschläge?«

»Wir müssen Darcys Mörder zum Reden bringen«, sagte Susannah. »Er weiß, wer es ist.«

»Ich rufe Al Landers an«, sagte Chloe. »Gemeinsam wird uns schon etwas einfallen, wie wir den Mann zum Reden bringen.«

»Wir haben Bobbys Foto an jede Dienststelle hier und in den umliegenden Staaten geschickt, außerdem zum Zoll, falls sie versucht, das Land zu verlassen«, fuhr Chase fort.

»Was uns aber nur etwas bringt, wenn sie unter ihrem eigenen Namen reist«, konterte Susannah.

»Und schon wieder richtig«, sagte Chase gepresst. »Aber mehr können wir im Augenblick nicht tun. Wir treffen uns morgen um acht wieder.«

»Susannah«, sagte Chloe. »Haben Sie einen Moment Zeit? Ich muss mit Ihnen reden.«

Susannah blieb sitzen, als die anderen aus dem Raum gingen. Auch Luke blieb. Als Chloe die Augenbrauen hochzog, schüttelte er den Kopf. »Ich gehe nicht, Chloe.«

Schließlich zuckte sie mit den Schultern. Sobald die Tür geschlossen war, wandte sie sich an Susannah. »Die Pistole.«

»Gehörte meinem Vater«, antwortete Susannah.

»Sie ist weder registriert noch gekennzeichnet«, sagte Chloe. »Die Seriennummer ist abgefeilt.«

»Ich habe nicht drauf geachtet, als ich sie einsteckte, tut mir leid.«

Chloe schüttelte den Kopf. »O bitte, Sie sind zu klug, um einen solchen Fehler zu machen. Aber fahren wir fort. Sie haben ohne Erlaubnis eine verdeckte Waffe mit sich getragen.«

»Sie hat eine Erlaubnis«, protestierte Luke. »Für New York.«

»Wird hier nicht anerkannt«, sagte Chloe.

»Was soll das? Worauf wollen Sie hinaus?«, fragte Luke gereizt. Er wusste sehr gut, was kommen würde, aber es machte ihn wütend.

»Ich will darauf hinaus, dass jeder Reporter im Raum gesehen hat, wie Susannah mit einer nicht registrierten Waffe, die sie nicht hätte bei sich führen dürfen, auf diese Frau geschossen hat. Das kann ich nicht einfach unter den Tisch fallen lassen.«

»Chloe, Herrgott noch mal«, begann Luke, aber Susannah legte ihm eine Hand auf den Arm.

»Schon gut. Ich wusste, was ich tat, als ich die Pistole einsteckte. Ich wusste, dass sich Bobby durch nichts und niemanden aufhalten lassen würde. Ich wusste, dass ich verwundbar war dort oben auf der Bühne. Ich wollte nicht sterben. Also habe ich mir eine der Pistolen meines Vaters geholt, diese in meiner Tasche mit zur Pressekonferenz genommen und vor laufenden Kameras auf die Frau geschossen.« Sie sah Chloe an. »Wollen Sie mich anklagen?«

Chloe senkte voller Unbehagen den Blick. »Verdammt, Susannah.«

»Hätte ich die Pistole nicht gehabt, würden wir jetzt diese Unterhaltung nicht führen«, sprach Susannah weiter. »Bobby hat den Lauf der Waffe in ihrer Tasche auf mich gerichtet. Sie hatte bereits drei Schüsse abgefeuert, und einer hat mich getroffen. Also habe ich auf sie gefeuert, und es tut mir nicht leid.«

»Ich werde Sie nicht wegen der abgefeuerten Kugel belangen«, sagte Chloe. »Es handelt sich eindeutig um Notwehr. Aber

Susannah, welches Beispiel würde ich geben, wenn ich Sie ungestraft davonkommen ließe, obwohl Sie das Gesetz gebrochen haben? Was täten Sie, wenn die Rollen vertauscht wären? Und seien Sie ehrlich.«

»Ich würde Sie vor Gericht stellen«, sagte Susannah.

Luke knirschte mit den Zähnen. »Susannah.«

»Die Gesetzeslage ist eindeutig, Luke. Chloe hat keine große Wahl.«

»Ich weiß.« Chloe verdrehte die Augen. »Verdammt.«

»Das sagten Sie bereits«, erwiderte Susannah trocken. Ein Mundwinkel hob sich. »Wollen Sie noch einmal darüber schlafen, Frau Anwältin?«

Chloe musste unwillkürlich lachen, wurde jedoch rasch wieder ernst. »Das kann Sie Ihre Lizenz kosten.«

Auch Susannahs Lächeln verblasste. »Lieber die Lizenz als das Leben.«

Luke dachte an das Einschussloch in ihrem Pulli.

»Ich hätte dasselbe getan wie Sie«, murmelte Chloe. »Deswegen fällt es mir so schwer.«

»Chloe, ich habe getan, was ich tun musste. Sie tun, was *Sie* tun müssen. Ich werde Sie sicherlich nicht bekämpfen.«

»Aber ich würde mich besser fühlen, wenn Sie es täten«, murrte Chloe.

»Es ist leider nicht meine Aufgabe, Sie aufzumuntern«, sagte Susannah beiläufig.

Chloe starrte sie zornig an. »Meine Güte, erschüttert Sie eigentlich nichts?«

»O doch«, erwiderte Susannah, nun verbittert. »Eine Menge sogar, aber eine Sache insbesondere. Was zum Teufel hat dieser Reporter damit gemeint, als er sagte, Garth Davis leugnet, mich vergewaltigt zu haben?«

Chloe seufzte. »Tomlinson sagt aus, er habe einen anonymen Tipp zu dem Mord an Darcy bekommen. Außerdem habe der Anrufer behauptet, Davis hätte Sie nicht vergewaltigt, und er solle sich selbst bei ihm erkundigen. Tomlinson hat das offensichtlich getan, und Garth Davis hat es ihm bestätigt. Er leugnet kategorisch, sich in irgendeiner Hinsicht an Ihnen vergriffen zu haben.«

»Aber mein Bild …« Susannah schloss den Mund.

»Ihr Bild war doch mit allen anderen in der Schachtel«, sagte Luke. Er hatte plötzlich das dringende Bedürfnis, Garth Davis den Kopf abzureißen.

»Ja, ich weiß. Ich habe mit der Technikerin gesprochen, die die Fotos ausgewertet hat. Sie sagt, sechzehn Opfer seien nackt fotografiert worden, aber nur fünfzehn während der Vergewaltigung. Susannah, Sie waren nicht dabei.«

Susannah versteifte sich, schwieg aber, und Luke erinnerte sich an ihre Unterhaltung am Tag zuvor auf der Intensivstation an Monicas Bett. *Er hat es zumindest einmal getan,* hatte sie gesagt und sich damit auf Simon bezogen. Woher hatte sie es gewusst?

»Garth lügt«, sagte Susannah sanft. Zu sanft. Die Hand, die seine hielt, zitterte.

»Wir reden mit ihm«, versprach Luke. »Aber nicht mehr heute. Ich fahre dich nach Hause.«

Chloe stand auf. »Und ich werde noch einmal darüber schlafen. Ich teile Ihnen morgen meine Entscheidung mit.«

Als Chloe fort war, zog Luke Susannah in die Arme. »Alles wird gut«, murmelte er dicht an ihrem Ohr. »Irgendwie wird es das.«

Sie klammerte sich an ihn. »Woher weißt du das?«

Er drückte ihr einen zärtlichen Kuss auf die Schläfe, bevor er mit der Fingerspitze ihr Kinn anhob, bis sie ihn ansah. »Weil du schon viel, viel Schlimmeres überstanden hast. Und du bist nicht mehr allein.«

So viele Emotionen waren in ihren Augen zu sehen. Zorn und Angst konnte er verstehen. Ihre Dankbarkeit machte ihn wütend. Aber es war die Hoffnung, die ihm die Tränen in die Augen trieb. Sie lächelte und stellte sich dann auf die Zehenspitzen. Ihre Lippen strichen leicht über seine und setzten jede Nervenfaser in Flammen. »Dann wird es auch so sein. Lass uns von hier verschwinden. Ich glaube, ich könnte ein ganzes Jahr durchschlafen.«

*Dutton,*
*Sonntag, 4. Februar, 19.45 Uhr*

»Verdammt«, zischte Bobby. Ihre Lippen waren weiß vor Schmerz. »Pass doch auf!«

Charles blickte sie mit aufgesetztem Staunen an. »Ich kann gerne die 911 rufen, wenn dir das lieber ist.«

Bobby funkelte ihn wütend an. »Ich habe mich schon für heute Morgen entschuldigt und mich tausendmal bei dir bedankt, dass du gekommen bist, um mir zu helfen, auch wenn du eine Ewigkeit gebraucht hast, um hier einzutreffen.«

»Und ich habe dir bereits gesagt, dass ich nicht einfach alles stehen- und liegenlassen kann. Ich hatte eine Kundin.«

»Wer war da?«, verlangte sie zu wissen.

Er bedachte sie mit einem kalten Blick. »Seit wann geht dich das etwas an?«

Sie senkte den Blick. »Tut mir leid. Hol das verdammte Ding einfach raus, okay?«

Er musste plötzlich lachen, als er an das Gesicht von Rose Bowie dachte. Sie hatte ausgesprochen indigniert geblickt, als sein Handy ausgerechnet in dem Moment auf dem Tisch zu brummen anfing, als er mit der spirituellen Welt zu kommunizieren begonnen hatte. »Eigentlich hast du genau zur rechten Zeit angerufen. Ich dachte, Rose Bowie würde einen Herzanfall bekommen.«

»Rose Bowie? Was wollte die alte Schachtel denn?«

»Sie hatte Angst, dass die Trauerfeier für ihre Tochter durch das Auftreten von Gewalt entwürdigt werden könnte«, sagte er und zog fester an Bobbys Arm, als nötig gewesen wäre. »Rose wollte keine Szene wie bei Sheila Cunninghams Beerdigung. Da ich ziemlich sicher war, dass du kein Personal mehr hast, um jemanden umlegen zu lassen, sagte ich ihr, sie müsse sich keine Sorgen machen.«

»Und dafür hat sie dich bezahlt?«

»Ja, sogar recht stattlich. Sowohl für das Lesen als auch für das Versprechen, unsere Sitzungen geheim zu halten. Die Wähler ihres Gatten würden ihre Ausflüge in den Okkultismus bestimmt genauso sehr missbilligen wie ihre Freundinnen oder die Mitglieder der Baptistenkirche.« Rose war eine seiner besten Kundinnen.

Obwohl Carol Vartanian sehr viel mehr bezahlt hatte. Charles vermisste ihre Sitzungen. Wer hätte gedacht, dass hinter dieser kühlen Fassade eine Frau steckte, die ihren Mann leidenschaftlich hasste? Sie war anfangs zu Charles gekommen, um sich ihre Zukunft vorhersagen zu lassen. Er hatte dafür gesorgt, dass genügend seiner Vorhersagen eintrafen, um ihren Glauben an seine Kunst zu festigen. Sie kam aus dem perversen Wunsch heraus, stets das zu tun, was ihren Mann am meisten ärgerte.

Dass Sex Carol Vartanians stärkste Waffe war, hatte ihm zum Vorteil gereicht. Ja, er vermisste Carol Vartanian. Susannah sah ihrer Mutter sehr ähnlich. *Es wäre mir so ein Vergnügen gewesen, sie zu initiieren, zu sehen, wie sie jedes meiner Worte absorbiert hätte.* Aber das war nun leider nicht mehr denkbar. Dass Susannah sterben musste, hatte nie außer Frage gestanden. Dass sie dabei leiden musste, war in der Nacht, in der sie sein klügstes Mündel vernichtet hatte, unvermeidlich geworden.

*Auge um Auge ist ein Handel der Narren,* hatte Pham immer gesagt. Sein Mentor hatte sich niemals geirrt. Charles beugte sich über Bobbys Arm und begann, mit ruppigen Bewegungen die Kugel aus ihrem Arm zu schneiden. »Es war ein ziemliches Risiko, herzukommen.«

»Hier suchen sie mich niemals. Und falls doch, kann ich mich überall verstecken. Verdammt«, zischte sie. »Das tut höllisch weh.«

Das sollte es auch. Er reichte ihr eine Flasche von Arthurs bestem Scotch. »Trink davon.«

Sie schob die Flasche weg. »Ich kann mich nicht betrinken. Wenn die mich suchen, muss ich alle Sinne beisammen haben.«

»Du sagtest, du glaubst nicht, dass man dich hier sucht.« Er setzte das Skalpell wieder an und erntete noch mehr Flüche.

»Wer hat dir eigentlich beigebracht, Kugeln zu entfernen, Joseph Mengele?«, murrte sie.

»Ich mir selbst, als ich mir eine Kugel aus dem Bein entfernen musste«, sagte er freundlich.

Ihr Blick glitt zu seinem Gehstock, den er gegen den Tisch gelehnt hatte. »Oh.«

Charles zog die Kugel mit einer Drehung heraus. Er hätte es

bereits mehrmals tun können, aber nun hatte er das Spielchen satt.

»Willst du sie als Souvenir behalten?«

»Hast du's getan?«, fragte sie verbittert. »Als dich irgendein Vietcong angeschossen hat?«

Charles überlegte, ob er Bobby ohrfeigen sollte, aber es hätte ihm keinen Spaß gemacht. Es hatte keinen Sinn, jemanden brechen zu wollen, der kaum noch Kontrolle über sich hatte. Wo war die Herausforderung? Aber sie hielt sich noch immer aufrecht, und etwas in ihm bewunderte sie dafür, also antwortete er.

»Ja, das habe ich tatsächlich. Ich behielt die Kugel, um mich immer daran erinnern zu können, wie viel Hass ich in diesem Moment empfand. Ich brauchte diesen Hass zum Überleben. Und ich bin nicht vom Vietcong angeschossen worden«, fügte er hinzu. Hier ging es schließlich um Stolz.

Sie schloss die Augen und atmete tief durch. »Und wer war es? Wer hat dich angeschossen?«

Sie hatte noch nie gefragt, hatte es niemals gewagt. Toby Granville hatte es getan, vor langer, langer Zeit. Er war erst dreizehn gewesen und schon weit selbstbewusster, als Bobby es je geworden war. »Ein anderer amerikanischer Soldat. Wir sind gemeinsam geflohen.«

Sie schlug wieder die Augen auf, doch sie wurden zu Schlitzen, als er die Wunde säuberte. »Von wo?«

»Aus einem Höllenloch in Südostasien, das auch als Gefangenenlager bezeichnet wurde.«

Sie stieß einen leisen Pfiff aus. »Das erklärt eine Menge.« Sie zuckte zusammen, als er die Nadel in ihr Fleisch stach. »Sir. Und warum hat er auf dich geschossen?«

»Es ging um einen Brotkanten«, sagte er noch immer sanft,

obwohl in ihm der Kessel zu brodeln anfing, als er die Worte aussprach. »Dann hat er mich liegen lassen. Er dachte, ich würde sterben.«

»Was du offensichtlich nicht getan hast.«

»Offensichtlich nicht.« Aber das war nichts, was er näher erläutern würde.

Sie biss die Zähne zusammen, während er die Wunde zunähte. »Und wie hast du dich gerächt?«

»Erst sehr spät.« Charles dachte an den Mann, der in einem New Yorker Gefängnis eine Strafe für eine Tat absaß, die er nicht begangen hatte, um damit die Familie zu schützen, die er niemals kennenlernen durfte. Ein Mann, der jeden Tag seiner Qual verdient hatte und noch viel mehr. »Aber dafür sehr gründlich und sehr dauerhaft. Und es war die lange Wartezeit wert. Jeden Tag lächle ich, wenn ich daran denke, dass er leidet. Geistig, körperlich und seelisch. Und zwar für den Rest seines irdischen Lebens.«

Sie war verstummt, während er weiterarbeitete. »Und warum hast du ihn nicht einfach umgebracht?«, fragte sie schließlich.

»Weil in seinem Fall der Tod zu gnädig gewesen wäre.«

Sie nickte und biss sich so fest auf die Unterlippe, dass die Zähne Abdrücke hinterließen, aber sie schrie nicht auf. *Das* war das zähe Mädchen, das er vor vielen Jahren kennengelernt hatte. *Das* war das Rückgrat, das er so lange nicht mehr gesehen hatte. Er zurrte den Faden fester als nötig, und sie sog scharf die Luft ein, schwieg aber. »Susannah dagegen …«

»Ich will sie tot sehen«, sagte Bobby gepresst. »Aber es soll nicht schnell passieren.«

»Gut«, sagte er, vielleicht ein wenig zu freudig, und sie sah auf.

»Du hasst sie auch. Warum?«

Es ärgerte ihn, dass er eben so leicht zu durchschauen gewesen war. »Meine Gründe gehen nur mich etwas an.«

Aber so schnell gab sie nicht auf. »Die ganzen Jahre über hast du mich in meinem Hass auf sie angestachelt. Hast mich gedrängt, mir zu holen, was mir gehört.«

Er begann, den Arm zu verbinden. »Und das solltest du auch. Susannah hat das Leben gelebt, das dir zugestanden hätte.« Er legte den Arm in eine Schlinge und trat zurück. »Ich bin fertig mit dir.«

»Aber *ich* bin noch nicht fertig mit *dir*. Jahrelang hast du mich auf sie gehetzt, damit ich sie für dich töte. Warum hasst du Susannah Vartanian? Was hat sie dir genommen?« Als er nicht antwortete, packte sie mit der gesunden Hand seinen Arm. »Sag's mir!«

Sie ragte über ihm auf, ihre blauen Augen schleuderten Blitze, und einen winzigen Augenblick lang verspürte er einen ebenso winzigen Hauch der Angst.

*Gut gemacht,* dachte er, erneut stolz auf sie. Behutsam löste er ihre Hand von seinem Ärmel. »Setz dich, bevor du umfällst. Du hast viel Blut verloren.«

Sie gehorchte bebend, blass, aber noch immer wütend. »Sag's mir«, wiederholte sie ein wenig ruhiger. »Wenn ich sie für dich töten soll, dann habe ich zumindest verdient, zu wissen warum. Was hat sie dir genommen?«

Charles begegnete ihrem Blick. Sie hatte recht. »Darcy Williams.«

»Susannah, wach auf. Wir kommen sonst zu spät.«

Susannah kämpfte sich aus der Benommenheit, bis sie die Augen öffnen konnte. Dann setzte sie sich kerzengerade auf und sah sich um. »Warum sind wir hier?« *Hier* war der Flughafen, und Luke bog soeben auf einen Parkplatz ein.

»Überraschung« war alles, was er sagte. »Du wirst dich freuen. Versprochen.«

»Warum sind wir hier?«, fragte sie wieder, als er sie zur Gepäckausgabe führte und dort an den Schalter für Frachtgut. »Du hast meine Sachen herschicken lassen? Aber wie ...?« Sie ließ die Frage offen, als er sie an den Schultern packte und umdrehte. Susannah blinzelte, dann quoll ihr Herz über. »Oh.« Sie rannte zu der großen Hundebox, fiel auf die Knie und spähte durch das vergitterte Fensterchen. Ein vertrautes Gesichtchen sah hinaus und hechelte glücklich. Thor. »Wie hast du das bloß angestellt?«

»Al hat den Zwinger angerufen.«

Sie öffnete das Türchen gerade weit genug, um eine Hand hindurchzuschieben und das seidige Fell des Hundes zu streicheln. »Braves Mädchen«, murmelte sie. »Du hast mir gefehlt. Ja, ja, gleich. Du darfst gleich raus.« Sie schloss das Türchen, sah zu Luke auf, und die Zärtlichkeit in seiner Miene schnürte ihr die Kehle zu.

»Du hast sie vermisst«, sagte er. »Ich dachte, es wäre schöner für dich, wenn sie hier ist.«

Sie stand auf und musste schlucken. »Du bist ein sehr netter Mann.«

Er wackelte mit den Brauen. »Und?«

Sie lachte. »Und sündhaft sexy.« Und das war er tatsächlich. Im Augenblick erinnerte er sie an einen Piraten mit seinem dunklen, mediterranen Aussehen, den Bartstoppeln und dem teuflischen Grinsen. Plötzlich kam reine Freude in ihr auf, und sie überraschte sich selbst, indem sie die Arme um seinen Hals schlang. Nach seinem abrupten Luftschnappen zu schließen, hatte sie auch ihn überrascht, doch er fing sie auf und hob sie hoch.

Und dann schnappte sie nach Luft, denn sie spürte, wie sich seine harte Erektion an sie presste. Ihre Haut begann zu prickeln, und ihr Körper reagierte, und mit einem Mal konnte sie nur noch daran denken, dass auch sie ihn wollte.

*Diesmal musst du es nicht abbrechen. Er weiß alles. Und es macht ihm nichts aus. Also sei kein Feigling.* Sie legte den Kopf zurück, um ihn anzusehen, und Adrenalin schoss durch ihre Adern. Die Zärtlichkeit seiner Miene war durch pure Lust ersetzt worden.

»Danke«, flüsterte sie und küsste ihn, lustvoll und ausgiebig, und sein Körper erbebte.

Auch er hatte es gebraucht. Das Wissen weckte in ihr den Wunsch nach einem weiteren Kuss, also küsste sie ihn wieder, bis er ein tiefes Knurren ausstieß, das eine Mischung aus Erleichterung und Frustration war.

»Nicht hier«, sagte er und legte den Kopf zurück, um durchzuatmen. Sie schauderte und strich mit den Lippen über seine Kehle, und er reagierte, indem er sie fester an sich drückte.

Das Winseln hinter ihr riss sie wieder in die Gegenwart zurück. »Oh.«

Lukes Lippen zuckten, als er sie absetzte und vorsichtshalber einen Schritt zurückwich. »Kannst du mir später noch einmal danken? Wenn wir nicht auf einem überfüllten Flughafen stehen?«

Ihre Wangen wurden heiß, aber sie wandte den Blick nicht ab. »Ja.«

Er schob eine Hand in die Manteltasche und zog eine Nylonleine heraus. »Die gehört Darlin'. Wir müssen auf der Rückfahrt irgendwo noch eine besorgen. Für …« Er hob die Box hoch und schnitt eine Grimasse.

»Thor«, beendete sie seinen Satz. »Was ist denn?«

»Das passt einfach nicht. Ein Hund, der Thor heißt, sollte schwerer als zehn Kilo sein.«

Sie grinste. »Aber hässliche Bulldoggen dürfen Darlin' heißen, ja?«

»So hässlich ist sie gar nicht.«

Susannah lachte. »Du bist bloß ein Softie.«

»Wenn wir erst zu Hause sind und du mir dort dankst, dann redest du anders«, versprach er.

Ihr Herz begann wieder zu rasen, und sie stellte fest, dass es ihr gefiel. Die Spannung. Das Prickeln. »Wenn das kein Versprechen ist.«

*Dutton,*
*Sonntag, 4. Februar, 19.45 Uhr*

Bobby beobachtete, wie Charles mit methodischen Bewegungen sein chirurgisches Besteck reinigte. Er hatte eine stattliche Sammlung. Sie nahm an, dass er an manch ein Geheimnis nur unter Einsatz dieser Werkzeuge herangekommen war, und da sie seine Kunst heute am eigenen Leib erfahren hatte – wenn auch zu Heilzwecken –, ahnte sie, wie er so erfolgreich darin werden konnte, den Willen anderer Leute zu brechen.

»Also …« Sie neigte den Kopf. »Wer war Darcy Williams?«

»Sie war mein.«

Er hatte sich am Morgen ähnlich ausgedrückt. »Wie Paul?«

Er nickte. »Wie Paul.«

»Ist Paul dein Sohn?«

Das brachte ihn zum Lächeln. »In gewisser Hinsicht.«

»Hast du ihn aufgezogen?«

»Ja.«

»Und Darcy auch?«

»Mehr oder weniger.«

»Aber Susannah hat Darcy Williams nicht umgebracht.«

Seine Augen wurden kalt. »Sie hat sie nicht zu Tode geprügelt, das stimmt. Aber Susannah hat Darcys Tod notwendig gemacht.«

»Das verstehe ich nicht.«

»Das ist auch nicht nötig.« Er ließ seine Tasche zufallen. »Ruf mich an, wenn du bereit bist, deinen Zug zu machen. Ich wäre gerne dabei.«

Er wandte sich zum Gehen, und Bobby fiel auf, dass er sich schwerer als sonst auf seinen Stock stützte. »Charles?«

Er wandte sich um, das Gesicht hart wie Stein. »Was?«

Sie berührte den Verband. »Ich zahle meine Schulden immer, daher habe ich noch eine Information für dich. Ich habe von meinem GBI-Maulwurf gehört, dass Susannah Vartanian einem Polizeizeichner beschrieben hat, wie ihr damaliger Vergewaltiger in New York aussah. Das Bild sollte dann von meiner Informantin nach New York gefaxt werden, um es dort dem Mann zu zeigen, der wegen Mordes an Darcy Williams im Gefängnis sitzt.«

Zum ersten Mal, seit sie Charles kannte, sah Bobby, wie er erbleichte. »Sollte? Es ist nicht gefaxt worden?«

»Nein.« Sie blickte ihn ruhig an. »Ich fragte sie heute, als sie

488

mich nach der Pressekonferenz fuhr, warum sie es nicht getan hat. Sie erzählte, der Mann auf der Zeichnung sei der Polizist, der sie damals erwischt, jedoch nicht verhaftet habe und sie seitdem erpresst. Da Paul der Cop war, der für mich die Verbindung zu ihr hergestellt hat, war es nicht schwer gewesen, eins und eins zusammenzuzählen. Und da Paul dir wichtig ist ...«

Er nickte. Knapp. »Danke, Bobby.«

Er hatte ihr noch nie gedankt. Kein einziges Mal. Nach dreizehn Jahren war das zu wenig. Und zu spät. »Du hast die Kugel herausgeholt. Wir sind quitt. Sir.«

*Atlanta,*
*Sonntag, 4. Februar, 20.45 Uhr*

»Oh, wie niedlich.« Susannah stand auf der Schwelle zu Lukes Schlafzimmer und lächelte Thor an, die sich neben Darlin' im gefüllten Wäschekorb zusammengerollt hatte. Sie hatten sich chinesisches Essen mitgebracht, es vom feinen Porzellan seiner Mutter gegessen und herrlich über neutrale Themen gesprochen. In einem stummen Einverständnis hatte keiner von beiden über Bobby, den *thích* oder die drohende Klage wegen Verstoßes gegen das Waffengesetz gesprochen.

Den Kuss am Flughafen hatte auch keiner von beiden erwähnt, doch die Erinnerung daran hing schwer und schwül in der Luft. Die Spannung hatte sich mit süßer Sehnsucht aufgebaut.

Nun schlug Susannahs Herz heftig. Was würde passieren?

Luke blieb hinter ihr stehen. »Das ist nicht niedlich«, protestierte er. »Die Wäsche war sauber.«

489

»Na ja, dann musst du das nächste Mal deine Sachen eben gleich einräumen.«

»Räum deine Sachen ein«, äffte er sie nach. »Du hörst dich an wie meine Mutter.«

Er schlang seine Arme von hinten um sie und wiegte sie leicht, und sie lehnte ihren Kopf an seine Brust. Zum ersten Mal in ihrem Leben war sie zufrieden, so nah bei einem Mann zu sein.

»Es war schön heute bei deiner Familie.«

»Das freut mich. Und meine Familie war entzückt, dich mal in die Finger zu kriegen und genau zu begutachten.«

»Und du? Warst du auch entzückt, mich mal in die Finger zu kriegen?« Sie hatte ihn necken wollen, doch die Worte klangen stattdessen heiser. Rauchig. Aufreizend.

Einen Augenblick lang schwieg er. Dann zog er den Ausschnitt des geliehenen Sweatshirts ein wenig herunter. »Ich weiß es nicht«, sagte er leise. »Ich habe dich bisher noch nicht richtig in die Finger gekriegt.« Seine Lippen pressten sich auf ihre Schulter, und sie schauderte und legte den Kopf zur Seite, um ihm einen besseren Zugang zu gewähren.

»Willst du es denn?«, fragte sie, aber er brachte sie mit einem Laut zum Schweigen und massierte ihre Schulter.

»Sag nichts«, flüsterte er, während seine Finger die Stelle zwischen ihren Schulterblättern kneteten. »Du bist gerade völlig angespannt, das warst du eben noch nicht. Ich will, dass dein Kopf Pause hat. Dass du nicht daran denkst, was geschieht oder was nicht geschieht. Entspann dich. Du sollst nur fühlen. Spüren.« Er wand sich ihr Haar um die Hand und zog ihren Kopf sanft nach vorne, während er hauchzarte Küsse über ihren Nacken verteilte. »Fühlt sich das gut an?«, flüsterte er, als sie seufzte.

»Ja«, hauchte sie.

Er schob ihren Kopf zur anderen Seite und liebkoste die linke Schulter. »So soll es sein«, sagte er leise, als sie einen tiefen, zufriedenen Laut ausstieß. »Es soll sich gut anfühlen, du sollst mehr wollen. Willst du mehr?«

Er machte es ihr leicht, so leicht. Langsam nickte sie, und er verharrte einen Augenblick. Dann schob er seine Hände unter ihr Sweatshirt. Ihr Bauch spannte sich an, und sie spürte sein Lächeln in ihrem Nacken. »Bist du kitzelig?«

»Eher nervös.« Sie erstarrte, als seine Finger langsam ihren Oberkörper aufwärts wanderten.

Dann schluckte er, und seine Hände verharrten. »Ich denke, wir sollten aufhören.«

»Warum?«

»Weil ich dich will. Und weil ich will, dass du verrückt nach mir bist, aber keine Angst hast.«

»Ich habe keine Angst«, antwortete sie, doch sie hörte das Beben in ihrer Stimme.

»Du *willst* keine Angst haben, und bald hast du auch keine mehr. Aber ich kann mich nicht mehr lange zurückhalten.«

Obwohl seine Hände sich nicht mehr bewegten, stand er immer noch dicht hinter ihr. Seine Daumen lagen nur Millimeter unterhalb ihrer Brüste und neckten, reizten sie, ohne sich zu rühren.

Sie wollte keine Angst haben. Heute hatte sie sich ohne Angst einer Mörderin gestellt. Sich hiervor zu fürchten, vor ihrer eigenen Sexualität, erschien ihr lächerlich und mehr als nur ein wenig traurig. Hier war ein guter, anständiger Mann, der alles von ihr wusste und sie trotzdem wollte. Sie hatte sich schon von zu vielen Dingen ihres Lebens einfach abgewandt.

*Diesmal nicht.*

Bevor er noch ein Wort sagen konnte, schob sie seine Hände hoch, und sein Stöhnen mischte sich mit ihrem, als er ihre mit Spitze bedeckten Brüste berührte. Es fühlte sich gut an. Zu gut. Aber es war nicht genug. Sie drückte sich an ihn, spürte seine harte Erektion, spürte, dass er bereit für sie war. Sie rieb ihre Hüften an ihm und entlockte ihm damit ein weiteres Stöhnen.

»Nein«, sagte er, die Lippen noch immer an ihrem Hals. »Noch nicht.« Sie presste sich noch stärker gegen ihn. Seine Daumen strichen über ihre Nippel und schickten Stromschläge durch ihren Körper. »Noch ist es nicht so weit.« Aber sein Atem kam stoßweise, und seine Hüften bewegten sich unwillkürlich. »Verdammt, Susannah, sag mir, dass ich aufhören soll.« Und er würde es, das wusste sie. Genau wie sie wusste, dass sie es nicht wollte. »Ich wäre heute fast gestorben.«

»Ich weiß. Und ich sehe es immer wieder vor meinem inneren Auge. Aber das reicht als Grund nicht aus, es unbedingt heute tun zu müssen. Wir haben Zeit, Susannah, viel Zeit.«

»Ich habe lange genug gewartet. Ich bin hierhergekommen, um mir mein Leben zurückzuholen. Bitte, hilf mir dabei.«

Er zögerte. »Wie willst du es?«, fragte er schließlich rauh.

Die Frage erregte sie, und sie dachte an die staubige Schachtel in seinem Schrank. Aber das hier war neu für sie. Sie war … erneuert.

»Ich will wissen, ob ich es … normal kann.«

»Susannah, was immer wir tun, ist normal. Das verspreche ich dir.«

»Ich … ich will dein Gesicht sehen.«

Er verharrte und legte seine Wange auf ihren Scheitel. »Gib mir eine Minute.« Sie zählte ihre Herzschläge, bis seine Hände unter ihrem Sweatshirt hervorglitten. »Setz dich aufs Bett.«

Sie gehorchte und sah zu, wie er den Korb mitsamt den Hunden hochhob, nach draußen brachte, zurückkehrte und die Tür schloss. Dann kniete er sich vor sie. »Und du bist sicher, dass es das ist, was du willst.«

Sie nickte, sah ihm in die Augen. »Ja.«

»Also gut.«

Sie erwartete, dass er sich nun erheben würde, aber er blieb, wo er war, und ließ seine Hände über ihre Waden gleiten. »Was?«

Er lächelte. »Ihr New Yorker Frauen. Nicht so schnell. Bleib doch ein bisschen bei mir.« Er sah mit leuchtenden Augen zu ihr auf. »Ich habe es jedenfalls vor.«

Ihr wurde es eng in der Brust, und sie wusste keine Antwort, was ihn wieder zum Lächeln brachte. »Als ich dich zum ersten Mal sah, hast du auch so einen Rock getragen.«

»Bei der Beerdigung meiner Eltern. Vor einer Woche«, sagte sie, und er nickte.

»Ich habe mich gefragt, wie es wohl wäre, mit dir zusammen zu sein. Was nötig wäre, damit du dieses brave Kostüm loswirst. Was wäre nötig?«

Sie schluckte. »Bitte mich darum. Höflich.«

Er lehnte sich auf seine Fersen zurück. »Zieh den Rock für mich aus. Bitte.«

Mit heftig hämmerndem Herzen erhob sie sich. Seine Hände glitten über ihre Beine, während sie sich mit dem Knopf an ihrem Rücken abmühte. Er sah zu, seine Augen tiefschwarz. Schließlich riss sie den Knopf ungeduldig ab, und seine Lippen zuckten. »War das zufällig dein letzter anständiger Rock?«

»Das macht dir Spaß, was?«, fragte sie vorwurfsvoll.

Er zog die Brauen hoch. »Dir nicht?«

Doch, das tat es, wie sie feststellte. Ihre Hände lagen hinten am

Reißverschluss, aber sie ließ ihn ein wenig warten. Sein Blick begann zu glühen, und seine Hände zupften fordernd an dem Rocksaum, und sie gehorchte, zog den Reißverschluss auf und schob sich den Rock langsam über die Hüften.

Er half nach und blickte auf die Unterwäsche aus Spitze, die Mitra gut ausgesucht hatte. »Hübsch«, sagte er heiser. Sie schob die Daumen in den Bund, um den Slip auszuziehen, aber er hielt sie auf. »Nein. Setz dich wieder.« Er beugte sich vor und legte seine Lippen auf die Innenseite des einen, dann des anderen Schenkels, bis ihre Beine nachzugeben drohten.

»Luke«, flüsterte sie und wartete, dass seine Lippen sie dort berührten, wo es am meisten pochte. Aber er tat es nicht, liebkoste ihre Schenkel, ließ ihren Slip jedoch vollständig dabei aus. Dafür schob er das Sweatshirt ein Stück höher, um ihren Bauch zu küssen.

»Ich muss immer daran denken, wie du im Wald gekniet und den BH getragen hast.« Seine Stimme klang brüchig. »Zeig es mir noch einmal. Bitte.«

Wieder gehorchte sie, zog sich den Pulli über den Kopf, ließ ihn auf den Boden fallen und wartete ab. »Hübsch, sehr hübsch«, sagte er wieder. Sanft drückte er ihre Knie auseinander und schob sich dazwischen, während er ihr mit den Händen über den Rücken strich. Dann begann er erneut, ihren Bauch zu küssen, zwischen ihren Brüsten aufwärts zu wandern, schließlich ihren Hals zu liebkosen.

»Luke.«

Sie spürte sein Lächeln an ihrem Hals.

»Geht es dir gut, Susannah?«

Sie hätte ihn am liebsten gewürgt. »Ja. Nein. Verdammt, worauf wartest du?«

»Ich umwerbe dich«, sagte er lächelnd. »Du willst durch ein

Programm rauschen. Aber ich habe zu lange darauf gewartet.«
Er rieb seine Nase an der Spitze ihres BHs, und sie keuchte.

»Du kennst mich erst seit einer Woche.«

»Und doch habe ich schon ewig auf dich gewartet.« Plötzlich blickte er auf. »Es ist so. Ich weiß, es klingt nach einer Phrase. Aber es ist die Wahrheit.«

Sie strich mit dem Daumen über die Bartstoppeln an seinem Kinn. »Ich weiß.« Dann beugte sie sich vor, um ihn leicht auf die Lippen zu küssen. »Ich auch.«

»Ich will dich«, flüsterte er mit zitternder Stimme.

»Dann hör auf, mich zu necken«, flüsterte sie zurück. »Tu es.«

Ein Muskel zuckte in seiner Wange. »Was willst du?«

»Deinen Mund.« Sie schluckte. »Auf mir.«

Sein Lächeln war fast grimmig. »Wo?«

»Überall.« Gott, sie hatte das Gefühl, gleich explodieren zu müssen. Sie legte ihm beide Hände an die Wangen und zog seinen Kopf zu ihren Brüsten herab. Hungrig öffnete er die Lippen und sog durch die Spitze an der Brustwarze, während seine Hände an ihrem Rücken nach dem BH-Verschluss tasteten und ihn mit erstaunlicher Schnelligkeit öffneten. Doch sie hatte keine Zeit, darüber nachzudenken, wo er den Trick gelernt hatte, denn nun zog er den Stoff nach unten, und seine Lippen legten sich auf ihre nackte Haut. Sie durchwühlte mit den Händen sein Haar, warf den Kopf zurück und schloss die Augen.

Er löste sich von ihr, gerade weit genug, um ihr ins Gesicht zu sehen. »Susannah.«

Sie richtete sich wieder auf und konzentrierte sich auf sein Gesicht. »Was ist?«

»Sieh zu«, sagte er mit belegter Stimme. »Sieh uns zu.«

Sie blickte zu dem Spiegel über der Kommode und schnappte nach Luft, als sie seinen dunklen Kopf an ihrer weißen Brust sah. Erotisch. Schön. Die Kombination verschlug ihr den Atem. Seine Hände lagen auf ihren Oberschenkeln, und seine Daumen strichen über die Spitze ihres Slips, der, wie sie wusste, längst nass war. »Luke.«

Er sah auf. Sein Mund war nass. »Was willst du?«

Sie schauderte nun unkontrolliert. Aber das Wort wollte einfach nicht heraus.

Sein Blick glitt zu ihrem Slip, gierig, dann wieder zu ihren Augen. »Und?«

»Mach doch«, flüsterte sie.

»Bitte mich«, sagte er, »höflich.«

Sie schürzte die Lippen. Ihre Wangen färbten sich rot. Aber er bewegte sich nicht. Er wartete. Sie beugte sich vor, um ihm ins Ohr zu flüstern. »Koste mich. Bitte.«

Er legte sich ihre Beine über die Schultern und stöhnte, und alles, was sie sagen wollte, verpuffte, da seine Lippen endlich ihre empfindlichste Stelle fanden. Er leckte, küsste und knabberte, alles durch den Stoff, bis sie zu sterben glaubte. Verzweifelt schob sie ihre Hände dazwischen, bis er Erbarmen hatte und ihr den Slip abstreifte. Dann drang seine Zunge in sie ein, und sie stöhnte, immer wieder, doch der Orgasmus schien immer wieder außer Reichweite zu geraten. »Luke. Ich kann nicht.«

Er schob zwei Finger in sie. »Doch, du kannst. Komm für mich, Susannah. Ich will dich sehen.« Er spreizte sie und küsste sie wieder, sanft und süß, bis die Spannung wieder anstieg und sie erneut keuchte und stöhnte. Sie befand sich am Rand, immer am Rand.

So nah und doch unerreichbar. »Ich kann nicht.« Tränen brannten in ihren Augen. »Verdammt.«

Er sprang auf die Füße, schleuderte seine Hose von sich und riss eine Kondompackung auf. »Stell dich hin.«

Sie blinzelte die Tränen fort und blickte schwer atmend zu ihm auf. »Was?«

Er packte ihre Hand und zerrte sie zur Kommode. »Sieh mich an.« Er schlang ihr Haar um seine Faust und zwang ihren Kopf hoch, so dass sie in den Spiegel blicken musste. »Sieh mich an.«

Sie tat es, während er mit dem Knie ihre Beine auseinanderdrückte und mit einem einzigen harten Stoß in sie eindrang, und mit einem Schrei kam sie und zog sich um ihn zusammen. Seine Miene war verzerrt, und er stieß noch zweimal in sie, bis er beim dritten Mal den Kopf zurückwarf und ihren Namen stöhnte. Dann sackte er über ihr zusammen und drückte sie auf die Kommode.

Sie legte ihre Wange auf das kühle Holz. »O mein Gott.«

Er atmete noch immer schwer. »Du bist gekommen«, sagte er zufrieden.

»Ja.« Sie mühte sich auf die Ellbogen und blickte ihn im Spiegel an. »Danke.«

Er lächelte. »Gern geschehen. Jederzeit wieder. Ernsthaft.«

Ein Lachen stieg in ihr auf. »Ich hab's geschafft. Mein Gott, ich hab's geschafft. Ohne …« Sie brach ab.

»Zubehör jeglicher Art«, endete er fröhlich. »Keine Peitschen, keine Ketten, keine Handschellen.«

Ihre Wangen begannen wieder zu glühen. »Ja. Ohne das. Ich hab's geschafft.«

Er verzog die Lippen. »Eine Kleinigkeit habe ich ja wohl auch dazu beigetragen.«

Sie lachte wieder. »Stimmt. Aber wenn ich jetzt nicht bald schlafe, dann falle ich wahrscheinlich ins Koma.«

Er richtete sich auf, hob sie auf die Arme und trug sie zum Bett. Dort steckte er sie unter die Bettdecke. »Wo soll ich schlafen?«

Sie sah zu ihm auf. »Willst du um drei Uhr morgens allein sein?«

Sein Blick flackerte. »Nein.«

»Dann schlaf hier.« Sie lächelte. »Ich lass dich auch in Ruhe. Versprochen.«

Er lachte leise. »Verdammt.«

Ein unangenehmes Pochen im Arm brachte Bobby abrupt zum Erwachen. Sie nahm einen Schluck Wasser aus Großmutter Vartanians silbernem Teeservice, schluckte das Schmerzmittel, das Charles ihr dagelassen hatte, und versuchte, sich wieder zu entspannen. Sie lag in einem Schlafsack, den sie aus dem Keller geholt hatte und in dem Daniels Name mitsamt der Nummer seiner Pfadfindertruppe stand. Bobby verdrehte die Augen. Natürlich war Daniel bei den Pfadfindern gewesen.

Der Schlafsack roch muffig nach Keller, war aber sauber. Sie hatte ihn auf dem Lattenrost in Susannahs ehemaligem Zimmer ausgebreitet, nachdem sie die Überreste der Matratze beseitigt hatte. Jemand hatte hier im Haus gewütet und methodisch jedes Polster und jede Matratze aufgeschlitzt. Toby Granville oder Randy Mansfield, dachte sie. Sie hatten nach Simons Schlüssel zu dem verdammten Bankschließfach gesucht.

Toby und Simon hatten die belastenden Vergewaltigungsbil-

498

der dort versteckt, wie sie sehr gut wusste. Sie hatte die Bilder schon vor Jahren an sich genommen. Praktischerweise hatte Rocky in der Bank ihres Onkels gearbeitet. Bobby wusste, was sich in den Schließfächern verschiedener Bürger aus Dutton befand, und ihre Geheimnisse zu kennen hatte ihr Macht verliehen – ein tröstendes Gefühl in einer Zeit, in der die anderen sie wie Abschaum behandelt hatten. Schließlich war sie ja nur ein Emporkömmling, der das Glück gehabt hatte, vermögend zu heiraten.

Nicht, dass es jetzt noch etwas bedeutete. Was sie nun brauchte, war Geld, um zu verschwinden. Zum Glück befand sich in diesem Haus noch einiges von Wert: Sie würde gewisse Erbstücke verkaufen können, vor allem Großmutter Vartanians silbernes Teeservice. Der Gedanke ließ sie höhnisch grinsen. Nach all der Zeit gehörte ihr endlich das Familiensilber. Aber sie wusste, dass es in diesem Haus auch verborgene Schätze gab. Wenn sie Susannah endlich in ihrer Gewalt hatte, würde sie sie zwingen, ihr alle Verstecke zu zeigen.

Von dem Geld musste sie sich zunächst einen neuen Pass kaufen. Sie brauchte einen anderen Namen, ein anderes Gesicht. Ihres wurde in jeder Nachrichtensendung im ganzen Land gezeigt. Vielleicht sogar auf der ganzen Welt.

*Verdammt. Was habe ich mir heute Nachmittag nur gedacht? Sie hätten mich erwischen können!*

Sie hatte sich genau das gedacht, wozu Charles sie manipuliert hatte. Sie hatte nur noch den Wunsch gehabt, Susannah Vartanian zu demütigen und sie in der Öffentlichkeit sterben zu sehen. Weil es das gewesen war, was Charles gewollt hatte.

Er hasste Susannah, was in der Tat interessant war. Aber was Charles wollte oder fühlte, zählte nicht mehr. Jetzt war nur noch wichtig, was sie wollte.

*Und ich will, dass Susannah Vartanian stirbt. Falls es in aller Stille stattfindet, dann soll es eben so sein.*

Doch Bobby wusste nun auch, dass Susannah weit stärker war, als sie ihr zugetraut hatte. *Ich muss erst meine Verletzung auskurieren. Dann beende ich, was ich angefangen habe.* Sollte Charles ruhig glauben, dass sie Susannah für ihn tötete. Bobby wusste es besser. *Ich töte sie für mich.* Und dann würde sie verschwinden.

*Atlanta,*
*Montag, 5. Februar, 2.45 Uhr*

Ein Weinen weckte sie. Susannah hob den Kopf vom Kissen und wusste einen Moment lang nicht, wo sie war. Das Bett war nicht ihres, und ihr Körper fühlte sich an allen möglichen und unmöglichen Stellen wund an. Doch der Zedernduft und das typische Schnaufen und Schnarchen, das Thor im Schlaf von sich gab, beruhigte sie sofort.

Sie war in Lukes Bett. Er allerdings nicht.

Behutsam stieg sie aus dem Bett und spürte mit einem Mal jeden einzelnen blauen Fleck und jede Prellung der vergangenen drei Tage. Sie schnitt eine Grimasse und zog sich das Hemd über, das er auf den Boden hatte fallen lassen. Es roch nach ihm, nach Zedern und nach ein wenig Schweiß.

*Am Freitagmorgen bin ich in La Guardia in den Flieger gestiegen, um mein Leben zu ändern.*

Und das, dachte sie, während sie die Ärmel aufkrempelte, hatte sie wahrhaftig getan.

Darlin' hatte sich vor Lukes anderem Zimmer niedergelassen. Die Tür stand ein Stück offen, und Susannah drückte sie gerade weit genug auf, um hineinzusehen. Hier war offensichtlich sein Fitnessraum, denn in einer Ecke war ein Punchingball befestigt. Halb über dem Punchingball hing Luke, und seine Schultern bebten. So viele Male in den vergangenen Tagen hatte sie gesehen, wie seine Augen hell wurden oder wie er schlucken musste, doch dies … dies war herzzerreißender Kummer, und es tat ihr in der Seele weh.

»Luke.«

Sein nackter Rücken versteifte sich. Er richtete sich auf, bis er vor dem Punchingball stand, drehte sich aber nicht um. »Ich wollte dich nicht wecken«, sagte er hölzern.

»Es ist fast drei Uhr morgens«, sagte sie. »Also war es nicht anders zu erwarten. Kann ich reinkommen?« Er nickte, sah sie aber immer noch nicht an. Sie strich mit den Händen über seinen Rücken und spürte, wie sich jeder Muskel anspannte. »Was ist passiert?«, fragte sie.

»Nate hat angerufen.«

»Nate vom ICAC.« Ihr Magen begann zu brennen. »Hat er Becky Snyders Geschwister gefunden?« Die kleinen Mädchen, die Monicas Freundin zu beschützen versucht hatte.

»Ja. Auf einem Podcast. Pay per view. Nate hat Bilder der Kinder rausgeschickt, nachdem wir am Morgen die leere Wohnung verlassen haben.« Die Wohnung, deren Adresse Monica Cassidy sich gemerkt hatte, um ihr Versprechen Becky gegenüber halten zu können. »Einer unserer Partner in Europa hat ihn kontaktiert. Sie haben die Kinder gesehen. Nate hat sie diese Nacht auch gesehen. Online.« Er legte die Stirn an den Punchingball. »Er ist total betrunken.«

»Das kann ich verstehen.«

»Wir sehen die Kids, Susannah … Wir wissen, dass sie irgendwo stecken und leiden, aber wir können sie nicht finden!«

Sie schmiegte ihre Wange an seinen Rücken und schlang die Arme um ihn. Sie schwieg, um seinen Kummer nicht durch Plattitüden herunterzuspielen.

»Nate«, fuhr er leise fort, »hat drei Tage lang nichts anderes gemacht, als sich Bilder und Bänder anzusehen. Ich habe ihm nichts davon abgenommen. Ich hätte ihm helfen müssen, aber ich war nicht da.«

»Weil du Ferien auf Bali gemacht hast«, murmelte sie. »Luke, du hast Menschenleben gerettet. Zehn Mädchen, und das vor nicht einmal vierundzwanzig Stunden. Du darfst dich nicht so kasteien.«

»Ich weiß. Aber warum ist es nie gut genug?«

»Weil du du bist und zu viel Anteil nimmst. Du weißt, dass du alles gegeben hast, was du konntest, weil du gar nicht in der Lage wärst, weniger zu geben. Das musst du dir immer wieder sagen.«

Seine Hände griffen nach ihren. »Das hilft«, murmelte er. »Wirklich.«

»Du wirst Bobby Davis festnehmen, und dann hilfst du Nate, die Mädchen zu finden. Diese Mädchen und andere, die dich um drei Uhr morgens wecken. Hat Nate Beckys Stiefvater aufgespürt?«

»Nein, aber wir wissen jetzt, dass die Kinder einmal hier in der Stadt waren. Nate wird Bilder in den Schulen herumzeigen. Allerdings können sie inzwischen überall auf der Welt sein. Was sollte Snyder hier in Atlanta halten?«

»Vielleicht gibt es da doch etwas. Vielleicht hat dieses Schwein hier Verbindungen, von denen du nichts ahnst. Woher weißt du zum Beispiel, dass er mit den Kindern hier in Atlanta war?«

»Durch Gegenstände, die wir auf den Fotos gesehen haben.

Eine Kappe der Braves, ein Tomahawk, wie man es als Werbegeschenk bekommt, solche Dinge eben.«

»Nicht zurückverfolgbare Dinge, die Tausende von Menschen besitzen«, sagte sie leise an seinem Rücken.

»Genau«, erwiderte er verbittert.

»Komm zurück ins Bett«, sagte sie. »Du brauchst den Schlaf. Dann wirst du klarer denken können.«

»Ich kann nicht schlafen.«

»Dann komm trotzdem ins Bett.« Sie zupfte an ihm, bis er ihr nachkam, doch er blieb vor dem Bett stehen. Sie trug sein Hemd, und als sie auf die Matratze kletterte, öffnete es sich ein wenig und enthüllte den schwärzlichen Bluterguss, der von Bobbys Kugel stammte. Wieder kochten der Zorn und die Hilflosigkeit in ihm hoch, als er daran erinnert wurde, wie nah sie dem Tod gewesen war.

Er schüttelte den Kopf. »Geh du schlafen. Ich schalte den Fernseher ein.« Er kannte sich, wusste, dass er zu rasen beginnen würde, wenn er mit ihr ins Bett ging. Sie hatte am ganzen Körper Prellungen. Ihr musste jeder Knochen, jeder Muskel im Leib weh tun.

*Und ich wäre auch noch bereit für die zweite Runde.* Er schluckte, als sie sich aufs Bett kniete und nach seiner Hand griff. *Sehr, sehr bereit.*

»Schließ mich nicht aus«, sagte sie leise. »Das habe ich mit dir auch nicht getan.«

»Das ist nicht dasselbe.«

Sie zog die Stirn in Falten. »Weil du jetzt auf deiner dunklen Seite bist?« Sie schob die Finger in seinen Hosenbund und zog ihn zu sich heran. »Das macht mir nichts.«

Er schob sie weg, so sanft, wie er konnte. »Mir aber.« Er wandte sich zum Gehen, aber sie war blitzschnell an der Tür und lehnte sich dagegen, so dass er nicht hinauskonnte. »Susannah«, warnte er. »Der Zeitpunkt ist schlecht gewählt.«

»So etwas Ähnliches hast du gestern Nacht auch behauptet. Und du hast dich geirrt.«

Fluchend versuchte er, sie beiseitezuschieben, aber sie schlang ihm die Arme um den Hals und die Beine um die Taille, so dass sie an ihm hing wie eine Klette. »Nein«, flüsterte sie. »Schieb mich nicht weg.«

Er stemmte beide Hände gegen die Tür, und so verharrten sie reglos und starrten einander wütend an. »Begreifst du nicht, dass ich dir weh tun werde?«

Sie küsste seine Wange. »Begreifst du nicht, dass ich dir helfen muss?«

»Das kannst du nicht.« Er wusste, dass er sie noch anstachelte, aber er konnte es nicht ändern.

»Warte ab«, murmelte sie, küsste wieder seine Wangen, dann seine Lippen, die er stur geschlossen hielt. Ohne sich davon beirren zu lassen, widmete sie sich mit Lippen und Zunge seiner Schulter, dann seiner Brust. Noch immer widerstand er, bis sie ihre Zähne in seine Schulter vergrub und zubiss. Fest.

Der dünne Faden, an dem seine Selbstbeherrschung hing, riss. Mit einem Knurren schob er seine Jeans herunter und trat sie weg. Mit ihr, die ihn noch immer mit Armen und Beinen umschlungen hielt, trat er an den Nachttisch heran und holte mit zitternden Hände ein weiteres Kondom aus der Schublade, ließ sich aufs Bett fallen und drang ohne Vorwarnung in sie ein.

Sie war eng und nass, und er stieß voller Wut zu, trieb sich in sie. Wieder und wieder tat er es, bis sein Zorn überkochte und die Welt um ihn herum im Schwarz versank. Sein Körper wurde eisenhart, und er bog den Rücken durch, als er den heftigsten Orgasmus bekam, den er je erlebt hatte. Zu spät erkannte er, dass sie nicht Schritt halten konnte. Er hatte sich einfach genommen, was er brauchte, ohne sich um sie zu kümmern.

Schaudernd und peinlich berührt, senkte er den Kopf. Er konnte ihrem Blick nicht begegnen. »O Mann«, sagte er, als er wieder ein Wort herausbekam. »Es tut mir leid. So leid.«

»Warum?«

Sie klang weder wütend noch gekränkt. Er hob den Kopf und sah auf sie herab. Sie lächelte. Verwirrt runzelte er die Stirn.

»Habe ich dir nicht weh getan?«

»Ein bisschen. Ich hab's überlebt. Wie fühlst *du* dich?«

»Gut«, sagte er vorsichtig.

Sie verdrehte die Augen. »Bitte. Ich war dabei, vergiss das nicht. Es war *verdammt* gut.«

Er stieß kontrolliert den Atem aus. »Für mich ja. Aber ich war egoistisch. Ich habe mich nicht zuerst um dich gekümmert.«

»Ich weiß. Aber ich bin mir sicher, dass du dieses Versäumnis bald nachholen wirst. Also, wie fühlst du dich jetzt?«

Sein Grinsen war ansteckend. »Verdammt gut.«

Sie hob den Kopf und küsste ihn. »Und ich habe dein Gesicht gesehen«, fügte sie triumphierend hinzu.

»Hast du auch vorher.«

»Spiegel täuschen etwas vor. Diesmal war es echt.« Ihr Grinsen wurde sanfter, ein Lächeln leuchtete. »Du glaubst, du hast mich um mein Vergnügen betrogen. Aber du hast keine Ahnung, worum es geht, Luke.«

»Dann erklär es mir.«

Ihr Lächeln verschwand gänzlich, und ihr Blick war voller Sehnsucht. »Weißt du eigentlich, was es für mich bedeutet hat, am Tisch deiner Familie zu sitzen? Weißt du, dass ich so etwas noch nie zuvor getan habe? Noch nie in meinem Leben habe ich mit einer Familie zu Mittag oder zu Abend gegessen, die einander liebte. Du hast mir dieses Geschenk gemacht.« Er öffnete den Mund, doch sie legte ihm einen Finger an die Lippen. »Und du hast mir noch mehr gegeben. Du hast mir mich selbst zurückgegeben. Ich *wollte* etwas für dich tun. Egoistisch warst du höchstens, weil du mir das hier eben so schwer gemacht hast.«

»Ich wollte dir nicht weh tun.«

Sie musterte sein Gesicht, dann schüttelte sie den Kopf. »Nein. Du wolltest nicht, dass dir jemand weh tut.«

Er sah weg. »Du hast recht.«

»Ich weiß«, sagte sie trocken.

Er ließ den Kopf sinken. »Ich bin so müde«, flüsterte er. »Und es hört nie auf.«

»Ich weiß«, sagte sie wieder. »Schlaf. Ich bin immer noch hier, wenn du erwachst.«

»Bist du das?«, fragte er, und sie lächelte leicht.

»Was – hier, wenn du erwachst? Wo soll ich denn hingehen? Ich habe nichts mehr anzuziehen.«

Widerstrebend zog er sich aus ihr heraus und drehte sie in seinen Armen, so dass ihr Rücken an seine Brust geschmiegt war. »Du hast noch immer die Sachen, die Stacie dir gekauft hat.«

»Die habe ich ihr wiedergegeben. Im Übrigen möchte ich damit nicht den Gerichtssaal betreten, falls Chloe beschließt, einen Prozess anzustrengen. Der Richter würde denken, ich sei wegen Prostitution eingebuchtet worden.«

Ihr ironischer Tonfall konnte ihn nicht zum Narren halten. »Was wirst du tun?«, murmelte er. »Können sie dir tatsächlich deine Lizenz entziehen?«

»Klar. Natürlich kann ich Einspruch erheben, aber Chloe hat recht. Ein Saal voller Reporter ist nicht der geeignete Ort, um das Gesetz zu brechen. Ich werde in ein paar Stunden auf den Titelseiten zu sehen sein. Gestern Abend war ich bereits im Fernsehen.« Sie seufzte. »Also werde ich in den Kaffeepausen das Gesprächsthema sein. Ich wusste, dass es so kommen würde, als ich am Freitagmorgen das Flugzeug bestiegen habe. Es ist schon okay. Im schlimmsten Fall erhalte ich negative Publicity und eine Verurteilung für eine Ordnungswidrigkeit. Chloe wird einen Deal vorschlagen, und ich werde einwilligen.«

»Du hast die Waffe nicht aus dem Haus deines Vaters«, sagte er leise, aber sie schwieg. »Susannah.«

»Manche Fragen bleiben besser unbeantwortet, Luke. Wenn du es wüsstest, müsstest du bei einer offiziellen Befragung die Wahrheit sagen. Aber so oder so – ich würde es immer wieder machen. Und du?«

»Ich auch. Allerdings kriegt Leo in diesem Jahr ein größeres Weihnachtsgeschenk. Und im nächsten auch.« Er zupfte an dem Hemd, das sie noch immer trug, und küsste ihre Schulter, die er entblößt hatte. »Und was hast du vor, wenn du keine Staatsanwältin mehr sein darfst?«

»Ich weiß es noch nicht. Ich muss die ganze Zeit daran denken, was ich heute zu diesem Reporter gesagt habe. Dass jede Frau das Recht hat, ein Sexualdelikt öffentlich zu machen oder eben nicht. Ich dränge diese Frauen aber jeden Tag, mit einer solchen Tat an die Öffentlichkeit zu gehen.«

»Nun, das ist dein Job. Verurteilungen zu erwirken.«

»Ja, ich weiß, und ich habe dem Staat bisher gut gedient. Aber während des Prozesses ... Ich frage mich immer, wie es gewesen wäre, wenn ich damals etwas gesagt hätte. Ich wäre entsetzlich verängstigt und beschämt gewesen. Diese Frauen sind das auch. Sie machen alles noch einmal durch. Der Staat richtet den Täter, aber niemand tritt wirklich für die Opfer ein.«

»Du überlegst, Opferanwältin zu werden?«

»Falls ich als Staatsanwältin suspendiert werde. Aber selbst wenn nicht, wird es in Zukunft schwer für mich werden, im Gerichtssaal die Aufmerksamkeit von mir ab- und auf die Opfer zu lenken. Ich werde wohl etwas Neues beginnen müssen, wie Chloe sich auch entscheiden mag. Ha, wer weiß, vielleicht stelle ich mich einfach hinter meinen eigenen Kool-Aid-Stand.«

Er gähnte herzhaft. »Und verkaufst Limo mit Kirschgeschmack?«

»Traube«, erwiderte sie schläfrig. »Traube mag jeder. Und jetzt schlaf endlich, Loukaniko.«

Er riss die Augen auf. »Wie bitte? Was hast du gerade gesagt?«

»Dass alle Traube mögen. Und du sollst endlich schlafen«, sagte sie ein wenig gereizt. »Also los.«

»Nein, dass mit Loukaniko.«

Sie drehte den Kopf, so dass sie ihn über die Schulter hinweg ansehen konnte.

»Leo hat gesagt, das sei dein richtiger Name. Weswegen deine Mama dich Lukamou nennt.«

Luke musste sich auf die Lippe beißen, um nicht zu lachen.

»Ähm, Lukamou heißt so was wie … mein Liebling. Loukaniko ist eine dicke, fette Wurst.«

Sie schnitt ein Gesicht, dann zog sie finster die Brauen zusammen. »Tut mir leid. Leo ist schuld.«

»Mein Bruder Leo hat gerade das zweite große Weihnachtsgeschenk verspielt.«

Sie schmiegte sich wieder an ihn. »Obwohl man sagen könnte, dass der Spitzname in gewisser Hinsicht passen könnte.«
Er kicherte albern. »Danke. Denke ich.«
»Und jetzt schlaf endlich«, sagte sie ruhig. »Lukamou.«
Sein Arm schlang sich fester um sie, und er seufzte zufrieden, als er auch schon wegdämmerte.

# 22. Kapitel

Was ist in diesen Kartons?«, fragte Susannah, als sie am nächsten Morgen in Lukes Büro saßen.

Luke blickte von seinen Berichten auf. Sie sah frisch, ausgeschlafen und wunderschön aus in dem schwarzen Kleid, das Chloe ihr am Samstag geliehen hatte. Während sie geschlafen hatten, war das Kleid wie von Zauberhand in seinem Schrank erschienen, und natürlich war keine Spur mehr von Blut, Erde oder sonstigem Schmutz zu sehen. Es hatte seine Vorteile, jemanden in der Familie zu haben, der eine chemische Reinigung betrieb.

»Jahrbücher«, sagte er. »Von allen Schulen in einem Umkreis von fünfundzwanzig Meilen von Dutton. Wir haben damit die Opfer von Simons Fotos identifiziert.«

Sie kniete sich neben den Kartons auf den Boden. »Ist das Jahrbuch von meinem Abschlussjahr auch hier drin?«

»Nein. Das habe ich Daniel gegeben. Wieso?«

»Ich bin nur neugierig, ob ich so aussehe, wie ich es in Erinnerung habe. Oft ist alles eine Frage der Perspektive.«

»Hast du etwa sonst keine Fotos mehr aus deinem Abschlussjahr?«

Sie warf ihm einen ironischen Blick zu. »Ganz sicher nicht. Ich wollte die Zeit bloß vergessen.«

»Ich habe ein Bild von dir. Na ja, sozusagen.« Er zog seine Brieftasche heraus und senkte verlegen die Augen. »Als ich

510

durch das Jahrbuch blätterte, sah ich dein Foto. Ich hatte seit Tagen, seit der Beerdigung deiner Eltern, an dich gedacht und ... na ja, da habe ich es eben fotokopiert. Ich hatte sogar überlegt, ob ich mal nach New York fliegen sollte, um mich dort mit dir zu verabreden. Hatte mich schon über Flugkosten und so weiter informiert.«

Sie hockte sich auf die Fersen und lächelte entzückt. »Hast du nicht.«

»Hab ich doch.« Er reichte ihr das gefaltete Blatt und beobachtete, wie sie es zögernd aufklappte.

Ihr Lächeln verblasste. »Ich sehe traurig aus.«

»Ja«, sagte er sanft. »Das fand ich auch.«

Sie schluckte und gab ihm die Kopie zurück. »Aber wieso hast du es dir dann kopiert?«

»Weil du selbst traurig das schönste Mädchen bist, das ich je gesehen habe.«

Sie errötete bezaubernd. »Lieb von dir.« Sie wandte sich wieder dem Karton zu und er sich seiner Arbeit. Eine Weile schwiegen beide, dann sprach Susannah wieder. »Luke, ich weiß jetzt, warum Kate Davis Rocky genannt wurde.« Sie legte ihm ein Jahrbuch auf den Tisch und sah über seine Schulter, während er die Seite betrachtete. Sie deutete auf das Bild eines Mädchens mit einem böses Überbiss und einer dicken Brille. »Das ist Kate Davis, alias Rocky«, sagte sie.

Luke versuchte, das hässliche Entlein mit der schlanken, attraktiven Frau, die Kate Davis geworden war, zu vereinbaren. »Du machst Witze.«

»Nein, ganz und gar nicht. Es ist erstaunlich, was eine Zahnklammer und eine Rundumerneuerung bewirken können. Ich hatte es ganz vergessen, bis ich eben das Bild sah, aber Kate wurde damals schon Rocky genannt. Und zwar nach dem

Eichhörnchen. Du weißt schon, das aus dem Zeichentrickfilm. Mit Bullwinkle, dem Elch«, setzte sie hinzu, als er sie verständnislos anblickte.

»Aha. Wieso?«

Sie runzelte die Stirn und beschwor die Erinnerung herauf. »Es fing an mit einem Theaterstück, das an der Schule aufgeführt wurde. Unsere Privatschule war keine reine Highschool, wir hatten auch Grundschüler. Einmal wurde Schneewittchen inszeniert, und man nahm ein paar von den jüngeren Schülern als Waldbewohner. Irgendein gedankenloser Lehrer fand es offenbar lustig, Kate als Eichhörnchen einzusetzen. Sie kann damals höchstens acht oder neun Jahre alt gewesen sein.«

Luke betrachtete die riesigen Nagezähne des Mädchens auf dem Foto. »Wie gemein.«

»Danach rief man sie nur noch Rocky Squirrel, und weil Garth so groß und breit war, bekam er den Spitznamen Bullwinkle. Ihm war es egal, aber Kate nicht. Ich kann mich erinnern, dass ich sie deswegen habe weinen sehen.« Sie seufzte. »Ich hätte etwas sagen müssen, aber es war direkt nach ... na ja, nachdem Simon und die anderen das eine getan hatten. Ich blieb in dieser Zeit am liebsten für mich.«

»Ja, verständlich.« Luke drehte sich auf seinem Stuhl herum und sah zu ihr auf. Es hatte keinen Sinn, die Frage noch länger hinauszuschieben. »Susannah, woher weißt du, dass Simon dich vergewaltigt hat?«

Sie zuckte förmlich zusammen. »Er hat mir ein Bild gezeigt. Jemand anderes muss es gemacht haben, denn es war definitiv Simon. Mit Beinprothese und allem Drum und Dran.«

»Was ist mit dem Foto passiert?«

»Ich weiß es nicht. Er hatte sein Ziel erreicht und es wieder eingesteckt. Aber ich habe es gesehen, und dass Garth Davis mich Lügnerin nennt ... das macht es nur schlimmer.«

Er zögerte, dann fuhr er fort, als sie ihn misstrauisch ansah. »Es überrascht mich bloß, dass ich es nicht in Simons Sammlung gefunden habe. Weder bei denen, die Daniel hatte, noch in der Schachtel, die du gefunden hast.«

Ihre Augen verengten sich. »Du glaubst mir nicht?«

»Natürlich glaube ich dir«, sagte er hastig und sah erleichtert, dass sie sich ein wenig entspannte. »Ich glaube dir unbedingt. Ich möchte nur wissen, wo das Bild ist.« Er nahm ihre Hand zwischen seine Hände. »Mach dir keine Sorgen. Nach dem Morgenmeeting gehe ich mit dir zu Garth Davis. Vielleicht weiß er, wo sich Bobby versteckt hält. Jetzt muss ich aber los.« Er küsste sie leicht auf die Lippen.

»Luke.« Er wandte sich an der Tür um. Ihre Augen waren weit aufgerissen, die Hände so fest ineinander verschränkt, dass die Knöchel weiß schimmerten. »Sag Chloe, dass sie sich entscheiden soll. Ich möchte es lieber bald wissen.«


*Atlanta,*
*Montag, 5. Februar, 7.55 Uhr*


»Sie sehen besser aus«, sagte Chase, als Luke sich an den Konferenztisch setzte.

»Sie nicht«, erwiderte Luke. »Irgendetwas Neues über Leigh?«

»Nein. Ich habe mit ihrer Familie gesprochen. Niemand kann sich vorstellen, warum sie so etwas getan haben könnte.«

Die anderen Teammitglieder kamen herein. Mit Ausnahme von Ed und Chloe wirkten alle ausgeruhter als am Abend zuvor, wenn auch noch genauso zermürbt. Ed schob Luke im

Vorbeigehen einen Zettel zu. *Vaterschaft Loomis,* stand da. *Positiv.*

Eine Frage war also einwandfrei beantwortet. Er nickte Ed über dem Tisch hinweg zu.

»Möchten Sie dem Rest der Klasse erzählen, was es Spannendes gibt?«, fragte Chase sarkastisch.

Susannah hatte eingewilligt, die Neuigkeit weiterzugeben, da sie es Daniel bereits erzählt hatte. »Angie Delacroix, die Besitzerin des Schönheitssalons in Dutton, hat Susannah gesagt, dass Arthur Vartanian nicht ihr Vater gewesen sei. Ihre Mutter hatte angeblich eine Affäre mit Frank Loomis, dem Sheriff. Ed hat einen DNA-Test durchgeführt, und dieser bestätigt, dass Loomis Susannahs biologischer Vater ist.«

Chase blinzelte. »Oha. Nun, das habe ich nicht erwartet.«

»Sie auch nicht«, sagte Luke. »Aber offenbar hat Loomis ziemlich oft wieder ausgebügelt, was Simon verbockt hat, und das schließt das Fälschen von Beweisen im Fall Gary Fulmore mit ein.«

»Das erklärt zumindest einiges, was uns bisher noch Kopfzerbrechen bereitet hat«, sagte Chloe. »Ich sorge dafür, dass das im Bericht erscheint. Wir haben einen Tag vor seinem gewaltsamen Tod gegen Loomis und das Sheriffbüro zu ermitteln begonnen.«

»Da wir gerade von Ermittlungen sprechen«, sagte Luke. »Sie würde es gerne wissen, Chloe.«

Chloe sah bedrückt auf. »Ich habe keine halbe Stunde geschlafen. Aber, Luke, ich muss es tun. Ich muss Anzeige erstatten.«

Er verkniff sich, was eine scharfe Erwiderung geworden wäre.

»Wenigstens weiß sie jetzt, auf was sie sich vorbereiten muss.« Als er die verwirrten Blicke der anderen sah, fügte er hinzu: »Erzählen Sie es ihnen.«

Chloe seufzte. »Susannah Vartanian hat sich gestern des illegalen Waffenbesitzes schuldig gemacht.«

»Herrgott noch mal«, fauchte Talia. »Chloe!«

»Das ist doch Schwachsinn«, setzte Pete hinzu. »Das macht doch alles nur noch schlimmer.«

»Keine Haft, richtig, Chloe?«, sagte Chase müde.

»Keine Haft. Gemeinnützige Arbeit, aber keine Haft.« Sie warf Luke einen Blick zu, und zum ersten Mal sah er die selbstbewusste Chloe den Tränen nah. »Es tut mir leid.«

Er tätschelte ihre Hand. »Ist schon okay. Sie sagt, sie hätte dasselbe getan.«

Chloe verzog den Mund. »Es ist dennoch zum Kotzen.«

»Alles, was in der letzten Woche geschehen ist, ist zum Kotzen«, sagte Chase gallig. »Ed, Sie haben die ganze Nacht gearbeitet. Erzählen Sie den anderen, was dabei herausgekommen ist.«

»Zwei Dinge insbesondere.« Eds Augen leuchteten in seinem müden Gesicht. »Wir haben auf den Spritzen aus dem Bunker ein paar Fingerabdrücke entdeckt und eine Übereinstimmung mit der Datenbank des Krankenhauses gefunden.« Er holte ein Foto aus einer Mappe. »Jeff Katowsky, neununddreißig Jahre alt. Krankenpfleger. Wir haben ihn schon verhaftet. Er hatte sich im Keller seiner Mutter versteckt.«

»Und er hat versucht, Beardsley umzubringen?«, fragte Luke.

»Ja. Er hat gestanden«, sagte Chase. »Eine Frau habe ihn kontaktiert und damit gedroht, seine Drogenabhängigkeit öffentlich zu machen, wenn er Beardsley nicht umbrächte.«

»Woher kennt Bobby nur diese ganzen Geheimnisse?«, fragte Nancy. »Sie muss eine Quelle haben. Wer konnte von Katowskys Drogenproblem wissen?«

»Der Mann sagt jedenfalls nichts«, erklärte Chase. »Chloe hat ihm einen Deal angeboten, aber er schweigt eisern.«

»Er hat furchtbare Angst«, sagte Chloe. »Wir versicherten ihm, dass wir ihn beschützen würden, aber er hat nur gelacht.«

»Genau wie Michael Ellis, Darcys Mörder«, sagte Luke. »Das ist wohl kein Zufall.«

»Chloe, haben Sie noch einmal mit Al Landers gesprochen?«, fragte Chase.

»Ich habe heute Morgen versucht, ihn zu erreichen, aber er war noch nicht im Büro.« Sie holte ihren BlackBerry aus der Tasche. »Außerdem habe ich ihm gestern nach dem Meeting gemailt.« Sie scrollte durch ihre Nachrichten. »Ah, hier ist seine Antwort. Er sagt, er will heute persönlich ins Gefängnis fahren, er habe aber die Zeichnung, die wir ihm faxen wollten, noch nicht bekommen. Er meint das Bild des Vergewaltigers, den Susannah unserer Zeichnerin beschrieben hat.«

Luke schloss kurz die Augen. »Susannah meinte, die Zeichnerin habe Leigh das Bild gegeben.«

»Mist.« Chase rief die Sekretärin an, die Leighs Platz eingenommen hatte. »Keine Sendebestätigung über ein Fax nach New York. Leigh hat die Zeichnung nicht geschickt, und sie ist auch nicht in ihrem Tisch.«

»Die Zeichnerin hat garantiert eine Kopie gemacht«, sagte Pete. »Kein Problem also – wir unternehmen einfach einen zweiten Versuch.«

»Ja, sicher.« Luke dachte nach. »Aber warum hat Leigh das Fax nicht gesendet? Sie hat ein doppeltes Spiel getrieben, das ist klar, aber was mag es mit dem Foto auf sich gehabt haben? Was hat sie uns noch vorenthalten?«

»Ich habe in der vergangenen Nacht noch ihre Telefonate sowie die eingegangenen Anrufe der Hotline überprüft«, sagte Chase. »Es sieht so aus, als habe sie alles ordnungsgemäß weitergeleitet.«

»Vielleicht kannte sie ihn«, überlegte Luke. »Oder Bobby hat ihr befohlen, das Fax nicht zu senden.«

Chase seufzte. »Damit könnten Sie recht haben. Nun, wir schicken die Zeichnung raus, dann werden wir ja sehen, was passiert. Im Augenblick sollten wir uns darauf konzentrieren, den Unbekannten zu identifizieren, den Monica Cassidy im Bunker mit Granville hat sprechen hören. Es kann durchaus sein, dass er der Einzige ist, der Bobby bei ihrer Flucht helfen würde.«

»Mansfield hat als Rückversicherung heimlich Fotos von Granville aufgenommen«, sagte Ed. »Vielleicht ist dieser Kerl auf einem der Bilder zu sehen.«

Es drehte Luke den Magen um, als er daran dachte, die Bilder noch einmal ansehen zu müssen. »Ich schau sie durch.«

Chase warf ihm einen mitfühlenden Blick zu. »Ich kann jemand anderes damit beauftragen.«

»Nein. Ich will diesen Kerl kriegen. Ich mach es schon.« Und wenn die Arbeit zu unerträglich wurde, dann hatte er jetzt einen Menschen, an den er sich wenden konnte. Er fragte sich, ob Susannah wirklich wusste, was sie ihm angeboten hatte, aber dann erinnerte er sich an den ersten Nachmittag in seinem Wagen. *Und jeden Tag stirbt ein wenig mehr.* Ja, sie wusste es. Aus Erfahrung. Und das machte ihr Bedürfnis, ihm zu helfen, umso schöner. »Aber zuerst will ich mit Garth Davis sprechen. Vielleicht weiß er, wo sich seine Frau versteckt.«

»Er wird heute Nachmittag angeklagt«, sagte Chloe. »Gegen elf wird er ins Gericht gebracht.«

»Können Sie Sicherheitsverwahrung beantragen?«

517

»Ich werde es versuchen, aber ich denke nicht. Allerdings kriege ich ziemlich sicher eine hohe Kaution bewilligt, was möglicherweise auf dasselbe hinausläuft. Davis' Konto ist leer. Sieht so aus, als habe Bobby es geräumt.«

»Kriegt er das Geld nicht zurück?«, fragte Nancy, und Chloe zuckte mit den Schultern.

»Falls wir Garths Geld von Bobbys Einkünften trennen können«, sagte sie mit Unschuldsmiene. »Wir haben ihre Konten auf ihrem Computer gefunden, dürfte also kein Problem sein …«

»Wenn Bobbys Festplatte nicht derart vollgepackt mit Informationen wäre«, sagte Ed grimmig. »Sie hat Kohle gescheffelt, indem sie Kinder an reiche Perverse verkauft hat. Im Augenblick haben wir zu viel zu tun, um zu versuchen, ihre geschäftlichen Transaktionen von Garths Geld zu trennen. Soll er ruhig noch eine Weile sitzen und vor sich hin gammeln.«

»Amen«, sagte Luke. »Sind wir durch? Ich will noch einmal mit Garth sprechen, bevor man ihn zum Gericht bringt.«

»Moment noch«, sagte Chase. »Pete, besorgen Sie sich die Zeichnung, von der wir eben gesprochen haben, und zeigen Sie sie bei Leighs Freunden und Familie herum. Vielleicht erkennt ihn ja jemand. Talia, schließen Sie sich mit der Polizei in Arkansas kurz. Ich will alles über Bobbys Kindheit und Jugend herausfinden. Vielleicht bekommen wir einen Hinweis darauf, wo sie sich versteckt hält. Ed, woran sitzen Sie gerade?«

»Wir telefonieren Betonfirmen durch.«

»Wieso?«, fragte Pete.

»Erinnert ihr euch? Ich habe erzählt, dass der Boden im Bunker ziemlich alt ist, die Wände aber neu. Dass es sich um Fer-

tigbauteile handelte. Und jetzt ratet mal, wer ebenfalls Beton-
fertigwände in seinem Haus eingezogen hat, die zufällig auch
noch die gleiche Zusammensetzung haben?«

»Mansfield.« Nancy schnippte mit den Fingern. »In seinem
Keller. Dort, wo er all die Munition und die Kinderpornos
gelagert hat.«

»Genau. Ich habe eine Liste aller Betonhersteller, die mit dieser
Mineralzusammensetzung arbeiten«, sagte Ed. »Wenn Mansfield einen Bunker gekauft hat, an wen haben sie wohl noch ge-
liefert?«

»Und was ist mit Granvilles Bankschlüssel?«, fragte Nancy.

»Gehen Sie der Spur nach«, sagte Chase. »Heute haben die
Banken wieder geöffnet. Sie fragen nach, ob Granville in einer
von ihnen ein Schließfach hatte. Germanio, Sie sind um zehn
in Dutton. Um zwölf findet die Beerdigung von Janet Bowie
statt, der Tochter des Kongressabgeordneten.«

»Sie war das erste von Mack O'Briens Opfern vergangene
Woche«, sagte Chloe. »Das wird wieder ein hohes Presseaufkommen geben. Und bestimmt sind auch viele Politiker anwesend. Wer weiß – Bobby könnte auch auftauchen.«

»Ja. Wir haben bereits Officer in Zivil eingewiesen und Über-
wachungskameras installiert.« Chase wandte sich wieder an
Germanio. »Sie bekommen eine Liste der Agents, die dort
sind, und übernehmen die Koordination. Die Leute, die in die
Kirche wollen, können wir durchsuchen, aber der Friedhof
selbst wird schwieriger zu kontrollieren sein. Nach der Feier
wird es eine Art Mittagsbüfett für die Journalisten geben. Ich
sorge dafür, dass Sie zugelassen sind.«

Germanio nickt. »Okay.«

»Gut. Wir treffen uns wieder um fünf. Sie können gehen.«
Chase deutete auf Luke und Chloe. »Bis auf Sie beide.«

»Was ist denn jetzt schon wieder?«, fragte Luke ungeduldig, als die anderen fort waren.

»Ich habe vergangene Nacht nicht nur Leighs Einzelnachweise durchgesehen, sondern auch den Rest von Jared O'Briens Tagebüchern gelesen. Luke, er beschreibt jede Vergewaltigung, die die Jungen begangen haben, detailliert. Es ist kein Wort darüber zu finden, dass sie sich an Susannah vergriffen haben.« Chase seufzte. »Und Jared war Mistkerl genug, um damit anzugeben, selbst wenn er das nur in seinem Tagebuch tun konnte. Aus seinen Aufzeichnungen geht klar hervor, dass er Susannah unbedingt … haben wollte. Simon hat jedoch immer nein gesagt.«

»Weil er es schon getan hatte«, murmelte Luke, und Chase sah ihn stirnrunzelnd an.

»Was meinen Sie damit?«

Luke seufzte. »Sie will nicht, dass Daniel es erfährt. Simon hat an mindestens einer Vergewaltigung teilgenommen. Er hat ihr ein Foto gezeigt, auf dem er *sie* vergewaltigt.«

Chase schüttelte den Kopf. »Jared lässt keinen Zweifel daran, dass Simon sich niemals beteiligt hat. Wo soll denn dieses Foto sein?«

»Sie weiß es nicht.«

»Also waren Simon und mindestens ein anderer beteiligt«, sagte Chase. »Derjenige, der das Bild aufgenommen hat.«

»Granville.« Luke presste die Kiefer zusammen. »Es muss Granville gewesen sein.«

»Dann ist es möglich, dass Mansfield die Wahrheit sagt«, schloss Chloe.

»Ja, ich weiß«, sagte Luke. »Und falls dem so ist …«

»Ist er zumindest nicht schuldig, *sie* vergewaltigt zu haben«, sagte Chase. »Und er ist der Einzige, der von den sieben noch am Leben ist.«

»Sie ist also ganz umsonst an die Öffentlichkeit getreten.«
Chloes Miene war erschüttert. »Verdammt.«

»Nicht ganz umsonst.« Alle drei fuhren herum. Susannah
stand im Türrahmen und hielt ein Jahrbuch an die Brust gepresst. »Ich habe es für mich getan. Ich musste mein Leben
wieder in den Griff bekommen.« Sie begegnete Lukes Blick
und lächelte. Luke zwang sich, das Lächeln zu erwidern, obwohl ihm das Herz schwer war. Sie räusperte sich. »Ich habe
etwas gefunden, das Sie sehen sollten.« Sie legte das Jahrbuch
auf den Tisch und schlug es auf. »Ich war zu nervös, um still
sitzen zu bleiben, also habe ich durch diese Bücher geblättert.
Dieses hier stammt von der Springfield High, ungefähr zwanzig Meilen von Dutton entfernt.« Sie zeigte auf ein Bild. »Das
Foto hier.«

»Marcy Linton.« Chase sah auf. »Ja, und? Worauf wollen Sie
hinaus?«

»Ich kenne sie nicht als Marcy Linton«, sagte Susannah. »Sondern als Darcy Williams.«

Einen Augenblick lang herrschte verblüfftes Schweigen, dann
gab es einen kollektiven Seufzer. »Sie ist also nur zwanzig
Meilen von dir entfernt aufgewachsen, lernt dich aber in New
York kennen«, sagte Luke bedächtig. »Wohl kein Zufall.«

»Wohl kein Zufall«, bestätigte Susannah. »Sie gehörte anscheinend irgendwie zum Plan. Aber ich möchte wissen, was für
ein Plan das ist, wieso sie beteiligt war und was so schiefgelau-
fen ist, dass sie sterben musste.«

Chase nickte. »Sie haben recht. Wir müssen mehr über Miss
Marcy Linton herausfinden. Talia will mit der Polizei in Arkansas sprechen, um mehr über Bobbys Vergangenheit zu erfahren. Anschließend soll sie sich nach den Lintons erkundigen.«

»Ich würde gern dabei sein«, sagte Susannah. »Bitte, Chase. Die Darcy, die ich kannte, hat behauptet, sie sei ausgerissen und habe keine Familie. Sie war meine Freundin – oder das dachte ich zumindest. Ich habe sie in New York begraben lassen.«

»Sie sind für die Beerdigungskosten aufgekommen?«, fragte Chloe.

»Na ja, sie hatte doch sonst niemanden. Aber wenn doch noch jemand von ihrer Familie existiert, dann sollte er oder sie wenigstens erfahren, was mit ihr geschehen ist. Bitte lassen Sie mich mit Talia gehen.«

»Bis wir Bobby gefunden haben, gehst du nirgendwohin. Hier im Gebäude bist du wenigstens sicher«, sagte Luke.

Susannah schüttelte den Kopf. »Und was, wenn sie schon untergetaucht ist? Wenn wir sie nie finden? Ich kann mich doch nicht ewig verstecken, Luke. Talia ist eine hervorragende Polizistin. In ihrer Gegenwart wird mir nichts geschehen, und ich verspreche, vorsichtig zu sein. Zuerst aber muss ich mit Garth Davis reden.«

*Charlotte, North Carolina,*
*Montag, 5. Februar, 8.45 Uhr*

Special Agent Harry Grimes verlieh dem Abschlussbericht zu der Entführung und Rettung von Eugenie Cassidy den letzten Schliff, als sein Telefon klingelte.

»Harry, Steven Thatcher hier. Wir haben den Wagen von Dr. Cassidy gefunden.«

Der Vater von Genie und Monica. »Oha. Wo?«

»Im Lake Gordon. Da hat gestern ein Angelwettbewerb stattgefunden, und jemand spürte den Wagen mit einem Echolot auf. Er hat es sofort gemeldet, aber der Vater wird noch immer vermisst. Der See wird bereits mit Schleppnetzen durchsucht.«

»Ich komme.«

»Und wie geht's dem Mädchen?«, fragte Steven.

»Genie ist unverletzt«, sagte Harry. »Körperlich zumindest. Sie steht noch unter Schock. Monica … na ja, das ist eine ganz andere Geschichte. Ich habe heute Morgen mit ihrer Mutter gesprochen. Das Mädchen hat verdammt viel zu verarbeiten. Ich wünschte, wir hätten es irgendwie verhindern können.«

»Sie ist am Leben«, sagte Steve. »Denk vor allem immer daran. Und was hat es mit diesem ›Jason‹ auf sich gehabt?«

»›Jason‹ war ein Team von zwei Frauen, einem Arzt und einem Deputy-Sheriff. Davon sind inzwischen alle tot, bis auf eine der beiden Frauen, die ältere. Genie hat die jüngere als ihre Entführerin identifiziert.«

»Könnte eine dieser Personen Dr. Cassidy getötet haben?«

Harry blickte in seine Notizen. »Nein. Wenn man in Betracht zieht, wann die Nachbarn seinen Wagen davonfahren sahen, kann es keine der Frauen gewesen sein. Die jüngere war um die Mittagszeit bereits tot, sie starb in Georgia. Die ältere, die wahrscheinlich die jüngere getötet hat, befand sich am Schauplatz des Geschehens.«

»Und der Deputy?«

»Ist seit Freitag tot. Auch der Arzt wurde an diesem Tag getötet.«

»Ach du Schande«, bemerkte Steven. »Ziemlich chaotischer Fall, wie mir scheint.«

»Und ich glaube, dass wir noch nicht einmal die Hälfte der Fakten auf dem Tisch haben. Ich habe mit Luke Papadopoulos in Atlanta gesprochen. Seiner Meinung nach befinden sich mindestens noch zwei Personen auf freiem Fuß – die ältere Frau und jemand anderes.«

»Und was weißt du inzwischen über Genies Entführung?«

»Sie wurde in einem Nachtcafé mit dem Namen Mel's gekidnappt.«

»Wenn ich du wäre, würde ich mich dort mal umhören.«

»Habe ich schon, ein paar Stunden bevor Genie gefunden wurde. Sie sagt aber, die jüngere Frau hätte sie überwältigt, und die ist inzwischen tot.«

»Aber du hast auch gesagt, die jüngere Frau könne gar nicht in die Entführung von Genies Vater verwickelt sein, also haben wir mindestens einen weiteren Spieler. Vielleicht ist es ja derselbe, nach dem Agent Papadopoulos in Atlanta sucht. Hat das Restaurant eine Videoüberwachung?«

»Nur an der Kasse. Aber …« Wieder sah Harry seine Notizen durch. »Auf der Straße gegenüber befindet sich ein Geldautomat. Der Winkel der Kamera könnte gerade richtig sein.«

»Na, dann los«, sagte Steven. »Hol ihn dir, mein Junge. Ich melde mich, falls wir Dr. Cassidy aus dem See fischen.«


*Atlanta,*
*Montag, 5. Februar, 9.35 Uhr*


Susannahs Magen zog sich zusammen, während sie vor dem Verhörraum stand, in dem Garth Davis wartete. »Ich habe Angst«, murmelte sie.

Luke schlang ihr den Arm um die Taille. »Du musst das nicht tun. Ich kann auch mit ihm reden.«

»Doch, ich muss das sehr wohl tun.« Sie holte tief Luft. »Bringen wir es hinter uns.«

Chloe saß bereits mit Garth und seinem Anwalt an dem kleinen Tisch.

»Garth«, murmelte Susannah und setzte sich auf den Stuhl, den Luke ihr hervorzog.

»Susannah«, sagte er vorsichtig. »Es ist lange her.«

»Ja. Das ist es.« Sie musterte ihn, jedoch nicht aus dem Blickwinkel einer Anwältin, sondern mit den Augen einer Frau, deren Leben viel zu lange unter dem Einfluss vergangener Ereignisse gestanden hatte. Garth sah hager und müde aus. Mit gerade zweiunddreißig wirkte er … alt. So alt, wie sie sich fühlte.

Garth sah zu Luke auf. »Sie haben meine Söhne gefunden. Danke.«

Luke reagierte mit einem knappen Nicken. »Wie ich schon sagte.«

»Ich … ich habe die Nachrichten gesehen. Ich schwöre, dass ich keine Ahnung hatte, zu was Barbara Jean fähig ist.«

»Gestern hat sie versucht, mich umzubringen«, sagte Susannah.

Garth sah sie gequält an. »Ich weiß.«

»Wusstest du, dass sie mich hasst?«

»Nein.«

»Wusstest du, dass sie Arthur Vartanians Tochter ist?«

Er riss die Augen auf. »*Was?*«

»O ja.« Und dann wusste sie, was sie fragen wollte. »Hast du fünfzehn junge Mädchen vergewaltigt?«

»Garth«, warnte der Anwalt, aber Garth hielt in einer Geste der Kapitulation die Hand hoch.

»Genug. Es reicht. Ich komme da sowieso nicht raus. Es gibt Fotos, ein Tagebuch. Meine Schwester ist tot, und halb Dutton auch. Für die Sünden ein paar dummer Jungen sind schon viel zu viele Menschen gestorben.«

»Mein Originalangebot steht, Mr. Davis«, sagte Chloe. »Fünfzehn Jahre.«

»Dieser Deal ist Schwachsinn, Chloe«, erwiderte Davis' Anwalt. »Er war noch nicht volljährig, verdammt noch mal.«

»Er war siebzehn.«

»Nur bei der Hälfte der Straftaten«, argumentierte der Mann, und Chloe verdrehte die Augen.

»Für jede einzelne Tat gibt es ein Mindestmaß. Wenn ein Richter anordnet, dass diese in Folge abgeleistet werden, sitzt Ihr Mandant für den Rest seines Lebens.«

Der Anwalt schnaubte verächtlich. »Aber kein Richter wird das tun.«

Garth schüttelte den Kopf. »Hör auf, Sweeney. Du kannst mich nicht raushauen.«

»Wir beantragen einen anderen Gerichtsort«, sagte der Anwalt, und Garth lachte humorlos.

»Aha, und wo soll ich hin? Auf den Mars? Es gibt keinen Ort, an dem man die ›Richie Rich Rapists‹ nicht kennt.« Er verzog die Lippen. »Ich nehme Miss Hathaways Angebot an. Wenn ich rauskomme, kann ich wenigstens noch meine Enkel kennenlernen. Ja, Susannah, ich habe vor dreizehn Jahren fünfzehn Mädchen vergewaltigt. Es war ein Kick für uns, und wir glaubten, dass uns das zu Männern machen würde. Aber ich schwöre, dass ich dich nicht vergewaltigt habe.«

Und sie glaubte ihm. Dennoch … »Vielleicht warst du einmal nicht dabei.«

»Das glaube ich nicht.« Er zuckte mit den Schultern. »Die anderen hätten damit angegeben. Damals wollten wir dich alle. Du warst so kühl, so distanziert. Abgeklärt und … unerreichbar.«

»Ich war introvertiert und traumatisiert«, sagte sie emotionslos. »Ich war ein Vergewaltigungsopfer.«

»Und das tut mir wirklich leid. Aber es war keiner von uns. Glaub mir, sie hätten damit geprahlt, vor allen Dingen Jared.« Er machte eine Pause. »Granville könnte es wohl gewesen sein.«

»Und wie kommen Sie darauf, Mr. Davis?«, fragte Chloe neutral.

»Er war immer derjenige, der alles leitete, und das wussten wir alle, obwohl keiner es jemals aussprach. Wir hatten zu viel Angst vor Simon, der sich eindeutig für den Anführer hielt. Dennoch – es war Toby Granville, der die Fäden in der Hand hielt. Er suchte das Mädchen aus, den Ort, den Zeitpunkt.«

»Das erklärt aber nicht, warum Sie meinen, dass es Granville gewesen sein kann«, hakte Chloe nach.

Er schloss die Augen. »Ich will es nicht sagen.«

»Mr. Davis«, begann Chloe streng. »Wenn Sie meinen, einen besseren Deal rausschlagen zu können ...«

»Das tue ich nicht«, fauchte er. »Verdammt. Wir alle wollten Susannah haben, okay?«

Susannah verspannte sich, und Luke streckte ihr seine Hand hin. Sie nahm sie und lauschte Garth, der nun zu Chloe sprach und vergessen zu haben schien, dass Susannah überhaupt anwesend war.

»Und was hat Sie daran gehindert, sie zu nehmen?«, fragte Chloe kalt.

»Granville. Simon sagte immer ›Nicht meine Schwester‹, als wolle er seine Familie beschützen. Beschützen – von wegen! Wir waren uns alle bewusst, dass Simon seine eigene Mutter vögeln würde, nur weil er es konnte. Und das hat er auch getan.«

Entsetzt starrte Susannah den Bürgermeister an und nahm Chloes warnenden Blick kaum wahr.

»Wollen Sie damit sagen, dass Simon Vartanian eine inzestuöse Beziehung zu seiner Mutter hatte?«, fragte Chloe noch immer kalt.

»Ja, das will ich damit sagen, denn das ist es, was Simon uns erzählt hat. Und er konnte es mit Bildern belegen«, fügte er angeekelt hinzu. »Simon kümmerte sich nicht um Susannah. Simon kümmerte sich ausschließlich um Simon.«

»Dennoch wollten die anderen Jungen immer noch Susannah ›haben‹«, drängte Chloe.

»Ja. Aber eines Tages nahm Granville uns einen nach dem anderen zur Seite. Wir sollten aufhören, nach ihr zu verlangen. Er sagte: ›Susannah ist vergeben.‹«

»An wen?«

»An *ihn*. Toby Granville. So haben wir es jedenfalls alle verstanden.« Er schien in sich zusammenzusinken, als er sich wieder Susannah zuwandte. »Es tut mir leid. Wir dachten wirklich alle, Granville hätte dich für sich beansprucht und dass du es natürlich gewusst hast. Als ich hörte, dass du mich beschuldigst, war ich vollkommen verdattert. Das schwöre ich.«

Sie atmete zu schnell, denn im Raum schien nicht mehr genug Luft zu sein. Kein einziges Wort wollte heraus. Lukes Hand umschloss ihre Finger fester.

»Ich habe noch ein paar Fragen. Mr. Davis«, sagte Luke. »Wissen Sie, wo Ihre Frau sich verstecken könnte?«

»Nein. Wenn ich es wüsste, würde ich es Ihnen sagen, glauben Sie mir. Sie könnte meine Jungs holen, und ich sitze hier fest und kann nichts tun, kann sie nicht beschützen. Allein, um meine Kinder zu schützen, würde ich Ihnen sagen, was ich weiß.«

»Hatte sie Freundinnen, Freunde?«

»Sie war ganz gut mit Marianne Woolf befreundet, aber ich habe bereits gehört, dass Barbara auch Marianne entführt hat. Ansonsten war sie einmal die Woche bei Angie. Sie könnte wissen, mit wem sie sich öfter unterhalten hat. Sie hat Freunde in Atlanta gehabt, mit denen sie sich häufig zum Mittagessen traf.« Er sagte ihm ein paar Namen, und Luke schüttelte den Kopf.

»Das sind Namen von Kunden, die wir in ihrem Computer gefunden haben.«

Garth zuckte mit den Schultern. »Freunde oder Geschäftsfreunde. Man geht doch mit beiden hin und wieder essen, oder? Das ergibt durchaus Sinn.«

»Was für eine Art von Kunden hatte Ihre Frau?« Chloe formulierte die Frage vorsichtig.

Garth sah von Chloe zu Luke.

»Sie hatte ein Geschäft für Innenausstattung und Dekosachen.«

Der Mann war derart getäuscht worden, dass man ihn hätte bemitleiden können, wenn er nicht selbst so ein Schwein gewesen wäre.

Ohne Susannahs Hand loszulassen, riss Luke einen Zettel von seinem Notizblock ab und zeichnete die Swastika auf.

»Kennen Sie das?«

Garths Blick schien zu flackern. »Ja.«

»Und?«

Garth warf Chloe einen Blick zu. »Bevor ich mehr sage, möchte ich ein Zugeständnis. Ich werde alles sagen, was ich weiß, aber ich will meine Zeit irgendwo hier in der Nähe absitzen, so dass ich meine Söhne sehen kann.«

»Kommt drauf an«, sagte Chloe langsam. »Wir wissen bereits,

dass Granville einen Ring und einen Anhänger mit diesem Symbol besaß. Können Sie uns etwas anderes bieten?«

»Ja«, erwiderte Garth.

Chloe nickte. »Dann kann ich beantragen, dass Sie im weiteren Umkreis Ihre Strafe absitzen sollen.«

»Im weiteren Umkreis.« Seine Lippen zuckten über ihre nichtssagende Umschreibung. »Anwälte«, murmelte er, »sind sie nicht alle wunderbar? Ich wusste nicht, dass Granville auch einen Ring hatte. Meine Frau hatte einen. Er war groß, ein Männerring. Ich habe ihn nur einmal gesehen. Sie sagte, er habe ihrem Vater gehört. Ich mochte das Symbol nicht und sagte ihr, ich wolle nicht, dass die Kinder es entdecken. Sie versprach mir, den Ring loszuwerden, und ich habe ihn nie wieder gesehen.«

»Beschreiben Sie ihn«, sagte Luke.

»Schwer, Silber, glaube ich. Erhabenes Emblem.«

»Wie groß?«, fragte Luke. »Der erhabene Teil, meine ich.«

»Mindestens von der Größe eines Zehn-Cent-Stücks.« Seine Augen verengten sich. »Wieso?«

»Wussten Sie«, sagte Chloe, »dass Kate das Symbol als Brandmal an der Hüfte hatte?«

Wieder riss er schockiert die Augen auf. »Was? Nein.«

»Wie war die Beziehung zwischen Ihrer Frau und Kate?«

Garth blieb der Mund offen stehen. »Wollen Sie damit sagen, dass sie … etwas miteinander hatten?«

»Nein«, antwortete Chloe. »Sie?«

»Nein!«, antwortete er entsetzt. »Sie waren wie Schwestern. Barbara hat etwas aus Kate gemacht. Hat ihr gesagt, welche Kleider sie tragen soll, wie man sich sexy bewegt und schminkt. Mein Gott!« Er sah aus, als wolle er sich jeden Augenblick übergeben. »Meine Frau und meine Schwester?«

»Sie sind sich bewusst, dass Ihre Frau Menschenhandel mit minderjährigen Mädchen trieb, nicht wahr?«, fragte Chloe täuschend freundlich.

»Ich habe von den Mädchen gelesen, ja …« Er fiel erneut in sich zusammen. »Aber ich wusste davon nichts. Ich wusste nicht einmal, was unter meinem Dach geschieht. Hat sie … hat sie meine Jungen belästigt?«

»Bisher haben wir keine Hinweise darauf«, sagte Chloe. »Das Gericht wird gewiss eine psychologische Betreuung anordnen, sobald es um die Vormundschaftsfrage geht. Sie waren ehrlich zu uns, also werde ich auch ehrlich zu Ihnen sein. Wir haben Beweise, dass Ihre Frau bis zu Ihrer Wahl zum Bürgermeister als Callgirl arbeitete.«

Garth ließ sich gegen die Stuhllehne zurücksinken. »Was?«

»Wir haben Verschiedenes auf ihrem Computer gefunden. Sie hat bis zu vierhundert Dollar die Stunde genommen. Einer ihrer ehemaligen Kunden hat sich inzwischen an uns gewandt und ausgesagt, dass sie ihn erpresst hat. Die Namen ihrer ›Freunde‹ in Atlanta stimmen mit der Kundenkartei überein.«

Susannah drehte sich zu Luke um. Auch er wirkte überrascht.

Garth wurde bleich. »All die Jahre …«, flüsterte er. »Sie hat mir erzählt, sie hätte eben dieses Geschäft für Raumausstattung. Mein Onkel hat immer gesagt, sie sei nichts für mich – sie würde nichts taugen. Ich hätte besser auf ihn gehört.«

Susannah rieb sich die Schläfen. »Garth, ich habe heute Morgen in den Jahrbüchern geblättert«, sagte sie. »Es gab nur wenige Kinder auf der Bryson Academy, deren Familien nicht vermögend waren. Barbara hat bei ihrer Tante gewohnt, nicht wahr? Aber die war alles andere als reich.«

531

»Sie hatte ein Stipendium gehabt«, murmelte er. »Einer der Lehrer hatte ihr zu dem Platz verholfen. Ich ... ich kann nicht mehr. Ich möchte jetzt zurück.«

Als er fort war, schüttelte Chloe den Kopf. »Seine Frau hat Kinder an Perverse verscherbelt, und er ist vor allem von der Tatsache schockiert, dass sie ihm fremdgegangen ist.«

Luke tippte Susannah ans Kinn. »Deine Mutter und Simon. Ein ziemlicher Schock.«

»Aber es erklärt so einiges.« Susannahs Lippen kräuselten sich verbittert. »Tolle Blutlinie, von der Daniel und ich abstammen.«

»Es kommt mir das ganze Kaff Dutton wie eine schwelende Pestbeule vor«, sagte Chloe. »Aber man sagt, dass Blumen, die wild zwischen Unkraut wachsen, stärker als jede Rose sind.«

Susannah lächelte traurig. »Danke, Chloe.«

Die Staatsanwältin stand auf. »Ich muss jetzt zu einer weiteren reizenden Zusammenkunft mit einem Häftling. Wenn Sie sich beeilen, dürften Sie im Hinausgehen noch Daniel begegnen.«

»Daniel ist hier?«, fragte Luke.

»Er wurde heute Morgen aus dem Krankenhaus entlassen«, sagte Susannah. »Aber ich wusste nicht, dass er herkommen wollte.«

»Alex hat noch die eine oder andere Rechnung mit ihrem Stiefvater offen«, sagte Chloe. »Lassen Sie es sich von ihr erklären. Wir sehen uns später.«

Als sie fort war, zog Luke sie auf die Füße. »Ich bringe dich zurück, damit du mit Talia nach der Familie von Marcy/Darcy suchen kannst.« Er zögerte. »Du hast den Quatsch mit der Blutlinie nicht ernst gemeint, oder?«

»Ich weiß es nicht. Aber es spielt eigentlich keine Rolle, ob es hier um Gene oder Erziehung geht. Für Daniel und mich jedenfalls nicht. Kein Wunder, dass Simon so ein Ungeheuer gewesen ist.«

»Aber aus Daniel und dir sind doch anständige Menschen geworden.«

Sie zwang sich zu einem Lächeln, obwohl es in ihren Eingeweiden schlimmer denn je tobte. »Du meinst, zwei von drei ist keine schlechte Quote?« An Bobby wollte sie dabei lieber nicht denken.

*Dutton,*
*Montag, 5. Februar, 10.00 Uhr*

Charles legte sich seinen schwarzen Anzug zurecht, als das Handy klingelte. »Paul. Und?«

»Geschafft. Danke für die Warnung. Die Zeichnerin hat verdammt gute Arbeit geleistet. Jeder im APD hätte mich sofort erkannt.«

»Hast du die Originalzeichnung und alle Kopien?«

»Ja. Die Zeichnerin hatte sie zwar schon auf den GBI-Server geladen, aber ich konnte sie überreden, sie zu löschen, bevor ich *sie* gelöscht habe. Und ab heute habe ich einen neuen Aufgabenbereich.« Man konnte das Lächeln in seiner Stimme hören.

Charles unterbrach sich dabei, seine Krawattensammlung durchzusehen. »Und was soll das heißen?«

»Da eine ganze Reihe von GBI-Agenten tot oder im Krankenhaus ist, leidet die Ermittlungsabteilung unter akuter Personalknappheit.«

»Ja, auch mir scheint, dass ihre Reihen momentan ein wenig gelichtet sind. Und?«

»Und daher hat man das APD gebeten, auf die Leute aufzupassen, auf die Bobby es abgesehen haben könnte. Ich habe mich freiwillig gemeldet.«

Charles musste sich setzen. »Du bewachst Susannah?«

»Nicht ganz. Den Job wollte sich Papadopoulos nicht nehmen lassen. Aber ich bin nah dran. Ich beschütze den tapferen und edlen Daniel Vartanian.«

Charles' Lächeln wurde breiter. »Großartig. Wo bist du eingesetzt worden?«

»Ich harre während seiner Genesung vor seinem Haus aus. Ich soll sowohl die Presse als auch böse Buben fernhalten.«

»Sorgen wir also dafür, dass er viel Ruhe und Frieden findet.« Charles' Lächeln verschwand. »Ich nehme an, dass seine Privatkrankenschwester, diese Alex Fallon, bei ihm sein wird.«

»Das nehme ich auch an.«

»Die beiden haben Toby Granville getötet.«

»Mack O'Brien hat Granville getötet, Charles, nicht Daniel Vartanian oder Alex Fallon.«

»Das macht kaum einen Unterschied. Vartanian und seine Krankenschwester haben diese bedauerlichen Ereignisse erst in Gang gesetzt. Er und Fallon haben jemanden getötet, der mein war. Dafür werden sie zahlen. Aber jetzt muss ich auflegen. Heute findet wieder eine Beerdigung statt, und ich muss mich noch anziehen.«

»Wer wird denn diesmal unter die Erde gebracht?«

»Janet Bowie, die Tochter des Kongressabgeordneten. Wir erwarten ein Presseaufkommen, das einer Heuschreckenplage gleicht. Der Verkehr wird unerträglich sein. Gottesdienst, Begräbnis und der anschließende Leichenschmaus werden wohl

534

den ganzen Tag lang dauern. Schick mir eine SMS, wenn du mich brauchst. Telefonieren kann ich natürlich nicht.«

»Alles klar.«

Charles beäugte sein Chirurgenbesteck, das er am Abend zuvor benutzt hatte, um Bobby zusammenzuflicken. Es war ein Weihnachtsgeschenk von Toby Granville gewesen. Charles hatte in dieser Woche kräftig Gebrauch davon gemacht. Das hätte Toby bestimmt gefreut. »Und Paul – lass Vartanian am Leben. Ich will ihn selbst töten. Bring ihn zu mir.«

»An den üblichen Ort?«

»Ja. Obwohl du dich dann erst um Richter Borenson kümmern musst.«

Paul grunzte angewidert. »Wie lange ist er schon tot?«

»Vielleicht lebt er noch. Ich habe in den vergangenen Tagen nicht mehr nachgesehen.«

»Hast du herausbekommen, was du wissen wolltest?«

»Ja. Falls er noch nicht tot ist, kannst du mit ihm tun, was dir beliebt. Und sorg dafür, dass Daniel zusieht.«

»Und was ist mit seiner Schwester?«

»Darum kümmere ich mich schon selbst.«

»Dann tu es rasch. Wenn das GBI feststellt, dass die Zeichnerin tot ist, setzen sie Susannah mit jemand anderem zusammen. Sie kann mich vernichten, und du hast versprochen, dass das nicht geschehen wird.«

»Und das wird es auch nicht.«

»Du hättest sie schon vor Jahren töten sollen, Charles.«

»Sie wird heute sterben«, sagte er barsch. »Ich muss jetzt Schluss machen. Wir hören voneinander.«

Luke und Susannah trafen Chase in seinem Büro an. Neben ihm stand ein uniformierter Officer mit einem Zeichenblock unterm Arm. »Da sind wir wieder«, sagte Luke zur Begrüßung.

»Kommen Sie rein«, erwiderte Chase angespannt. »Susannah, Sie auch.«

Luke und Susannah sahen sich in dumpfer Vorahnung an. »Was ist passiert?«, fragte sie.

»Die Zeichnerin ist heute Morgen nicht zum Dienst erschienen. Pete hat Blutspuren in ihrer Wohnung gefunden. Ed ist schon da.«

Luke stieß den Atem aus. »Gott.«

»Und die Zeichnungen sind weg?«, fragte Susannah.

Chase nickte. »Sowohl aus ihrer Wohnung als auch vom Server verschwunden. Sie wurden gelöscht, bevor der Officer routinemäßig das nächtliche Back-up machen konnte. Das ist Officer Greenburg. Er ist einer der APD-Zeichner. Susannah, wir brauchen Ihre Beschreibung noch einmal. Sie können sich in den Konferenzraum setzen.«

»Sicher«, murmelte sie.

Sie erhob sich. »Gehen wir.«

»Hat Garth Ihnen etwas geboten?«, fragte Chase, als sie fort war.

Luke zögerte. »Nichts über Barbara Jean, das wir nicht schon wussten. Außer, dass *ihr* Ring derjenige war, mit dem den Mädchen im Leichenschauhaus die Swastika eingebrannt worden ist. Susannahs Zeichen ist allerdings viel größer, also muss noch irgendwo ein Brandeisen existieren.«

»Was noch?« Chase trommelte ungeduldig auf die Tischplatte. »Ich merke doch, dass Sie noch mehr haben.«

Luke seufzte schwer. »Garth hat wohl tatsächlich nichts mit Susannahs Vergewaltigung zu tun. Und er ist der gleichen Meinung wie Sie: Jared hätte damit angegeben. Offenbar hat Granville seinen … Anspruch auf sie geltend gemacht. Er sagte, sie sei sein, und die anderen sollten sich von ihr fernhalten.« Er blickte zu Seite. »Garth sagte außerdem, dass zwischen Simon und Carol Vartanian mehr gewesen sein muss, als es hätte geben dürfen.«

»Herrje, auch das noch.« Chase verzog angewidert das Gesicht. »Wie konnte aus Daniel und Susannah bloß etwas Anständiges werden?«

»Sind vielleicht Wolfskinder gewesen«, murmelte Luke. »Garth hat uns außerdem die Namen von vermeintlichen Freunden oder Geschäftspartnern von Bobby in Atlanta gegeben, aber es waren vor allem ihre Freier. Wir sind ihr also noch keinen Schritt näher. Ich gehe jetzt zu Nate und sehe mir Mansfields Festplatten an. Vielleicht hat Mansfield den Mann, den Monica reden gehört hat, tatsächlich fotografiert. Im Übrigen braucht Nate dringend eine Pause. Er hat eine harte Nacht hinter sich.«

»Ja, ich habe gehört, dass er die Kinder auf einem Podcast gefunden hat. Es tut mir leid, Luke.«

»Ja«, erwiderte er verbittert. »Und mir erst. Aber eins nach dem anderen. Wenn Sie mich brauchen, rufen Sie mich in der ›Kammer‹ auf dem Festnetz an. Mein Handy funktioniert dort nicht immer. Und Chase …« Doch dann schüttelte er den Kopf. »Schon gut.«

»Ja, ich weiß. Und ich weiß auch, dass Talia keine unnötigen Risiken eingehen wird.«

»Ich weiß es ja auch.« Er schloss die Augen. »Ich sehe nur immer wieder, wie sie gestern durch die Wucht der Kugel vom Stuhl geschleudert worden ist. Bobby Davis ist noch auf freiem Fuß.«

Chases Worte waren hart, die Stimme jedoch sanft. »Dann machen Sie Ihre Arbeit und finden Sie sie.«

# 23. Kapitel

Ich hasse diesen Job«, murmelte Luke. Er stand schon eine Weile vor der Tür zur Kammer, ohne sich dazu durchringen zu können, endlich einzutreten. Die Tür öffnete sich von innen, und erschreckt fuhr er zurück.

Auch Nate sah ihn erschreckt an. Er hielt eine leere Kaffeekanne in der Hand. »Mach das nicht noch einmal«, sagte er gepresst. »Das bekommt meinem Herzen nicht.«

Luke musterte die Kanne. »Wie viel Kaffee hast du schon intus?«

»Zu viel und noch immer nicht genug. Was machst du hier?«

»Mansfields Festplatten. Die Sweetpea-Dateien. Wir hoffen, dass darauf der Mann zu sehen ist, den Monica mit Granville hat reden hören.«

»Der mysteriöse *thích*. Ich mache frischen Kaffee.«

Luke zögerte, und der Druck auf seiner Brust war plötzlich so stark, dass er kaum Luft bekam.

»Du wirst ihn nicht finden, wenn du einfach nur in der Tür stehst«, sagte Nate ruhig. »Wenn du erst einmal drin bist, lässt sich wieder leichter atmen.«

Luke sah ihm in die Augen. »Dir geht es auch so?«

»Jeden verdammten Tag.«

*Jeden Tag stirbt ein wenig mehr.* »Mach einen starken Kaffee.«

Luke trat ein, setzte sich an den Computer und rief die Sweetpea-Dateien auf. Da er diesmal wusste, was er sehen würde, war es schwerer. Doch er wappnete sich gegen die Bilder, versuchte, den eigentlichen Inhalt zu ignorieren, sie nicht als Ganzes wahrzunehmen, und suchte stattdessen nach Einzelheiten, Schatten, Hintergründen, die auf andere Personen in diesem verdammten Bunker hinweisen mochten.

Dennoch wollte es ihm nicht gelingen, die Opfer zu ignorieren. Das war sein Problem. Allerdings war es auch genau das, was ihn in diesem schauderhaften Job so gut machte, und das war ihm nur allzu deutlich bewusst.

Die Tür öffnete sich wieder, und Nate stellte ihm einen Becher mit dampfendem Kaffee auf den Tisch. »Wonach suchst du genau?«

»Nach einem Mann, wahrscheinlich über sechzig. Monica erzählte, Granville habe ihn gefragt, wie der Vietcong den Willen der Gefangenen gebrochen hätte. Der Mann hat Granville für dieses Frage angeblich geohrfeigt.«

»Recht emotionale Reaktion. Du glaubst, er sei als Soldat in Gefangenschaft gewesen?«

»Könnte sein. Susannah hat als Kind gehört, wie Granville ihn einmal erwähnt hat, also muss er hier in der Nähe gelebt haben. Ich habe Standbilder der Überwachungsbänder von Sheila Cunninghams Beerdigung machen lassen. Susannah meint, die ganze Stadt sei dort gewesen.« Er breitete die Fotos aus.

»Na toll, und die halbe Stadt ist über sechzig, Luke.«

»Ja. Sieht so aus, als habe jeder, der halbwegs bei Verstand war, nach der Highschool Reißaus genommen.«

»Wer will es ihnen verübeln.«

Luke suchte die Bilder mit den älteren Männern heraus und heftete sie an eine Tafel über dem Monitor. »Vielleicht ist einer von ihnen derjenige, den wir suchen. Granville muss als Teenager fasziniert von ihm gewesen sein. Er hat ihn wohl als eine Art Guru betrachtet.«

»Diese Buddhismus-Nummer.«

»Genau.« Luke runzelte die Stirn. »Aber es gibt in Dutton keine buddhistische Gemeinde. Ich habe mich umgehört.«

»Es muss ja kein echter Geistlicher sein«, gab Nate zu bedenken.

»Aber er muss sehr wohl mit Teenies zusammengekommen sein, ohne dass es Verdacht erweckte.«

»Was bedeutet, dass er Lehrer, Prediger, Arzt oder sonst etwas sein kann … Jeder im Grunde.«

»Aber jemand, der dort schon wohnte, als Susannah ein Kind war. Ich habe noch die Liste der Einwohner, die ich mir besorgt habe, als ich nach Männern namens Bobby suchte.« Luke studierte das Blatt erneut. »Aber den militärischen Werdegang aller Männer über fünfzig habe ich mir schon angesehen.«

Nate sah überrascht auf. »Wann hast du das denn nur gemacht?«

»Gestern Nacht. Ich war gerade dabei, als du mich anriefst, um mir zu sagen, dass du Becky Snyders kleine Schwestern im Netz entdeckt hast.«

Nates Augen verfinsterten sich. »Und? War einer von den Männern in Vietnam?«

»Kein einziger. Hätte ich jemanden gefunden, hätte ich meinen Hintern gestern Nacht noch in Bewegung gesetzt.« Stattdessen hatte er sich in Susannahs Armen und mit ihrem willigen Körper getröstet. *Eine Ruhepause.* Er hatte sie nötiger gehabt, als ihm bewusst gewesen war.

»Nun, dein Hintern ist ja jetzt hier, ob er es sein will oder nicht.«

Nate zog sich einen Stuhl heran. »Komm, fangen wir an. Vier Augen sehen mehr als zwei.«

Luke warf ihm einen dankbaren Blick zu. »Ich weiß es zu schätzen.«

Harry Grimes saß neben Mandy Penn, einer Technikerin der Spurensicherung, und betrachtete die körnigen Standbilder, die von der Kamera des Bankautomaten Mel's Diner gegenüber aufgenommen worden waren.

»Wonach suchst du genau?«, fragte Mandy.

»Ich bin mir nicht sicher.« Harry beugte sich vor. »Da ist der Volvo der Entführerin. Der dort an der Kamera vorbei auf den Parkplatz fährt. Aber da ist noch ein Wagen. Er hält an. Als ob der Fahrer den anderen Wagen beobachtet.«

»Ein Ford Crown Vic«, sagte Mandy. Im Hintergrund sah man zwei Gestalten miteinander ringen. Die kleinere Gestalt wurde zum Kofferraum des Volvo gezerrt. Auf jedem Bild war der Crown Vic an derselben Stelle zu sehen, ohne dass jemand ausstieg. Mandy stieß einen leisen Pfiff aus. »Du hast recht, Harry. Er sieht den beiden tatsächlich zu. Kannst du das Nummernschild vergrößern?«

»Ich kann's versuchen.« Mandy zoomte das Foto heran, stellte scharf und setzte sich zufrieden zurück. »Da, bitte schön.«

»Das ist ja toll.« Harry blinzelte. »Spricht der Kerl in dem Crown Vic in sein Handy?«

»Sieht so aus. Vielleicht ruft er die Polizei.«

»Niemand hat aus dieser Gegend die 911 gerufen. Ich habe es

542

schon überprüft. Kannst du nachsehen, auf wen der Wagen registriert ist?«

Mandy tat es und riss plötzlich die Augen auf. »Der hat nicht die Polizei angerufen. Der *ist* die Polizei!«

Harry sah verblüfft auf den Bildschirm. »Paul Houston. Atlanta PD. Er hat einfach nur dagesessen und zugesehen, wie Genie gekidnappt wurde?«

»Vielleicht ist der Wagen gestohlen.«

»Das wollen wir hoffen. Danke, Mandy.« Harry stand auf. »Ich bin dir etwas schuldig.«

*Springdale,*
*Montag, 5. Februar, 12.00 Uhr*

Talia parkte vor dem Haus, das Carl Linton, Marcy Lintons Vater, gehörte. »Sind Sie bereit, Susannah?«

Susannah starrte das Haus unentschlossen an. »Darcy hat mir erzählt, dass sie aus Queens stammte und ihr Vater sie und ihre Mutter regelmäßig verprügelte. Deswegen sei sie von zu Hause ausgerissen.«

»Die Lintons haben ihre Tochter vermisst gemeldet, als sie neunzehn war.«

»Da muss sie nach New York gegangen sein. Ich habe sie erst zwei Jahre später kennengelernt. Warum hat sie ihre Familie verlassen? Und warum hat sie sich mich ausgesucht?«

»Das finden wir nicht heraus, wenn wir hier sitzen bleiben«, sagte Talia. »Kommen Sie.«

Auf Talias Klopfen hin öffnete ein älterer Mann mit grauem Haar die Tür.

»Mr. Linton?«

»Ja.« Der Mann betrachtete die beiden Frauen stirnrunzelnd.
»Was wollen Sie?«

»Ich bin Special Agent Talia Scott vom Georgia Bureau of
Investigation. Das ist Assistant District Attorney Vartanian
aus New York. Wir müssen mit Ihnen reden.«

Die Falten auf der Stirn vertieften sich, doch er machte ihnen
die Tür ein Stück weiter auf. »Kommen Sie rein.«

Eine Frau trat aus der Küche und blieb verblüfft stehen. »Sie
sind diese Vartanian. Wir haben Sie in den Nachrichten gesehen. Sie haben auf die Frau geschossen, die die Mädchen entführt hat.«

»Ja, Ma'am.«

»Was wollen Sie hier?«, fragte Carl Linton barsch.

Talia legte den Kopf ein wenig schief. »Es geht um Ihre Tochter Marcy.«

Beide Lintons schnappten nach Luft. »Setzen Sie sich«, sagte
Carl.

Talia fuhr fort. »Haben Sie jemals wieder von Ihrer Tochter
gehört, nachdem Sie sie als vermisst gemeldet haben?«

»Nein«, sagte Carl. »Warum? Nun sagen Sie uns doch endlich,
worum es hier geht.«

»Ihre Tochter ist tot, Sir«, sagte Susannah rasch. »Es tut mir
leid.«

Beide Elternteile schienen in sich zusammenzufallen. »Wie ist
es passiert?«, flüsterte Mrs. Linton.

Talia nickte, und Susannah wappnete sich. »Ich bin in Dutton
aufgewachsen.«

»Das wissen wir«, sagte Carl kühl.

»Als ich in New York an der Fakultät war, lernte ich eine Frau
kennen, die sich mir als Darcy Williams vorstellte. Wir freun-
deten uns an. Sie erzählte mir, sie sei aus Queens und dass sie

vor ihrem gewalttätigen Vater geflohen sei. Heute Morgen entdeckte ich in einem Highschool-Jahrbuch ein Foto von Marcy. Sie war die Frau, die ich als Darcy kannte. Darcy wurde umgebracht.«

»Umgebracht?« Mrs. Linton wurde noch blasser. »Aber wieso? Wann? Und wo?«

»Jemand hat sie erschlagen.« Susannah wurde flau im Magen, als sie den Schmerz in Mrs. Lintons Gesicht sah. »Wir befanden uns beide in einem Hotel in der Stadt. Als ich sie fand, war es zu spät. Das war vor sechs Jahren. Am 19. Januar. Ihr Mörder war geständig und sitzt im Gefängnis. Es tut mir so leid. Wenn ich von ihrer Familie gewusst hätte, wäre ich schon vor Jahren zu Ihnen gekommen.«

Carl schüttelte den Kopf. »Warum … warum hätte sie solche Lügen erzählen sollen?«

»Wir glauben, dass sie dafür bezahlt wurde«, sagte Talia ruhig. »Vielleicht ist sie auch erpresst worden.«

Mrs. Lintons Lippen zitterten. »Wo ist sie jetzt?«

»Sie liegt auf einem Friedhof eine Stunde nördlich von New York. Es ist ein sehr hübscher, friedlicher Ort.« Susannah spürte Tränen in den Augen brennen. »Ich glaubte doch, sie hätte keine Familie mehr.«

»ADA Vartanian hat das Begräbnis bezahlt«, sagte Talia freundlich.

»Wir wollen sie zurückhaben«, sagte Carl so feindselig, dass Susannah unwillkürlich zurückfuhr.

»Natürlich. Ich kümmere mich sofort darum.«

Talia legte eine Hand auf Susannahs. »Einen Moment«, sagte sie, noch immer freundlich. »ADA Vartanian wurde in der Nacht, in der man Ihre Tochter ermordete, vergewaltigt. Und später hat sie die Beerdigung aus eigener Tasche bezahlt, weil sie davon ausgegangen ist, dass diese junge Frau niemand anderen hatte.«

Carls Gesicht wurde zu Stein. »Wir wollen sie zurückhaben«, wiederholte er überdeutlich.

»Ich verstehe Ihre Trauer«, sagte Talia. »Nicht aber Ihre Feindseligkeit.«

Carl straffte sich. »Unsere Tochter wurde uns genommen, wurde gezwungen, weiß Gott was zu tun, und Sie haben die Frechheit, mich zu kritisieren?«

»Ich kritisiere Sie nicht«, sagte Talia.

»Und ob Sie das tun!« Carl sprang auf die Füße und zeigte mit dem Finger auf Susannah. »Meine Tochter hatte eine Zukunft, aber Ihr Vater hat sie ihr genommen. Sie lernt Sie kennen, und nun ist sie tot. Sie wollen Dankbarkeit für ein gottverdammtes Grab? Fahren Sie doch zur Hölle!«

Susannah saß wie vom Donner gerührt da. »Was hat denn mein Vater mit Ihrer Tochter zu tun?«

Carl stemmte die Fäuste in die Hüften.

»Tun Sie doch nicht so, als wüssten Sie von nichts. Und tun Sie nicht so, als hätten Sie sich etwas aus ihr gemacht. Ich habe für den Rest meines Lebens genug von der Familie Vartanian!« Er stürmte hinaus und warf die Eingangstür so fest zu, dass die Wände bebten.

Susannah starrte ihm schockiert nach.

Mrs. Linton blieb sitzen, ob nun freiwillig oder weil sie zu sehr zitterte, um die Besucher ebenfalls allein zu lassen.

»Mrs. Linton«, sagte Talia. »Welche Verbindung gab es zwischen Ihrer Tochter und Richter Vartanian? Bevor wir herkamen, habe ich natürlich Erkundigungen eingezogen. Wir haben keine Verhaftung, keine Anhörung, keinen Gerichtstermin gefunden.«

»Sie war minderjährig«, sagte Mrs. Linton tonlos. »Ihre Akte ist versiegelt.«

»Wie lautete die Anklage?«

Mrs. Lintons Augen blitzten auf. »Kontaktanbahnung. Aber sie war unschuldig. Sie war eine außergewöhnlich gute und engagierte Schülerin. Sie hat jüngere Kinder nach der Schule betreut. Ihre Lehrer meinten, dass sie für jedes beliebige College ein Stipendium bekommen könnte. Aber ihr Leben wurde ruiniert, weil man sie verhaftete und wir es uns nicht leisten konnten, ihr das Gefängnis zu ersparen.«

Talia runzelte die Stirn. »Kontaktanbahnung? Sie meinen Prostitution?«

»Ja«, erwiderte Mrs. Linton verbittert. »Genau das meine ich. Sie musste sechs Monate lang in einer Jugendstrafanstalt einsitzen. Weniger konnten wir uns nicht leisten.«

Ein eisiger Schauder lief Susannah über den Rücken. »Was meinen Sie damit? Dass Sie sich nicht weniger leisten konnten?«

»Weniger Zeit«, spuckte Mrs. Linton aus. »Ihr Vater hatte sie zu *zwei Jahren* verurteilt. Sie war erst sechzehn. Richter Vartanian verlangte Geld! Wir haben unser Haus mit einer Hypothek belastet, aber es reichte Ihrem Vater nicht. Er sagte, sie müsse trotzdem ein Jahr ins Gefängnis.«

Susannah warf Talia einen erschütterten Blick zu. Sie hatte damals geahnt, dass so etwas geschah, hatte gewusst, dass ihr Vater illegale Geschäfte tätigte, aber sie war zu jung zum Handeln gewesen. Nun sah sie zum ersten Mal die direkten Auswirkungen jener »Geschäfte«, mit denen ihr Vater das Familienvermögen gemehrt hatte. *Nein. Ich sehe die Auswirkungen schon seit sechs Jahren. Jedes Mal, wenn ich die Augen schließe und Darcy in ihrem eigenen Blut liegen sehe.*

Talia tätschelte ihre Hand, blieb aber ganz auf Darcys Mutter konzentriert. »Mrs. Linton, es ist sehr wichtig. Sie sagten, sie sei zu zwei Jahren Haft verurteilt worden, aber Sie hätten dem Richter genug gezahlt, um das Urteil um ein Jahr zu reduzieren. Dennoch hat sie nur ein halbes Jahr abgesessen. Was ist passiert?«

Mrs. Linton musterte Susannah unsicher. »Jemand in der Abteilung für Jugendstrafrecht half ihr. Sie bekam einen neuen Prozess, einen anderen Richter. Er sagte, sie habe genug Zeit abgesessen, und ließ sie gehen.«

»Wer war der Richter, Mrs. Linton?«, fragte Susannah, obwohl sie die Antwort schon wusste.

»Richter Borenson. Er ist inzwischen pensioniert.«

Talia stieß geräuschvoll den Atem aus. »Wann kam es zu diesem zweiten Prozess, Ma'am?«

»Vor fast dreizehn Jahren.«

Es war wie ein Tritt in die Rippen. »Das kann kein Zufall sein«, flüsterte Susannah.

»Kaum«, stimmte Talia zu. »Mrs. Linton. Wer hat Ihrer Tochter dabei geholfen, den Prozess wieder aufzurollen?«

»Ein Anwalt von Legal Aid.« Die staatliche Rechtsbeihilfe für Leute, die sich selbst keinen Beistand leisten konnten. Mrs. Linton sah von Talia zu Susannah. »Ein anderer als der, der uns beim ersten Mal half. Er hieß Alderman.«

Susannah schloss die Augen. »Und er hat Gary Fulmore vertreten.«

»Kurz nachdem er Marcy freibekommen hat, ist er gestorben«, erklärte Mrs. Linton. »Er hatte einen Autounfall.«

»Mrs. Linton«, sagte Talia. »Waren noch andere Leute an diesem zweiten Prozess beteiligt?«

»Nein, ich glaube nicht. Aber ich müsste meinen Mann fragen.

Er wird sicher bald zurückkommen. Er muss immer raus an die frische Luft, wenn er wegen Marcy wütend wird.«

»Vielen Dank«, sagte Talia. »Hier ist meine Karte. Bitte rufen Sie mich an, wenn Sie sich an etwas erinnern, egal, wie unbedeutend es Ihnen erscheinen mag. Wir finden allein hinaus.«

Susannah ging hinter Talia her, als Mrs. Linton ihren Namen sagte. »Ja, Ma'am?«

»Vielen Dank«, sagte die andere Frau heiser. »Dass Sie meine Tochter an einem hübschen Ort begraben haben.«

Susannah wurde die Kehle eng. »Gern geschehen. Ich sorge dafür, dass sie hierhergebracht wird. Lassen Sie mich wissen, wo sie begraben werden soll.«

Susannah wartete darauf, dass Talia den Motor startete. Sie war sich bewusst, dass Mrs. Linton sie vom Fenster aus beobachtete. »Fahren Sie zurück zur Main Street«, sagte sie. »Aber nicht zurück in die Stadt.«

»Wohin fahren wir?«, fragte Talia.

»Zum Haus meiner Eltern. Aber bitte schnell, bevor ich den Mut verliere.«

*Charlotte, North Carolina,*
*Montag, 5. Februar, 12.05 Uhr*

Noch immer fassungslos, dass ein Cop aus Atlanta zugesehen hatte, wie Genie entführt worden war, rief Harry die einzige Person an, der er zutraute, ihm durch diese heikle Geschichte zu helfen. »Steven? Harry hier.«

»Hey. Ich wollte dich auch gerade anrufen.«

Harry befürchtete Schlimmes. »Ihr habt Dr. Cassidy im Lake Gordon gefunden?«

»Nein. Nur den Wagen. Wir suchen jetzt das Ufer ab. Harry, was ist los?«

»Gott, Steven, ich glaube, ich bin in einen schlimmen Sumpf geraten.« Er erzählte seinem ehemaligen Chef von dem Crown Vic.

»Verdammt«, murmelte Steven. »Bist du sicher?«

»Dass der Wagen auf Houston angemeldet ist, ja. Wer hinterm Steuer sitzt, kann ich nicht erkennen.«

»Hast du das APD angerufen?«

»Noch nicht. Ich wusste nicht, wie ich es angehen soll. Rede ich direkt mit Houstons Vorgesetztem? Aber was, wenn der sofort Houston darauf anspricht und der Mann nicht sauber ist? Dann weiß er, dass wir ihm auf der Spur sind. Ich kann natürlich auch gleich die Abteilung für Innere Angelegenheiten anrufen, aber … verflixt. Hilf mir, Steven.«

Steven dachte einen Moment nach. »Traust du diesem Papadopoulos?«

»Ja, denke schon. Jedenfalls mehr als der IA.«

»Dann ruf ihn an. Erzähl ihm, was du herausgefunden hast. Soll er überlegen, wie er mit der Bombe umgeht.«

»Kommt mir irgendwie feige vor.«

»Na ja, Tür Nummer zwei ist die IA.«

»Okay. Papadopoulos.«

»Melde dich, wenn du sonst noch etwas brauchst.«

*Springdale,*
*Montag, 5. Februar, 12.25 Uhr*

Talia wartete, bis sie auf der Hauptstraße waren. »Und was wollen wir im Haus Ihrer Eltern, Susannah?«

»Mein Vater hat ziemlich genau Buch geführt. Borenson ist oft bei uns gewesen. Sie haben sich bestens verstanden.«

»Aber in Marcys Fall hat Borenson das ursprüngliche Urteil Ihres Vaters rückgängig gemacht.«

»Kurz nachdem Borenson den Vorsitz über Fulmores Prozess hatte, von dem wir wissen, dass dort betrogen wurde. Mein Vater wird nicht entzückt gewesen sein, dass man sein Urteil revidierte.«

»Können Sie sich an einen Streit zwischen ihnen erinnern?«

»Nein. Aber als Alicia Tremaine tot im Graben gefunden wurde, wusste meine Mutter irgendwie, dass die Geschichte etwas mit Simon zu tun hatte. Sie ging zu Frank Loomis und bat ihn, das wieder auszubügeln. Also schnappte er sich Gary Fulmore, einen Landstreicher, der dummerweise zur falschen Zeit am falschen Ort und außerdem high war – zu high, um mitzubekommen, wie ihm geschah. Alderman war Fulmores Verteidiger. Der einzige Beweis, den Loomis hatte, war Alicias Ring in Fulmores Tasche und ein bisschen Blut auf seinen Kleidern. Dieser Fall war löchrig wie ein Sieb. Richter Borenson hätte es sehen müssen.«

»Die Geschworenen haben Fulmore schuldig gesprochen. Borenson hatte vielleicht gar keine Schuld.«

»Wir beide wissen, dass die Geschworenen aufgrund der Beweise, die man ihnen vorlegt, urteilen. Wer weiß, ob Borenson Alderman erlaubt hat, den Fall anständig zu präsentieren.«

»Ein paar Monate später steht Alderman erneut vor Borenson und will Marcy Linton freibekommen.«

»Es wäre interessant, herauszufinden, ob Alderman wusste, dass Fulmores Fall getürkt war, und Borenson irgendwie gedroht hat.« Susannah holte ihren Laptop aus der Aktentasche. »Und ich frage mich, wie viele Fälle Alderman zwischen Marcy Linton und dem Tag seines Todes gewonnen hat.« Talia fuhr schweigend weiter, während sie recherchierte.

»Okay. Zwischen Marcy Lintons wieder aufgerolltem Prozess und dem Unfall hat Alderman fünf Leute verteidigt. Zweimal hat er das vor Richter Borenson getan und gewonnen. Die anderen drei Fälle hat er verloren.«

»Das ist nicht aussagekräftig genug«, sagte Talia. »Und fragen können wir ihn nicht mehr, weil er tot ist.«

»Nehmen wir an, Alderman wusste etwas. Warum hat er das nicht benutzt, um Fulmore freizubekommen? Dieser Fall war prestigeträchtig. Damit hätte er sich einen Namen gemacht.«

»Also erfuhr Alderman es entweder erst später, oder er beschloss, sein Wissen zum späteren Nutzen einzusetzen.«

»Ja, so ähnlich denke ich mir das auch.« Susannah versteifte sich, als ihr Elternhaus in Sicht kam. Augenblicklich stieg bittere Galle in ihrer Kehle auf, und sie schluckte resolut und hörbar.

Talia warf ihr einen besorgten Blick zu. »Alles in Ordnung?«

»Nein. Aber wir fahren trotzdem hin. Denn selbst wenn Alderman Beweise hatte, dass der Fulmore-Prozess nicht sauber war, wissen wir immer noch nicht, warum Darcy gestorben ist und Granvilles *thích* in den vergangenen Wochen im Bunker gewesen ist. Es gibt da eine Verbindung, dessen bin ich mir sicher.«

»Ja, mein Bauchgefühl sagt das auch. Hoffen wir, dass wir etwas finden, das uns das bestätigt.«

»Mein Vater hat stets detaillierte Aufzeichnungen von allen Geschäften gemacht, die er geführt hat. Ich wusste, dass ich eines Tages würde herkommen müssen, um seine Unterlagen durchzusehen, aber ich habe mich davor gefürchtet, wie Luke die Festplatten von Mansfield fürchtet.«

»Haben Sie einen Schlüssel?«

Susannah nickte grimmig. »Frank Loomis hat ihn mir nach der Beerdigung meiner Eltern gegeben.«

Talia seufzte. »Lassen Sie mich nur eben unsere Position durchgeben, dann fangen wir mit der Suche an.«

Bobby erstarrte, ihre Hand lag noch auf dem Rahmen eines teuren Gemäldes, das im oberen Wohnzimmer hing. Sie hatte bisher vier Wandsafes hinter ähnlich teuren Bildern gefunden, plus einen im Schlafzimmer des Richters, der im Boden eingelassen war. Nun ließ sie die Hand langsam sinken, als sie das Geräusch der zufallenden Autotüren hörte.

Frauenstimmen. Lautlos schlich sie zum Fenster und nickte zufrieden. Eine der beiden Frauen kannte sie von der Pressekonferenz vom Tag zuvor. Sie hatte neben den Frauen auf der Bühne gestanden. GBI. Die andere Frau war niemand anderes als Susannah Vartanian.

Ein Schauder der Vorfreude überlief Bobby. Sie hatte sich schon gefragt, wie sie Susannah dazu bringen sollte, die Safes zu öffnen. Nun war sie ihr sozusagen wie ein Geschenk auf dem Silbertablett serviert worden. Sie musste nur den weiblichen Agent loswerden, aber dazu gab es ja schließlich Schusswaffen. Bobby war bestens ausgestattet, denn auf der Suche nach ihrem Erbe hatte sie auf dem Speicher einiges gefunden. Pistolen, Springmesser, Elektroschocker … all diese Schätze verborgen unter Weihnachtsbaumschmuck.

*Friede auf Erden, meine liebe Susannah.*

Luke klickte sich noch immer durch jedes einzelne Bild in Mansfields Sweetpea-Datei. Seit einer Stunde betrachtete er Granville und seine Opfer. So viele Opfer. Ihm war schlecht.

»Er hat das alles mit versteckter Kamera aufgenommen«, sagte er, nur um seine eigene Stimme zu hören – und nicht die Schreie, die ihm sein Verstand vorgaukelte.

»Anhand der jeweiligen Kleidung kann man Rückschlüsse auf die Jahreszeiten ziehen«, bemerkte Nate. »Und der Blickwinkel verändert sich auch stets. Ich frage mich, wo Mansfield die Kamera versteckt hatte.«

»Ich schätze in einem Kugelschreiber, der am Hemd festgeklemmt war. Meistens sieht man Granvilles Torso. Ich wünschte, er hätte das jeweilige Datum mit eingeblendet. Dann hätten wir sofort die Bilder aussortieren können, die in den vergangenen beiden Wochen aufgenommen worden sind.«

»Tja, das ist das Problem mit all diesen Fotos. Sie sind nach Vorliebe sortiert, nicht nach Datum. Es wird sogar schwer werden, das jetzige Alter der Kinder zu bestimmen, da wir keine Ahnung haben, wann die Fotos aufgenommen worden sind.«

Luke erstarrte, als sein Verstand ein Detail im nächsten Bild registrierte. »Moment mal.«

Nate beugte sich mit verengten Augen vor. Am Rand des Bildes war eine Männerhose zu sehen, die Beine am Knie gebeugt. »Wer immer die da trägt, ist gerade im Begriff, sich zu setzen.«

»Aber sieh dir die Schuhe an.« Luke deutete mit seinem Stift an die Stelle. »Die Sohlen.«

Nate sog scharf die Luft ein. »Eine ist dicker als die andere. Die Schuhe sind eine Sonderanfertigung.«

Lukes Gedanken rasten. Er durchforstete in der Erinnerung alle Männer aus Dutton, über die er Erkundigungen eingezogen hatte, und hatte bereits ein Ergebnis, bevor sein Blick noch auf die Standbilder der Beerdigung fiel. Er deutete auf das Foto der drei alten Herren, die immer auf der Bank des Herrenfriseurs saßen. »Der da am äußeren Ende. Der mit dem Spazierstock. Er heißt Charles Grant. Daniels ehemaliger Englischlehrer.« Rasch wählte er Chloes Nummer. »Luke hier. Ich glaube, wir haben herausgefunden, wer der Mann ist, den Monica Cassidy einmal im Bunker mit Granville hat reden hören. Charles Grant.«

»Grant?«, wiederholte Chloe verblüfft. »War das nicht Daniels Englischlehrer? Der uns wichtige Informationen über Mack O'Brien gegeben hat?«

»Und das in dem Moment, als wir sie dringend brauchten«, sagte Luke verbittert. »Genau wie die Information, die uns Kate Davis alias Rocky gegeben hat.«

»Das wird Daniel umbringen«, sagte Chloe.

»Ich denke doch, dass Daniel in den vergangenen Tagen ganz anderes erlebt hat«, konterte Luke gepresst. »Ich brauche einen Durchsuchungsbefehl.«

»Haben Sie ihn eindeutig identifiziert?«

»Nicht aufgrund des Gesichts«, gab Luke zurück. »Sondern durch seine Schuhe.«

»Ich glaube kaum, dass ich wegen der Schuhe einen Durchsuchungsbefehl bekomme, Luke.«

»Chloe, Herrgott noch mal …«

»Luke.« Nate klang aufgeregt. Er hatte sich ein paar Bilder weiter geklickt. »Sieh mal.«

Wieder war der Blickwinkel etwas verändert. Nate zoomte heran.

»Wie wär's mit dem außergewöhnlichen Griff eines Gehstocks?«, fragte Luke. »Der genauso aussieht wie das Modell, das Grant bei Cunnighams Beerdigung dabeihatte?«

»Viel besser. Fahren Sie los. Ich habe die Verfügung fertig, wenn Sie in Dutton ankommen.«

»Danke, Chloe.« Luke legte auf und rief sofort Chase an, um ihn auf den neusten Stand zu bringen.

»Gute Arbeit«, sagte Chase. »Ich kontaktiere Germanio. Es ist anzunehmen, dass Grant zu der Beerdigung geht, und Germanio kann ihn im Auge behalten, während Sie sein Haus durchsuchen. Vielleicht versteckt sich Bobby dort. Oh, und Luke, mich hat gerade dieser Agent aus North Carolina angerufen, Harry Grimes. Er versucht Sie seit über einer Stunde auf dem Handy zu erreichen.«

»Mein Telefon funktioniert in der Kammer nicht.«

»Das habe ich ihm auch gesagt. Er wollte mir nicht erzählen, was er von Ihnen will, bestand aber darauf, dass es dringend ist.«

»Ich rufe zurück. Chase, haben Sie etwas von Talia und Susannah gehört?«

»Ja, alles in Ordnung. Fahren Sie los.«

Luke wandte sich an Nate. »Kannst du diese Bilder an Chloe schicken?«

»Schon geschehen. Habe sie ihr gerade gemailt. Fahr los. Und viel Glück.«

»Danke.« Ein Blick auf sein Display zeigte ihm, dass Harry Grimes sechsmal bei ihm angerufen hatte. Er drückte auf Rückruf, während er die Treppe hinunter und zum Parkplatz lief. »Harry? Luke Papadopoulos.«

»Ich muss Ihnen etwas Wichtiges mitteilen, aber es ist eine heikle Information, und ich wusste nicht, wem ich trauen kann.«

»Worum geht's?«

»Eine Überwachungskamera hat die Entführung von Genie Cassidy aufgenommen. Jemand hat die Tat beobachtet. Jemand, der einen Crown Vic fährt, der wiederum auf einen Polizisten aus Atlanta gemeldet ist. Er heißt Paul Houston.«

»Ein Polizist?« Luke hatte keine Zeit für eine Pause, obwohl gerade ein großes Puzzleteil an den richtigen Platz gerutscht war. »Mein Gott. Jetzt wird einiges klar.«

»Tut es das?«

»O ja.« Nun wusste er, wie Bobby Schwester Ohman zwingen konnte, Monica zum Schweigen zu bringen, wieso ein normalerweise unauffälliger Pfleger versucht hatte, Beardsley zu töten, und vielleicht sogar, wieso Leigh Smithson Bobby mit Informationen versorgt hatte. Bobby hatte mit einem Polizisten zusammengearbeitet. Ein Polizist wusste über Drogenabhängigkeiten und andere Laster Bescheid, vielleicht sogar über eine kriminelle Vergangenheit, mit der man die betreffende Person erpressen konnte. »Ich bin auf dem Weg zu einem Notfall. Rufen Sie bitte meinen Chef Chase Wharton an und erzählen Sie ihm, was Sie mir gerade gesagt haben. Am besten sofort. Danke, Harry, wir sind Ihnen etwas schuldig.«

»Freut mich, dass ich helfen konnte. Viel Glück.«

*Ja,* dachte Luke, als er seinen Wagen erreichte. *Glück brauche ich jetzt, so viel ich bekommen kann.*

Susannah saß auf dem Stuhl ihres Vaters und starrte frustriert vor sich hin. »Es *müssen* Aufzeichnungen da sein, Talia, aber ich gehe es wahrscheinlich falsch an. Natürlich würde er sie nicht da verwahren, wo sie jeder leicht finden kann. Also wo?« Sie schloss die Augen. »Ich erinnere mich, dass ich mich einmal oben an der Treppe versteckte, als ich klein war. Mein Vater war mit ein paar Leuten in seinem Arbeitszimmer. Schon damals wusste ich, dass da etwas nicht stimmte.«

»Aber Sie waren ein Kind«, sagte Talia gutmütig. »Sie hätten nichts tun können.«

»Ja, das weiß ich, genau wie ich weiß, dass ich für Darcys Tod nicht verantwortlich bin. Aber wissen ist etwas anderes als *wissen*.« Susannah hielt die Augen geschlossen. »Ich saß oben an der Treppe und lauschte. Irgendwann begleitete mein Vater – Arthur – sie hinaus und schloss die Haustür ab.«

»Und was hat er danach getan?«

»Er kehrte in sein Arbeitszimmer zurück. Und das eine Mal war ich richtig mutig und schlich die Treppe hinab, um mehr zu hören. Es gab ein Rascheln, dann ein Ploppen.« Sie betrachtete das Zimmer, dann den dicken persischen Teppich, der schon so lange sie denken konnte auf der Auslegeware lag. Sie wusste, dass es im Schlafzimmer der Eltern einen Safe im Boden gab, aber dort gab es Holzbohlen, hier eben Teppich. Dennoch … Sie stand auf und schlug die Kante des persischen Teppichs um.

»Kein Rascheln«, sagte Talia, die noch immer in der Tür stand. »Ziehen Sie mal fester.«

Susannah tat es, und der Perser gab ein schnappendes Geräusch von sich und rollte sich wie von selbst auf. »So in etwa klang es.« Sie sank auf die Knie und untersuchte den Teppichstoff darunter. »Unglaublich. Arthur war wirklich gerissen. Der Teppich ist hier zusammengefügt.« Sie zog das Stück hoch. »Na klar. Noch ein Bodensafe.«

»Können Sie ihn öffnen?«, fragte Talia.

»Wahrscheinlich. Arthur nahm für die Kombinationen immer Geburtstage von Verwandten.« Sie probierte den Geburtstag ihrer Mutter, dann Simons, dann jeden, an den sie sich erinnern konnte. Großmütter, Großväter, Tanten, Onkel. Nichts.

»Vielleicht hat er bei diesem Safe eine Ausnahme gemacht«, schlug Talia vor, »und keinen Geburtstag genommen.«

»Kann sein, aber er war ein Gewohnheitsmensch. Wie ich, obwohl ich zum Glück nicht mehr behaupten kann, ich hätte es von ihm geerbt.« Plötzlich wusste sie es. »Also wirklich«, murmelte sie, als sie die Kombination eingab und die Klappe aufzog. »Daniels Geburtstag. Das wird ihn entzücken.« Der Richter hatte den Geburtstag des einzigen Menschen genommen, den er nicht hatte korrumpieren können, der sich aber sein Leben lang für die Sünden des Vaters Vorwürfe gemacht hatte.

Arthur hatte Daniel für schwach gehalten. *Und mich ebenso.* Aber er hatte sich geirrt, dachte sie, als sie mehrere Tagebücher hervorholte. *Bingo.*

Talia kam zu ihr und setzte sich auf den Boden neben die Klappe. »Das müssen mindestens dreißig Jahre Aufzeichnungen sein. Warum hat er kein Bankschließfach benutzt?«

»Er traute den Banken nicht. Hier – in dem Buch müsste etwas über Marcy stehen.« Sie blätterte, bis sie den Eintrag fand. »Mein Gott. Er wollte fünfundsiebzigtausend Dollar von den

Lintons. Kein Wunder, dass sie diese Summe nicht aufbringen konnten.«

»Und steht auch etwas über Borenson drin?«, fragte Talia.

»Himmel.« Sie fuhr mit dem Finger die Seite entlang. »Hier steht, dass sich der ›Kuppler‹ des Mädchens eingemischt hat und Borenson gedroht hat. Er sei wie ein Kartenhaus in sich zusammengefallen.«

»Kuppler?« Talia blickte nachdenklich auf. »Also stimmte der Vorwurf der Kontaktanbahnung – oder Prostitution?«

»Klingt so.« Susannah las weiter. »Ah, hier steht noch etwas. Marcy hat sich tatsächlich angeboten, aber es ging ihr offenbar nicht hauptsächlich um Sex. Sie hat sich reiche Männer ausgesucht, die auf junge Mädchen standen, sie verführt und dann erpresst. Das Geld ging hauptsächlich an den ›Kuppler‹, der ihr einen Anteil zahlte.« Sie begegnete Talias Blick. »Bobby hat das in Atlanta ebenfalls jahrelang getan. Chloe hat Unterlagen über finanzielle Transaktionen gefunden.«

»Noch eine Verbindung«, murmelte Talia. »Wusste Ihr Vater, wer dieser Kuppler war?«

Susannah las wieder, las es noch einmal, dann starrte sie wie vom Donner gerührt auf die Buchstaben. »Marcys Zuhälter soll Charles Grant gewesen sein. Aber … aber das ist doch unmöglich.«

»Nein, es passt. Chase hat mich doch eben angerufen, als wir auf dem Weg hierher waren. Auf einem von Mansfields Fotos aus dem Bunker hat Luke etwas gefunden. Einen Mann mit einem Spazierstock, der wie das Modell von Charles Grant aussieht.«

Susannah verengte die Augen zu Schlitzen. »Und warum haben Sie mir das eben nicht gesagt?«

»Weil Sie so blass waren und immer blasser wurden, je näher wir diesem Haus kamen. Ich habe befürchtet, dass Sie ohnmächtig werden könnten, und fand es klüger, Ihnen nicht allzu viel auf einmal zuzumuten.«

»Wahrscheinlich war das richtig. Aber … Charles Grant?« Sie konnte es immer noch nicht fassen. »Er war Daniels Lieblingslehrer.«

»Und er ist vielleicht ein Mörder. Was steht sonst noch da drin, Susannah?«

Sie setzte die Lektüre fort. »*Der kleine Mistkerl versucht doch tatsächlich, mich unter Druck zu setzen. Kann sein, dass er Carol mit seinem buddhistischen Voodoozauber beeindruckt, aber das Gequatsche über Mächte der Finsternis und thíchs beeindruckt mich wenig. Grant ist nichts als ein schmieriger Opportunist. Solange er bekommt, was er will, würde er alles und jeden benutzen. Er dachte, er käme über Simon an mich heran, aber ich habe Simons Sünden vertuscht. Dann hat er es über Susannah versucht. Ha. Als hätte das irgendeine Wirkung. Sie …*« Susannahs Stimme wollte nicht weiter. »*Sie bedeutet mir nichts.*«

»Es tut mir leid, meine Liebe«, flüsterte Talia. »Hören Sie ruhig auf zu lesen.«

»Nein. Ich muss es wissen. *Aber heute nun … das! Er hat Borenson gegen mich eingesetzt, und das dulde ich nicht. Wenn ich das nächste Mal eine Forderung stelle, werden sich die Verteidiger einfach nur jammernd an ihn wenden, und er lässt sie mit einem Klaps auf die Finger gehen. Borenson ist schwach. Ich habe ihm gesagt, er soll diesen ehrgeizigen Schwachkopf Alderman loswerden, aber hat er auf mich gehört? Natürlich nicht. Bisher war es sein eigenes Problem, dass Alderman ihm gedroht hat. Jetzt aber wird es auch meins. Verdammt, dieses Haus kostet Geld. Die Rechnungen summieren sich. Der Kerl wird mir mein Einkommen nicht kürzen.*«

Furcht sammelte sich in ihrer Magengrube. »Er hat es wegen des Geldes gemacht. Um das Haus und seinen Lebensstandard zu halten.« *Und er hat es gewusst.* »Er wusste, was mir passiert war.« Mit zitternden Händen blätterte sie, bis sie den einen Tag im Januar fand, den Tag, an dem sie in ihrem Versteck erwacht war – blutend, wund, voller Prellungen und zu Tode verängstigt. Sie war danach nicht mehr dieselbe gewesen.

»Wenn ich es recht verstehe, hat Grant versucht, meinem Vater das Geld abzupressen, das mein Vater wiederum von den Leuten erpresst hat, die in seinem Gerichtssaal erscheinen mussten.« Verbittert verzog sie die Lippen zu einem Lächeln. »Wenn das keine perverse Ironie ist.« Mit wachsendem Entsetzen las sie weiter.

»*Dieser Schnösel Grant kam heute und zeigte mir Bilder von Simon, wie er Susannah vögelte. Ich sollte schockiert und beschämt sein. Inzest, mein Gott. Ich sagte Grant, er könne zur Hölle gehen, Susannah habe eben bekommen, was sie verdient hat. Im Übrigen geht sie nie im Leben zur Polizei, dazu hat das Mädchen nicht den Mumm. Also wieder nichts für Charles. Er ging mit eingezogenem Schwanz und stieß wie immer wüste Drohungen aus. ›Das wirst du bereuen‹, tönte er. ›Eines Tages tut Simon etwas so Schlimmes, dass selbst du ihn nicht mehr raushauen kannst.‹ Ja, na klar. Ich sagte ihm, dass er Susannah gerne haben könne, ich hätte keine Verwendung für sie, und er bedankte sich artig.*«

Susannah schloss erneut die Augen. Tränen tropften ihr auf die Hände, und sie wischte sich hastig über die Augen. »Ich will nicht die Beweisstücke durchweichen.«

Talia drückte ihr ein Papiertaschentuch in die Hand und nahm sich dann selbst eins. »Es tut mir so leid, Susannah«, flüsterte sie mit brüchiger Stimme.

Plötzlich lachte Susannah laut auf. »Dies hier ... Das hier ist überhaupt kein Beweis. Wir können damit höchstens beweisen, dass Charles Grant von meiner ... meiner Vergewaltigung wusste.«

»Er hat sie initiiert«, sagte Talia bestimmt. »Das weiß ich.«

Susannah schüttelte den Kopf. »Aber wir haben keinen Beweis.«

Beide saßen eine lange Weile schweigend da. Schließlich sprach Talia wieder. »Wie mir scheint, hatten Ihr Vater und Charles Grant eine Dauerfehde miteinander, in der Richter Borenson die Rolle des Bauern einnahm. Aber es geschieht nichts weiter. Es kommt nicht zum Knall, nicht zu öffentlichen Anschuldigungen. Borenson wird pensioniert und zieht sich in die Berge zurück, Grant lehrt, Ihr Vater richtet, und beide führen ihr lukratives Erpressungsgeschäft weiter. Keiner mordet, meuchelt oder tut sonst etwas Auffälliges.« Talia machte eine Pause. »Nicht, bis Simon wiederauftaucht.«

Susannah ließ die Worte wirken, dann war ihr plötzlich alles klar. »Die drei hatten eine Art Waffenstillstand.« Ihre Hände zitterten nicht mehr, als sie die Seiten umblätterte. Sie wusste, was sie finden würde. Sie überging Alicia Tremaines Mord und Gary Fulmores Prozess in Borensons Gerichtssaal. »Meine Mutter brachte Frank Loomis dazu, die Beweise zu manipulieren, aber auch Grant hatte seine Hand im Spiel. Toby Granville war Charles Grants Protegé. Wenn die Wahrheit ans Licht gekommen wäre und die Öffentlichkeit erfahren hätte, wer Alicia vergewaltigt hatte, dann hätte man Toby Granville eingesperrt.«

»Also hat Grant Borenson dazu gebracht, wegzusehen und die fingierten Beweise zuzulassen.«

»Ja, das glaube ich auch. Dann wird Marcy Linton verhaftet,

und die Fehde erreicht einen Höhepunkt. Vielleicht weiß mein Vater, dass Grant etwas mit Marcy zu tun hat, vielleicht ist es auch einfach nur schlechtes Karma, jedenfalls benutzt Grant, was er hat, um bei Borenson einen neuen Prozess anzustrengen und das Urteil zu reduzieren.«

»Ihr Vater war darüber nicht glücklich. Wie haben sie also diesen Waffenstillstand geschlossen?«

Susannah blätterte weiter bis ein Jahr nach Alicias Tod – bis zu dem Tag, an dem Simon »gestorben« war. »Am Tag, als Simon verschwand, hörte ich ihn und meinen Vater streiten. Mein Vater hatte die Fotos gefunden, die Daniel vor wenigen Tagen schließlich dazu benutzt hat, die Opfer zu identifizieren. Mein Vater sagte Simon, er würde ihn entweder anzeigen oder er müsse verschwinden. Ein paar Tage später hörten wir, dass Simon tot war. Er sei nach Mexiko abgehauen und hätte einen Autounfall gehabt.«

»Aber das stimmte nicht. Simon war nicht tot.«

»Nein. Mein Vater wollte nur verhindern, dass meine Mutter nach ihm suchte, denn sie hätte niemals aufgegeben, wenn sie den Verdacht gehabt hätte, dass er noch leben könnte. Mein Vater flog nach Mexiko und kehrte mit einem Sarg zurück, in dem angeblich Simons sterbliche Überreste lagen. In Mexiko hatte es eine Autopsie gegeben, und die Leiche im Sarg war bis zur Unkenntlichkeit verbrannt. Dennoch brauchte er einen Totenschein, den ein Gerichtsmediziner unterschrieben hatte.«

»Ich habe gelesen, dass die Leiche im Familiengrab viel zu klein für Simon gewesen ist.«

»Ja. Kein Gerichtsmediziner hätte die Leiche für Simon gehalten. Nicht einmal so verbrannt, wie sie war.« Sie hielt Talia das Buch hin, so dass sie es sehen konnte. »Arthur hat hier den

Empfang der Sterbeurkunde dokumentiert. Unterschrieben vom Gerichtsmediziner, der außerdem der ortsansässige Allgemeinarzt war.«

»Also ein Komplize.«

»So muss es sein. Arthur hat die Urkunde, wie er hier schreibt, einen Tag nach Simons Verschwinden erhalten. Aber das war ein Tag bevor wir überhaupt erfuhren, dass Simon in Mexiko gestorben war.« Susannah war nicht überrascht und gleichzeitig wie vom Donner gerührt. »Sie wussten alle, dass Simon noch am Leben war.«

»Nachdem Borenson also den Totenschein verkauft hat, geht er in Rente und zieht sich in eine Berghütte zurück.«

»Mein Vater hatte die Bedrohung neutralisiert, und Mr. Grant musste mal wieder einen Rückzieher machen. Ein paar Monate später ging ich nach New York ans College.«

»Aber Charles Grant wollte Sie nicht aus den Fingern lassen«, murmelte Talia. »Sie waren sein.«

»Ich kann nur vermuten, dass er Marcy so lange manipulierte, bis sie mich suchte und Kontakt zu mir aufnahm. Ich nehme an, sie hat mich für das gehasst, was mein Vater ihr und ihrer Familie angetan hat.«

Talias Seufzen war schwer und traurig. »Da hätten wir unsere Verbindung. Ich rufe Chase an und teile ihm das Wichtigste schon einmal mit. Sie sammeln die Bücher ein, und ich helfe Ihnen gleich, sie zum Auto zu bringen.«

Talia erhob sich und ging hinaus in die Eingangshalle, um zu telefonieren, aber Susannah saß eine Weile lang einfach nur reglos da und starrte auf die Bücher. So viel Leid, so viel Elend, alles aus Gier, aus Lust an der Macht. Für diese Männer war es bloß ein Spiel gewesen. *Und ich war eine Figur darin.*

Müde holte sie die Dokumente und Tagebücher aus dem Safe

im Boden und verharrte plötzlich. Zwischen den Unterlagen befanden sich dicke Geldbündel. Viele dicke Bündel. »Talia? Kommen Sie doch mal her ...«

Der Satz blieb in der Luft hängen, als Susannah über die Schulter blickte und ihr Herz stolpernd zum Stehen kam. Nicht Talia stand im Türrahmen, sondern Bobby. Sie trug ein boshaftes Grinsen zur Schau und hielt eine Pistole mit Schalldämpfer in der Hand. »Willkommen zu Hause, kleine Schwester.«

# 24. Kapitel

Charles Grant saß auf seinem Klappstuhl bei der Beerdigung von Janet Bowie. Seine Hände ruhten auf dem Griff seines Gehstocks. Bei den anderen Trauerfeiern hatte er einen Platz in der ersten Reihe gehabt, doch hier saßen er und die beiden anderen Alten von der Bank vor dem Herrenfriseur weiter hinten, was eigentlich viel besser war. Von hier aus konnte er jeden sehen. Und hier konnte er verstohlen sein Handy hervorholen, wenn es in seiner Tasche vibrierte.

Eine SMS. Von Paul, wie er hoffte, und mit der Mitteilung, dass sich Daniel Vartanian und Alex Fallon in seinem privaten Verhörraum im Keller befanden. Aber er wurde enttäuscht. Die Nummer war von dem Prepaid-Handy, das er Bobby gestern gegeben hatte. Die Botschaft lautete SHOWTIME.

Also hatte Bobby Susannah in ihrer Gewalt. *Ich muss dahin.* Er schnitt eine Grimasse und umklammerte seinen Gehstock. »Mein Ischias«, murmelte er Dr. Fink, dem Zahnarzt, zu, der zu seiner Rechten saß. Steif erhob er sich. »Ich muss mich ein bisschen bewegen.« Entschuldigungen murmelnd bahnte er sich seinen Weg durch die Menge. Endlich würde er Susannah sterben sehen.

Aber anschließend würde er sich mit Bobby auseinandersetzen müssen. Er hatte den Einfluss über sie verloren, also würde er sie umbringen. Er rieb den Griff seines Gehstocks. *Genauso wie ich meine Darcy vor sechs Jahren getötet habe.*

»Herrgott noch mal«, fauchte Luke. Bobby hatte sich nicht in Charles Grants Haus versteckt.

Pete sah sich in Grants Wohnzimmer um. »Sollen wir die Wände einreißen?«

»Schön wär's. Wenigstens ist Grant noch auf dem Friedhof.« Das hatte Germanio jedenfalls noch vor zehn Minuten bestätigt. »Er weiß also nicht, dass wir hier sind oder über ihn Bescheid wissen.«

Sie hatten sich heimlich angeschlichen, was in Anbetracht der Tatsache, dass es wegen Janet Bowies Beerdigung in Dutton von Reportern nur so wimmelte, kein einfaches Unterfangen gewesen war. Er und Chase hatten länger diskutiert, ob sie Duttons neuen Sheriff veranlassen sollten, Grants Haus zu umstellen, falls Bobby dort untergekrochen sein sollte, doch letztendlich hatten sie sich dagegen entschieden. Man konnte nicht sicher sein, ob nicht noch mehr unsaubere Deputys, die Bobby oder Grant warnen würden, ihren Dienst hier verrichteten. Stattdessen hatte Luke wieder einmal Arcadias Sheriff Corchran angerufen, der mit einem Officer, dem er absolut vertraute, in einem ungekennzeichneten Wagen Streife gefahren und das Haus unter Beobachtung gehalten hatte.

Corchran hatte Luke ebenfalls erklärt, wie sich das Team nähern konnte, ohne in den Autoschlangen, die zur Beerdigung fuhren, stecken zu bleiben. Luke hatte große Hoffnungen gehabt, als sie in Grants bescheidenes Haus, das ein Stück abseits der Main Street lag, eingedrungen waren. Nun konnte er nur hoffen, dass sie im Haus selbst etwas Brauchbares finden würden.

Sein Team wartete ungeduldig. »Die richterliche Verfügung deckt Bobbys mögliche Verstecke und die Verbrechen im Bunker ab.« Mehr hatte Chloe nicht erreichen können. »Also haltet die Augen auf.«

Das Team trennte sich. Pete ging nach oben, Nancy in den Keller. Luke nahm das Wohnzimmer in Angriff, aber es gab nichts, das darauf hinwies, dass dieser Mann etwas anderes war, als er zu sein vorgab: der pensionierte Englischlehrer einer Highschool.

Und ein Theaterregisseur. An der Wand hingen Plakate von Produktionen, bei der Grant Regie geführt hatte, unter anderem auch die Schulaufführung von Schneewittchen mit Bobby in der Hauptrolle. Luke dachte an die kleine Kate Davis, die so gedankenlos als »Eichhörnchen« eingesetzt worden war, wodurch sie sich den Spitznamen Rocky eingehandelt hatte. Wie gedankenlos war es wirklich gewesen? Garth hatte ihnen erzählt, dass Bobby aus Kate etwas gemacht hatte. Das Selbstbewusstsein einer Person zu zerstören, nur um es dann wieder aufzubauen, war eine großartige Methode, sich ihre Loyalität zu sichern.

Grants Bücherregale bogen sich unter dem Gewicht der vielen Bände. Homer, Plutarch, Dante ... Er seufzte. Nichts als ein Haufen Wörter.

»Luke!« Nancys Stimme kam aus dem Keller. Sie klang alarmiert. »Komm mal runter. Schnell.«

Luke nahm zwei Stufen auf einmal. »Ist es Bobby?«

Nancy stand an einer mit Stahl verstärkten Tür, die in eine Betonwand eingelassen war. »Nein – ein Bunker wie der, den wir in Mansfields Keller entdeckt haben«, sagte sie. »Mansfield hatte in seinem Keller vor allem Waffen, Munition und Kinderpornos verstaut. Charles Grant dagegen ... tja, sieh es dir selbst an.« Sie drückte die Tür auf, und der Geruch, der ihnen entgegenschlug, war widerwärtig. Der Anblick war noch schlimmer.

Es war eine Folterkammer mit Ketten an den Wänden und Regalen, auf denen ein Sortiment von Messern und Skalpellen lagen. In der Mitte des Raums befand sich eine erhöhte Liege, bei deren Anblick Luke unwillkürlich an Dr. Frankensteins Labor denken musste. Auf der Liege lag ein Mann. Das war er zumindest gewesen, bevor man ihn in Streifen geschnitten hatte.

»Borenson. Er ist tot.« Luke überquerte die Schwelle und blieb sofort wieder stehen. In der Ecke des Raums stand ein Schaukelstuhl, daneben ein Tisch mit Spitzendeckchen, darauf eine Lampe mit einem altmodischen Schirm. »Mein Gott. Grant hat da gesessen und ihm beim Sterben zugesehen.«

Nancy deutete auf den CD-Spieler auf dem Tisch. »Während er Mozart als Untermalung hörte.«

Luke betrachtete die Leiche. »Was hatte oder wusste Borenson, das Charles Grant haben oder wissen wollte? Er ist über mehrere Tage hinweg gefoltert worden. Einige Schnitte hier sind schon älter.« Er wich rückwärts aus dem Raum. »Mach die Tür zu, damit wir wieder atmen können.«

»Der Bunker war versteckt.« Sie drückte die Stahltür zu und zog fast lautlos eine Schiebetür davor. »Das Ding kann einmal über die ganze Länge geschoben werden und sieht dann aus wie eine Kellerwand. Bei Mansfield war sie halb offen, so dass wir den Bunker rasch gefunden haben. Als ich die Wand eben sah, wusste ich, dass sich dahinter ebenfalls etwas verbarg. Vielleicht finden wir noch mehr geheime Räume im Haus.«

»Das heißt, Bobby könnte vielleicht doch noch hier sein. Sucht weiter. Und gute Arbeit, Nancy.« Luke stieg wieder die Treppe hinauf, aber bevor er noch Chase anrufen konnte, brummte sein Handy, und Chase rief *ihn* an. Nach den Geräuschen zu schließen, befand sich sein Chef im Auto. »Es sieht nicht so aus, als sei Bobby hier«, sagte Luke. »Allerdings haben wir Borenson gefunden. Gefoltert und tot. Germanio kann Charles Grant festnehmen.«

»Sehr schön. Kontaktieren Sie Germanio. Haben Sie irgendetwas gefunden, das auf Bobby verweist?«

»Nein, aber wir suchen noch.« Etwas in Chases Stimme jagte Lukes Puls hoch. »Ist mit Susannah alles in Ordnung?« Der Gedanke daran, dass sie erneut in dieses Haus wollte, hatte ihm nicht gefallen. Aber Talia war überzeugt, dass sie eine Verbindung zu Darcy gefunden hatten, also hatte Chase das Vorhaben abgesegnet.

»Ja, ja, es ist alles in Ordnung«, sagte Chase. »Es geht um den Polizisten, den Agent Grimes in Charlotte gesehen hat. Paul Houston. Wir haben sein Foto bekommen. Luke, es ist der Kerl, den Susannah der Zeichnerin beschrieben hat.«

Luke blieb der Mund offen stehen. »Was? Ein Cop aus Atlanta hat Susannah vor sechs Jahren in New York vergewaltigt?«

»So scheint es, ja. Aber das war noch nicht alles. Heute Morgen hat man Paul Houston dazu abgestellt, Daniels Haus zu bewachen, sobald Daniel aus dem Krankenhaus entlassen wird. Houston hat speziell um diesen Auftrag gebeten.«

Luke gefror das Blut in den Adern. »O mein Gott.«

»Daniel ist gesund und munter. Ich habe ihn angerufen, sobald ich es erfahren habe. Es gab wohl ein Problem mit seinem Hund, der im Haus eine ziemliche Schweinerei angestellt hat. Ihre Mutter hat einen von Ihren Vettern angerufen.«

Luke atmete erleichtert aus. »Nick. Er hat eine Teppichreinigung. Ist mit *ihm* alles okay?«

»Ja. Er war noch nicht da gewesen, also sind Daniel und Alex zu Ihrer Mutter gegangen. Und Ihrer Mutter geht es auch bestens. Allen geht es bestens, außer mir. Ich arbeite mit der Dienstaufsichtsbehörde von Atlanta zusammen, aber ich wollte, dass dieser Bursche *jetzt* überwacht wird, also bin ich selbst zu Daniel gefahren. Vor fünf Minuten bekam Houston einen Anruf auf dem Handy und verschwand. Ich folge ihm. Er fährt Richtung Westen, und das ziemlich schnell.«

»In unsere Richtung.«

»Möglich. Ich habe mich mit einem Agent bei der Verfolgung abgesprochen, so dass Houston nichts merken wird. Ich hoffe, dass er Bobby treffen will. Rufen Sie Susannah an und teilen Sie ihr mit, was geschieht, damit sie Bescheid weiß. Suchen Sie weiter, aber bleiben Sie in den Grenzen der richterlichen Verfügung. Ich will nicht, dass uns Grant irgendwie durch die Lappen geht. Ich melde mich wieder, wenn ich weiß, wohin dieser Houston fährt.«

*Dutton,*
*Montag, 5. Februar, 13.30 Uhr*

Bobby konnte einfach nicht aufhören zu grinsen. Susannah befand sich genau da, wo sie sie haben wollte. Und dass sie auch noch neben einem Haufen Geldscheine kniete, war wie das letzte i-Tüpfelchen.

»Wo ist Agent Scott?«, fragte Susannah tonlos.

Eines musste man ihr lassen, dachte Bobby. Nach dem anfänglichen Schock zeigte Susannah keinen Hauch von Angst. »Sie ist nicht tot, falls es das ist, was du meinst. Ich habe nicht einmal auf sie geschossen. Noch nicht.«

Susannah verengte die Augen. Graue Augen, dachte Bobby. *Nicht blau wie Vaters. Oder Daniels oder Simons. Und meine.*

»Wie viel Geld liegt da im Safe?«

Susannah zuckte gleichgültig mit den Schultern. »Ein-, zweitausend. Vielleicht mehr. Bedien dich und geh.«

Bobby lächelte. »Werde ich auch. Aber zuerst wirst du jeden Safe in diesem Haus für mich öffnen.«

Susannah hob das Kinn. »Öffne deine verdammten Safes doch selbst.«

Bobbys Fuß traf Susannah mit Wucht unterm Kinn und schleuderte sie auf den Rücken. Bobby trat näher und drückte ihr mit dem Fuß auf die Kehle. »Du tust es.« Sie zielte mit dem Lauf der Pistole auf Susannahs Kopf. »Steh auf. Und für die nächste dumme Bemerkung zahlt Agent Talia Scott.«

Bobby griff in Susannahs Haar und riss sie auf die Füße. Susannah gab nicht einmal ein Wimmern von sich, was Bobby widerstrebend anerkennen musste. Die kleine Frau erwies sich als zäher, als sie gedacht hatte, und Bobby begriff, dass sie ihre Halbschwester nicht unterschätzen durfte. Bobby stieß sie aus dem Arbeitszimmer, vorbei an der gefesselten und geknebelten Talia Scott, die von dem Elektroschock noch immer benommen war.

Als sie auf der Treppe waren, hörte Bobby ein schwaches Klingeln, und Susannah blieb stehen. »Das ist mein Handy. Wahrscheinlich ist es Agent Papadopoulos. Wenn ich nicht rangehe, wird er sich Sorgen machen.«

Bobby dachte nach. Über kurz oder lang würde sie auch Papadopoulos beseitigen müssen. Er würde ihr verbissen auf der Spur bleiben, vor allem, wenn sie Susannah tötete, und das würde sie. Dennoch zog Bobby es vor, sich mit dem GBI-

Agent dann auseinanderzusetzen, wann sie es wollte. Mit zwei zierlichen Frauen fertig zu werden war eine Sache. Aber Papadopoulos war ein großer, breiter Kerl und würde vermutlich nicht allein kommen. »Hat dein Handy einen Lautsprecher?«

»Ja.«

»Dann geh dran.« Bobby ging neben Agent Scott in die Hocke und hielt ihr die Waffe an den Kopf. »Und pass gut auf, was du sagst, kleine Schwester, oder ihr Blut klebt an deinen Händen.« Zufrieden sah sie, dass Susannah erbleichte.

»Es hat zu klingeln aufgehört.«

»Ruf ihn zurück. Sag ihm, dass du gefunden hast, was du gesucht hast, und dass du jetzt wieder mit Agent Scott nach Atlanta zurückfährst. Und sei überzeugend.«

Susannah griff nach ihrer Tasche.

»Oho«, sagte Bobby kopfschüttelnd. »Ich kann mich von gestern noch an die Tasche erinnern.«

»Ich bin nicht bewaffnet«, sagte Susannah. »Nicht mehr.«

»Ich gehe doch kein Risiko ein. Bring die Tasche her und lass sie vor mir auf den Boden fallen. Los.« Susannah gehorchte, und Bobby sah hinein. Keine Pistole. »Schön. Jetzt ruf den Kerl an. Und schalte den Lautsprecher ein.«

Susannah gehorchte wieder. »Luke, ich bin's. Tut mir leid, ich musste mein Handy erst holen.«

Ein erleichterter Seufzer. »Ich wäre fast schon nervös geworden. Wo bist du?«

»In Mamas und Daddys Haus, aber nicht mehr lange. Talia und ich haben gefunden, wonach wir gesucht haben, und wollten gerade nach Atlanta zurück.«

»Ihr habt Aufzeichnungen gefunden? Und auch eine Verbindung zu Darcy Williams?«

»Das haben wir. Wir sehen uns im Büro.«

»Susannah, warte. Hast du … hast du den Lautsprecher an?«

»Ja, tut mir leid. Ich trage gerade ziemlich viel auf dem Arm, deswegen habe ich den Knopf gedrückt.«

»Wo ist Talia?«

»Draußen«, improvisierte sie, und Bobby nickte zufrieden. »Sie bringt eine Ladung Bücher und Tagebücher zum Auto.«

»Und warum sind dann deine Hände voll?«

Susannah zögerte. »Ich … ich trage einen Karton«, sagte sie schließlich und verlieh ihrer Stimme einen fröhlichen Klang, »mit Sachen von Mama, die ich als Erinnerung behalten möchte.« Wieder zögerte sie einen Moment. »Ich liebe dich, Loukamou«, sagte sie ernst. »Wir sehen uns später.« Mit zitternden Händen drückte sie das Gespräch weg.

»Wie süß«, höhnte Bobby. Mit einer Hand zerrte sie Agent Scott zu einem Kämmerchen unter der Treppe und schloss sie ein, öffnete die Tür aber plötzlich noch einmal und schoss ihr ins Bein. Scotts Schrei wurde von dem Klebeband über ihrem Mund gedämpft. Bobby warf Susannah einen amüsierten Blick zu. Ihr Schwesterchen wirkte genauso entsetzt, wie sie gehofft hatte. »Leigh Smithson hat mir die Mitglieder des GBI-Teams beschrieben, daher weiß ich, dass man Talia Scott auf keinen Fall unterschätzen darf.«

»Aber wieso auf sie schießen?«, sagte Susannah wütend. »Sie stellt doch jetzt keine Bedrohung für dich dar.«

»Wie ich schon sagte, ich werde keinerlei Risiko eingehen. Falls sie doch entkommt und weglaufen will, ist sie wenigstens langsamer. Und du steigst jetzt die Treppe hoch und fängst an, dich an die Geburtstage der Verwandtschaft zu erinnern, die ich niemals kennenlernen durfte. Es gibt noch vier Safes zu öffnen.«

»Sechs«, sagte Susannah tonlos. »Es sind sechs.«

Luke legte auf und versuchte vergeblich, ruhig zu bleiben. Er konnte kaum atmen. »Pete. *Pete!*«

Pete kam mit einem Notizbuch in den großen Händen um die Ecke gelaufen. »Sieh mal, was ich hinter Grants Schlafzimmerschrank gefunden habe. Die Wand hatte ein bewegliches Paneel, genau wie in Kinofilmen. Und dahinter befinden sich Hunderte von Büchern dieser Art. Was ist los?«

»Susannah.« Er schluckte. »Ich glaube, dass Bobby sie erwischt hat.«

Pete packte Lukes Schulter. »Durchatmen. Was genau hat sie gesagt?«

»Dass sie und Talia in *Mamas* und *Daddys* Haus seien und sie das Handy auf Lautsprecher gestellt habe, weil sie einen Karton mit Erinnerungsstücken an ihre *Mama* im Arm habe.«

Pete schluckte nun ebenfalls. »Verdammt.«

*Und dann hat sie gesagt, dass sie mich liebt, als wisse sie, dass sie keine zweite Chance haben würde, es mir zu sagen.* »Ich wollte ihr ursprünglich von Paul Houston erzählen, aber ich wusste nicht, wer zuhört.«

»Sehr clever.«

Luke nickte. »Ich fahre zum Haus der Vartanians.«

»Nicht clever.« Pete seufzte. »Also fahre ich mit.«

Luke hatte sich bereits in Bewegung gesetzt. »Ruf Germanio an, er soll Charles Grant verhaften.«

Pete warf die Beifahrertür zu, als Luke auch schon mit quietschenden Reifen anfuhr. »Mit welcher Begründung?«

»Fangen wir mit Mord an Richter Borenson an.«

»Erpressung können wir auch noch hinzufügen«, sagte Pete und tippte auf das Notizbuch, das er noch immer in der Hand hielt. »Charles hat über jeden reichen Bürger von Dutton Informationen, und sie greifen tief in die Tasche, damit er ihre Geheimnisse bewahrt.«

»Das wundert mich nicht, aber ich fürchte, wir können das noch nicht nutzen. Das Notizbuch ist durch den Durchsuchungsbefehl nicht abgedeckt. Aber der Mord reicht für eine Verhaftung ja aus«, fügte Luke hinzu, während Pete wählte.

»Hank, Pete hier. Hol Charles Grant ab und bring ihn …« Pete zog die Stirn in Falten. »Was zum Teufel soll das heißen, du hast ihn aus den Augen verloren?«

Luke riss Pete das Telefon aus den Händen, während sein Fuß mit Wucht aufs Gaspedal trat. »Wo. Ist. Er?«

»Er hat den Friedhof verlassen«, sagte Germanio, »und ist mit dem Auto weggefahren.«

»Und du kommst nicht auf die Idee, mir Bescheid zu geben? Mist!«

»Ich hatte ihn verfolgt, aber er fuhr in eine Seitenstraße, und ich konnte nicht hinterher, weil ich mich dann verraten hätte. Als ich zurückfuhr, war er fort. Tut mir leid.«

»Es tut dir leid? Es tut dir leid?« Atme. »Wo bist du jetzt?«

»Etwa fünf Meilen vom Friedhof entfernt. Ich fahre gerade in die Stadt zurück.«

»Nein, mach kehrt und fahr zum Haus der Vartanians. Es ist nicht weit – zwei, drei Meilen vielleicht, ein altes Anwesen aus der Vorkriegszeit. Talias Wagen sollte draußen parken. Nähere dich möglichst so, dass man dich nicht sieht und nicht hört, und warte auf mich. Bobby ist mit Susannah und Talia dort drin.«

»Okay.«

»Germanio, hör mir zu. Du wartest auf mich, okay?« Luke gab das Telefon wieder an Pete zurück. »Verdammter Cowboy. Jetzt weiß Grant, dass wir Bescheid wissen.«

»Er ist hier nicht der einzige Cowboy«, murrte Pete.

Luke warf ihm einen scharfen Blick zu. »Ach ja? Was würdest du denn machen, wenn sich Ellie in der Gewalt einer Mörderin befände?«

Ellie war Petes zarte kleine Frau. Pete behandelte sie wie ein rohes Ei. »Was denkst du wohl, warum ich mit dir gefahren bin? Jetzt konzentriere dich auf die Straße. Ich rufe Chase an.«

*Dutton,*
*Montag, 5. Februar, 13.35 Uhr*

Charles war mächtig sauer. Er war von irgendeinem tölpelhaften GBI-Agenten verfolgt worden, der nur zu leicht abzuschütteln gewesen war. Aber das bedeutete, dass man ihm auf die Schliche gekommen war. Sie wussten Bescheid. Verdammt.

Im Grunde hatte er gewusst, dass es nur noch eine Frage der Zeit war. Er hatte versucht, das Bersten des Damms aufzuhalten, indem er Daniel geholfen hatte, Mack O'Brien zu fassen. Mack hatte eine Menge an unerwünschter Aufmerksamkeit auf Toby Granville und die anderen Jungs gezogen.

Aber alles hatte ein Ende. Die Sache musste sauber abgeschlossen werden. Er konnte es sich nicht leisten, bestimmte Dinge unerledigt zu lassen. Er musste sich um Bobby kümmern. Und um sein Haus ebenfalls. Er war nicht so arrogant zu glauben, dass das GBI nicht auf seine Aufzeichnungen stoßen würde, wenn es erst einmal zu suchen begann. Alles, was wirklich von Wert war, trug er in seinem Elfenbeinkästchen bei sich, aber das Haus musste weg. Er würde Paul anweisen, das Ding niederzubrennen. Er rief Paul auf dem Handy an. »Ich brauche dich in Dutton«, sagte er.

»Tja, das ist fein«, sagte Paul, »denn dorthin bin ich unterwegs. Ich versuche dich seit einer Stunde anzurufen.«

»Ich habe dir gesagt, dass ich auf dem Friedhof keine Gespräche annehmen kann. Du solltest mir eine SMS schicken. Selbst Bobby hat das begriffen.«

»Ich kann nicht gleichzeitig fahren und simsen«, erwiderte Paul verärgert. »Ich habe einen Anruf von deinem Alarmsystem bekommen. Jemand ist in deinem Haus.«

Charles sog scharf die Luft ein. »Was?«

»Du hast mich ganz gut verstanden. Ich habe das Alarmsystem so eingestellt, dass es sich auf meinem Handy meldet, nicht bei der Sicherheitsfirma. Jemand ist um 13.17 Uhr durch die Hintertür eingedrungen.«

»Ich bin eben einen Verfolger vom GBI losgeworden«, sagte Charles ruhig. »Offenbar haben sie mein Haus durchsucht. Dann ist es auch zu spät, um es abzubrennen. Wenn sie meine Tagebücher gelesen haben, wissen sie Bescheid.«

»Was jetzt?«, fragte Paul, einen Anflug Panik in der Stimme. »Wohin willst du?«

»Mexiko, dann zurück nach Südostasien. Aber zuerst fahre ich zu den Vartanians. Bobby ist dort. Ich muss dafür sorgen, dass weder sie noch Susannah überleben, um jemandem von dir zu erzählen. Wenn ich fertig bin, warte ich hinterm Haus. Du holst mich ab und fährst mich in den Süden. An der Grenze kannst du zurückkehren. Oder mit mir kommen.«

»Ich komme mit«, sagte Paul.

Charles hatte nichts anderes erwartet.

Pete klappte sein Handy zu. »Verstärkung ist unterwegs. Und jetzt solltest du dir anhören, was hier drinsteht. Du wirst wütend werden, aber bleib so cool wie möglich, okay?«

»Ich gebe mir Mühe«, sagte Luke misstrauisch. »Du hast gesagt, Grant habe reiche Duttoner Bürger erpresst. Wen?«

»Oh, viele, aber interessant für dich ist die Geschichte zweier Richter.«

»Borenson und Vartanian«, sagte Luke grimmig.

»Jep. Ich habe mindestens fünfzig dieser Notizbücher in dem geheimen Regal gefunden, und zwar nach Alphabet geordnet. Für V gibt es drei – eines für Simon und Arthur, ein anderes für Daniel und seine Mutter. Susannah hat ein eigenes, und es ist fast voll. Hör zu.«

Luke hörte zu, und seine Knöchel drückten sich weiß durch seine Haut, als er das Lenkrad umklammerte. Die Übelkeit stieg so heftig in ihm auf, dass er glaubte, sich im Auto übergeben zu müssen, doch der Zorn war beinahe noch schlimmer, denn er wusste nicht, worauf er ihn richten sollte. Es war unfassbar. Unverzeihlich. So unmenschlich. Susannahs Leben war ruiniert worden, weil Charles Grant und Arthur Vartanian sich um die Macht über ein jämmerliches, bedeutungsloses Kaff gestritten hatten. Susannah war ein Pfand in einem Spiel gewesen, von dem sie nicht einmal etwas geahnt hatte. »Mein Gott«, flüsterte Luke.

»Können wir diese Bücher verwenden?«, fragte Pete. »Der Bunker wird zwar nicht erwähnt, aber ...«

»Wir müssen Chloe fragen.« Luke brannte innerlich. Jeder Atemzug tat ihm körperlich weh. »Sollte Charles Grant allerdings in der Zwischenzeit sterben, ist es ohnehin irrelevant.«

Pete schwieg einen Moment nachdenklich. »Wohl wahr. Meine Rückendeckung hast du.«

Luke musste unwillkürlich schlucken. »Eines Tages finde ich eine Möglichkeit, mich zu revanchieren.«

Pete lachte leise. »Nicht mehr in diesem Leben, mein Freund. Fahr schneller.«

*Dutton,*
*Montag, 5. Februar, 13.45 Uhr*

»Keiner der Geburtstage, an die ich mich erinnere, ist die Kombination für diesen Safe«, sagte Susannah und zuckte zusammen, als Bobby ihr den Griff der Waffe gegen den Schädel schlug.

»Halt die Klappe. Probier's einfach weiter, Schwesterherz.«

Susannah presste die Kiefer zusammen. Sie hatte bisher drei der sechs Safes in der oberen Etage geöffnet. Einer war leer gewesen, im anderen hatten Grundstückspapiere gelegen, im dritten Carol Vartanians Strass-Schmuck. Bobby hatte die Steine für echte Diamanten gehalten und sich über ihr Glück gefreut. Susannah stand nicht der Sinn danach, ihr die Illusion zu nehmen.

Bobby verstaute ihre Beute gerade in Großmutter Vartanians silberner Teekanne, die einen besonderen Wert für sie zu haben schien. Warum dem so war, konnte Susannah nicht begreifen, aber auch das interessierte sie nicht genug, um nachzufragen.

Stattdessen konzentrierte sie alle Energien darauf, Zeit zu schinden. »Ich bin nicht deine Schwester«, presste sie hervor. »Außerdem weiß ich, dass dieser Safe leer ist. Daniel hat ihn vor drei Wochen geräumt, als er angefangen hat, nach unseren Eltern zu suchen.«

»Dann muss Daniel ja die Kombination gewusst haben, was bedeutet, dass du es auch tun kannst. Du scheinst ein exzellentes Gedächtnis für Geburtstage zu haben.« Bobby versetzte ihrem Kopf einen weiteren Schlag mit dem Pistolengriff. »Und ich *bin* deine Schwester, ob du es nun wahrhaben willst oder nicht.«

Susannah ließ sich auf die Fersen sinken und blinzelte gegen den Schmerz in ihrem Schädel an. *Wo bleibst du, Luke?* Sie war sicher, dass er ihre Nachricht verstanden hatte. Niemals im Leben hätte sie ihren Vater »Daddy« genannt, und der Gedanke, etwas zur Erinnerung an ihre Mutter mitzunehmen, war absurd. Sie dachte an Talia, die verletzt unter der Treppe lag, und betete, dass Luke noch rechtzeitig eintreffen würde, bevor die Frau verblutete oder Bobby sie beide erschoss.

*Also lenk sie ab. Gib Luke Zeit.* »Du bist nicht meine Schwester. Nicht einmal meine Halbschwester. Wir sind nicht miteinander verwandt.« Wieder flog ihr Kopf zur Seite, als Bobby ihr eine heftige Ohrfeige verpasste.

»Ist es so schwer zuzugeben?«, fauchte Bobby.

Susannah konnte nur hoffen, dass die Wahrheit Bobbys Zorn etwas lindern würde. Ihre Augen brannten, als sie den Unterkiefer vorsichtig hin und her bewegte. »Ja – weil es nicht stimmt. Dein Vater ist Arthur Vartanian, aber meine Mutter tat dasselbe wie deine. Sie ging fremd. Arthur Vartanian ist nicht mein Vater.«

Bobbys Augen blitzten. »Du lügst.«

»Nein, tu ich nicht. Ich habe einen Vaterschaftstest machen lassen. Mein Vater heißt Frank Loomis.«

Bobby sah sie verunsichert an, dann warf sie plötzlich den Kopf zurück und lachte.

»Ich fasse es nicht. Die tolle, reiche Suzie Vartanian ist auch bloß ein Bastard gewesen.« Dann wurde sie wieder ernst. »Mach den Tresor auf, Suzie, oder ich gehe runter und puste deiner Freundin den Kopf von den Schultern.«

Susannah schluckte. »Ich kenne die Kombination wirklich nicht. Ich lüge nicht.«

Bobby runzelte die Stirn. »Dann steh auf.«

Susannah gehorchte erleichtert, erstarrte aber, als sie ein Auto hörte, das draußen vorfuhr. *Luke! Bitte lass es Luke sein.* Bobby hörte es ebenfalls und schlich zum Fenster.

»Mist«, murmelte sie. »Wir kriegen Gesellschaft. Wer ist das?«

Susannah blieb, wo sie war, schrie jedoch auf, als Bobby sie an den Haaren zum Fenster zerrte. Hank Germanio näherte sich vorsichtig mit gezogener Waffe dem Haus. »Keine Ahnung«, log sie. »Den habe ich noch nie gesehen.«

»Oh, du bist gut«, sagte Bobby leise. »Wenn ich es nicht besser wüsste, würde ich dir glatt glauben. Zum Glück waren Leighs Beschreibungen ziemlich gut. Germanio heißt er. Er ist der Typ Draufgänger, einer, der sich nichts sagen lassen will. Okay.« Sie stieß sie auf die Treppe zu. »Schrei um Hilfe!«

»Nein«, sagte Susannah. »Ich werde dir nicht helfen. Da wirst du mich schon vorher umbringen müssen.«

»Oh, das tue ich auch. Aber zuerst wirst du mir die anderen Tresore öffnen. Und bis dahin erledige ich die GBI-Burschen, einen nach dem anderen.« Bobby zerrte sie weiter, bis sie oben an der Treppe stand, drückte Susannah die Waffe an die Schläfe und begann, aus vollem Hals zu schreien. »Hilfe! Sie hat eine Waffe. O mein Gott, sie hatte eine Waffe und will Susannah erschießen.«

Susannah konnte Germanio durch das Fenster neben der Eingangstür sehen. Er blickte auf, sah sie an der Treppe stehen. Und zögerte.

Susannah schrie. »Nein! Nicht reinkommen! Das ist eine Falle!«

Aber es war zu spät. Germanio brach durch die Eingangstür, und Bobby zielte in aller Seelenruhe. Und Germanios Kopf … teilte sich. Er war tot, bevor er auf dem Boden aufschlug.

Ihr Entsetzen explodierte in nacktem Zorn. »Du Miststück!«, kreischte Susannah. »Du verdammtes Miststück!« Sie schwang ihre gefesselten Hände nach rechts und zog mit aller Kraft an Bobbys verwundetem Arm. Bobby heulte auf, und Susannah zerrte weiter, bis Bobby die Balance verlor und stolperte. In diesem Moment ließ Susannah einen Sekundenbruchteil nach, wandte sich um und rammte die stärkere Frau, die sie körperlich überragte, mit voller Wucht, so dass sie beide zu Boden gingen und auf der Treppe miteinander rangen. Bobby griff in Susannahs Haar und zerrte sie hinunter. Bobbys Haar war zu kurz, und Susannah bekam es nicht zu fassen, also trat und zappelte sie, während sie versuchte, die Treppe wieder hinaufzukommen. Dann packte Bobby sie am Bein und zog.

*Wo ist die Waffe?* Hatte Bobby sie noch? *Nein. Wenn sie sie hätte, hätte sie sie schon gebraucht.* Susannah trat mit dem anderen Bein nach Bobby und sah über die Schulter nach der Waffe. Bobby und Susannah entdeckten sie gleichzeitig. Sie lag auf der untersten Stufe. *Das schaffe ich nicht. Ich kann sie nicht vor ihr erreichen. Ich werde sterben.*

Bobby ließ los, stolperte rückwärts die Treppe hinab, und Susannah krabbelte hastig aufwärts. *Weg! Hau ab, solange du noch kannst.*

Sie waren fast da. Luke kämpfte den Zorn nieder und konzentrierte sich auf Susannah und Talia in Bobbys Gewalt. Erst musste er sich um Bobby kümmern, dann war Charles Grant dran. Der Mann war bereits tot, wo immer er sich gerade aufhielt. Charles war nicht nach Hause gefahren, aber er würde ihn finden.

Als sein Handy brummte, fuhr er heftig zusammen. Chase.

»Luke. Wo sind Sie?«

»Etwa zwei Minuten vom Haus der Vartanians entfernt. Und wo ist Paul Houston?«

»Er war auf dem Weg nach Dutton, ist aber vorher abgebogen.«

Als Luke hörte, welchen Umweg der Cop aus Atlanta genommen hatte, fiel es ihm gleich ein. »So hat Corchran uns den Weg erklärt, damit wir dem dichten Verkehr in Dutton entgehen würden. Er kommt her. Aber wozu? Um Bobby zu helfen?«

»Nein, nicht Bobby. Charles. Machen Sie den Lautsprecher an, so dass Pete es auch hört. Al Landers hat im Gefängnis mit Michael Ellis gesprochen. Hat ihm Susannahs Zeichnung gezeigt, und Ellis ist zusammengebrochen. Paul Houston ist Ellis' Sohn. Houston und Charles Grant haben Darcy umgebracht, nicht Michael Ellis.«

Luke zog die Brauen zusammen. »Sein Sohn? Ellis hat die Schuld auf sich genommen, damit sein Sohn verschont blieb? Wieso?«

»Und wer lässt denn den eigenen Vater büßen?«, fügte Pete hinzu.

585

»Rache. Ellis war in einem vietnamesischen Kriegsgefangenenlager und Charles Grant ebenfalls.«

Luke schüttelte den Kopf. »Nein. Ich habe mich erkundigt. Charles Grant war nicht bei der Armee.«

»Charles Grant nicht, aber Ray Kraemer, wie er damals noch hieß. Kraemer war ein Scharfschütze. Er wurde 67 gefasst, traf im Lager Ellis und konnte gemeinsam mit ihm entkommen. Ellis wollte unbedingt nach Hause. Seine Freundin hatte ihm einen Sohn geboren, ihn aber zur Adoption freigegeben. Das war Paul. Ellis und Kraemer hatten praktisch nichts mehr zu essen, waren am Ende. Ellis schoss auf Kraemer, nahm ihm den letzten Proviant ab und ließ den Schwerverletzten im Dschungel liegen. Er glaubte, dass er sterben würde.«

»Was er aber offensichtlich nicht getan hat«, murmelte Luke. »Wie ging es weiter?«

»Ellis erzählte, Kraemer tauchte achtzehn Jahre später unter dem Namen Charles Grant in Dutton wieder auf. Er suchte sich Dutton aus, weil die Mutter von Ellis' Sohn nach der Geburt dorthin gezogen war. Pauls Mutter heißt Angie Delacroix. Sie ist eine von Grants Handlangerinnen. Zumindest arbeitet sie ihm zu.«

Luke stieß einen Pfiff aus. »Mein Gott.« Seine Gedanken taumelten. Was hatte sie ihnen alles gesagt! »Aber sie hat uns die Wahrheit erzählt. Der Gentest hat bewiesen, dass Loomis Susannahs Vater ist, und ihr Tipp in Bezug auf Bobbys Eltern war ebenfalls richtig. Warum sollte sie uns helfen, Bobby ausfindig zu machen? Auch Bobby arbeitet mit Charles zusammen.«

»Tja, das weiß ich auch noch nicht. Ich habe sie abholen lassen, aber sie sagt nichts. Dafür hat Ellis jedoch genug erzählt, als Al Landers ihm sagte, wir wüssten, dass sein Sohn bei der

Polizei ist. Er sagte, Kraemer habe seinen Sohn aufgespürt, als das Kind acht war. Er wurde Förderlehrer in irgendeinem Nachmittagsprogramm der Schule, soll ihm aber eine Gehirnwäsche verpasst haben, was die biologischen sowie die Adoptiveltern betraf. Mit zehn Jahren rannte der Junge weg und zog bei Charles ein. Augenscheinlich hat Charles das Kind sein ganzes Leben lang beeinflusst und geformt. Ellis sagt, Paul sei Charles bis in den Tod ergeben.«

»Und warum hat Ellis den Mord an Darcy auf sich genommen?«, fragte Pete.

»Um Angie und Paul zu schützen. Charles hat ihm gedroht, Paul dazu zu bringen, Angie zu töten, falls er es nicht täte.«

»Seine Rache«, sagte Luke leise. »Er vereinnahmt den Sohn und setzt ihn gegen den Vater ein. Ellis sitzt für den Mord an Darcy im Knast, zahlt aber eigentlich eine vierzig Jahre alt eSchuld ab.«

»Genau«, sagte Chase. »Ich bin ungefähr zwanzig Minuten entfernt, immer noch auf Houstons Fährte. Er hat das Warnlicht eingesetzt, um durch den Verkehr zu kommen, also weiß er noch nicht, dass wir über ihn Bescheid wissen. Ich habe die meisten Agents vom Friedhof abgezogen und in Ihre Richtung geschickt. Warten Sie auf sie.«

Luke schlingerte um die Kurve und konzentrierte sich sofort wieder auf Susannah. *Lass sie am Leben sein. Lass mich nicht zu spät kommen.* »Wir haben das Haus jetzt in Sicht.« Drei Streifenwagen aus Arcadia und ein Krankenwagen näherten sich aus der anderen Richtung, und Luke sandte einen stummen Dank an Sheriff Corchran. »Verstärkung ist da. Wir gehen rein.«

Chase stieß den Atem aus. »Seien Sie vorsichtig. Viel Glück.«

»Danke.« Luke drosselte gerade das Tempo, um die herannahenden Polizisten zu instruieren, als er den Schuss hörte. »Das kam aus dem Haus.« *Susannah.* Er trat das Gaspedal durch und raste auf die Auffahrt, wo er rutschend neben Germanios Wagen zum Stehen kam. Sein Herz schlug in seiner Kehle, als er zu rennen begann. Hinter sich hörte er Petes Schritte.

# 25. Kapitel

Weg. Nur weg. Panisch kroch Susannah die Treppe hoch, während Bobby nach der Waffe tastete. Der Teppich war weich und glatt, und Susannah fand nichts, wonach sie mit ihren gefesselten Händen greifen konnte. Eine Hand packte ihren Fußknöchel, und Bobbys Lachen ließ ihr das Blut in den Adern gefrieren.

»Ich hab sie«, flötete Bobby. »Das war's für dich, Vartanian.«
Ein Schuss zerriss die Luft, und Susannah erstarrte und wartete auf den Schmerz. Aber es kam nichts.

Sie drehte sich um und konnte eine Sekunde lang nicht fassen, was sie dort sah. Bobby lag auf der Treppe, ihr Kinn auf einer der Stufen, so dass sie Susannah anstarren konnte. Ihre blauen Augen waren weit aufgerissen und blickten hasserfüllt und überrascht zugleich. Ein Blutfleck auf ihrem Rücken breitete sich rasch auf ihrem T-Shirt aus. Wie erstarrt beobachtete Susannah, wie Bobby erneut die Waffe hob. Ein zweiter Schuss krachte. Bobbys Körper zuckte und fiel dann in sich zusammen, und Bobbys Augen waren plötzlich leer.

Nach Luft ringend, den Blick auf Bobbys erstarrte Augen fixiert, kroch Susannah noch ein paar Stufen aufwärts, bevor sie endlich aufsah. Luke stand schwer atmend und totenblass im Hauseingang, den Arm mit der Waffe schlaff an der Seite. Neben ihm kniete Pete bei Hank Germanio. Steif und fast roboterhaft betrat Luke das Haus, beugte sich über Bobbys

Leiche und nahm ihr die Pistole aus der Hand. Er fühlte ihren Puls, dann sah er zu Susannah auf. »Sie ist tot.«

Vor Erleichterung ließ sich Susannah einfach auf die Stufen sinken. Ihr Körper begann zu zittern. Und dann war Luke bei ihr, schlang seine Arme um sie und zog sie an sich. »Hat sie dir etwas getan?«, flüsterte er eindringlich.

»Ich weiß es nicht.« Sie schmiegte sich an ihn und gab sich seinem Trost hin. »Ich glaube nicht.« Die Angst und das Entsetzen ebbten endlich weit genug ab, so dass sie wieder Luft holen konnte. Sie rückte ein Stück ab, um in sein Gesicht zu sehen. »Hank ist tot. Sie hat ihn umgebracht.«

»Ich weiß. Ich habe den Schuss gehört. Ich dachte, sie schießt auf dich.« Lukes dunkle Augen glänzten vor Furcht und Kummer. »Hank sollte auf mich warten.«

»Ihn trifft keine Schuld. Bobby hat ihn reingelockt. Ich wollte ihn warnen, aber es war zu spät. Er hat versucht, mein Leben zu retten, und musste dafür sterben.« Sie warf Pete einen Blick zu, der noch immer neben Germanio kniete. »Talia ist unter der Treppe. Bobby hat sie angeschossen.«

Sofort sprang Pete auf und stemmte die Schulter gegen die Tür zu der kleinen Kammer unter der Treppe, als gleichzeitig zwei uniformierte Polizisten vorsichtig durch die Eingangstür spähten.

»Agent Papadopoulos?«, fragte einer, und Luke ließ Susannah behutsam los, bis sie auf der Treppe zum Sitzen kam. Unter ihnen zersplitterte Holz. Pete hatte die Tür aufgebrochen.

»Sie lebt«, rief Pete keuchend vor Anstrengung. »Oh, verdammt, Talia, wie siehst du denn aus?«

Pete beugte sich in das Kämmerchen, während Luke Susannahs Fesseln löste und ihr sanft die Handgelenke massierte. Schließlich fasste er sich und wandte sich zu den Officers um.

590

»Es besteht keine Gefahr mehr«, sagte er. »Wir rufen die Spurensicherung und den Gerichtsmediziner. Können Sie die Sanitäter hereinrufen? Agent Scott muss sofort ins Krankenhaus.«

»Nein!«, ertönte es lautstark aus dem Kämmerchen unter der Treppe. Pete hatte Talia offensichtlich den Klebestreifen vom Mund gezogen. Susannah hörte zorniges Flüstern, dann kam Pete heraus.

»Alles okay«, sagte er zu den Officers. »Danke.« Als die Polizisten gegangen waren, zog Pete Talia unter der Treppe hervor. Ihre Hände und Füße waren noch immer zusammengebunden. Ihre Hose war blutdurchweicht, und ihre Augen schleuderten zornige Blitze.

»Mach mir diese verdammten Fesseln ab«, presste sie hervor. »*Bitte.*«

Pete schloss ihr die Handschellen auf und drückte sie sanft auf den Rücken. »Die Sanitäter kommen schon.«

»Nein!« Talia stemmte sich hoch, bis sie saß. »Es ist schlimm genug, dass sie mich erwischt hat. Ich will wenigstens auf eigenen Füßen hinausgehen.« Luke und Pete nahmen sie jeweils an einem Arm und hievten sie hoch. Sie verzog das Gesicht, und ihre Wangen färbten sich dunkelrot. »Das ist demütigend«, murmelte sie.

»Was ist passiert?«, fragte Luke vorsichtig.

Talias Funkeln war trotzig. »Das Miststück hat mich eiskalt erwischt. Mit einem Elektroschocker.«

»Und wie konnte sie dich eiskalt erwischen?«, wollte Pete wissen.

»Ich … war gerade nicht hundertprozentig bei der Sache. Ich hatte etwas im Auge.« Ihr Blick warnte die Männer, nicht weiter nachzuhaken, aber Susannah erinnerte sich an Talias brüchige Stimme, kurz bevor Bobby aufgetaucht war. »Nun ist das Biest tot«, murmelte Susannah. »Und Germanio auch.«

Talias wütendes Funkeln erstarb. »Ja, ich habe es gehört. Und ich habe auch gehört, wie Sie mit Luke telefoniert haben. Kluge Strategie. Luke, hol Arthur Vartanians Tagebücher aus dem Arbeitszimmer. Darin wird alles erklärt. Pete, schaff mich hier raus und lass es so aussehen, als würde ich allein gehen. Bitte.«

Pete half ihr hinaus, zögerte aber einen Moment, bevor er sie über Germanios Leiche hievte.

»Verdammt, Hank«, murmelte er. »Ich gebe Chase durch, was passiert ist, und frage nach, wo sich die anderen aufhalten.«

»Welche anderen?«, wollte Susannah wissen. »Meint ihr Charles Grant? Ich habe in Arthurs Büchern über ihn gelesen. Ihr habt ihn noch nicht?«

»Noch nicht. Kannst du gehen?«, fragte Luke.

»Ja.« Sie klammerte sich ans Geländer und schob sich vorsichtig an Bobby vorbei, wobei sie den albernen Wunsch unterdrücken musste, nach der toten Frau zu treten. Luke half ihr die letzte Stufe hinab, dann zog er sie ungestüm in die Arme.

»Ich bin okay«, flüsterte sie.

»Ich weiß.« Er schauderte. »Ich sehe dennoch immer wieder, wie sie die Pistole auf dich richtete. Susannah, wir haben Aufzeichnungen gefunden, die du lesen musst.«

»Später«, sagte sie müde. »Ich habe für heute genug gelesen.«

»Ich bringe dich zu mir nach Hause. Da hast du ein wenig Ruhe.«

»Ich will keine Ruhe.« Sie musterte Germanios Leiche, dann sah sie hastig zur Seite. »Ich will nicht denken müssen. Ich will … gestärkt werden.«

Er sah sie stirnrunzelnd an. »Wie bitte?«

Sie sah zu ihm auf. »Kannst du mich zu deinen Eltern bringen?«

Das brachte ihn zum Lächeln, obwohl die Sorge in seinen Augen nicht nachließ. »Das kann ich tun. Bleib hier. Ich hole die Tagebücher deines Vaters, dann verschwinden wir.« Er betrat das Arbeitszimmer, und Susannah hörte ihn fluchen. »Heiliger Strohsack. Hier liegt ja ein halbes Vermögen!«

»Die Bücher sind weit mehr wert«, sagte sie. Und fügte murmelnd hinzu: »Sie sind Gerechtigkeit wert.« Dann erstarrte sie, und ein Schrei blieb ihr in der Kehle stecken, als sich eine Hand fest über ihren Mund legte. Die Mündung eines Laufs presste sich gegen ihre Schläfe. *Schon wieder. Verdammt noch mal.*

»Weswegen diese Bücher das Haus auch nicht verlassen werden.« Die seidige Stimme flüsterte direkt in ihr Ohr. *Charles Grant.* »Und du auch nicht, meine Liebe.«

Luke kniete sich mit einem Bein neben den Safe und gab sich einen kurzen Augenblick lang den Nachwirkungen seiner Angst hin. *O Gott.* Sein Magen krampfte sich zusammen. Zu deutlich sah er noch vor seinem inneren Auge, wie Susannah auf allen vieren die Treppe hinaufkroch, während die Mündung einer Pistole auf ihren Kopf zielte. Würde er dieses Bild je aus seinem Kopf verbannen können? *Sie ist in Sicherheit.* Er hörte die Worte in seinem Kopf, aber sein Herz hämmerte noch immer viel zu heftig. Vielleicht würde er es eines Tages glauben können. Vielleicht.

Er holte tief Luft und erhob sich mit so vielen Büchern in den Armen, wie er tragen konnte. Doch dann hielt er verwirrt inne. Ein scharfer Benzingeruch drang in seine Nase. Er wandte sich um, und der Schock wurde rasch durch blanken Hass ersetzt. Wieder hielt jemand Susannah eine Pistole an den Kopf.

Charles Grant stand auf der Schwelle, Susannah vor sich. Ein Benzinkanister stand an seiner Seite, und über seine Schulter war ein Rucksack geschlungen, in dem sich etwas Eckiges befand, offenbar ein Kasten mit einigem Gewicht. An einem Riemen am Rucksack war der Gehstock befestigt. Ein Blick auf Grants Füße zeigte ihm dieselben Schuhe, die er auf Mansfields körnigem Foto entdeckt hatte.

»Agent Papadopoulos«, sagte er sanft. »Tut mir sehr leid, dass ich vorhin nicht zu Hause war, um Sie willkommen zu heißen. Unhöflicherweise ist mir Ihr Besuch nicht offiziell angekündigt worden.«

Lukes Gedanken begannen zu rasen. *Nutze, was du weißt.* Er sah Susannah nicht an, denn er wusste, dass seine Angst um sie ihn zu sehr ablenken würde. Er musste sich ausschließlich auf Grant konzentrieren.

»Oh, wir brauchten keine Hausführung. Wir haben gefunden, wonach wir gesucht haben. Und nun wissen wir alles, Mr. Grant.«

Charles lächelte. »Ich kann mir vorstellen, dass Sie das denken.«

Luke musterte ihn eingehend. »Vielleicht haben Sie recht. Vielleicht wissen wir nicht alles. Zum Beispiel, wie Sie ungesehen hier hereinkommen konnten. Schließlich bewachen Streifenwagen das Haus.«

»Es gibt einen Weg, der zum hinteren Eingang führt«, sagte Susannah tonlos.

»Über diesen Weg kamen auch Arthurs nächtliche Besucher«, fügte Charles hinzu.

»Und so wollen Sie auch wieder von hier verschwinden?«,

fragte Luke. »Sich klammheimlich hinausschleichen wie all die anderen Kriminellen?«

»Wohl kaum. Lassen Sie die Bücher fallen, und legen Sie die Waffe auf den Boden.«

*Er wartet auf Paul Houston.* Luke konnte nur hoffen, dass Chase noch immer wusste, wo sich der Polizist gerade aufhielt. »Nein, ich denke nicht, dass ich das tun werde.«

»Dann töte ich sie.«

»Das werden Sie sowieso tun. Das wollten Sie doch immer schon.«

»Sie haben keine Ahnung, was ich immer schon tun wollte«, sagte Charles verächtlich.

»Oh, vielleicht doch. Weil ich nämlich eine ganze Menge mehr weiß, als Sie glauben.« Er hielt einen Moment inne. »Ray, nicht wahr? Ray Kraemer.«

Charles erstarrte, und seine Augen blitzten wütend auf. »Nun wird sie unter Schmerzen sterben.«

»Ja, und ich weiß, dass Sie Ihre eigene Methode haben. Ich habe Richter Borenson gefunden. Sie sind ein krankes Schwein.«

»Tja, dann habe ich wohl nichts mehr zu verlieren, nicht wahr?«, sagte Charles. »Sie werden mich doch sowieso wegen Mordes anklagen.«

Die Stimme des Mannes war ruhig, doch seine Hand hatte Susannahs Schulter so fest gepackt, dass die Knöchel sichtbar hervortraten. »Mehrere Morde, Ray«, sagte Luke. »Wir haben auch Ihre Tagebücher gefunden.«

»Dann zählt einer mehr oder weniger ja nicht.«

»Sie haben auch Tagebücher geführt?«, entfuhr es Susannah.

»Derart arrogant waren Sie und Arthur? Beide?«

»Arrogant? Vielleicht.« Charles warf ihr einen amüsierten Blick zu. »Dein Vater war Anwalt. Es lag ihm im Blut, penibel aufzuschreiben, was er für wichtig hielt. Und ich bin Englisch-lehrer, meine Liebe. Schreiben ist immer schon mein Metier gewesen.«

»Arthur war nicht mein Vater, und Sie sind ein kaltblütiger Mörder«, fauchte Susannah.

»Du sagst das, als sei es etwas Widerwärtiges«, erwiderte Charles genüsslich. »Dabei ist Töten eine Kunst. Eine Leiden-schaft. Wenn es gut gemacht wird, ist es extrem befriedi-gend.«

»Und wenn Sie jemanden so weit bringen können, dass er für Sie tötet?«, schloss sie.

»Ah, du hast es verstanden. Das ist die Krönung des Ganzen. Agent Papadopoulos. Ihre Waffe.« Charles stieß die Mündung gegen Susannahs Schläfe, und sie zuckte unwillkürlich zusam-men. »Am besten jetzt.«

Luke ging in die Knie und legte die Bücher behutsam auf den Boden. Er warf Susannah einen kurzen Blick zu und entdeck-te, dass sie mit verengten Augen jede seiner absichtlich lang-samen Bewegungen beobachtete. Luke war sich ziemlich sicher, dass Grant Susannah noch nicht erschießen würde. Er brauchte eine Geisel, um das Haus zu verlassen, sobald Paul Houston angekommen war.

»Sie schinden Zeit, Mr. Grant«, sagte Susannah. »Oder Mr. Kraemer. Oder wie immer Sie genannt werden wollen. Worauf warten Sie? Sie halten mir eine Waffe an den Kopf. Warum töten Sie mich nicht jetzt?«

Luke wusste, dass sie Charles mit Absicht reizte. Offenbar war ihr klar, dass Luke vorhatte, ihn aus der Reserve zu lo-cken. Dennoch wurde sein Mund bei ihren Worten knochen-trocken.

»Willst du sterben, Susannah?«, fragte Charles freundlich.

»Nein. Aber ich frage mich, warum Sie offenbar Zeit … totschlagen. Statt meiner.«

Charles lachte leise. »Du warst immer schon so schlau wie Daniel, und das mit weit weniger Irrsinn, als in Simon steckte.«

»Wo wir gerade von Simon sprechen«, fuhr sie fort. »Wussten Sie die ganze Zeit, dass er noch am Leben war?«

Er lachte wieder leise. »Wer, denkst du, hat ihm wohl beigebracht, die Rolle des alten Mannes so gut zu spielen?« Lukes Magen krampfte sich erneut zusammen. Simon Vartanian hatte seine Opfer in der Verkleidung eines alten Mannes angelockt. Und in dieser Verkleidung hatte er auch Susannah in New York nachgestellt.

»Sie?«, hauchte Susannah. »Sie haben es ihm beigebracht?«

»O ja. Simon dachte allerdings, dass es ganz allein seine Idee gewesen war, dir in dem Park in New York aufzulauern. Es war immer am besten, ihn im Glauben zu lassen, dass alles auf seinem Mist gewachsen war, obwohl er selten die Fäden in der Hand hielt. Du dagegen … Bei dir hätte ich Großes erreichen können.« Sein Lächeln verschwand. »Aber du wolltest nicht mitspielen. Du bist mir aus dem Weg gegangen.«

»Ich war ein Vergewaltigungsopfer.« Ihre Stimme bebte nun vor Zorn. »Und Sie wussten das.«

»Ich muss zugeben, dass du mich überrascht hast. Ich hätte nie gedacht, dass du die Geschichte mit Darcy gestehst. Es muss hart gewesen sein, der ganzen Welt zu erklären, wie pervers man ist. Wie tief man gefallen ist. Darcy hat nicht mehr als vier Wochen gebraucht, um dich so weit zu bekommen.«

Ihre Hände ballten sich zu Fäusten. »Sie haben Marcy Linton dazu benutzt, reiche Männer zu erpressen, die auf Sex mit Minderjährigen standen.«

»Ich habe ihr die Chance gegeben, sich das Geld fürs College zu verdienen«, sagte er unumwunden.

»Sie ist ja nicht einmal aufs College gegangen. Sie haben Sie getötet. Warum? Warum mussten Sie sie töten?«

Charles' emotionslose Fassade wurde durch einen Ausdruck kalter Wut ersetzt. »Deinetwegen. Du hast sie mir verdorben. Sie wurde weich.«

»Darcy hatte ihre Meinung geändert, nicht wahr? Ich kann mich noch daran erinnern, dass sie es mir ausreden wollte. Aber es war dieses besondere Datum, der Jahrestag meiner Vergewaltigung.« Verbittert schloss sie die Augen. »Ich wollte der Welt und ganz besonders mir beweisen, dass ich mein Leben unter Kontrolle hatte. Aber das hatte ich nie. Sondern Sie. Sie haben von Anfang an alles in die Wege geleitet, Sie mieses Schwein. Alles. Sie haben Toby Granville und Simon auf die Idee gebracht, mich zu vergewaltigen. Sie sind ein verdammter Feigling!«

Luke konnte sehen, dass Grants Griff sich ein wenig lockerte – dass seine Hand auf ihrer Schulter einen kurzen Augenblick erschlaffte –, als sich Susannah auch schon losriss. Doch der alte Mann hatte erstaunlich gut funktionierende Reflexe. Er packte erneut zu und rammte ihr den Lauf der Waffe so fest gegen den Kopf, dass sie einen Schrei ausstieß. Sein Unterarm legte sich um ihren Hals, und sie umklammerte den Arm, um noch atmen zu können. Luke, der noch immer mit einem Bein kniete, kam unwillkürlich hoch.

»Kleine Schlampe«, zischte Charles. »Papadopoulos, Waffe auf den Boden, sofort, oder ich breche ihr den gottverdammten Hals. Es wird aussehen, als ob sie lebt, so dass ich meinen menschlichen Schild noch nutzen kann.«

Luke legte seine Pistole auf den Boden. »Okay. Ich bin unbewaffnet.«

»Die anderen auch.«

»Ich habe keine mehr«, log Luke. »Ich trage Stiefel, keine Schuhe wie Sie. Ich mag Ihre Schuhe, Ray Kraemer. Sie haben uns geholfen, Sie zu identifizieren.« Er redete nun rasch, um Charles keine Möglichkeit zu geben, sich zu beruhigen. »Mansfield hat im Bunker heimlich Fotos gemacht. Zur Absicherung. Oder aus Rache. Jedenfalls hat er auch jemanden mit einem Gehstock fotografiert, dessen linker Schuh ein wenig höher war als der rechte. Sie humpeln, weil Michael Ellis Sie in Vietnam angeschossen hat. Und Sie im Dschungel zum Sterben liegen ließ wie einen Hund. Ihr linkes Bein ist nicht richtig verheilt, und daher brauchen Sie heute einen Stock.« Luke hoffte inständig, dass Susannah auf das achtete, was er sagte.

»Ruhe«, presste Charles hervor.

»Und so planten Sie Ihre Rache an Ellis. Sie machten seinen Sohn ausfindig und formten ihn so, dass er bald ganz Ihnen gehörte. Und das tut er immer noch, nicht wahr, Ray Kraemer?« Jedes Mal, wenn er Charles' echten Namen benutzte, zuckte dieser zusammen. »Er ist Ihnen natürlich extrem nützlich als Polizist. Sie glauben, dass er herkommt, um Sie zu holen, aber Sie irren sich. Wir haben Paul Houston schon längst in Gewahrsam, und er wird für eine lange, lange Zeit ins Gefängnis verschwinden.«

Hektische Flecken bildeten sich auf Charles' Wangen. »Nein. Sie können ihn nicht haben.«

*Bleib bei mir, Susannah.* »Zu spät, Ray Kraemer. Ich habe ihn schon. Paul gehört mir. Sie sind nur ein *Krüppel*.« Und beim letzten Wort trat Susannah Charles mit aller Kraft gegen das linke Bein, so dass er das Gleichgewicht verlor und sie mit zu Boden riss. Charles landete schwer auf seinem Rucksack, und der harte Gegenstand darin presste ihm die Luft aus den Lungen. Susannah nutzte diesen Augenblick und wand und wehrte sich wie eine gefangene Katze.

Sobald sie sich losgerissen hatte, sprang Luke vor, packte Charles' Handgelenk mit beiden Händen und stieß ihm den Ellbogen gegen die Gurgel. Aber der alte Mann war weit stärker, als es den Anschein hatte. Lukes Muskeln brannten vor Anstrengung, bis er das trockene Knacken des Handgelenkknochens und Charles' heiseren Aufschrei hörte. Charles' Finger ließen die Pistole los, und Luke setzte sich auf die Brust und packte den alten Mann an der Kehle.

»Du dreckiges Schwein«, presste er hervor. Seine Hände drückten zu und schüttelten Charles, bis er um Luft rang. Luke spürte den Knorpel unter seinen Fingern nachgeben. *Töte ihn.* Er zog seine Faust zurück, aber erstarrte dann. Der alte Mann war bewegungsunfähig, unbewaffnet, verletzt. *Töte ihn.* Luke konnte die Worte in seinem Kopf hören, ein primitiver Gesang, der durch jede Faser seines Körpers pulsierte. *Töte ihn. Töte ihn mit bloßen Händen. Töte ihn für Susannah.* Für Monica und Angel und Alicia Tremaine und jedes andere Opfer.

*Nein.* Die andere Stimme in seinem Kopf war leise, aber bestimmt. *So ein Mensch bist du nicht.* O doch, das war er doch. Aber so *wollte* er nicht sein. Angewidert von sich und wütend auf die leise, vernünftige Stimme packte Luke Charles am Kragen, hievte ihn in eine sitzende Position und beugte sich vor.

»Ich hoffe, irgendein mieser Kerl im Gefängnis bringt dich um.«

Charles' Lippen verzogen sich höhnisch, als gleißender Schmerz durch Lukes Bizeps fuhr, und zu spät sah er die kurze Klinge in Charles' anderer Hand. *Dreckschwein.*

»Ihr seid so schwach«, grunzte Charles, während er sich wand und mit der gesunden Hand nach der Waffe tastete. »So schwach und berechenbar.«

Und dann war das Übelkeit erregende Geräusch von brechenden Knochen zu hören.

Charles' Kopf flog zurück und schlug so hart auf dem Teppich auf, dass er davon abprallte. Verdattert blickte Luke auf. Susannah stand über ihm und hielt den Gehstock wie einen Baseballschläger. Ihre Augen blickten wild und fiebrig, als sie auf den Mann herabstarrte, der ihr Leben zerstört hatte.

»Ich bin nicht schwach«, sagte sie. »Nicht mehr. Nie mehr.«

Luke nahm sanft ihre Hand und zog daran, bis sie ihn ansah. »Du warst noch nie schwach. Du bist die stärkste Frau, die ich je gesehen habe.«

Ihre Schultern fielen nach vorne, und sie musste plötzlich nach Luft ringen. »Habe ich ihn umgebracht? Bitte sag, dass ich es getan habe.«

Luke hielt Charles zwei Finger an den Hals. »Ja, Liebes, ich glaube schon.«

»Gut«, sagte sie grimmig. Sie ließ den Stock fallen. Einen Moment lang sahen sie einander nur stumm an und versuchten, wieder zu Atem zu kommen. Dann hörten sie eine Stimme am Hintereingang.

»Hallo? Jemand hier?« Es war Chase.

Luke stieß erleichtert die Luft aus und erhob sich. Sein verletzter Arm brannte wie Feuer und blutete, aber zum Glück hatte Charles keine lebenswichtigen Organe getroffen. »Wir sind hier, Chase.« Mit dem gesunden Arm zog er Susannah an sich und vergrub sein Gesicht in ihrem Haar. »Wir haben es geschafft.«

Sie nickte an seiner Brust. »Aber du bist verletzt.«

»Ich werd's überleben.«

Sie hob den Kopf und schenkte ihm ein zittriges Lächeln. »Dein Glück.«

Er erwiderte das Lächeln. »Du könntest allerdings erste Hilfe leisten. Deine Bluse ausziehen und in Streifen reißen, um mich zu verbinden, oder so ähnlich.«

Endlich erreichte das Lächeln auch ihre Augen. »Ich glaube fast, dass die Sanitäter richtiges Verbandsmaterial haben. Ich werde die Anfrage eventuell später bearbeiten.«

»Lieber Himmel.« Chase blieb auf der Schwelle stehen und betrachtete schockiert die Szenerie. »Was ist denn hier passiert?«

»Was? Was ist los?« Ein anderer Mann schob sich an Chase vorbei, und Luke öffnete den Mund zur Warnung, sah jedoch noch rechtzeitig Chases Blick.

»Das ist Officer Houston«, sagte Chase ernst. »Er sucht einen Verdächtigen, dem er bis hierher gefolgt ist. Natürlich haben wir ihm sofort unsere Unterstützung angeboten. Houston, ist das Ihr Mann?«

Houston stolperte vorwärts und starrte entsetzt auf den Toten. »Nein.«

»Das ist nicht Ihr Mann?«, fragte Chase behutsam.

Houston fiel neben Charles auf die Knie. »O Gott. Nein!« Er sah auf, und der Kummer verwandelte sich in blanken Hass, als sein Blick auf Susannah fiel. »Du! Du hast ihn umgebracht!«

Ihr wich auch der Rest Farbe aus dem Gesicht. »Du ... du hast mich vergewaltigt.« Sie sah erst Luke an, dann Chase. Verwirrt. »Er ist es. Tut doch was. Verhaftet ihn.«

»Du hast ihn umgebracht.« Houston sprang auf die Füße und stürzte sich auf Susannah. »Du Miststück.«

Doch Chase und vier Officers, die plötzlich neben ihm auftauchten, packten ihn und überwältigten ihn rasch. Schluchzend wehrte sich der Mann mit halber Kraft. »Du hast ihn umgebracht. Du Miststück hast ihn umgebracht. Er war mein. Mein. Mein.«

»Tja, nun ist er tot, tot, tot«, sagte Susannah kalt.

»Nehmen Sie ihn mit«, sagte Chase. »Und vergessen Sie nicht, ihm seine Rechte vorzulesen.« Dann wandte er sich an Susannah. Seine Miene war zerknirscht. »Es tut mir leid. Aber wir mussten eine eindeutige Verbindung zu Charles Grant herstellen, sonst hätten wir möglicherweise nur Aussagen von Leuten gehabt, die er erpresst hat. Die Dienstaufsichtsbehörde wollte einen Beweis, also ließen wir ihn herkommen in der Hoffnung, sie beide zusammen zu erwischen.«

»Susannah hat Charles niedergeschlagen, als er nach der Waffe gegriffen hat«, sagte Luke. »Es war Notwehr.«

»Ja, ich weiß.« Chase zog sich einen Mikrostöpsel aus dem Ohr. »Pete hat uns alles berichtet.« Er zeigte auf das Fenster. Pete stand draußen und sah zu, wie Houston abgeführt wurde. »Er hat gesehen, dass Charles Sie in der Gewalt hatte, und die Verstärkung koordiniert. Ein Scharfschütze hatte Charles fast die ganze Zeit im Visier. Wir haben nur auf den richtigen Moment gewartet.« Nun sah er Lukes Wunde. »Sie sind verletzt.«

»Nur ein Kratzer.« Das war gelogen, aber er machte sich größere Sorgen um Susannah. »Wie geht's dir?«

»Gut«, sagte sie, was genauso gelogen war. Nachdenklich musterte sie den Gehstock. »He, den Griff kann man abmachen.« Sie drehte ihn ab und schnappte nach Luft, als sie ihn umdrehte. Das Symbol der Swastika, dieselbe Größe wie das Brandzeichen auf ihrer Hüfte. »Er war in jener Nacht also auch in dem Hotel.« Sie warf einen Blick auf Charles' Rucksack. »Ich will sehen, was darin ist. Ich muss es wissen.«

»Das sollen Sie auch«, sagte Chase. »Sobald das Labor mit dem Schauplatz fertig ist und der Gerichtsmediziner sich der Leichen angenommen hat, werden wir die Aussagen aufnehmen. Sie beide lassen sich in der Ambulanz durchchecken, und denken Sie nicht einmal daran, mit mir zu diskutieren. Ich wusste, dass Grant Ihnen eine Waffe an den Kopf hielt, aber ich musste so tun, als sei nichts, um mir Houston nicht durch die Lappen gehen zu lassen.« Und die Erschöpfung in seiner Miene zeugte davon, wie schwer es ihm gefallen war.

»Tut mir leid, Chase«, sagte sie. »Sie haben recht. Luke braucht wirklich medizinische Hilfe. Ich habe dreizehn Jahre gewartet, um alles zu begreifen. Ich kann noch ein paar Stunden länger warten.«

*Atlanta,*
*Montag, 5. Februar, 17.30 Uhr*

»Klopf, klopf«, sagte Susannah, und Monica Cassidy blickte lächelnd auf.

»Mom, sieh nur.«

Mrs. Cassidy erhob sich, beträchtlich gelassener als bei ihrem letzten Zusammentreffen. »Susannah, Agent Papadopoulos, bitte kommen Sie rein. Was ist geschehen?«

Lukes Arm lag in einer Schlinge, nachdem das, was er als »Kratzer« bezeichnet hatte, mit zwanzig Stichen genäht worden war. Susannah hatte von ihrem Kampf mit Bobby ein blaues Auge und eine gebrochene Rippe davongetragen.

»Wir haben uns mit den Schurken gehauen«, sagte Susannah leichthin.

Monicas Blick wurde vorsichtig. »Und?«

Susannah wurde ernst. »Und ihnen in ihre jämmerlichen Hintern getreten.«

Monicas Lippen verzogen sich zu einem Grinsen. »Und haben Sie sie in die Hölle gesperrt?«

»O ja, und ob«, sagte Luke. »Die Frau, die Genie entführen ließ, und den Mann, den du im Bunker gehört hast. Beide schmoren für immer in der Hölle.«

»Gut«, sagte Monica. »Was ist mit Beckys kleinen Schwestern?«

Lukes Lächeln verblasste. »Wir suchen noch. Wir konnten sie an der Adresse nicht mehr finden. Es tut mir leid.«

Monica schluckte. »Ich weiß, dass Sie nicht alle retten können, Agent Papadopoulos, aber können Sie bitte wirklich gründlich suchen? Bitte?«

Luke nickte. »Versprochen. Das werde ich.«

»Danke«, flüsterte sie.

»Aber es gibt auch gute Nachrichten«, sagte Mrs. Cassidy und streichelte Monicas Hand. »Agent Grimes hat uns vorhin angerufen. Aus Charlotte.«

»Man hat meinen Vater gefunden. Sein Wagen ist zwar auf den Grund des Sees gesunken, aber er konnte sich retten und ans Ufer schwimmen.«

»Als man ihn fand, hatte er nichts bei sich, anhand dessen man ihn identifizieren konnte. Ein guter Samariter hat ihn ins Krankenhaus geschafft, wo er bis heute Morgen bewusstlos war. Er wurde künstlich beatmet, weswegen er nicht viel sagen konnte. Ein Kollege von Agent Grimes hat sein Foto in allen Notfallambulanzen der Gegend herumgezeigt, bis er ihn gefunden hatte.«

»Agent Grimes hat gesagt, der Mann, der meinem Vater das angetan hat, sei in eine laufende Ermittlung verwickelt, daher dürfe er uns im Augenblick nichts Genaues sagen«, sagte Monica. »Können Sie uns mehr sagen?«

Luke nickte. »Wir haben den Mann in Gewahrsam. Sobald ich das Krankenhaus verlasse, sage ich Agent Grimes Bescheid. Ich bin sehr froh, dass dein Daddy am Leben ist, Monica. Und du siehst auch wieder sehr gut aus.«

»Ich bin seit heute Morgen aus der Intensivstation entlassen. Vielleicht darf ich bald wieder echtes Essen zu mir nehmen.« Ihr Lächeln wurde zittrig. »Vielen, vielen Dank. Wenn Sie beide nicht gewesen wären und mich gefunden hätten …«

Susannah drückte ihre Hand. »Aber das haben wir ja. Du hast überlebt. Sieh nicht zurück.«

Monica nickte. »Sie auch nicht. Und fühlen Sie sich nicht immer schuldig, Susannah.«

Susannahs Kehle verengte sich. »Ich versuch's.« Sie küsste Monica auf die Stirn. »Bleib gesund.«

»Das haben Sie auch gemacht, als Sie glaubten, dass ich es nicht merken würde«, flüsterte Monica. »Aber ich war bei Bewusstsein. Und es hat mir Trost gespendet.«

Susannah rang sich ein Lächeln ab, obwohl ihre Augen brannten. »Lass dich mal blicken, Mädchen.«

Lukes Hand glitt über Susannahs Rücken. »Ich habe in einer halben Stunde ein Meeting, wir sollten jetzt gehen. Wenn Sie uns aus irgendeinem Grund brauchen, rufen Sie uns bitte an.«

Sie schwiegen, bis sie Lukes Wagen erreichten. »Hast du es ernst gemeint?«, fragte sie.

Er sah sie verwirrt an. »Was?«

»Du hast Monica gesagt, dass du weiterhin nach Beckys kleinen Schwestern suchen würdest. Hast du das ernst gemeint?«

»Ich habe es ihr doch versprochen«, sagte Luke. »Also ja.«

»Heißt das, dass du dich doch weiterhin mit Internetverbrechen beschäftigen wirst?«

»Ja. Dieser Fall sollte eigentlich eine Pause von meiner Arbeit sein, aber ich musste trotz allem in ›die Kammer.‹ Vielleicht ist das mein Schicksal. Zumindest im Augenblick.« Dann wurde sein Blick dunkel. »War das dein Ernst, oder gehörte das nur zu deiner Geheimbotschaft?«

Sie wusste, was er meinte. Als sie geglaubt hatte, Bobby würde sie umbringen, war es ihr gut und richtig und notwendig vorgekommen, ihm zu sagen, dass sie ihn liebte. Nun aber … »Ja, soweit ich im Augenblick weiß. Aber vielleicht ist das nicht gut genug für dich.«

»Susannah, wenn ich so einen Blödsinn höre, könnte ich schreien. Du hast so viel Gutes in dir, das weder Arthur Vartanian noch Charles Grant auslöschen konnten. Sag nie wieder, dass du nicht gut genug bist. Nie wieder.«

»Es macht mir Angst«, murmelte sie. »Ich weiß nicht, wie es ist, mit jemandem zusammen zu sein. Aber ich möchte es lernen.«

»Ich möchte es dir beibringen.« Er küsste ihre Wange. »Und jetzt los, oder wir kommen zu spät zu unserer großen Enthüllung.«

Er hatte die Worte bisher nicht erwidert. Sie war nicht sicher, ob es sie enttäuschte oder erleichterte, daher versuchte sie, es mit Lockerheit zu überspielen. »Wehe, jemand öffnet die Büchse des Charles Grant ohne unser Beisein.«

»Ich kann mir nicht vorstellen, dass es jemand wagen würde.«

Luke hatte recht gehabt. Alle hatten sich um den Konferenztisch versammelt und warteten auf sie. Pete, Talia, Nancy, Chase, Ed, Chloe. In den vergangenen Tagen hatte Susannah erfahren, dass sie diesen Menschen ihr Leben anvertrauen konnte. Der Platz neben Chloe war leer. Jemand hatte ein schwarzes Tuch darübergehängt. Hank Germanio. Der Anblick des Stuhls tat Susannah weh.

Charles Grants Elfenbeinkästchen stand auf dem Tisch. Daneben stapelten sich Notizbücher, die einst Arthur Vartanian gehört hatten, außerdem die Aufzeichnungen, die sie aus Charles Grants Haus geholt hatten. Daneben lag ein schlichter A4-Umschlag.

Susannah ließ sich neben Luke nieder. »Haben Sie schon in das Kästchen geblickt?«

»Ed ja«, sagte Chase, »um sich zu vergewissern, dass nichts explodiert, weder reell noch bildlich betrachtet.«

Eds Miene war neutral. Er ließ sich nichts anmerken.

»Was ist in dem Umschlag?«, fragte Luke.

»Der stammt von Borenson«, antwortete Chase. »Er hat Anweisungen hinterlassen, dass man seinen Bank-Safeschlüssel den Behörden übergeben soll, falls er eines unnatürlichen Todes sterben oder vermisst werden sollte.«

»Und das war der Schlüssel, den wir in Granvilles feuersicherer Kassette gefunden haben«, sagte Nancy. »Wir glauben, dass Grant Toby Granville beauftragt hat, die Unterlagen zu finden, aber Granville hat stattdessen nur den Schlüssel gefunden. Er passt zum Schließfach einer Bank in Charleston. Und das dürfte der Grund sein, warum Grant Borenson gefoltert hat. Er wollte wissen, wo dieser die Papiere aufbewahrte. Sie belasten alle Beteiligten.«

»Borensons Anwalt hat erst heute Morgen erfahren, dass sein Mandant verschwunden war«, fuhr Chase fort, »und brachte uns das hier vorbei, während wir alle in Dutton waren. Borensons Unterlagen beschreiben die Fehde zwischen Arthur Vartanian und Charles Grant noch einmal aus seinem Blickwinkel und fügen ein paar hübsche Extras hinzu, wie zum Beispiel den echten Totenschein für die Leiche, die im Familiengrab beerdigt wurde, und Belege für Charles Grants wahre Identität, die ihm offenbar Angie Delacroix verschafft hat. Sieht aus, als habe die Dame auch noch ein paar Asse im Ärmel gehabt.«

»Es wäre fein gewesen, wenn die Betreffenden sich ein wenig früher gemeldet hätten«, sagte Susannah ohne jegliche Ironie. »Bevor Unmengen von Menschen sterben mussten. Haben Sie Angie Delacroix verhaftet?«

»Ja«, sagte Chloe. »Sie hat an Charles Grants Erpressung teilgehabt, ob nun willentlich oder nicht.«

»Und wir haben Paul Houston überredet, uns zu erzählen, womit er Leigh erpressen konnte«, fügte Pete hinzu.

Susannahs Magen krampfte sich zusammen, als sie Houstons Namen hörte. »Und wie?«

»Wie wir ihn dazu überredet haben, es uns zu erzählen?«

»Ja.«

Pete warf Chloe einen Blick zu, die an die Decke sah. »Paul ist auf dem Weg zum Streifenwagen gefallen – ein- oder zwei mal. Er hat über den Verlust von Grant so sehr geweint, dass er wohl nicht darauf geachtet hat, wohin er tritt.«

»Es ist wirklich tragisch, dass manche Cops zwei linke Füße haben«, murmelte Chloe.

»Nicht wahr?«, bestätigte Pete. »Nun, vor ungefähr zwei Jahren wurden drei kleine Kinder getötet, als sie einen Zebrastreifen überqueren wollten. Ein herankommender Wagen überfuhr versehentlich eine Ampel und erwischte die Kinder. Ein Fall von Fahrerflucht. Houston bekam ihn zugeteilt.«

Luke atmete hörbar aus. »Leigh war die Fahrerin?«

»Ja.« Pete schüttelte den Kopf. »Houston spürte sie recht schnell auf, sagte ihr aber, dass er sie nicht verhaften würde. Irgendwann würde er sie brauchen. Und in der vergangenen Woche hat er sie gebraucht.«

»Wir haben Jeff Katowsky Houstons Foto gezeigt«, sprach Chloe weiter. »Katowsky war der Kerl, der versucht hat, Beardsley zu ermorden. Er hat Houston als die Person identifiziert, die ihn erpresste. Genau dasselbe wie bei Leigh. Houston verschonte ihn im Austausch für zukünftige Gefallen.«

»Houston hat nicht zufällig auch Tagebuch geführt?«, fragte Susannah sarkastisch.

Pete lächelte schief. »Nein. Aber er ist gewillt zu reden. Er fürchtet sich vor Georgias Gefängnissen.«

»Und vor New Yorks«, fügte Chloe hinzu. »Al Landers will ihn wegen Vergewaltigung anklagen. Ihre nämlich. Sie hatten nie eine Chance, sich mit Granville oder Simon auseinanderzusetzen, aber Houston können Sie gegenübertreten. Und ihn gleichzeitig ans Messer liefern.«

Talia beugte sich vor. »Natürlich nur, wenn Sie wollen.«

Susannah fühlte, wie jeder Muskel in ihrem Körper entspannte. »O ja. Ich will. Danke.«

Einen Moment lang waren alle still, dann deutete Chase auf das Elfenbeinkästchen. »Machen Sie's auf.«

Mit ruhigen Händen zog Susannah die Handschuhe über, die

Ed ihr reichte, und hob den Deckel. Dann sah sie auf. »Schachfiguren? Mehr nicht?«

Ed schüttelte den Kopf. »Unter der Dame befindet sich ein Mechanismus mit Feder. Drücken Sie.«

Sie tat es. »Seine Marken.« Sie zog die Kette mit den militärischen Kennzeichen heraus und ließ sie an zwei Fingern herabbaumeln. »Ray Kraemer.«

»Und ein Geschoss, das alt aussieht«, murmelte Luke. »Vielleicht das, das in seinem Bein steckte.«

»Kann sein. Und ein Foto.« Susannah hielt den Atem an. »Ein jüngerer Charles Grant mit einem älteren Asiaten in einem typischen Gewand. Seht nur, den Spazierstock hat Grant schon damals gehabt.«

Sie drehte das Bild um. »›Ray Kraemer und Pham Duc Quam, Saigon 1975‹.«

Nancy betrachtete die Schrift. »Das hat Grant geschrieben. Ich habe den ganzen Tag seine Aufzeichnungen gelesen.«

»Ich habe mir Ray Kraemers und Michael Ellis' Armeeunterlagen zuschicken lassen«, sagte Chase. »Kraemer geriet 67 in Gefangenschaft, Ellis 68. In der Akte wird der Verdacht geäußert, dass Ellis gefangen genommen wurde, als er desertieren wollte, aber man konnte es ihm nicht nachweisen. Er floh aus dem Kriegsgefangenenlager, irrte angeblich drei Wochen im Dschungel umher und stieß schließlich auf ein amerikanisches Lager. Kraemer gilt als vermisst. Bis heute.«

»Laut Foto war Grant 1975 noch da«, sagte Susannah. »Erst im folgenden Jahr kehrte er in die USA zurück und machte Paul ausfindig. Was hat er in der Zwischenzeit getan? Und wer ist dieser Mann?«

»Auf jeden Fall scheinen sie sich gut zu verstehen«, sagte Luke und gab das Foto weiter.

»Wir haben ähnliche Gewänder wie das auf dem Foto in Grants Schrank gefunden«, sagte Pete. »Noch vor kurzem getragen.«

»Hier ist der Asiat wieder«, sagte Susannah und entfaltete ein dünnes, altes Blatt Papier. »Aber er trägt etwas anderes. Sieht wie eine Art Werbung aus. Der Name steht drauf, dann *thây bói*.«

»Ich habe es mir bereits übersetzen lassen«, sagte Ed. »Pham war oder ist ein Wahrsager.«

»Und warum hat Grant das behalten?«, fragte Susannah stirnrunzelnd.

»Weil er nicht nur reiche Bürger aus Dutton erpresst, sondern auch vielen reichen Frauen in Dutton die Zukunft vorausgesagt hat. Und zwar für viel Geld«, erklärte Nancy. »Er hat sich genau notiert, was er ihnen gesagt hat, und Dritte bezahlt, damit bestimmte Vorhersagen in Erfüllung gingen. Susannah, Ihre Mutter war auch eine Kundin von ihm.«

»Ich hab's mir fast schon gedacht. Arthur schrieb irgendetwas von buddhistischem Voodoozauber, vor dem meine Mutter Angst gehabt hatte.«

»In Arthurs Tagebuch steht, dass Borenson ihm den Totenschein für Simon verschaffte, bevor Sie überhaupt von dem Unfall gehört haben. Und Grant schreibt in seinen Aufzeichnungen, dass er am Tag vor Simons ›Tod‹ Ihrer Mutter prophezeite, dass sich eine große Tragödie anbahnte.«

»Also muss Borenson Grant von dem Totenschein erzählt haben.« Susannah holte weitere gefaltete Blätter heraus. »Sieht beinahe wie Ankündigungen aus. Plakatwerbung.«

Ed nahm sie ihr aus den Händen. »Hier steht, dieser Pham sei ein Heiler. Hier wiederum ist er ein Medium. Und hier wird darauf verwiesen, dass es Eintritt kostet.«

»Klingt nach faulem Zauber«, bemerkte Pete an Nancy gewandt und zog das untere Augenlid herab. »Infam.«

»Pete.« Nancy stöhnte. »Der infame Pham? Aua.«

Susannahs Mundwinkel zuckten. Sie nahm ein kleines Buch, kaum größer als ihre Hand, aus dem Kästchen. »Schon wieder ein Tagebuch.« Sie verengte die Augen. »Winzige Handschrift. Der erste Eintrag stammt vom Dezember 1968. ›*Heute ist mir bewusst geworden, dass ich nicht sterben werde. Aber ich will niemals den Zorn vergessen, den ich spüre. Der Mann hat mir dieses Buch gegeben, also werde ich alles aufschreiben, um niemals zu vergessen. Eines Tages werde ich mich rächen. An den USA, die mich in der Hölle vergessen haben, und an Mike Ellis. Er wird sich wünschen, die Kugel, die für mich bestimmt war, sich selbst in den Kopf gejagt zu haben.*‹«

Sie blätterte weiter und überflog die Einträge. »Ray Kraemer schnitt sich die Kugel aus dem Bein, nachdem Ellis ihn hat liegen lassen. Er kroch durch den Dschungel, bis er irgendwann das Bewusstsein verlor. Er erwachte fiebernd in einer Hütte und wurde von einem Vietnamesen gesund gepflegt. ›*Ich hätte nie geglaubt, dass ich mal einem von ihnen dankbar sein würde. Aber dieser Kerl hat mich gerettet. Keine Ahnung, warum.*‹«

Sie fuhr fort. »›*Er heißt Pham. Er gibt mir Nahrung und ein Dach über dem Kopf. Zum ersten Mal seit einem Jahr bin ich satt und habe es trocken. Zuerst dachte ich, Pham sei ein Arzt oder vielleicht ein Lehrer oder Priester, aber heute habe ich begriffen, dass er ein Meister der Täuschung ist, ein Betrüger. Ein Chamäleon. Er hat das unheimliche Talent, zu begreifen, was die Leute in ihm sehen wollen, und genau das zu sein. Er gibt ihnen etwas Bedeutungsloses, das sie glücklich macht, und nimmt sie dann aus wie eine Weihnachtsgans. Wir haben heute gut gegessen.*‹«

»Und so fing es an«, bemerkte Chase leise, aber Susannah las weiter.

»›Heute habe ich endlich begriffen, warum Pham mich gerettet hat. Er brauchte einen Leibwächter. Ich bin größer als seine Feinde. Heute hat ihn jemand angegriffen und ihn einen Dieb genannt. Auch wenn es stimmt, werden wir so etwas nicht hinnehmen. Ich packte den Mann am Kragen. Ohne auch nur anzuhalten, sagte Pham, ich solle ihn töten, also brach ich ihm das Genick und warf ihn zur Seite. Ein großartiges Gefühl. Niemand in diesem Dorf wird uns je wieder belästigen.‹« Sie blätterte um. »Und so geht es weiter. Er schreibt von Reisen, Abenteuern, von Menschen, die er für Pham umgebracht hat.« Ihre Augen wurden vor Entsetzen größer. »Mein Gott. Das sind ja Dutzende.«

Luke nahm ihr das Buch aus der Hand und blätterte zum Ende. »›Pham ist krank. Es wird nicht mehr lange dauern. Er sagt, ich solle nach Hause gehen und den Mann finden, der mich damals im Dschungel liegen ließ. Ich will ihn töten, aber Pham sagt, es gäbe weisere Methoden. Ich solle das suchen, was der Mann am meisten liebt, und es ihm nehmen.‹ Drei Tage später schreibt er: ›Pham ist tot.‹ Und eine Woche danach: ›Es ist unbedingt Zeit, dass ich nach Hause gehe. Ellis wollte seinen Sohn suchen. Ich werde Ellis finden und seinen Sohn töten. Ellis wird zusehen.‹«

»Aber er hat Paul nicht getötet«, sagte Chloe. »Warum nicht?«

Susannah griff noch einmal in die Schublade und ertastete ganz hinten ein Foto. Grant mit einem jungen Paul. »Ich denke, Paul ist ihm ans Herz gewachsen. Alles hier drin stammt aus seinem Leben, bevor er Charles Grant wurde. Nur das Bild nicht.«

Talia seufzte. »Wahrscheinlich hat Charles ihn auf seine eigene Art geliebt.«

Luke schüttelte den Kopf. »Nein. Charles hat ihn vereinnahmt. Er hat ihn benutzt. Er hat ihn manipuliert, um seine Ziele zu erreichen. Das hat nichts mit Liebe zu tun.«

Bei Lukes vehementen Worten weiteten sich Talias Augen. »Okay …«

Aber Susannah verstand. Luke hatte versprochen, es ihr beizubringen. Und das war ihre erste Lektion gewesen. *Nein, nicht die erste.*

Er tat eigentlich nichts anderes, als ihr beizubringen, was Liebe und Anstand bedeuteten. Sie drückte sein Knie unterm Tisch. »Sie alle haben mir die Unterstützung, die ich brauchte, gegeben, als ich mich für einen bestimmten Weg entscheiden musste, und dafür möchte ich Ihnen danken.«

Ed musterte sie ernüchtert. »Das klingt wie ein Abschied, Susannah. Kehren Sie nach Hause zurück?«

»Nach New York? Nein. Da gibt es nichts, wonach ich mich sehne.« Sie stieß ein schnaubendes Lachen aus. »Und sicher auch nicht in Dutton. Von dieser Stadt möchte ich mein Leben lang nichts mehr hören.«

»Da geht es uns anderen sicher nicht anders«, bemerkte Chase trocken. »Und was haben Sie vor?«

»Tja. Zunächst haben Daniel und ich viel aufzuholen.« Unter dem Tisch hielt Luke ihre Hand fest. »Und dann haben wir da all die Menschen, die mein … die Arthur Vartanian in den vergangenen Jahren erpresst hat. Dieses Unrecht muss wiedergutgemacht werden, und es sollte so etwas wie Entschädigungen geben. Ich werde einen guten Zivilrechtler brauchen.« Sie warf Chloe einen reuigen Blick zu. »Und einen Anwalt für Strafrecht wohl auch.«

»Wir haben die Klage wegen unerlaubten Mitführens einer Waffe im Austausch für Ihre Mithilfe an der Aufklärung diverser Verbrechen fallenlassen.« Chloe lächelte. »Sie hatten einen guten Anwalt.«

Susannah spürte die Erleichterung bis tief ins Mark. »Danke.«

Auch Luke seufzte. »Dank Ihnen, Chloe.« Er stand auf. »Meine Mutter hat gesagt, sie habe für eine Armee gekocht, und wer kommen will, ist herzlich eingeladen.« Er schenkte Susannah ein Lächeln, das sie wärmte. »Entschädigungen können auch bis morgen warten. Heute feiern wir.«

Es war ein stilles Begräbnis gewesen: wenige Reporter, noch weniger Trauergäste. Eine Handvoll Deputys, die unter Frank Loomis gedient hatten, trugen den Sarg. Es gab keine Ehrenbekundungen, keine Salutschüsse, niemand spielte auf der Trompete *Taps.*

Daniel saß ernst und bleich in seinem Rollstuhl, Alex stand hinter ihm, Susannah daneben. Luke hielt ihre Hand.

»Er war mein Vater«, murmelte Susannah. »Und ich habe ihn nicht einmal gekannt.«

Daniel sah zu ihr auf. »Dafür war er für mich ein viel besserer Vater, als Arthur je gewesen ist. Es tut mir leid, dass du ihn nie kennenlernen konntest.«

An der anderen Seite der Grabstelle stand Angie Delacroix, ebenfalls sehr blass. Sie war in Begleitung eines uniformierten Polizisten gekommen.

Susannah drückte Daniels Hand. »Ich bin gleich zurück.«

Luke kam mit ihr, und sie war froh darüber. Hand in Hand blieben sie vor Angie Delacroix stehen. »Miss Angie«, begann Susannah. »Ich muss es wissen. Haben Sie mir neulich die Wahrheit gesagt?«

»Alles, was ich gesagt habe, war die Wahrheit. Frank wusste nicht, was man dir angetan hatte. Er hätte etwas unternommen. Er war zu Tode betrübt, dass er sich nicht als dein Vater zu erkennen geben durfte.«

Tatsächlich tröstete sie das ein wenig. »Und warum haben Sie es mir gesagt?«

»Weil Charles es so wollte.« Beinahe trotzig hob sie ihr Kinn. »Aber ich hätte es ohnehin getan. Für Frank. Du hast seine Augen.« Sie seufzte. »Frank war ein besserer Mensch, als er selbst glaubte.«

Susannah hatte inzwischen den größten Teil von Charles' Tagebüchern gelesen. Sie wusste, dass er sich Angie Delacroix' bedient hatte, die über jeden Klatsch Bescheid gewusst hatte. Aufgrund ihrer Informationen konnte er die reichen Bürger von Dutton erpressen, und sie brachte ihm außerdem wohlhabende Damen der Gesellschaft, die an seine seherischen Fähigkeiten glauben wollten. »Sie haben meine Mutter zu Charles geführt.«

»Sie hatte Geld. Charles wollte es. Aber es tut mir furchtbar leid, dass man dich mit hineingezogen hat.«

»Warum? Warum haben Sie all die Jahre getan, was er wollte?«

Angies Augen füllten sich mit Tränen. »Weil Paul noch immer mein Sohn war.«

Luke zog an Susannahs Hand. »Komm, Liebes. Die Familie wartet.«

*Die Familie.* Die Worte reichten aus, um die Traurigkeit zu verscheuchen. Susannah ging mit Luke zu der Stelle, an der Mama Papa und Lukes Vater, Leo, Mitra, Demi und Alex standen, und wurde in eine kollektive Umarmung gezogen, die ihr gleichzeitig ein Lachen und ein Weinen entlockte. Es war ein wunderschönes Gefühl. *Ich gehöre zu ihnen. Und ich bin glücklich.*

»Komm«, sagte Mama Papa und nahm ihren linken Arm. »Gehen wir nach Hause.«

Mitra hakte sich an Susannahs rechter Seite ein. »Und nachher gehen wir einkaufen.«

Luke winkte ihr zu. »Ich schiebe Daniels Rollstuhl. Nehmt Alex mit.«

»Schön.« Daniel musste sich räuspern, als die Frauen zu plappern begannen, um Susannahs Stimmung aufzuhellen. »So etwas hat Suze nie zuvor gehabt.«

»Jetzt kann sie so viel davon haben, bis es ihr zu den Ohren wieder herauskommt.« Luke schob den Rollstuhl mit dem gesunden Arm durch die weiche Erde.

»Was hast du jetzt mit meiner Schwester vor?«, fragte Daniel vollkommen ernst.

Luke musste ein Grinsen unterdrücken. *Zum Beispiel das, was ich gestern Nacht und heute Morgen mit ihr getan habe.* Aber er verlieh seiner Stimme einen ebenso ernsten Tonfall. »Ich könnte sagen, dass dich das nichts angeht.«

»Würdest du aber nicht«, erwiderte Daniel trocken.

»Ich will, dass sie glücklich ist. Ich will, dass sie sich nie mehr fragen muss, wer ihre Familie ist.«

Daniel verschränkte die Arme vor der Brust. »Dir ist hoffentlich klar, dass wir beide unter Umständen eine verwandtschaftliche Beziehung haben werden.«

»Falls ich es richtig mache, ja. Damit käme ich durchaus zurecht. Du nicht?«

»Doch.« Daniel schwieg einen Moment. »Ich hätte auch nichts dagegen, Onkel zu werden.«

Luke grinste. »Tja, dann muss ich es wohl *wirklich* richtig machen.«

*Dank an*

Danny Agan, der mir alle Fragen zur Polizeiarbeit beantwortete.

Shannon Aviles für die Unterstützung und die tollen Ideen.

Doug Bryon für seine Hilfe bei Fragen zur DNA-Bestimmung.

Kay Conterato, die, als sie im Krankenhaus lag, für mich recherchierte, wie die Plaketten des Personals funktionierten.

Marc Conterato für sein medizinisches Fachwissen – meine angeschossenen, niedergestochenen und vergifteten Figuren danken es dir ebenfalls.

Myke Landers, der mir von seinen Erfahrungen in einem Kriegsgefangenenlager in Vietnam berichtete. Ihr Vertrauen hat mich geehrt, Ihre Geschichte hat mich verändert. Vielen Dank.

Angela Maples, die weiß, wie man Wirkstoffe und Medikamente nachweist.

Shirley McCarroll, Tommy Gianides, Suzanne Verikios und Jan Sarver, die mir so viel über griechische Familien und ihre Bräuche erzählt haben.

Frank Quellette dafür, dass er mir all meine Fragen zum Chattahoochee River beantwortet hat.

Nate VanNess für seine Informationen zu Internetprovidern.

Terri Bolyard, Kay Conterato und Sonie Lasker, die mir immer heraushalfen, wenn ich steckengeblieben bin. Ihr seid großartig.

Karen Kosztolnyik, Vicki Mellor und Robin Rue für alles, was ihr tut, damit meine Träume wahr werden.

Wie immer habe ich alle Fehler selbst zu verantworten.

≈ Hat Karen Rose, unsere Thriller-Queen, Sie mit *Todes-spiele* in Ihren Bann ziehen können?

≈ Haben Sie mit der Heldin Susannah Vartanian mitgefie-bert und mitgelitten?

≈ Haben Sie Lust auf einen weiteren spannenden und atem-beraubenden Thriller von Karen Rose?

**Dann entdecken Sie auf den nächsten Seiten eine neue und packende Story aus der Feder der amerikanischen Bestsel-lerautorin:**

Karen Rose

# *Todesstoß*

Thriller

**erschienen im Knaur Verlag**

# *Prolog*

*Minneapolis,
Samstag, 13. Februar, 21.10 Uhr*

Sie war gehemmt. Nervös. Eine graue Maus. Mitte vierzig und bieder in ihrem hässlichen, braunen Kostüm, obwohl sie sich offensichtlich für diese Gelegenheit extra schick gemacht hatte. Die Mühe hätte sie sich sparen können.

Martha Brisbane war genau so, wie er es erwartet hatte. Er beobachtete sie nun schon fast eine geschlagene Stunde. Sobald sich die Tür des überfüllten Cafés öffnete, setzte sie sich erwartungsvoll auf, und wenn ein Mann eintrat, begannen ihre Augen zu leuchten. Aber die Männer gingen jedes Mal an ihr vorüber, ohne sie zu beachten. Und jedes Mal wurde das Leuchten in ihren Augen ein bisschen weniger. Dennoch harrte sie aus und behielt die Tür im Blick. Aber nach einer Stunde war aus der Erwartung in ihrer Miene Verzweiflung geworden. Er fragte sich, wie wenig Selbstwertgefühl ein Mensch haben musste, um so lange vergeblich zu warten. Zu hoffen.

Es gefiel ihm, die Träume solcher Menschen wie Seifenblasen zum Platzen zu bringen.

Schließlich sah sie mit einem Seufzen auf ihre Armbanduhr und griff nach Tasche und Mantel. Eine Stunde, sechs Minuten und zweiundvierzig Sekunden. Nicht schlecht. Wirklich nicht schlecht.

Hinter der Theke warf ihr der Kellner durch seine Hornbrille einen mitfühlenden Blick zu. »Es schneit. Vielleicht ist er aufgehalten worden.«

Martha senkte resigniert den Kopf. »Ja, wahrscheinlich.«

Der Kellner schenkte ihr ein aufrichtiges Lächeln. »Und Sie fahren bitte vorsichtig nach Hause.«

»Mach ich.«

Das war sein Stichwort. Er schlüpfte aus der Seitentür und beobachtete, wie Martha Brisbane, den Mantelkragen gegen den kalten Wind hochgeschlagen, auf ihren alten Ford Escort zustöckelte, die aufgequollenen Füße in Pumps mit fünf Zentimeter hohen Absätzen gezwängt. Sie schaffte es in den Wagen, bevor sich die Schleusen öffneten, und als die Tränen erst einmal strömten, hörte Martha nicht mehr auf. Sie weinte, als sie den Parkplatz verließ, und sie weinte noch, als sie auf den Highway einbog. Es war ein Wunder, dass sie nicht von der Straße abkam und tödlich verunglückte.

*Fahr vorsichtig, Martha. Ich möchte, dass du unversehrt zu Hause ankommst.*

Als sie vor ihrer Wohnung hielt, waren die Tränen versiegt, und sie schniefte. Ihr Gesicht war verquollen und rot. Sie hievte die schweren Tüten Katzenstreu und Futter, die sie vor ihrer geplatzten Verabredung gekauft hatte, aus dem Kofferraum und stolperte die Treppe zur Haustür hinauf.

Im Foyer des Mietshauses gab es eine Überwachungskamera, aber sie war kaputt. Dafür hatte er schon vor einigen Tagen gesorgt. Er lief die Treppen hinauf und öffnete ihr die Tür.

»Sie haben die Hände voll. Darf ich Ihnen helfen?«

Sie schüttelte den Kopf und brachte ein zittriges Lächeln zustande. »Nein, es geht schon. Aber vielen Dank.«

Er erwiderte das Lächeln. »War mir ein Vergnügen.« Und es würde bald ein noch viel größeres sein.

Niedergeschlagen schleppte sie sich die drei Stockwerke zu ihrer Wohnung hoch und schwankte auf ihren hohen Absätzen unter dem Gewicht der Einkaufstaschen. Sie achtete nicht auf ihre Umgebung, und daher entging ihr, dass er hinter ihr lauerte.

Martha stellte die Tüten ab und kramte nach ihrem Schlüssel. *Herrgott, ich habe nicht den ganzen Abend Zeit. Nun mach schon.* Endlich hatte sie aufgeschlossen, hievte die Tüten wieder hoch und drückte die Tür mit der Schulter auf.

*Jetzt.* Er sprang vor, presste ihr die Hand auf den Mund und zog sie mit einer geschmeidigen Bewegung in die Wohnung. Sie wehrte sich, versuchte, mit den schweren Taschen auszuholen, doch er drückte die Tür zu, lehnte sich dagegen und zog sie mit einem Ruck an sich. Wie durch Zauberhand beendete der Pistolenlauf an ihrer Schläfe ihre Gegenwehr.

»Halt still, Martha«, flüsterte er, »vielleicht lasse ich dich leben.« Nicht, dass das in Frage gekommen wäre. *Ganz sicher nicht.* »Stell die Taschen ab.«

Sie ließ sie zu Boden fallen.

»Besser«, murmelte er. Sie zitterte nun vor Angst, und genauso mochte er es.

Die Worte, die von seiner Hand gedämpft wurden, klangen wie »Bitte, bitte«. Das sagten seine Opfer immer. Und er mochte höfliche Opfer.

Verächtlich sah er sich um. Ihre Wohnung war ein einziges Chaos, überall lagen Zeitungen, Bücher und Magazine herum. Ihr Schreibtisch mit dem Computer war mit Papieren, benutzten Kaffeebechern und Haftnotizen zugemüllt.

Ihre Kleidung stammte noch aus den Neunzigern, aber der Rechner war brandneu und supermodern. Er hätte es sich denken können. Für ihre Ausflüge ins Land der Phantasie war das Beste gerade gut genug.

Er drückte den Lauf der Waffe fester an ihren Kopf und spürte, wie sie zusammenzuckte. »Ich nehme jetzt die Hand weg. Wenn du schreist, bringe ich dich um.«

Manchmal schrien sie. Immer brachte er sie um.

Er ließ seine Hand von ihrem Mund zu ihrem Hals gleiten. »Tun Sie mir nichts«, wimmerte sie. »Bitte. Ich gebe Ihnen auch alle Wertsachen. Nehmen Sie, was Sie wollen.«

»Oh, das werde ich«, sagte er. »Desiree.«

Sie erstarrte. »Woher wissen Sie das?«

»Weil ich alles über dich weiß, Martha. Womit du wirklich dein Geld verdienst. Was du magst. Und wovor du dich am meisten fürchtest.« Ohne die Pistole von ihrer Schläfe zu nehmen, holte er die Spritze aus seiner Manteltasche. »Ich sehe alles. Ich weiß alles. Bis zum Zeitpunkt deines Todes. Und der wird heute Nacht kommen.«

# 1. Kapitel

*Minneapolis,*
*Sonntag, 21. Februar, 18.35 Uhr*

Noah Webster, Detective der Mordkommission, blickte in die weit aufgerissenen, leeren Augen von Martha Brisbane und stieß ein Seufzen aus. Das weiße Atemwölkchen hing einen Moment lang so reglos in der frostigen Luft wie die Frau vor ihm. Tiefe Trauer, kalte Wut und eine klamme Furcht legten sich wie Blei auf seine Brust.

Es hätte ein unspektakulärer Tatort sein sollen. Martha Brisbane hatte sich auf konventionelle Art erhängt. Sie hatte einen Strick über einen Haken an ihrer Schlafzimmerdecke geworfen und eine Schlinge geknüpft. Dann war sie auf einen gepolsterten Schemel gestiegen und hatte ihn umgetreten. Nicht ganz dem üblichen Bild entsprach allerdings, dass sie das Fenster aufgemacht und die Heizung abgedreht hatte. Der Winter Minnesotas hatte die Leiche gut gekühlt. Den Todeszeitpunkt zu bestimmen, würde höllisch schwer werden.

Wie viele Selbstmörder, hatte sie sich zu diesem Anlass besonders zurechtgemacht und mit schwerer Hand Make-up aufgetragen. Der Rock ihres roten Kleids mit dem gewagten Ausschnitt war um ihre Beine festgefroren. Die Schuhe, sexy Stilettos mit mindestens zwölf Zentimter hohen Absätzen, waren ihr von den Füßen gefallen. Einer war umgekippt, der andere steckte aufrecht im Teppich.

Es hätte ein unspektakulärer Tatort sein müssen.

Aber so war es nicht. Und während Noah in die leeren Augen des Opfers blickte, rann ihm ein Schauder über den Rücken, der nicht auf die eisige Kälte in Martha Brisbanes Schlafzimmer zurückzuführen war. Er und seine Kollegen sollten glauben, dass sie sich umgebracht hatte. Sie sollten sie als eine weitere von diesen typisch deprimierten Singlefrauen mittleren Alters abhaken, den Fall als erledigt betrachten und sich ohne einen weiteren Gedanken anderen Dingen zuwenden.

Das zumindest hatte die Person, die sie hier aufgehängt hatte, beabsichtigt. Und warum auch nicht? Beim letzten Mal hatte es ja auch funktioniert.

»Die Nachbarin hat sie gefunden«, sagte der Officer, der zuerst am Tatort gewesen war. »Die Spurensicherung ist unterwegs, die Gerichtsmedizin auch. Brauchen Sie sonst noch etwas?«

*Oder können wir die Akte schließen?*, lautete die unausgesprochene Frage. Noah riss sich von dem Anblick der Toten los und wandte sich an den Officer. »Das Fenster, Officer Pratt. Stand es offen, als Sie eintrafen?«

Pratt zog die Stirn leicht in Falten. »Ja. Niemand hat etwas angefasst oder verändert.«

»Vielleicht die Nachbarin, die Sie gerufen hat?«, hakte Noah nach. »Kann sie das Fenster geöffnet haben?«

»Sie ist gar nicht in der Wohnung gewesen. Sie hat an die Tür geklopft, aber als niemand antwortete, ist sie außen über die Feuerleiter geklettert, um es am Fenster zu versuchen. Sie hat geglaubt, die Frau würde schlafen, weil sie nachts arbeitet. Aber dann hat sie das hier gesehen und uns gerufen. Wieso?«

*Weil ich diese Szene schon einmal gesehen habe.* Und dieses grausige Déjà-vu drohte ihm die Luft abzuschnüren. Die Leiche, der Hocker, das offene Fenster. Ihr Kleid und die Schuhe, einer gekippt, der andere aufrecht stehend. *Und die Augen.*

Noah hatte sie nicht vergessen können. Die Lider des Opfers waren festgeklebt gewesen, selbst im Tod war es noch dazu verdammt, mit weit aufgerissenen Augen ins Leere zu starren. Das hier würde übel werden. Sehr, sehr übel.

»Tun Sie mir den Gefallen und suchen Sie den Hausmeister«, sagte er. »Ich warte auf die Spurensicherung und die Gerichtsmedizin.«

Officer Pratt warf ihm einen scharfen Blick zu. »Und auf Detective Coverboy?«

Noah zog innerlich eine Grimasse. Dass Jack Phelps sich noch nicht hatte blicken lassen, war leider nicht ungewöhnlich. Sein Partner war momentan nicht ganz bei der Sache. Höflich ausgedrückt. Tatsächlich war er seit einiger Zeit ausgesprochen unzuverlässig.

»Detective Phelps ist unterwegs«, sagte er zuversichtlicher, als er sich fühlte.

Pratt grunzte, zog aber schließlich auf der Suche nach dem Hausmeister ab, und Noah hatte Mitleid mit Jack. Selbst diejenigen Officer, die ihn nie kennengelernt hatten, maßten sich ein Urteil über ihn an. *Und das nur wegen dieses Zeitschriftenartikels.* In einem Bericht über die Mordkommission waren sie als Supermänner porträtiert worden. Aber Jacks Konterfei hatte das Cover geziert, so dass sich der Groll und der Neid der anderen auf ihn konzentrierte.

Andererseits hatte Jack seinen Ruf als oberflächlicher Partylöwe und Frauenheld nicht erst, seit die Zeitschrift vor drei

Wochen erschienen war, und das war traurig, denn wenn Jack sich auf das Wesentliche konzentrierte, war er ein verdammt guter Cop. Noahs Partner hatte eine sehr rasche Auffassungsgabe und erkannte häufig Zusammenhänge, die anderen entgingen.

Wieder blickte Noah in die leeren Augen von Martha Brisbane. Sie würden jeden scharfen Verstand brauchen, den sie kriegen konnten.

Sein Handy summte. *Jack.* Aber es war sein Cousin Brock, von dessen Esstisch Noah fortgerufen worden war. Brock und seine Frau Trina waren ebenfalls Cops und nahmen es ihm nicht übel. In einer Polizistenfamilie waren Sonntage, in denen alle bis zum Schluss beim Essen sitzen bleiben konnten, eine Seltenheit.

Noah sparte sich die Begrüßung. »Bin beschäftigt.«

»Dein Partner auch«, gab Brock zurück. Brock war nach dem Essen noch in Sal's Bar gegangen, um sich das Spiel anzusehen. Was bedeutete, dass auch Jack im Sal's war. *Verdammt.*

»Ich habe ihn *zweimal* angerufen«, brachte Noah wütend hervor. Beide Anrufe waren auf der Mailbox gelandet.

»Er ist mit seiner neusten Eroberung hier. Soll ich mit ihm reden?«

Noah sah ein letztes Mal in die leblosen Augen von Martha Brisbane und spürte Zorn in sich aufkochen. Es war nicht das erste Mal, dass Jack trotz Bereitschaftsdienst anderweitig beschäftigt war, aber, bei Gott, es würde das letzte Mal sein. »Nein. Ich hole Officer Pratt her, dann komme ich selbst.«

*Sonntag, 21. Februar, 19.15 Uhr*

Lindsay Barkley wachte schreiend auf. Hunde. Knurrende, zähnefletschende Hunde. *Lauf.* Aber sie konnte nicht laufen. Sie war gefesselt und konnte nicht laufen. Sie hatten sie erreicht, fielen über sie her, ihre Fänge schlugen in ihr Fleisch …

Sie schrie, und die schrecklichen Zähne verschwanden. Das Knurren verstummte.

*Ein Traum.* Keuchend schnappte sie nach Luft. *Es war nur ein böser Traum.* Ein Alptraum, dachte sie, als sie langsam wieder zu sich kam. Sie versuchte, sich zu bewegen, und das Entsetzen kehrte mit betäubender Macht zurück. *Das ist kein Alptraum.* Das Bett, an das sie festgebunden war, war echt, genau wie der dunkle Raum. Stricke schnitten ihr in Hand- und Fußgelenke. Die Luft war trocken. Ihr Mund fühlte sich so ausgedörrt an, als hätte sie Kreide geschluckt, und das Kissen unter ihr roch nach Schweiß und Erbrochenem. Ihre Augen brannten höllisch.

Sie versuchte zu blinzeln, aber ihre Augen starrten einfach nur in die Finsternis. Die Lider waren festgeklebt. Sie war nackt. Und sie fror. *Nein. Das kann nicht wirklich geschehen.*

»Hilfe.« Was in ihrem Geist wie ein schriller Schrei klang, drang als heiseres Wispern aus ihrer Kehle. Trocken. Ihr Hals war zu trocken zum Schreien. *Er wird mich umbringen.*

*Nein. Ich kann entkommen. Denk nach. Denk schon nach.* Sie erinnerte sich noch, dass sie in den Fußraum der Rückbank seines SUV gestoßen worden war, dann an das Pieksen einer Nadel an ihrem Hals.

Dabei hatte er so … so aufrichtig gewirkt. So nett. Und ver-

631

trauenswürdig. Normalerweise setzte sie sich nicht zu ihren Freiern ins Auto, aber es war so kalt draußen gewesen. *Mir ist so kalt. Bitte hilf mir doch jemand.*

Er hatte gesagt, dass er sie irgendwo hinbringen wollte, wo es warm war. Und angenehm. Aber er hatte gelogen. Er war an den Straßenrand gefahren, hatte ihr eine Waffe an die Schläfe gehalten und sie nach hinten gezerrt. Dann hatte er ihr eine Spritze gegeben, gelacht und ihr prophezeit, dass sie von wilden Bestien zerfetzt werden würde, wenn sie erwachte. Dass sie in dieser Nacht sterben würde.

Mit den Hunden hatte er recht behalten. *Ich will nicht sterben. Es tut mir so leid,* betete sie stumm, denn vielleicht hörte Gott ihr doch zu. *Ich darf nicht sterben. Wer soll sich um Liza kümmern?*

Oben öffnete sich eine Tür, schloss sich wieder, und sie hörte das Klacken eines Riegels. *Er kommt.* Dann ging das Licht an, und sie konnte sich umsehen.

*Schuhe.* An den Wänden befanden sich Regale mit mehr Schuhen, als sie je in einem Laden gesehen hatte. Sie standen säuberlich paarweise aufgereiht, die Absätze nach vorn. Dutzende von Schuhen.

Am Ende der obersten Reihe stand ein Paar ausgetretener Pumps mit kleinem Absatz neben den zwölf Zentimeter hohen Stilettos im Leoparden-Design, die sie selbst vor wenigen Stunden aus ihrem Schrank geholt hatte.

*Meine Schuhe. Lieber Gott, bitte hilf mir. Ich schwöre, ich mache auch nie wieder Dummheiten. Ich gehe Burger braten, putzen – egal. Aber lass mich nicht hier sterben.*

Verzweifelt zerrte Lindsay an ihren Fesseln, während er langsam die Treppe herunterkam. Wieder wollte sie schreien, und wieder kam nur ein heiseres Krächzen heraus.

Seine Miene verzerrte sich wütend, als er in ihr Sichtfeld trat. »Du bist wach. Seit wann bist du wach? Verdammt noch mal. Ich war doch nur fünf Minuten weg.«

»Bitte«, flehte sie. »Bitte töten Sie mich nicht, ich sag auch niemandem etwas. Ich verspreche, ich verrate nichts.«

Ein jäher Schmerz durchfuhr sie, als sein Handrücken sie über den Mund schlug. Sie schmeckte Blut.

»Ich habe dir nicht zu sprechen erlaubt«, knurrte er. »Du bist nichts, weniger als nichts.«

Das Entsetzen wurde übermächtig. »Bitte.« Der Schmerz war beim zweiten Mal noch schlimmer, als sein Ring sie traf.

»*Ruhe!*« Er war nackt, sein Penis erigiert. Sie zwang sich zur Ruhe. Das hier war bloß Sex. Vielleicht lebte er nur eine Fesselungsphantasie aus. Sie senkte den Blick aus den brennenden Augen zu seiner Leiste und versuchte, anzüglich zu klingen. »Ich mache es schön für dich. Ich kann dir geben, was du brauchst.«

Sie schrie auf, als seine Faust ihre Wange traf.

»Als würde ich etwas von mir in dich stecken«, fauchte er verächtlich. Er schwang sich rittlings auf sie. »Du gibst mir nichts. Ich *nehme* mir, was ich brauche.«

Seine Hände schlossen sich um ihre Kehle und drückten zu. *Kann nicht atmen. Gott, bitte.* Lichter tanzten vor ihren Augen, und sie schlug wild um sich in dem Versuch, Luft zu holen – nur einmal Luft zu holen.

Sein Lachen war weit weg und klang blechern, als befände sie sich in einem Tunnel. Das Letzte, was sie hörte, war sein Stöhnen, als er kam, und sie spürte seinen heißen Samen auf ihrer eiskalten Haut. Und dann ... nichts mehr.

Schwer atmend starrte er in ihr Gesicht, das im Tod erschlafft war. Er löste seine Hände von ihrem Hals und ballte sie zu Fäusten. Es hätte *besser* sein müssen. Er *brauchte* es besser. *Verdammt.* Sie war früher erwacht, als er geplant hatte, so dass er ihre Postsedierungshalluzinationen verpasst hatte. Dabei war der optimale Moment immer *während* einer Halluzination.

Was immer er ihnen einflüsterte, bevor er sie betäubte, blieb ihnen im Bewusstsein, wenn sie wieder erwachten ... Er hatte schon vor langer Zeit festgestellt, dass ihre Angst besser war als jede Droge und seinen Orgasmus gewaltig machte.

Doch das war ihm heute verwehrt geblieben. Sein Atem verlangsamte sich wieder, und seine rasenden Gedanken kamen zur Ruhe. Was das vordringliche Ziel war. Der Orgasmus war nur eine ... eine Extrabeigabe.

Er stieg von ihr herunter und achtete peinlich genau darauf, nicht mit dem Blut, das aus ihrer Lippe quoll, in Berührung zu kommen. Er war immer sehr vorsichtig mit dem menschlichen Müll, den er aufsammelte. Huren und Junkies, total verseucht. *Ekelerregend.*

Es war spät. Er würde sich ihren Gestank abwaschen, sich anziehen und tun, was nötig war. Er hoffte, dass man inzwischen Martha Brisbane gefunden hatte. Er wartete schon seit Tagen, und sein Bedürfnis, zum nächsten Opfer überzugehen, wuchs stündlich. Aber er konnte das nächste erst in Angriff nehmen, wenn die Polizei das letzte gefunden hatte. Das hatte er sich zur Regel gemacht.

Regeln sorgten für Ordnung, und Ordnung kontrollierte das Chaos. Je größer das Chaos, umso größer das Risiko, entdeckt zu werden. Daher hielt er sich an seine Regeln. Penibel.

Er betrachtete die Tote auf dem schmalen Bett. Sie hatte ihren Zweck erfüllt. Eine Zerstreuung, ein Mittel, um einen klaren Kopf zu behalten, während er darauf wartete, dass man Martha fand. Sobald er seinen Verstand auf neue Beute ausgerichtete hatte, musste er in Bewegung geraten. Tat er es nicht, stürmten seine Gedanken zu schnell davon.

*Optionen, Szenarien, Resultate.* All das lenkte ab, und Ablenkungen konnte er sich nicht leisten. In seiner Branche musste er immer bei klarem Verstand sein, immer und überall. Und jetzt mehr denn je.

Er packte den Metallgriff im Betonboden. Die gut geölte Platte bewegte sich lautlos und öffnete die Grube, in die er im Lauf der Jahre schon Dutzende Leichen deponiert hatte. Huren, Junkies. Abschaum, den niemand vermisste. *Die Welt ist ohne sie ein besserer Ort.* Dutzende Opfer, und die Bullen hatten nicht einmal den Hauch eines Verdachts.

Er schnaubte verdächtig. »Moderne Helden«, murmelte er und zitierte die platte Überschrift zu dem Artikel, der angeblich allen Detectives peinlich war. Er wusste es besser. Natürlich fanden sie sich alle großartig und genossen insgeheim das Tamtam, das um sie gemacht wurde.

Dabei waren sie nur Schlägertypen mit großen Ballermännern und kleinen Hirnkästen. Und so leicht zu manipulieren. Das wusste er nur allzu gut, denn er manipulierte sie schon seit vielen Jahren. Sie merkten es nur nicht.

Aber das würde sich ändern. Er würde sie auf ihren Platz verweisen. Sein Plan war erschreckend einfach. Er würde direkt vor ihrer Nase Frauen töten, wie er es seit Jahren tat. Er sah hinab in die Grube. *Aber nicht mehr still und heimlich. Keine Loser der Gesellschaft, die ohnehin niemand vermisst.*

Er dachte an die sechs Frauen, die er ausgewählt hatte. Frauen, die allein lebten, aber Familie und Freunde hatten, die ihren Tod betrauern würden. Und diese würden nicht leise trauern, sondern sich an eine mitfühlende Presse wenden, die rasch die Geduld mit der heroischen Hat Squad verlieren würde.

Und darauf kam es an. Die sechs, die er ausgewählt hatte, würden die Öffentlichkeit aufrütteln und einen Zorn wecken, den seine schmierigen Huren niemals erzeugen konnten.

Ob man je die Ironie seiner Wahl erkennen würde? Seine sechs waren zwar noch nie auf den Strich gegangen oder hatten sich nie Heroin gespritzt, aber sie waren trotz allem Huren und Junkies. Sie gingen ihren Geschäften einfach nur in weniger traditionellen Bahnen nach. *Es sind immerhin Frauen.*

Er hatte seine Vorgehensweise allerdings verändern müssen. Dass er sie herbrachte, war natürlich nicht mehr möglich. Stattdessen hatte er sie in ihren eigenen Wohnungen hinterlassen und gezielt Hinweise gestreut.

Angefasst hatte er sie nicht, er konnte es sich nicht erlauben, die Hände um ihren Hals zu legen. Und er hatte richtig vermutet, dass der Verzicht auf die Berührung das Erlebnis schmälern würde.

Zudem musste er sich zurückhalten, er durfte nicht auf ihnen kommen. Ein Täter, der seine DNS zurückließ, war ein Dummkopf. Die Belastung, zu töten, ohne körperliche Erlösung zu finden, war schwieriger gewesen, als er erwartet hatte, aber die Hure von eben hatte ihm wieder ein wenig Erleichterung verschafft.

Die Sache war es wert. Die Presse würde sich begeistert auf den Serienkiller stürzen und die Polizei als unfähig darstellen. Und wie recht sie damit haben würde. Ein Serienmörder in unserer Mitte, würden die Leute jammern. *Oje.* Wenn sie nur wüssten, dass er schon seit Jahren in ihrer Mitte tötete. *Oje. Wie viele Opfer waren nötig, bevor sie begriffen?* Martha war die dritte von sechs. Aber sie hatten Martha noch nicht entdeckt, und seine Ungeduld wuchs. Zum Glück war er diszipliniert genug, um sich an seinen Plan zu halten. Er zerrte die Leiche zur Grube und rollte sie hinein. Dann warf er ihre Kleider hinterher. Die Schuhe natürlich nicht. Die würde er behalten, wie er es Dutzende Male zuvor getan hatte.

Er zog sich den Arbeitsoverall des Mannes an, der ihm einst die Grube ausgehoben hatte und mit einer Kugel im Kopf als Erster darin gelandet war. Dann schaufelte er Kalk aus der Tonne auf die Leiche, bis sie ganz damit bedeckt war. Ungelöschter Kalk beschleunigte die Zersetzung biologischer Materialien, ohne dass es zu den unappetitlichen Nebenwirkungen wie Gestank und Ungeziefer kam, aber man musste aufpassen. Mit Wasser reagierte diese Substanz heftig, daher hielt er seinen Keller mit einem Luftentfeuchter trocken, was, ganz nebenbei, auch dafür sorgte, dass die Schuhe sich besser hielten. Die Pumps, die er seinem ersten Opfer vor fast dreißig Jahren abgenommen hatte, waren in einem genauso guten Zustand wie die, die er seiner Sammlung erst in den vergangenen Wochen hinzugefügt hatte.

Schließlich gab er Erde auf den Kalk, dann hievte er den Deckel wieder über die Grube, wie er es schon zahllose Male zuvor getan hatte.

Obwohl das Töten seinen Zweck erfüllt hatte, war es nichts im Vergleich zu dem Triumph, den er empfinden würde, wenn die Polizei begriff, dass sie es mit einem echten Serienmörder zu tun hatte.

Sind Sie neugierig geworden?
Lesen Sie weiter in

# *Todesstoß*

von
Karen Rose

Bestsellerautorin Karen Rose
im Knaur Taschenbuch Verlag

# *Todesschrei*

## Thriller

*Schrei so laut du kannst – keiner wird dich hören!*

Er hat eine Vorliebe für mittelalterliche Folterinstrumente. Für diese grausame Kunst überschreitet er jede menschliche Grenze. Er lässt seine Opfer um ihr Leben schreien. Doch dann heften sich Detective Vito Ciccotelli und die Archäologin Sophie Johannsen an seine Fersen, und eine Jagd auf Leben und Tod beginnt ...

# *Todesbräute*

## Thriller

In einer amerikanischen Kleinstadt geschieht ein kaltblütiger Mord an einer jungen Frau. Der Killer hat ihr das Gesicht zertrümmert, sie nackt in eine Decke eingewickelt und in einen Graben geworfen. An ihrem Zeh findet die Polizei einen mysteriösen Schlüssel. Agent Daniel Vartanian übernimmt die Ermittlungen. Ein Serienkiller, der keinen Fehler macht, scheint am Werk zu sein – bis Alexandra Fallon, die Zwillingsschwester eines Opfers, in der Stadt auftaucht ...

Lisa Jackson

# *Angels*
### *Meine Rache währt ewig*

Als Kristi an ihr College in New Orleans zurückkehrt, ist ihr Vater, Detective Bentz, beunruhigt. Vier Studentinnen sind dort spurlos verschwunden. Kristi, die unbedingt Kriminalschriftstellerin werden will, erfährt von einer Sekte, die sich einem mysteriösen Vampir-Kult verschrieben hat. Sie beginnt zu ermitteln. Doch bevor sie sich einen Eindruck von dieser dubiosen Gruppe verschaffen kann, ist sie auch schon in den tödlichen Fängen des Killers …

KNAUR